정비사도 몰래 보는

누드 자동차 모니터링

(주)골든벨R&D 연구센터

KB146640

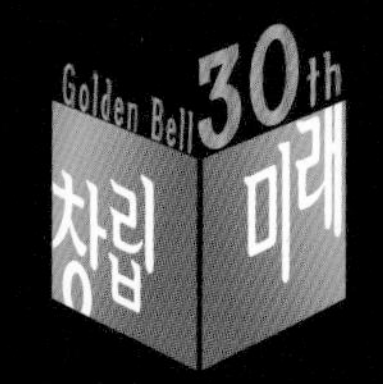

명품 자동차 투시도 77컷

CAR
Structure
Systems

ENGINE / CHASSIS / ELECTRICITY

GoldenBell
www.gbbook.co.kr

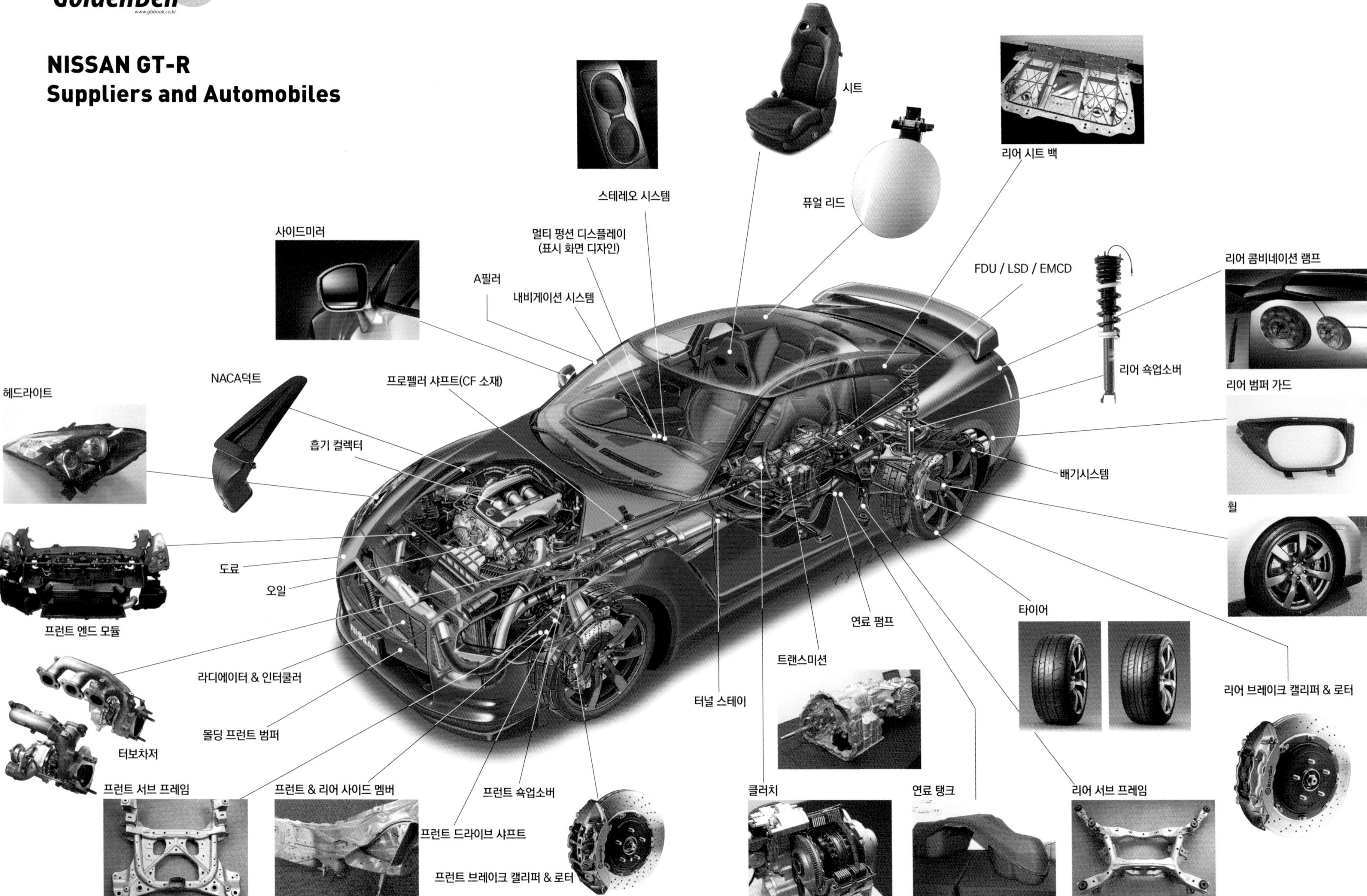

NISSAN GT-R
Suppliers and Automobiles

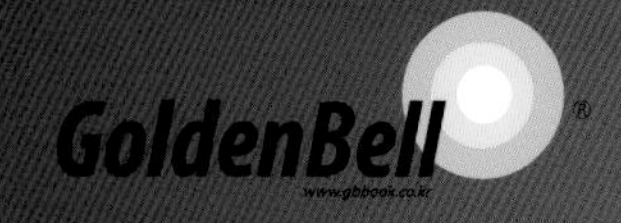

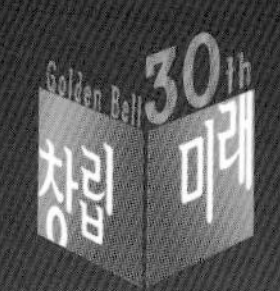

창립 30년,
미래 30년!

우리가 자동차를 보는 것은
늘상 자동차의 겉모습만 보게 된다.
궁금하여 그 속을 들여다보기에는 일반인들에게는 쉽지는 않다.
기껏해야 볼 수 있다면 보닛을 열고 엔진룸만 보는 게 고작이다.
더욱이 어떻게 작동을 하는지 알고싶을 때
내부 구조를 알기에는 더더욱 힘들다.
이 책에서는 역동적인 힘을 생산하는 엔진,
인체의 혈류이자 두뇌와도 같은 전기시스템,
이들 힘의 전달과 차단을 반복하면서 떠받치고 있는 섀시장치까지
구석구석 상세히 나타내고 있다.
덤으로 유명 명품자동차의 미려한 투시도를 매 페이지 상단에 실어 놓았다.
금년은 (주)골든벨이 창립 30년을 맞는 해이다.
또다시 미래 30년을 꿈꾸면서 어려운 자동차 시스템을
누구라도 편하게 볼 있도록 편찬한 기념작이다.

2018. 1월
(주)골든벨 임직원 일동

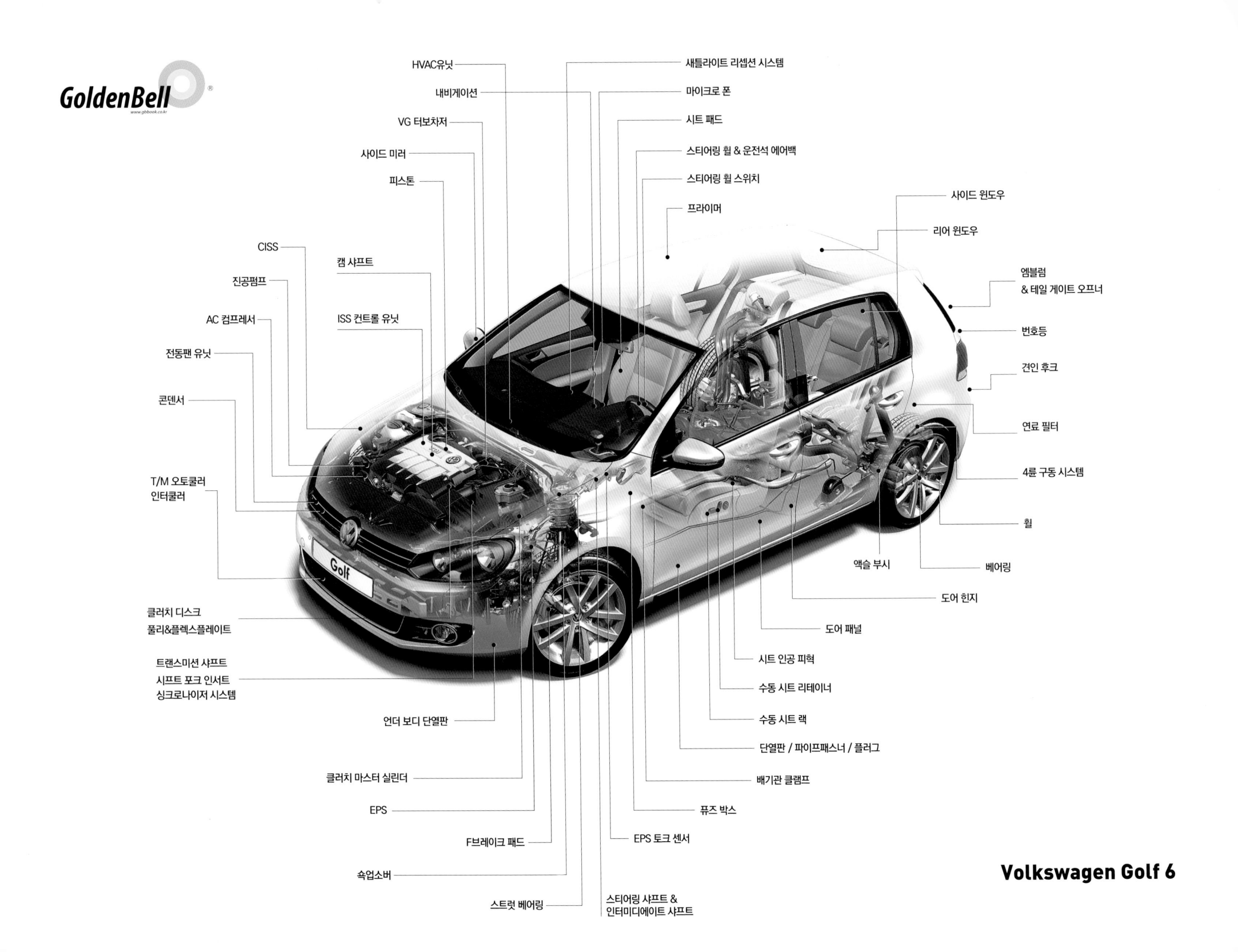

Volkswagen Golf 6

CONTENTS

수동 핸들 브레이크

동승석 에어백 모듈

운전석 수동 럼버 서포트

선루프

룸 미러

B필러 구조재

글라스 접착재

스포일러

윈도우 실드

하이 마운트 스톱 램프

인스트루먼트 클러스터

트렁크 플로어 댐퍼

페달 박스 컨트롤

퓨얼 탱크 코팅

페달 센서

리어 서스펜션 코일 스프링

전착 도장

머플러 커터

리어 휠 스핀들

스태빌라이저

리어 브레이크 캘리퍼

프레스 & 용접 어셈블리

키리스 시스템

4WD 커플링

촉매

암 레스트 폼 코어

전동시트 어저스터

브레이크호스 어셈블리

수동시트 하이트 어저스터

타이어압 모니터링 시스템

등속 조인트

범프 스토퍼

MAZDA 6 (ATENZA)

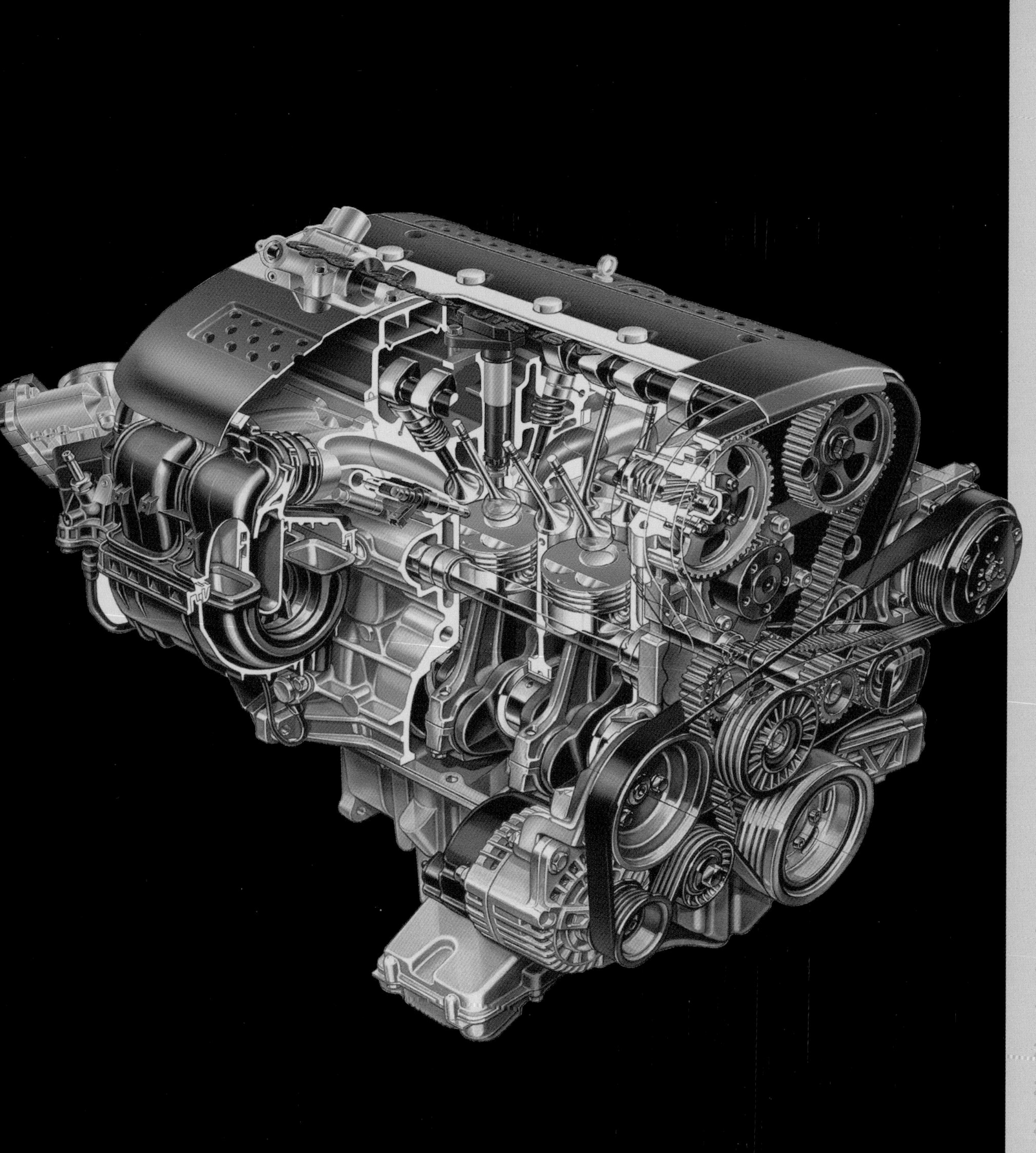

01

ENGINE
엔진

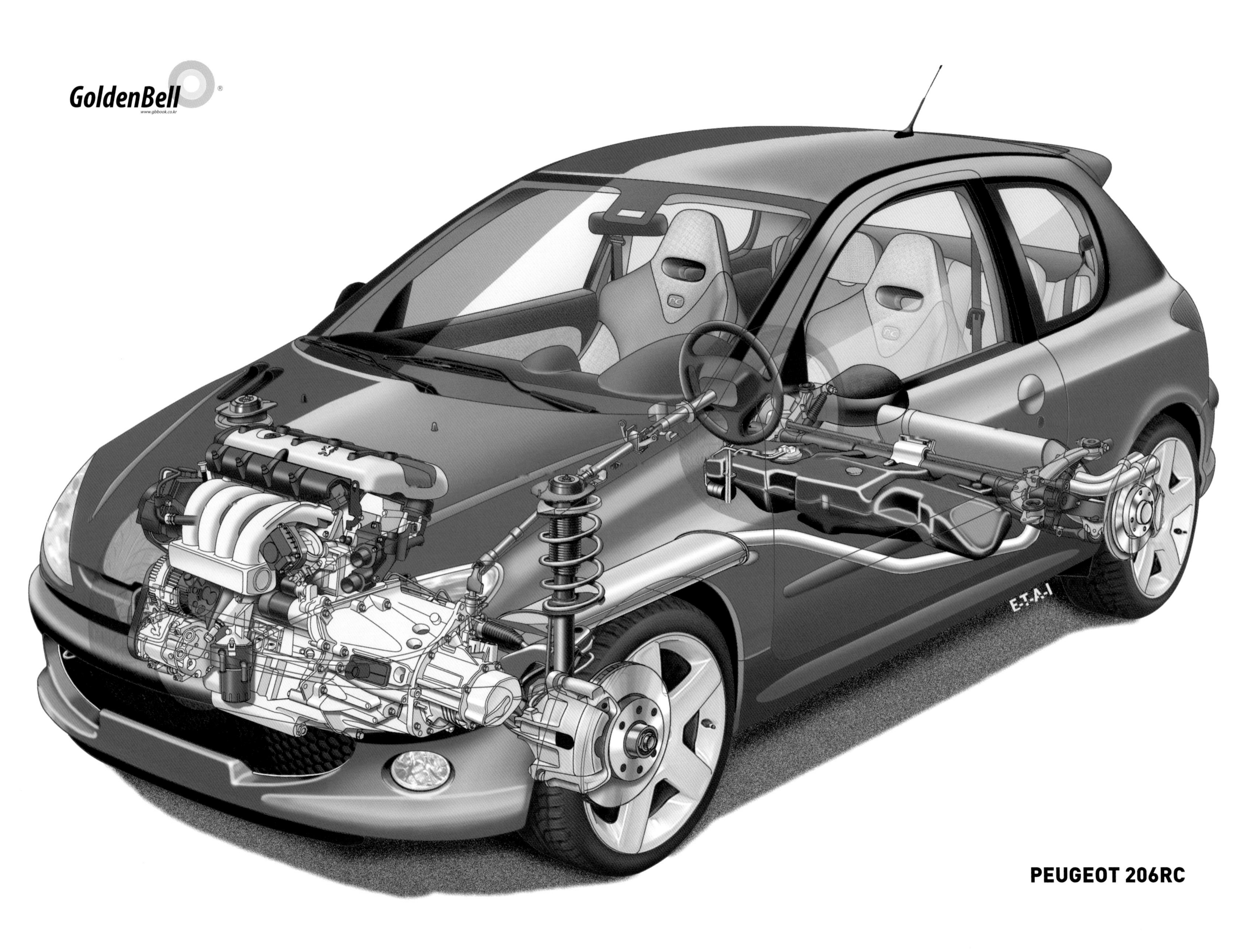

PEUGEOT 206RC

가솔린 엔진의 구조

ENGINE 1

▲ 솔레노이드 인젝터

고압 연료펌프
연료 분배기
연료 쿨러
피에조 인젝터
연료 딜리버리 파이프

▲ 연료 공급 계통

▲ 연료 분사 시스템

흡기밸브
점화플러그
배기밸브
인젝터
연소실
실린더
피스톤
커넥팅 로드

GDI 구조

▲ 실린더 블록

캠축
캠 로브
밸브 리프터
밸브 스프링
밸브 스템
밸브
밸브 스프링

▲ 밸브 시스템

크랭크축
밸런스 샤프트

▲ 크랭크축과 밸런스 샤프트

▲ 피스톤과 커넥팅 로드

▲ 흡기밸브와 배기밸브

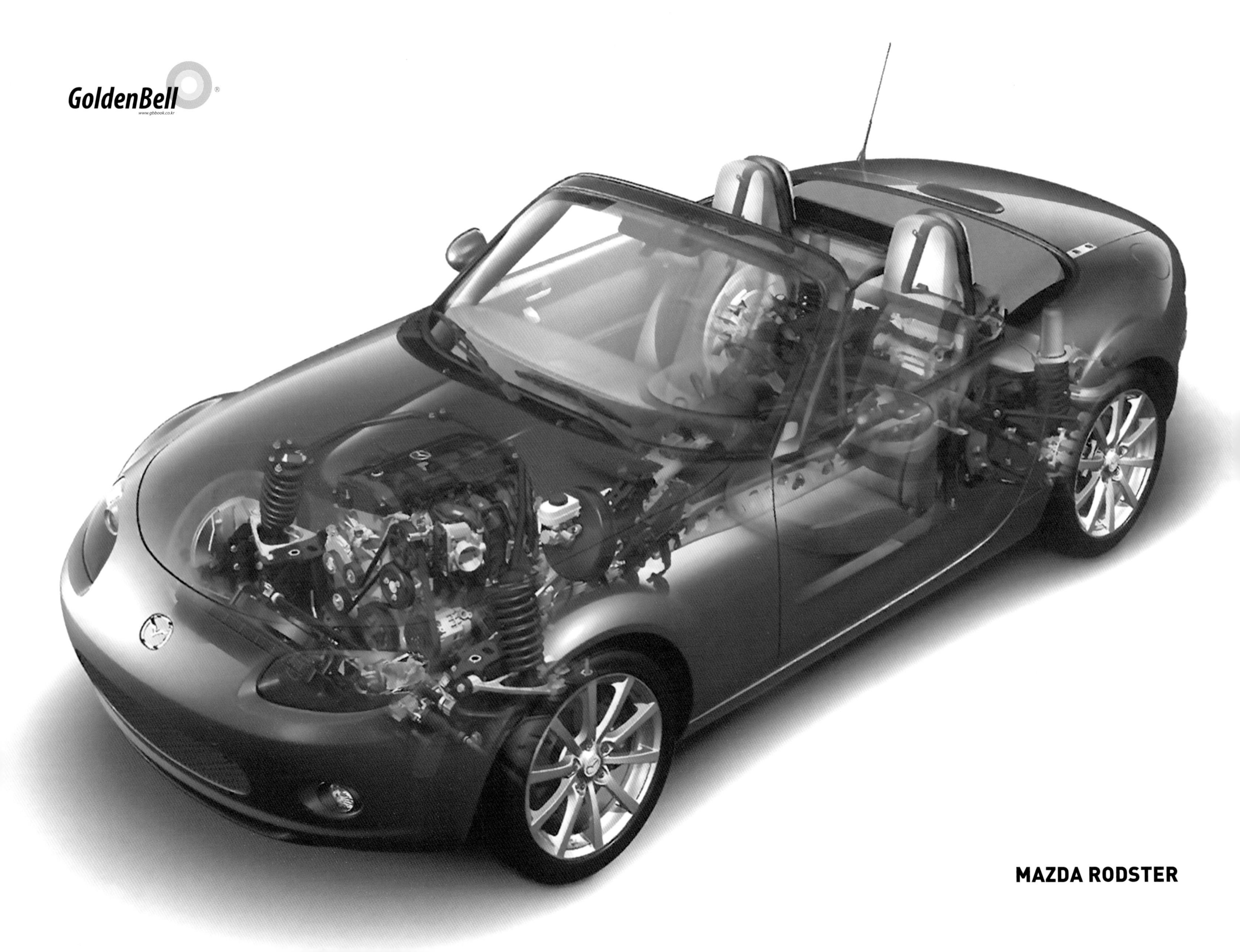
GoldenBell
www.gbbook.co.kr
MAZDA RODSTER

디젤 엔진의 구조

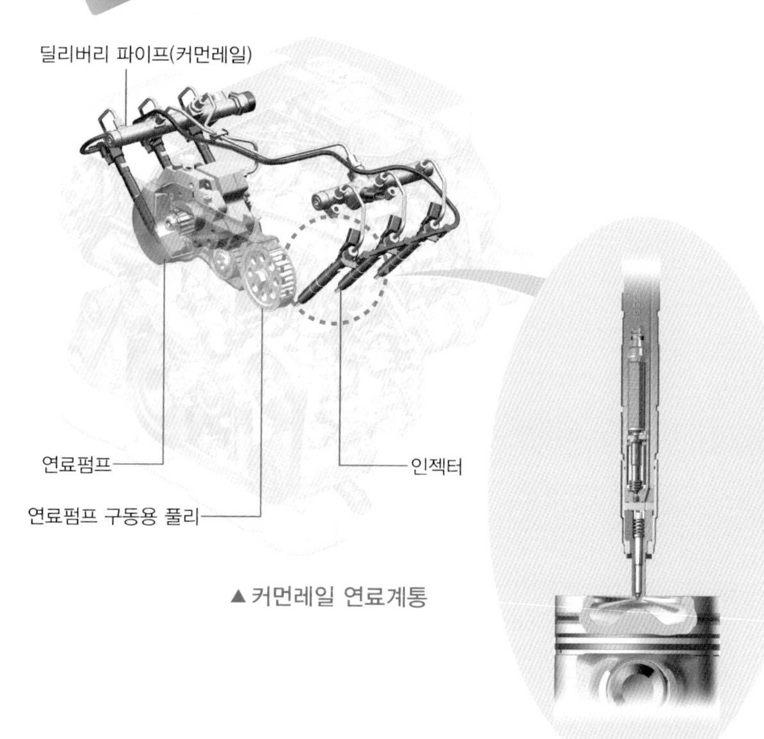

▲ 커먼레일 제어부품

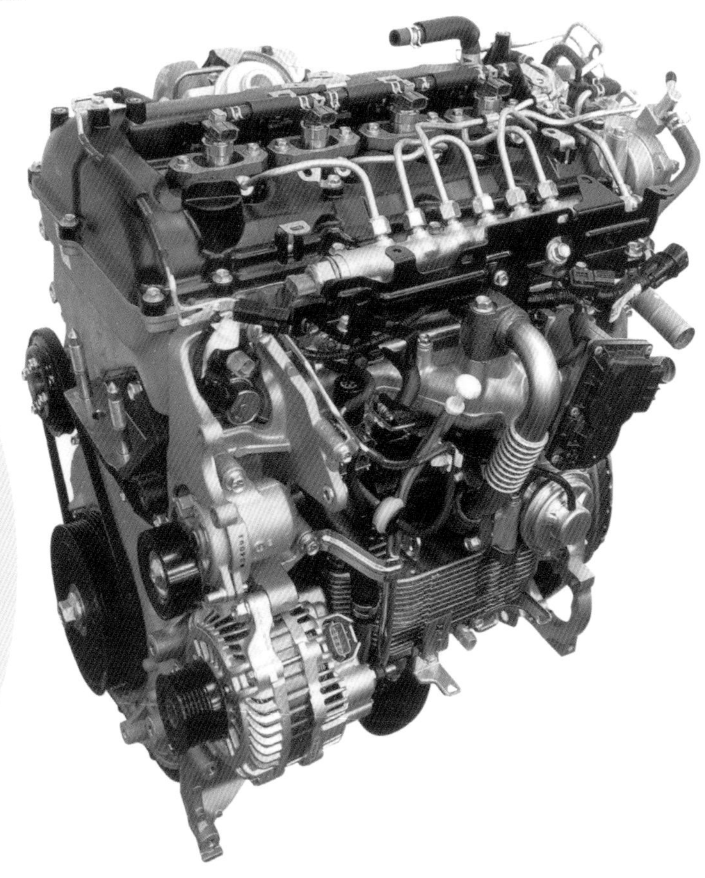

딜리버리 파이프(커먼레일)

연료펌프

연료펌프 구동용 풀리

인젝터

▲ 커먼레일 연료계통

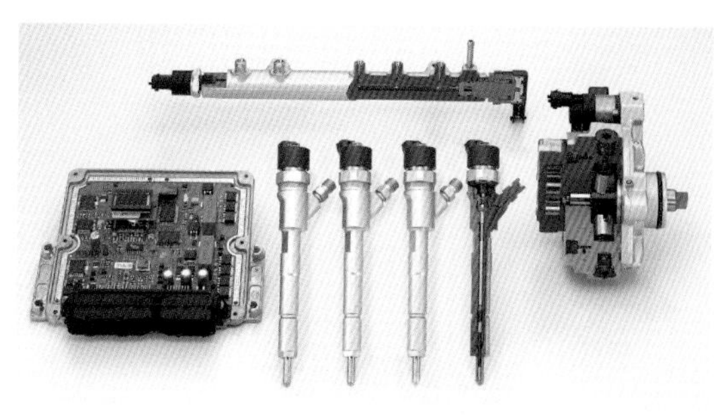

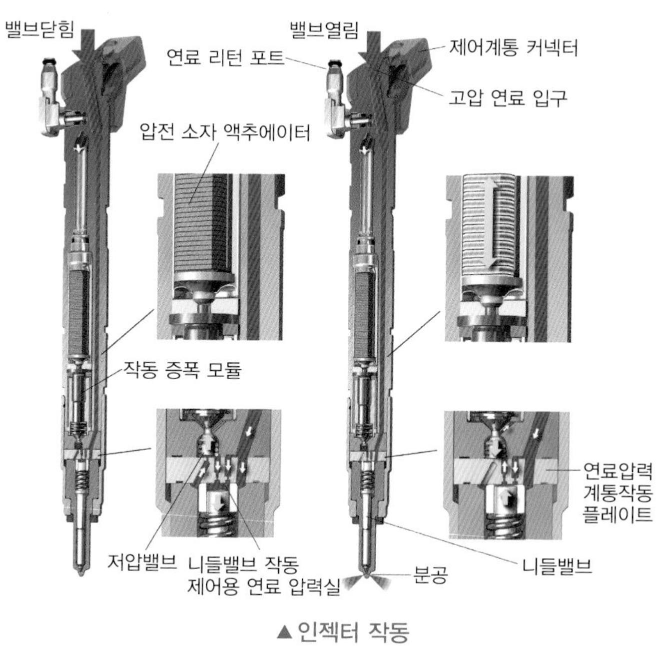

밸브닫힘

연료 리턴 포트

압전 소자 액추에이터

작동 증폭 모듈

저압밸브   니들밸브 작동
제어용 연료 압력실

밸브열림

제어계통 커넥터

고압 연료 입구

연료압력
계통작동
플레이트

분공   니들밸브

▲ 인젝터 작동

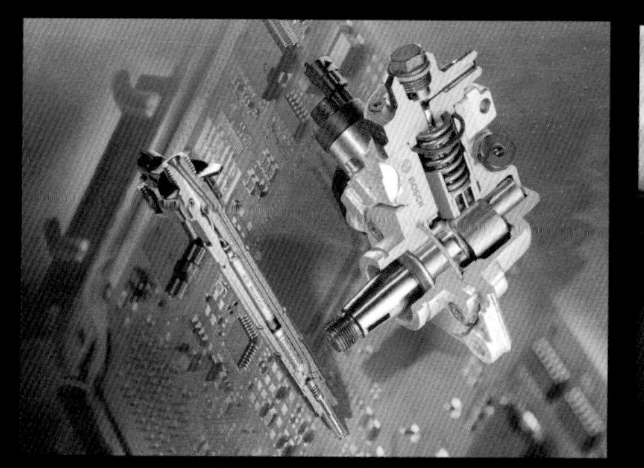

고압펌프와 인젝터

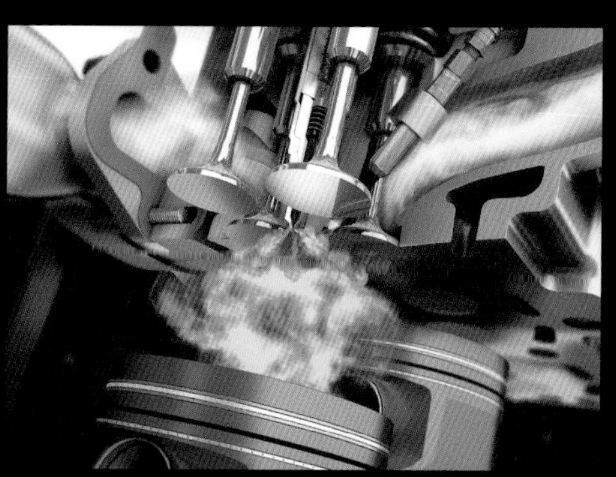

연료의 연소

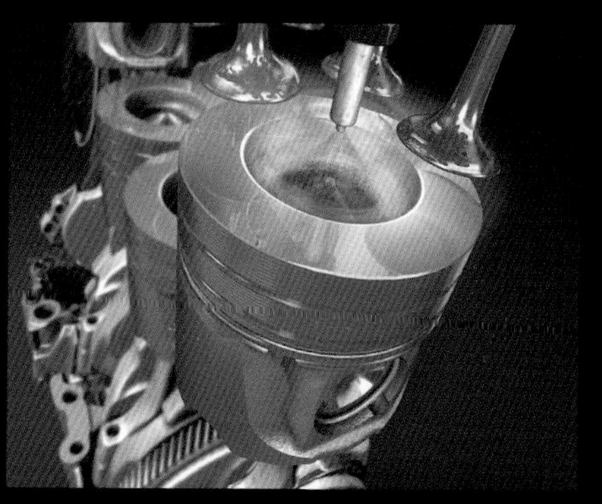

연료실

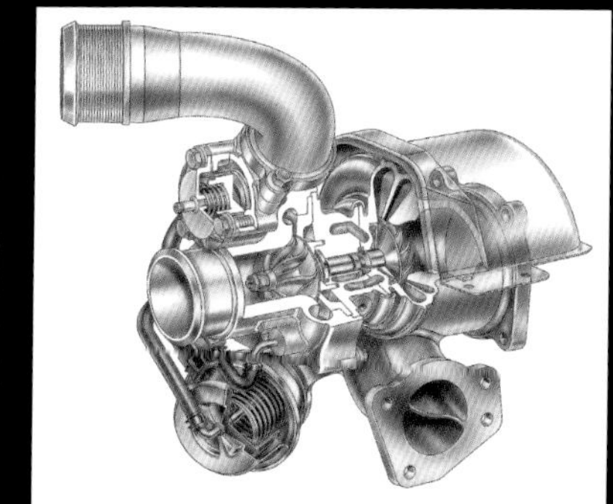

터보차저

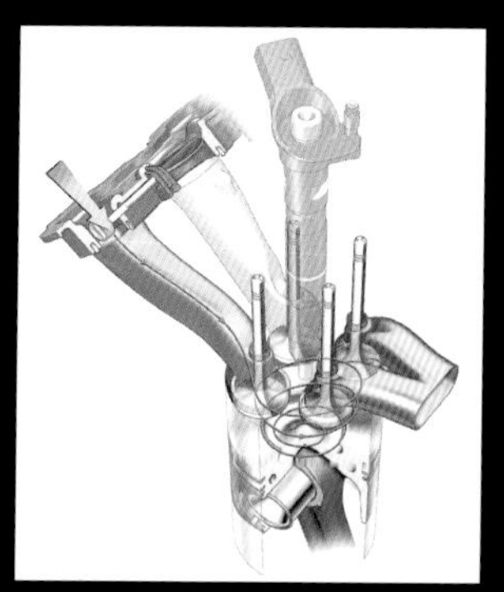

실린더헤드 & 피스톤

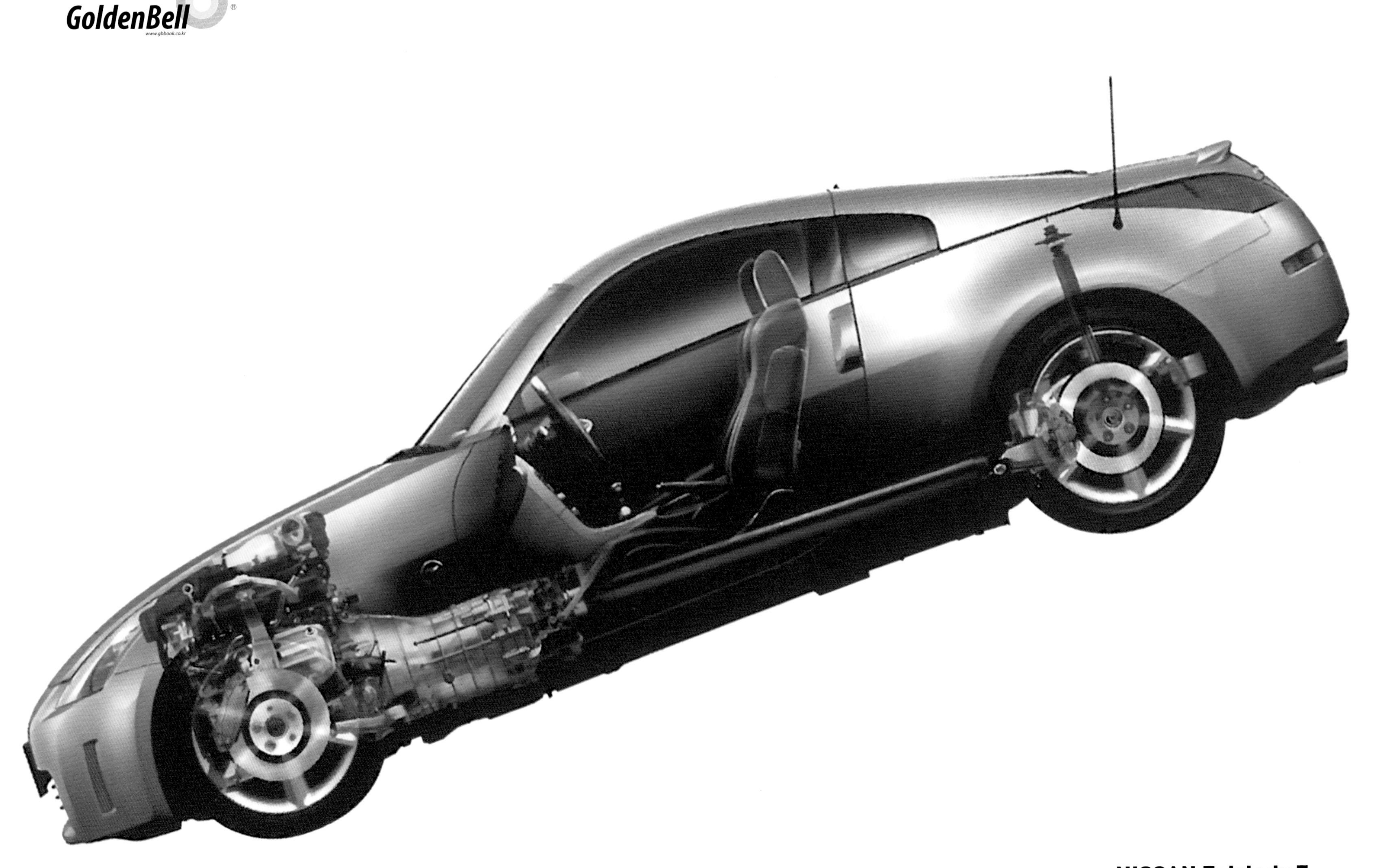

NISSAN Fairlady Z

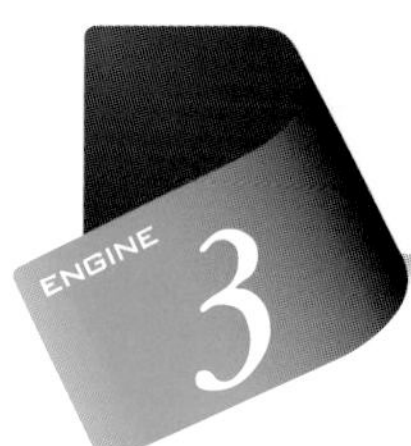

윤활 장치

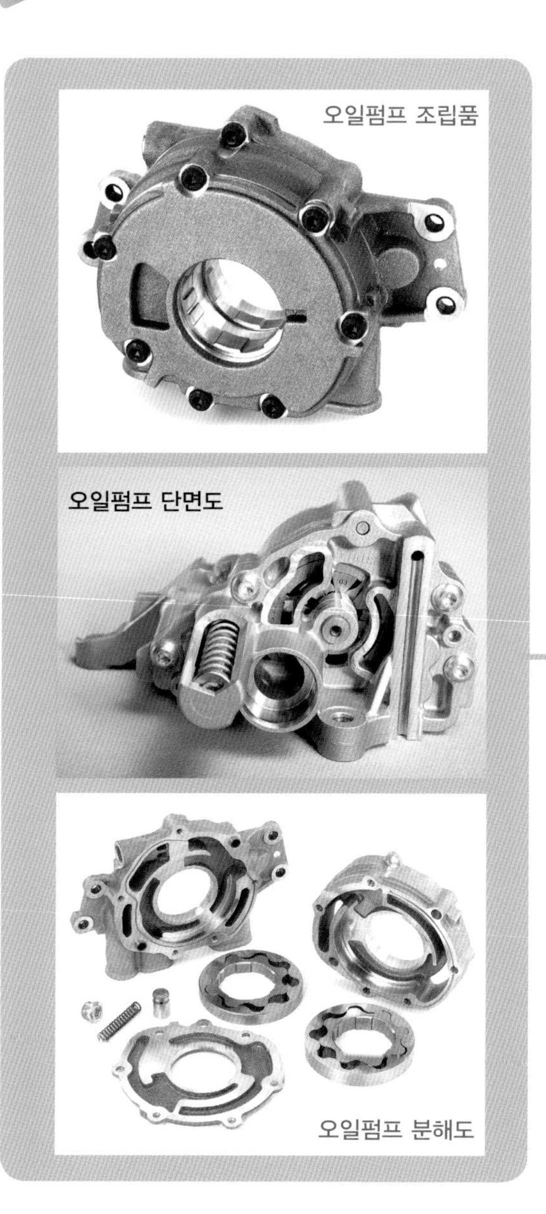

오일펌프 조립품

오일펌프 단면도

오일펌프 분해도

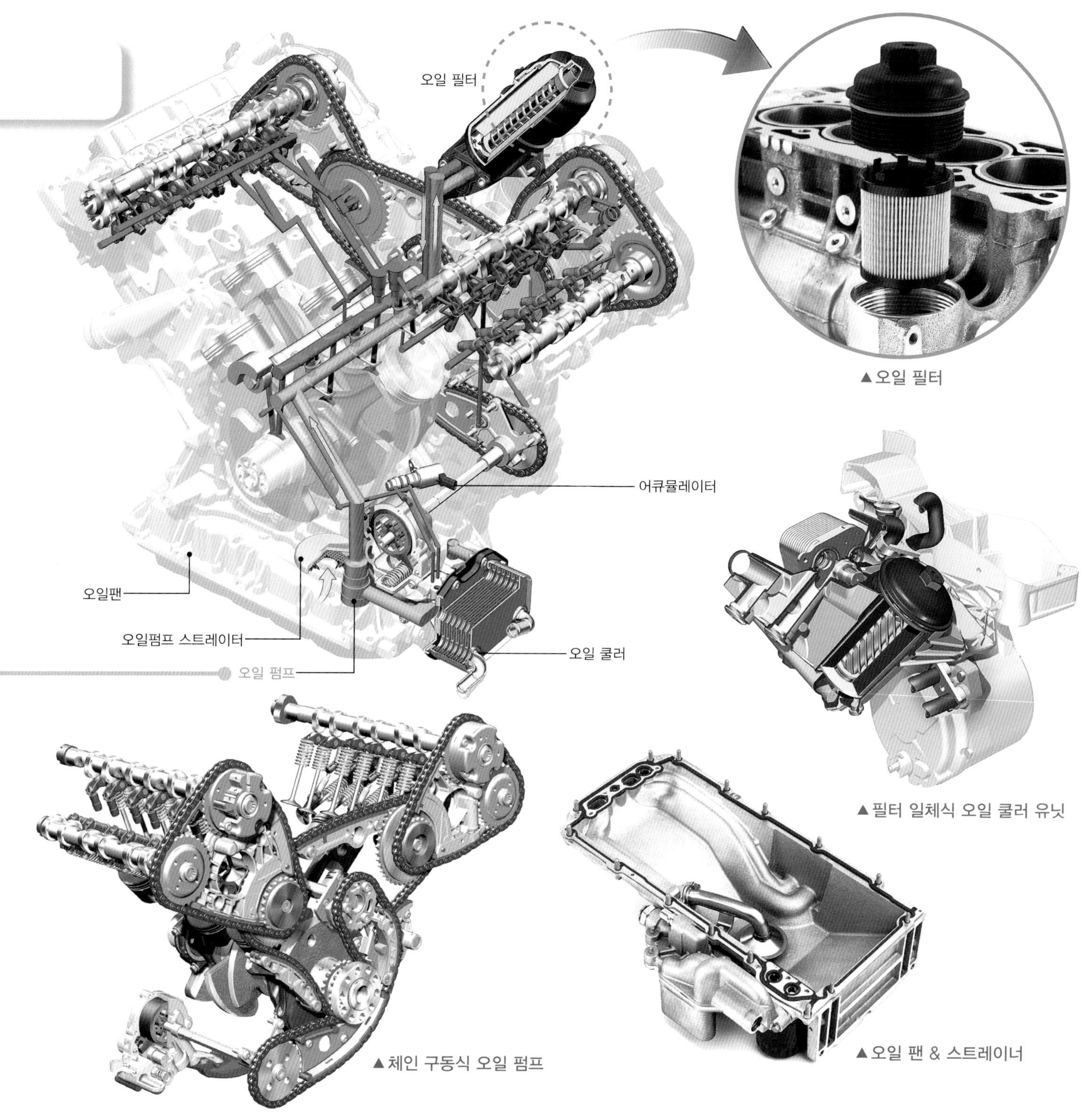

오일 필터

▲ 오일 필터

어큐뮬레이터

오일팬

오일펌프 스트레이너

오일 펌프

오일 쿨러

▲ 필터 일체식 오일 쿨러 유닛

▲ 체인 구동식 오일 펌프

▲ 오일 팬 & 스트레이너

NISSAN Skyline(V35)

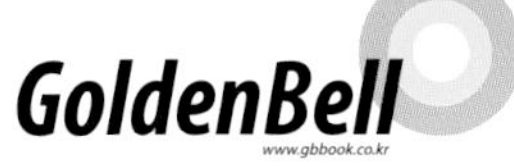

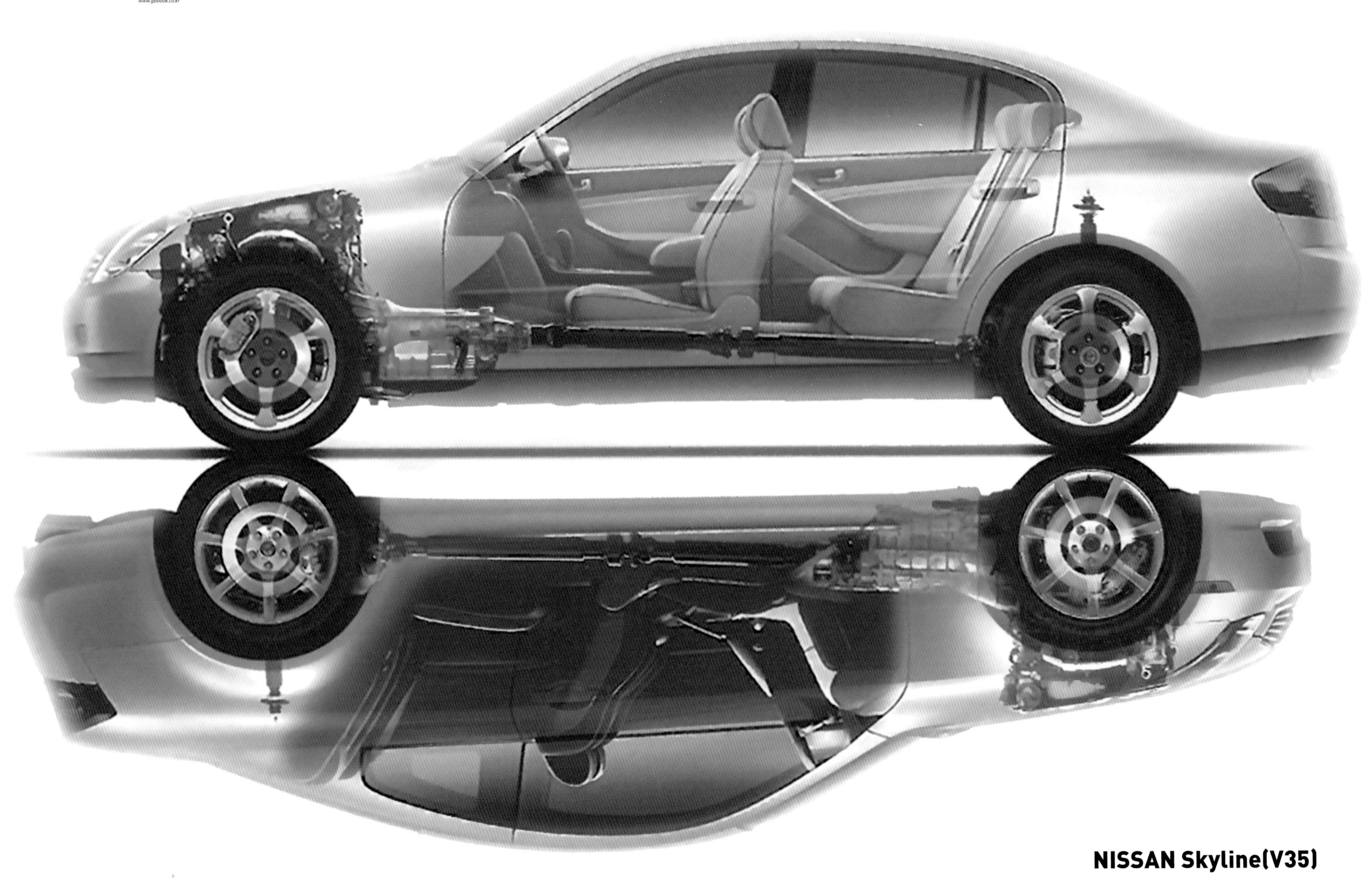

냉각 장치

고효율의 임펠러 ▲

- 로터
- 메커니컬 실
- 베어링
- 케이스
- 풀리
- 송출 통로

◀ 워터 펌프 구조

- 필러 넥
- 라디에이터 캡
- 위 파이프 베이스
- 위 탱크
- 오버플로 파이프
- 입구 파이프
- 사이드 단면
- 코어
- 아래 파이프 베이스
- 출구 파이프
- 물 펌프로
- 오일 쿨러 (자동변속기)
- 오일 쿨러
- 아래 탱크

라디에이터 캡의 작동

⇦ 압력　압력밸브　진공밸브
← 냉각수의 흐름　●냉각수의 온도 상승　●냉각수의 온도 하강

▼ 냉각수 흐름도

- 스로틀 보디
- 실린더 헤드
- 물 펌프
- 히터 코어
- 수온 조절기
- 아래 호스
- 위 호스
- 라디에이터

수온 조절기

▲수온 조절기

●온도가 낮을 때 닫힘　●온도가 높을 때 열림

- 스핀들
- 밸브
- 라디에이터로
- 왁스
- 펠릿
- 냉각수 흐름
- 스프링
- 냉각수 흐름
- 왁스(열팽창)

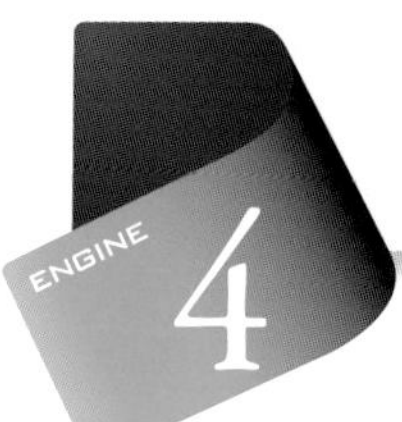

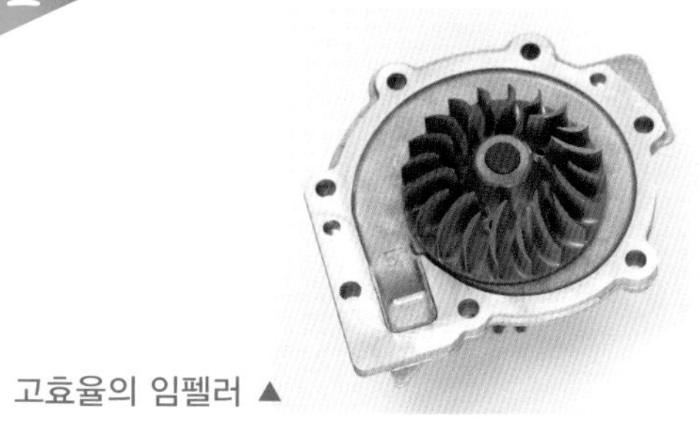

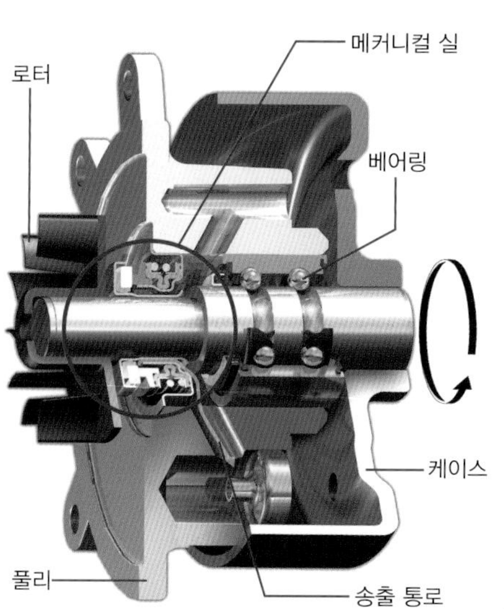

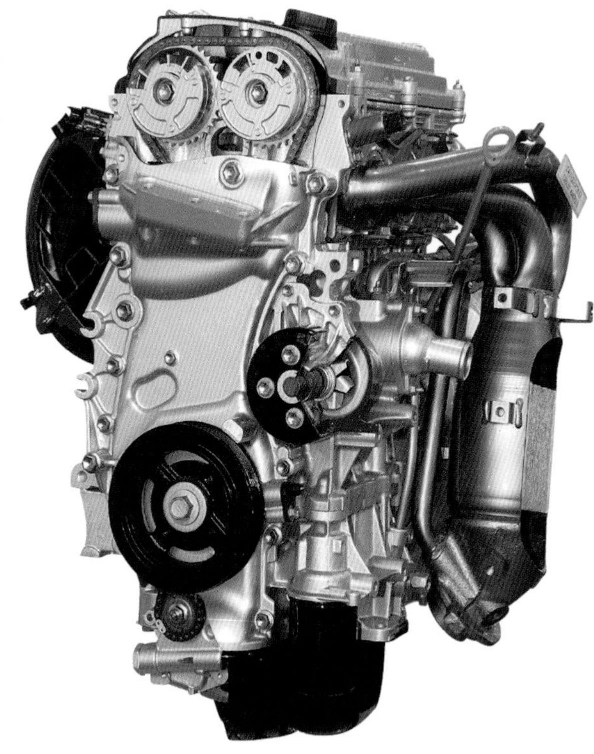

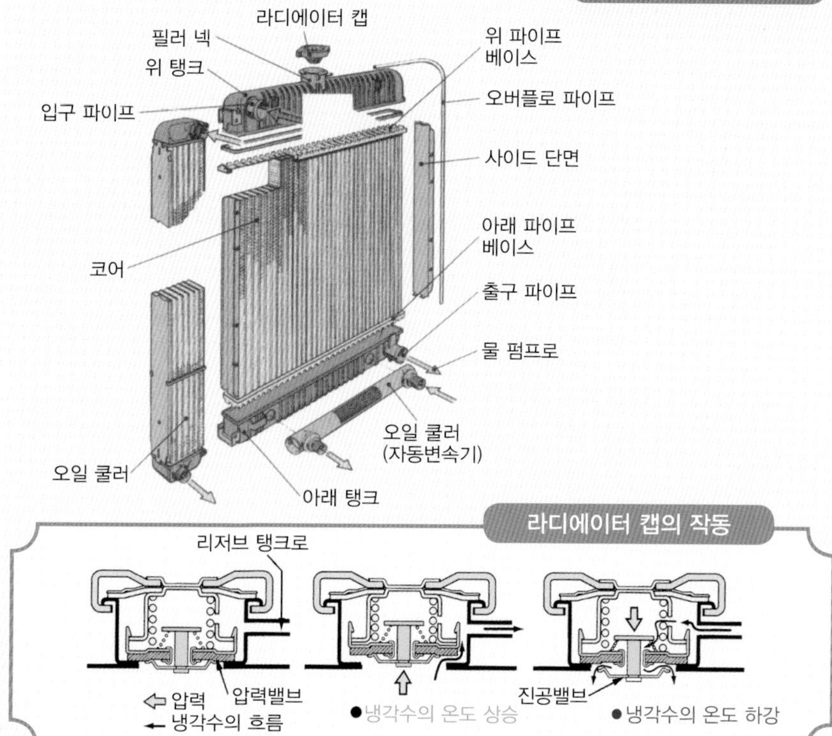

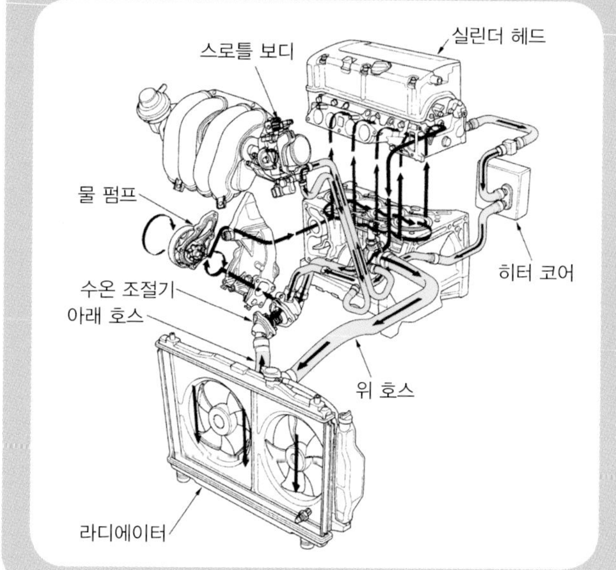

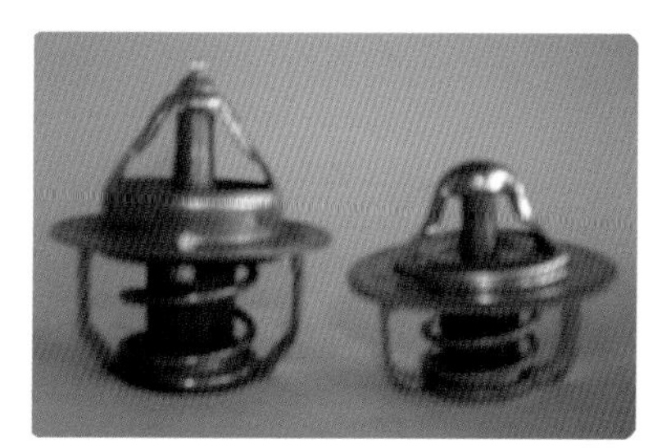

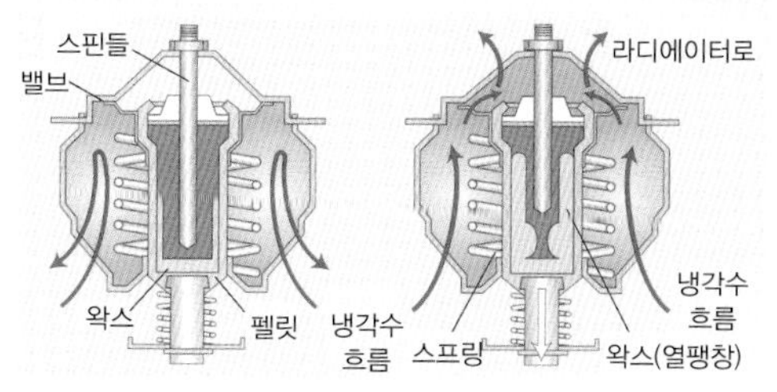

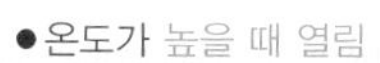

▲수온 조절기의 작동

전동 팬

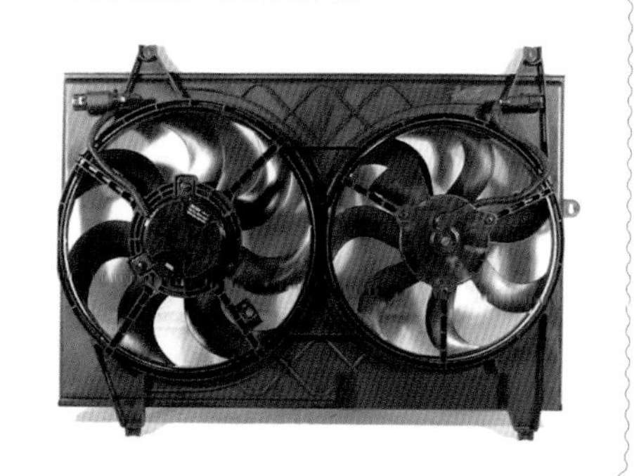

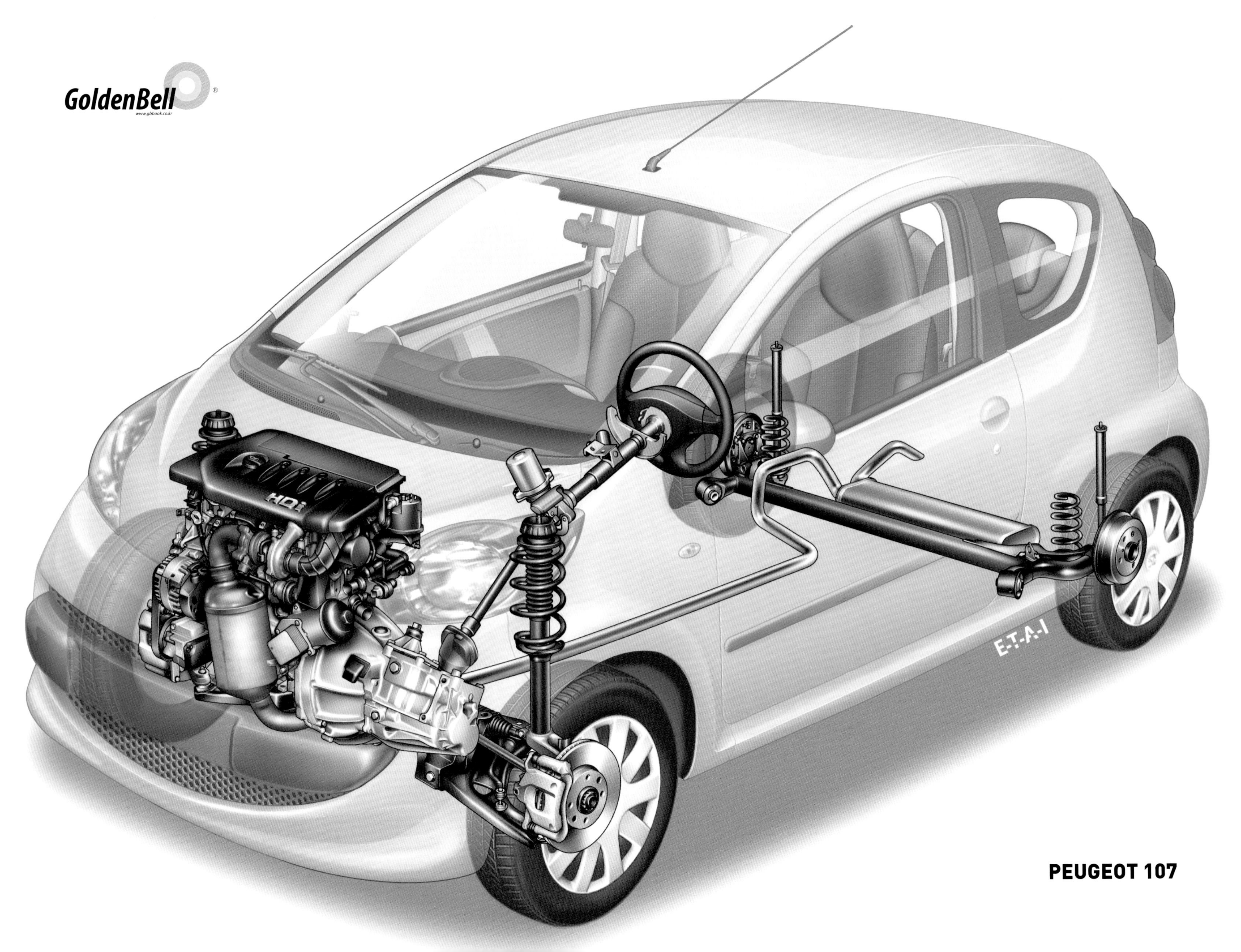

PEUGEOT 107

Goldenbell

가변 밸브 타이밍 시스템

(Variable Valve Timing engine)

5

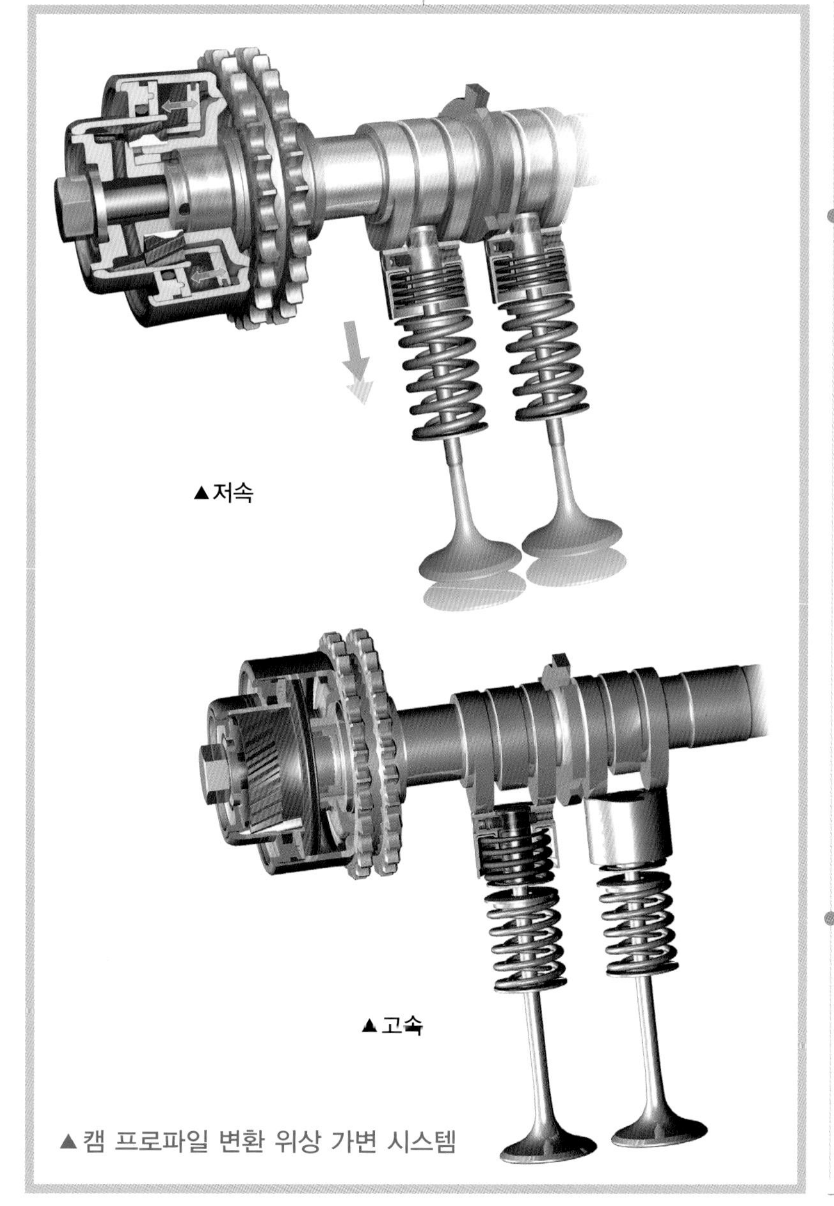

▲저속

▲고속

▲ 캠 프로파일 변환 위상 가변 시스템

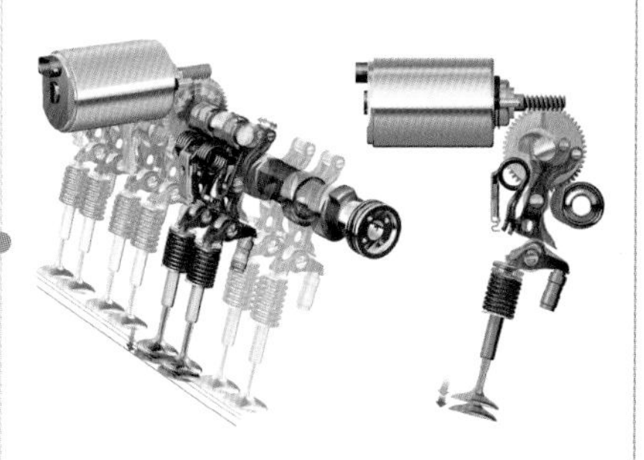

밸브 열림각 및 리프트 가변
(밸브트로닉 1세대 2001)

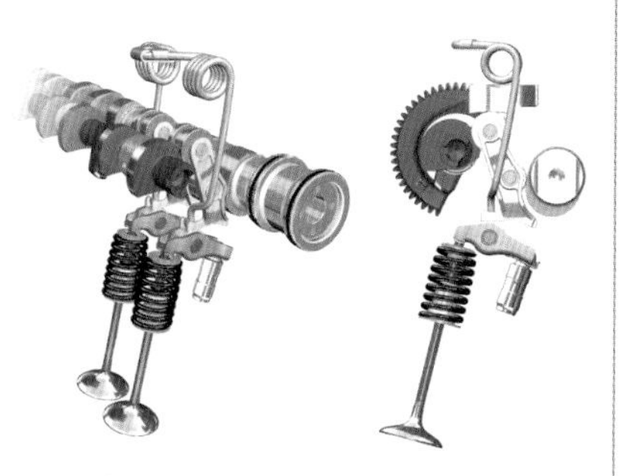

밸브 열림각 및 리프트 가변
(밸브트로닉 2세대 2004)

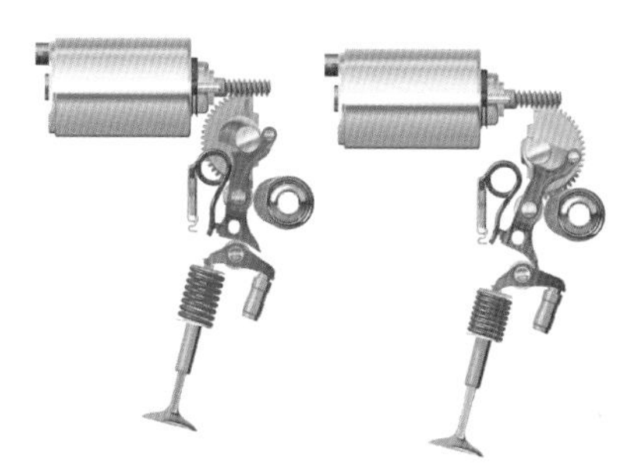

밸브 열림각 및 리프트 가변 + 위상변화

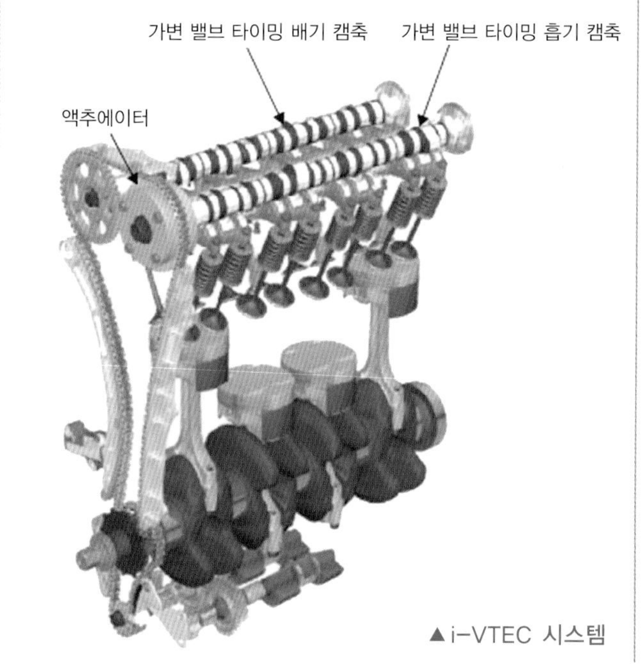

가변 밸브 타이밍 배기 캠축   가변 밸브 타이밍 흡기 캠축

액추에이터

▲ i-VTEC 시스템

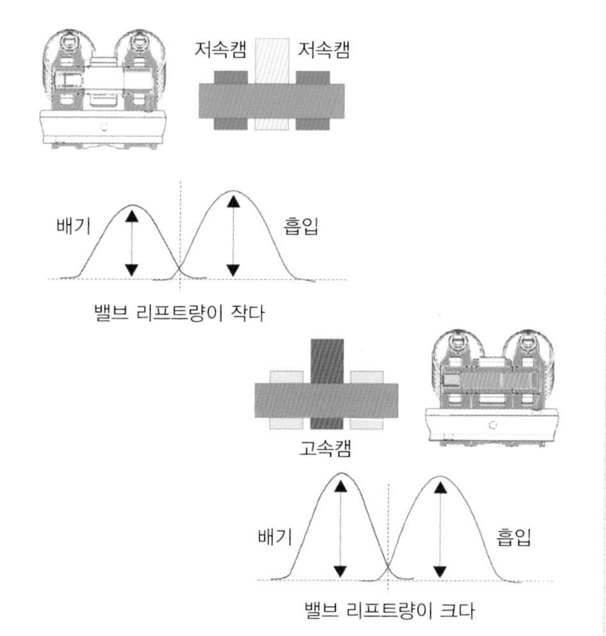

저속캠   저속캠

배기   흡입

밸브 리프트량이 작다

고속캠

배기   흡입

밸브 리프트량이 크다

▲ 캠 프로파일 변환 저속 영역 작동

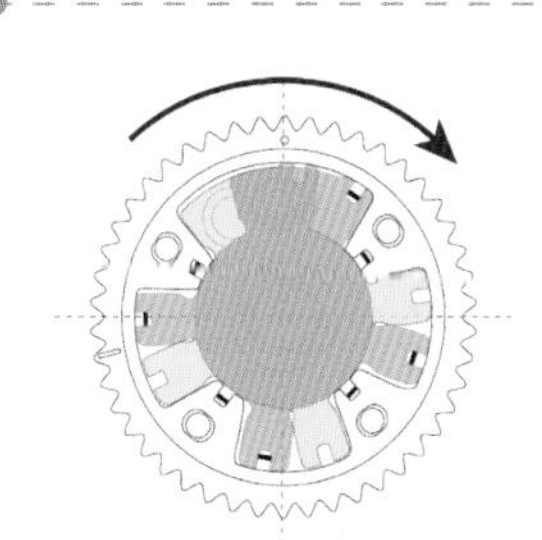

캠축 진행방향

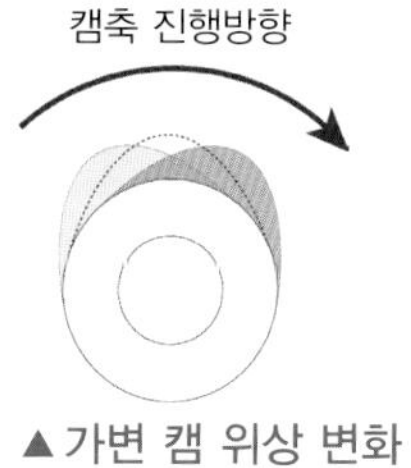

▲ 가변 캠 위상 변화

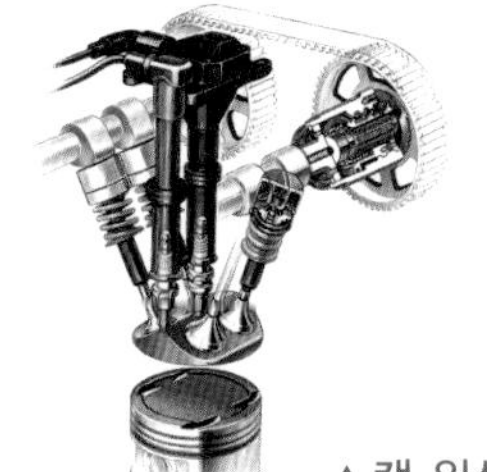

▲ 캠 위상 가변기구

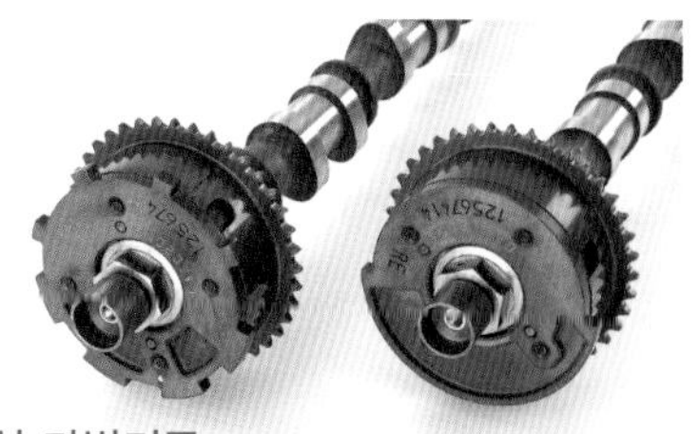

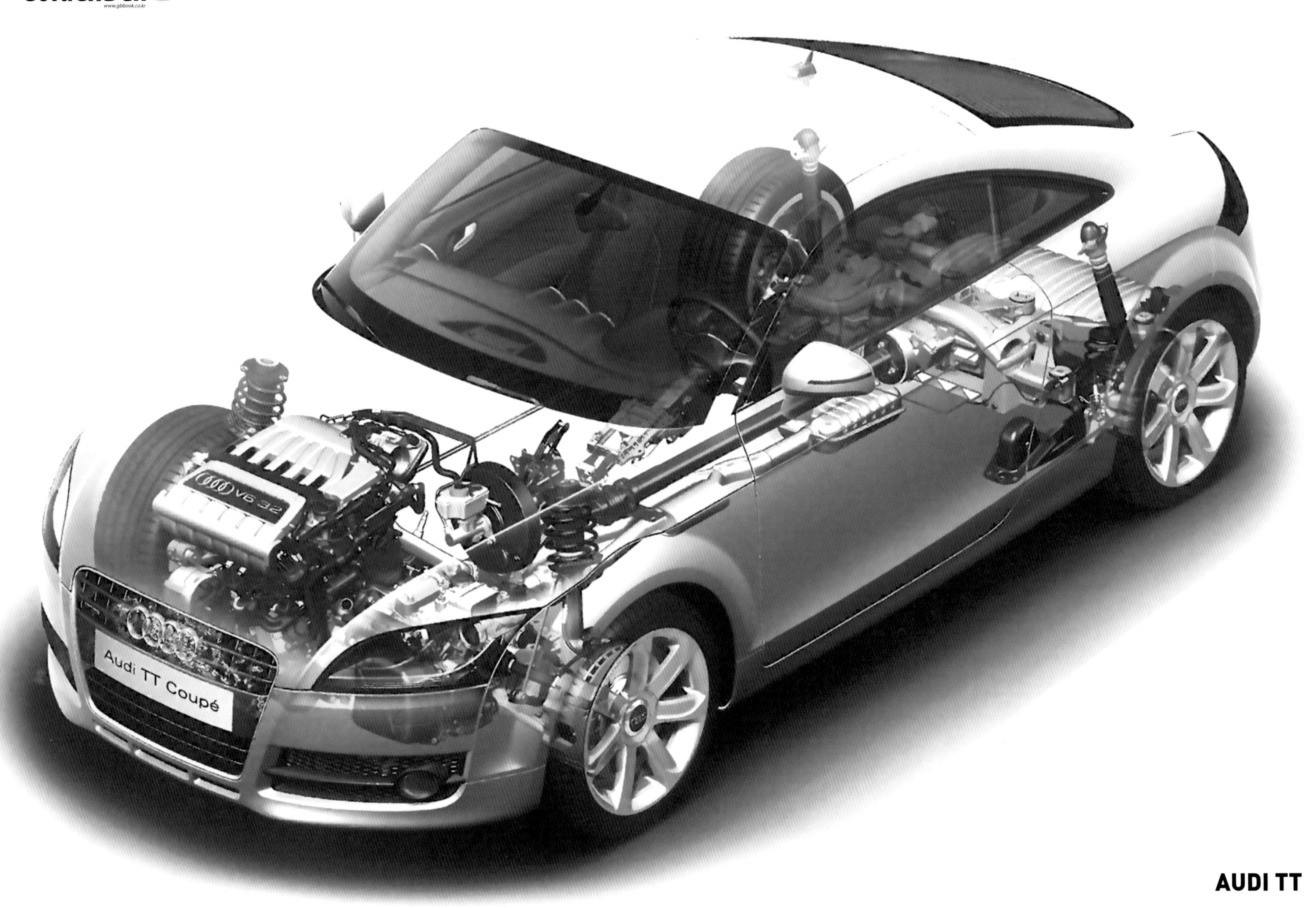

Audi TT Coupé

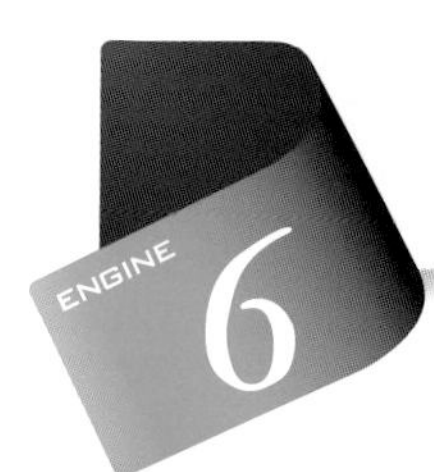

흡기 계통

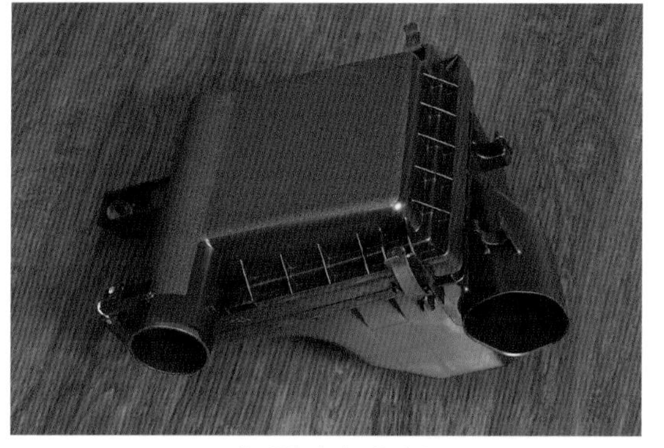

▲ 에어클리너 케이스

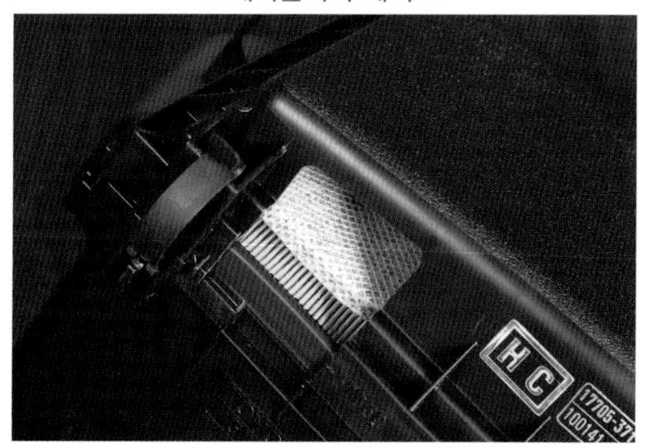

▲ 에어클리너 내부 구조

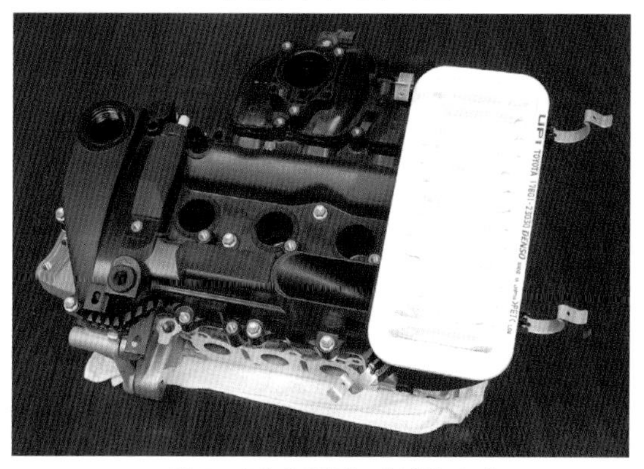

▲ 헤드 커버 일체형 에어클리너

공기 흐름 경로

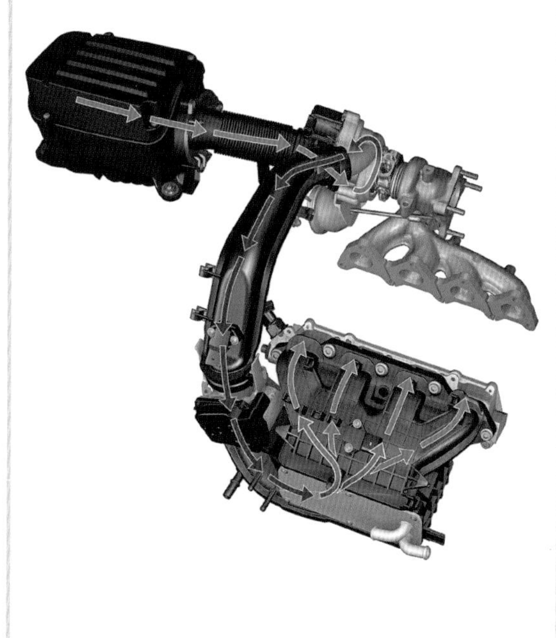

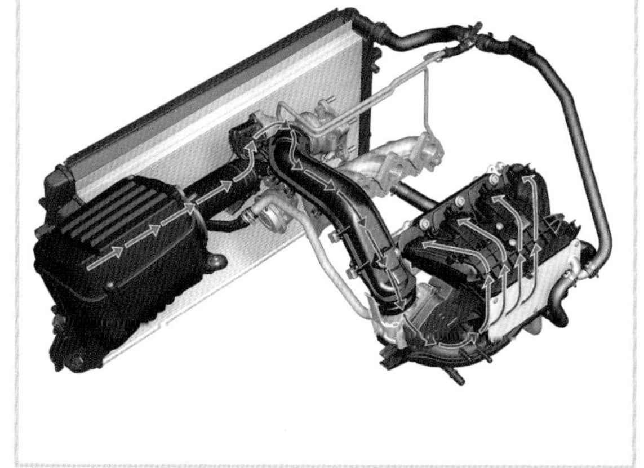

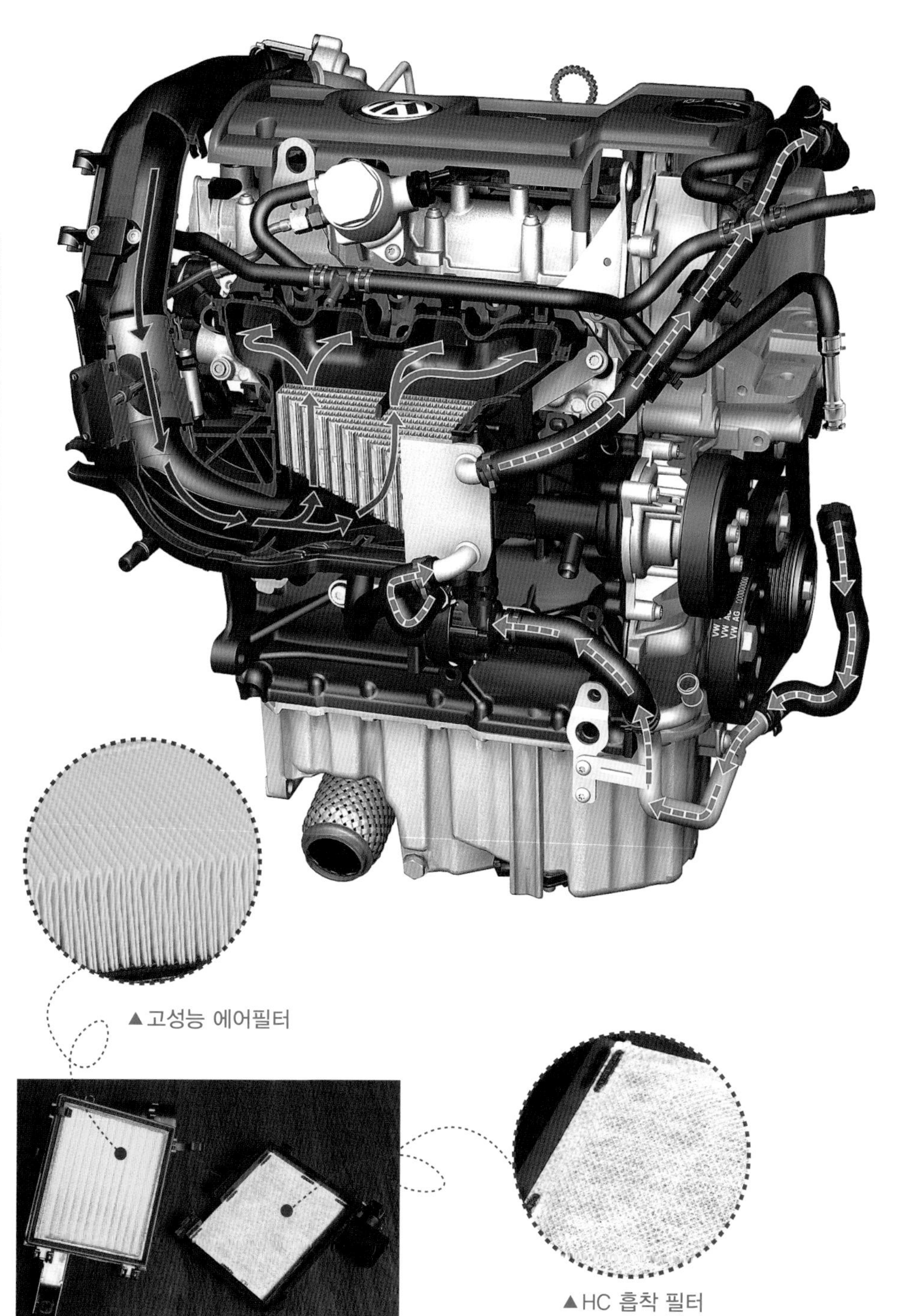

▲ 고성능 에어필터

▲ HC 흡착 필터

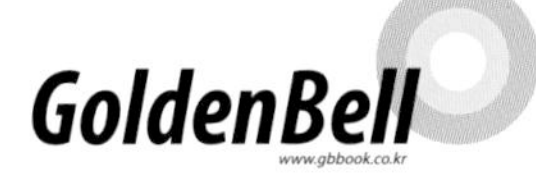

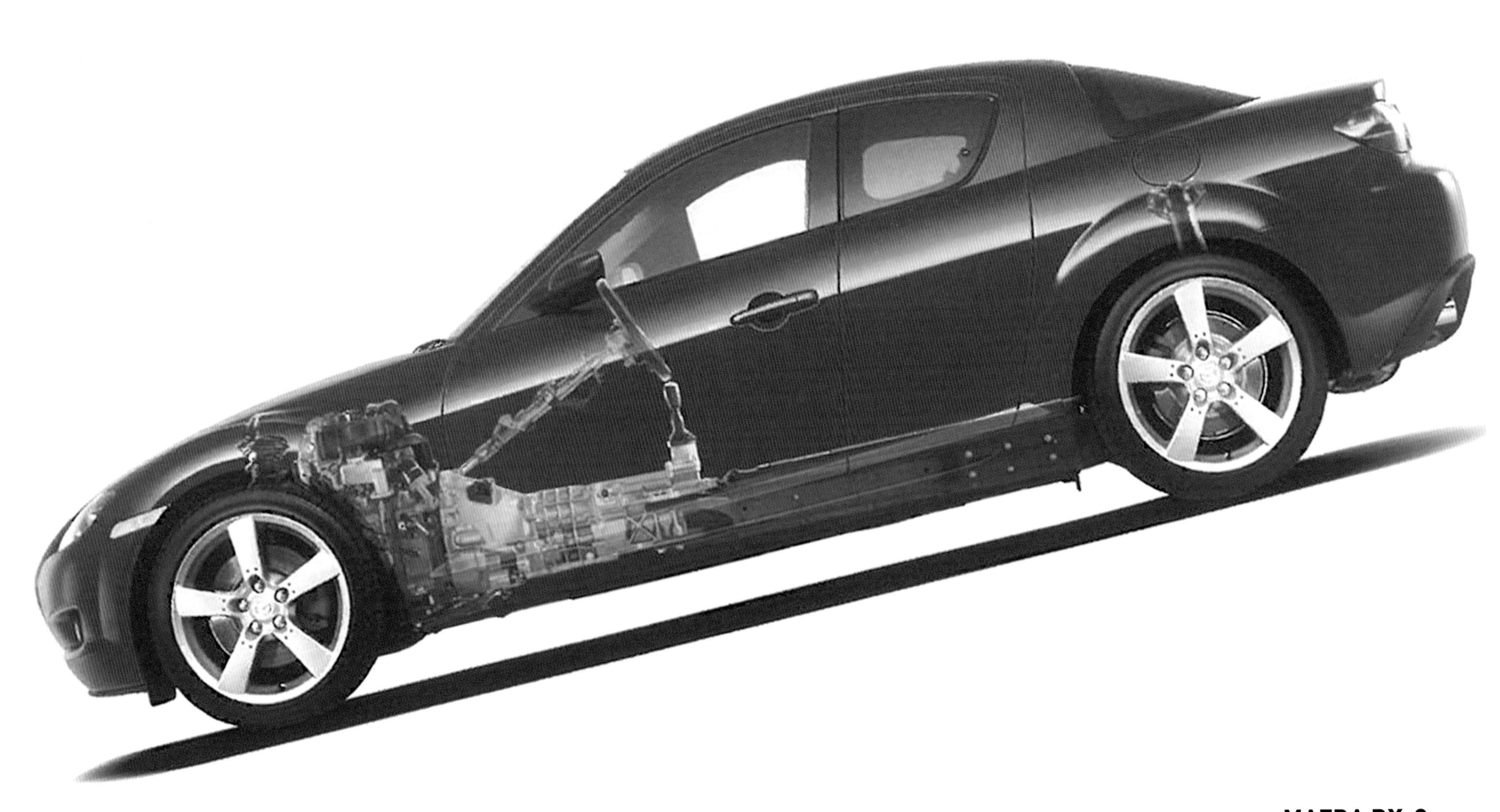

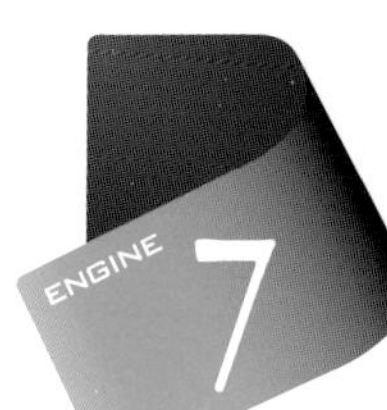

최적의 흡기 시스템

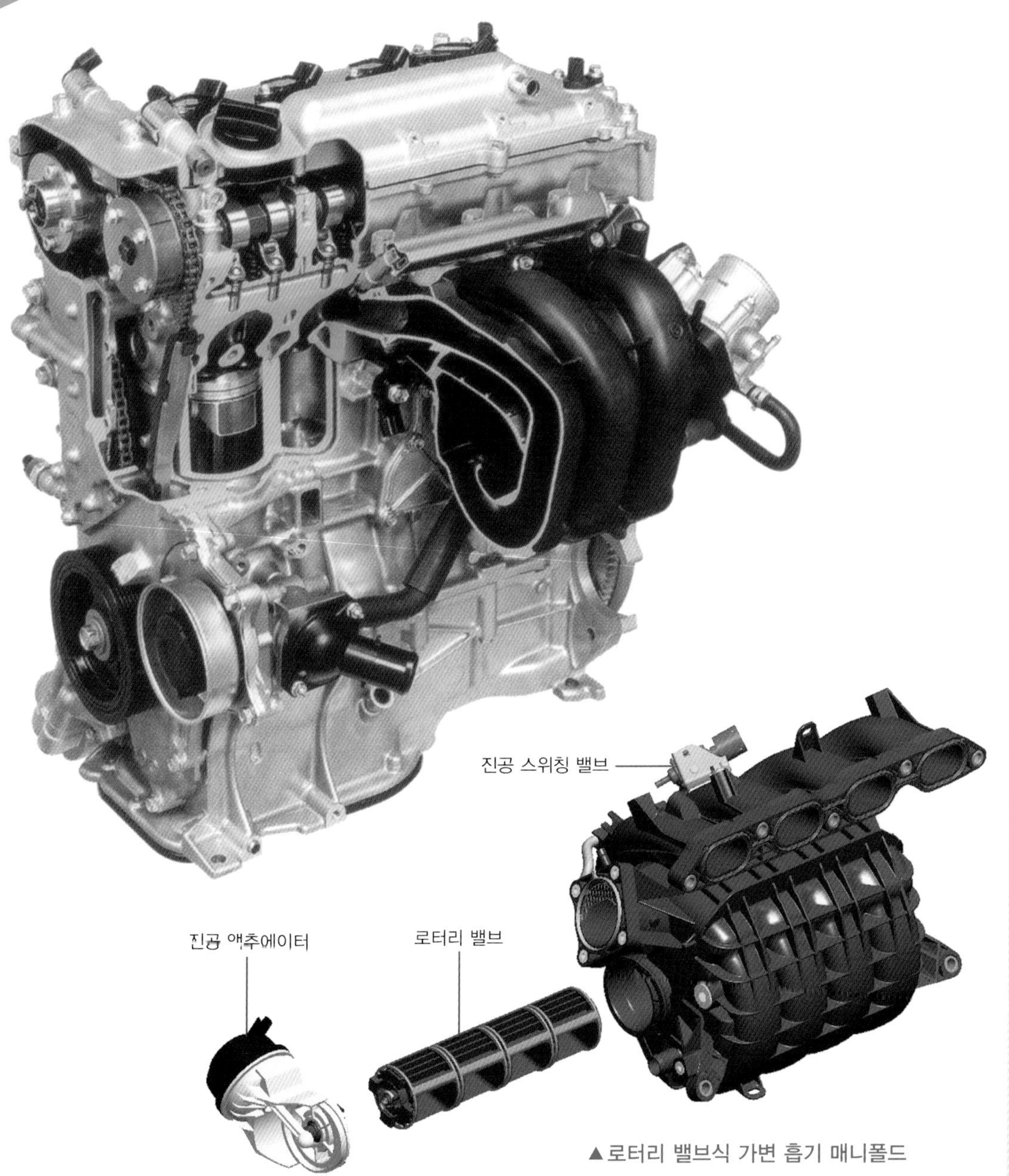

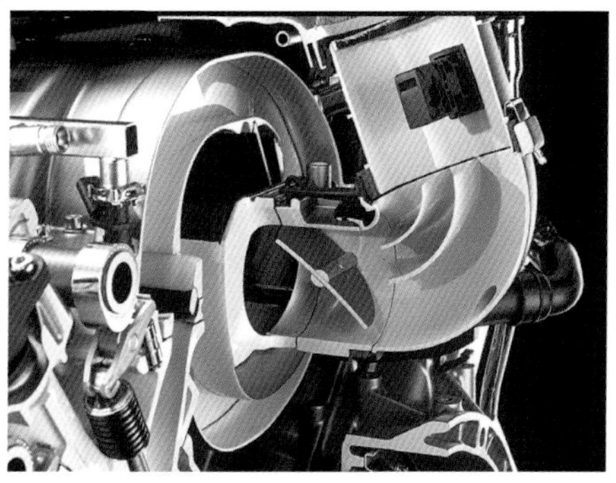

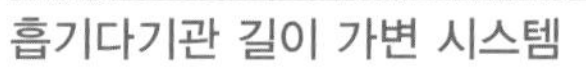

흡기다기관 길이 가변 시스템

액추에이터와 로터리 밸브

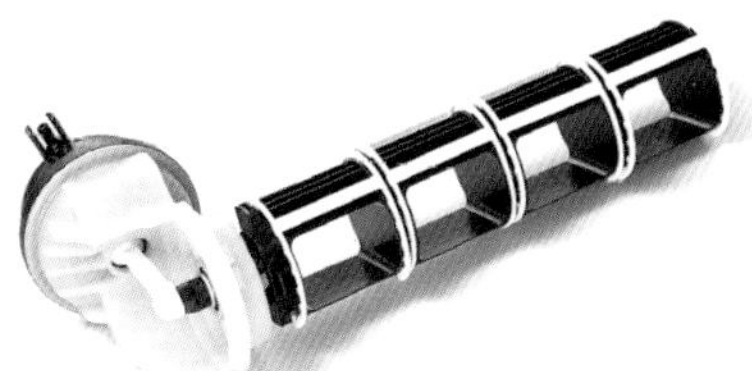

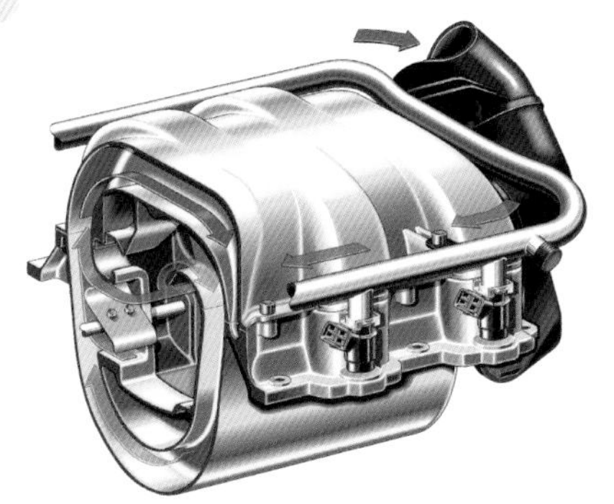

진공 스위칭 밸브

진공 액추에이터

로터리 밸브

▲ 로터리 밸브식 가변 흡기 매니폴드

고속 회전시 공기 흐름 경로

출구

저속시 흐름

고속시 흐름

서지 탱크

로터리 밸브

공기 흐름 경로

로터리 밸브 열림

고속 회전시 경로

로터리 밸브 닫힘

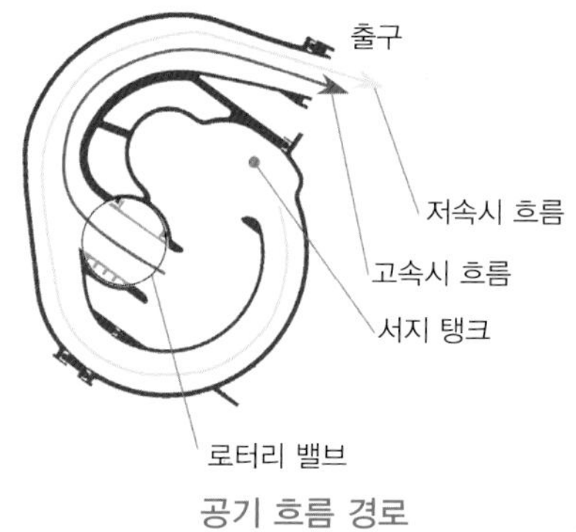

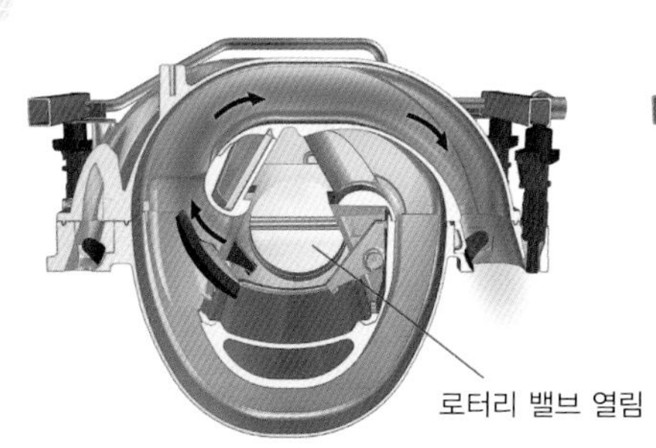

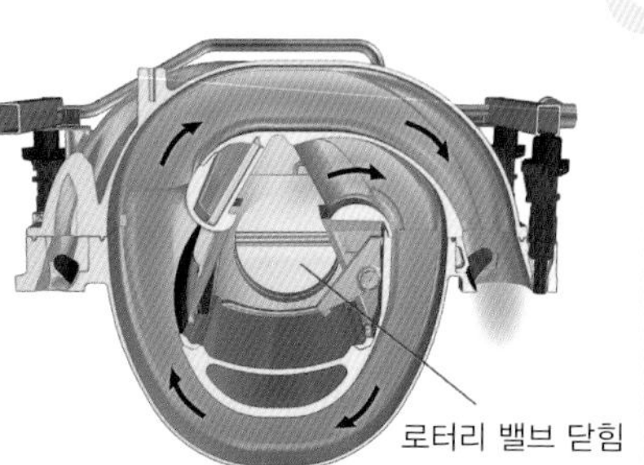

저속 회전시 경로

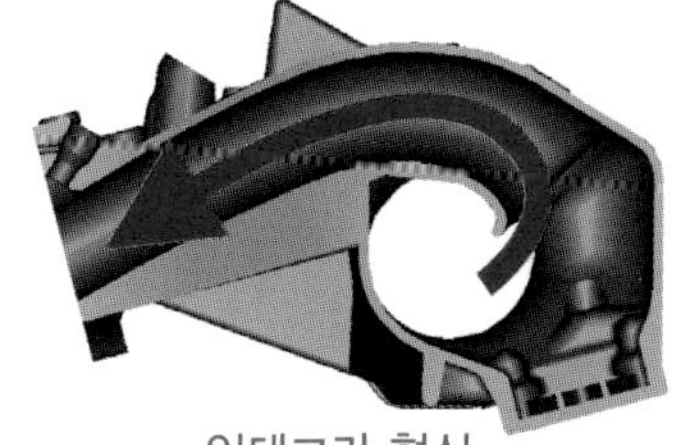

인테그라 형식

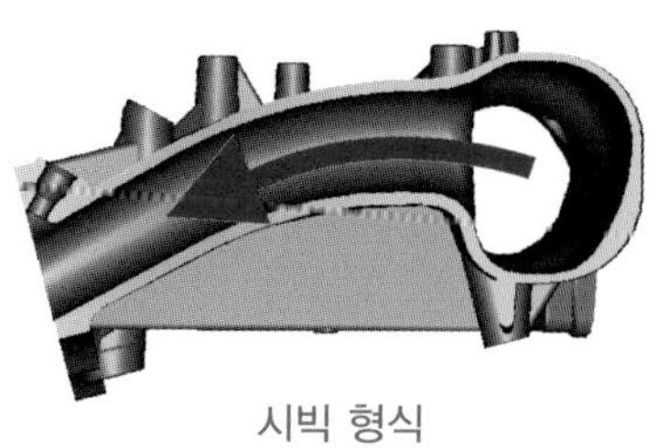

시빅 형식

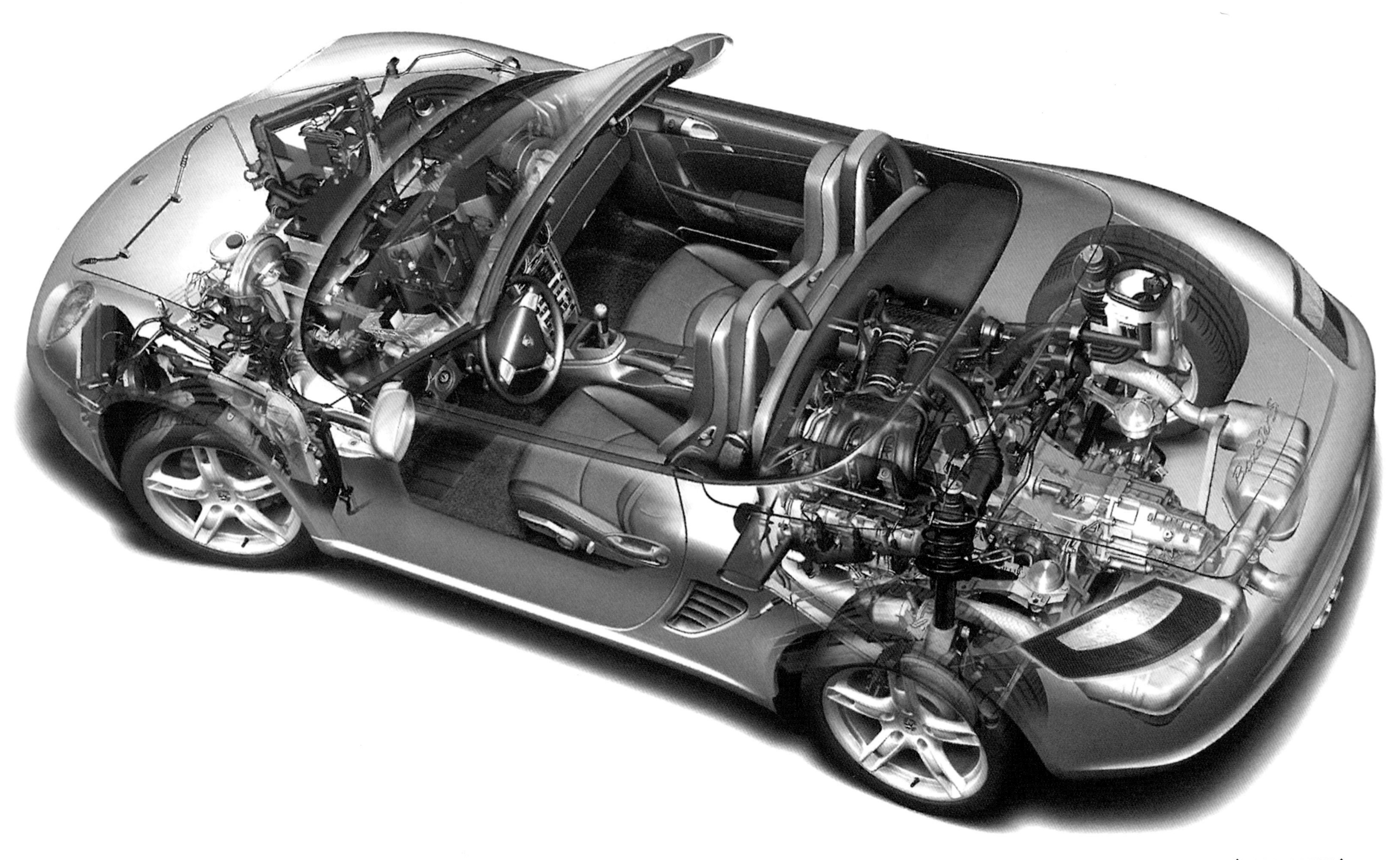

배기 계통

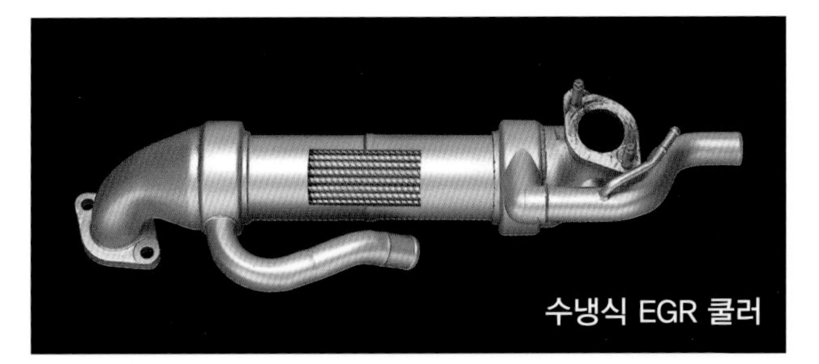

수냉식 EGR 쿨러

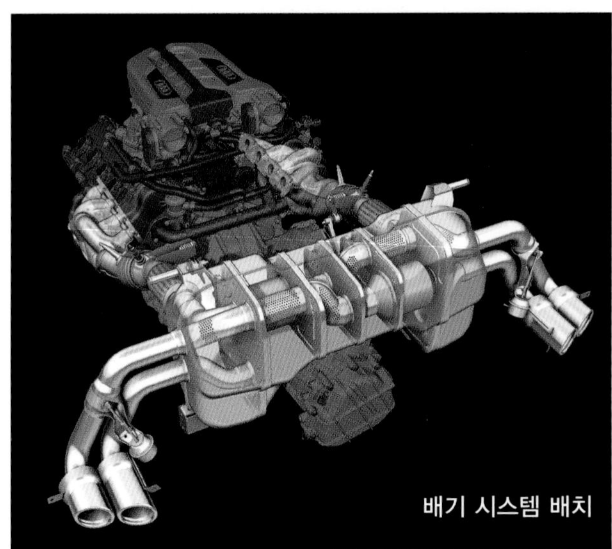

배기 시스템 배치

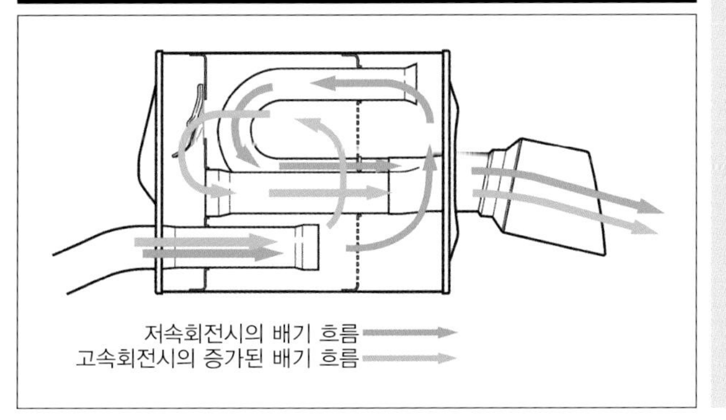

저속회전시의 배기 흐름 →
고속회전시의 증가된 배기 흐름 →

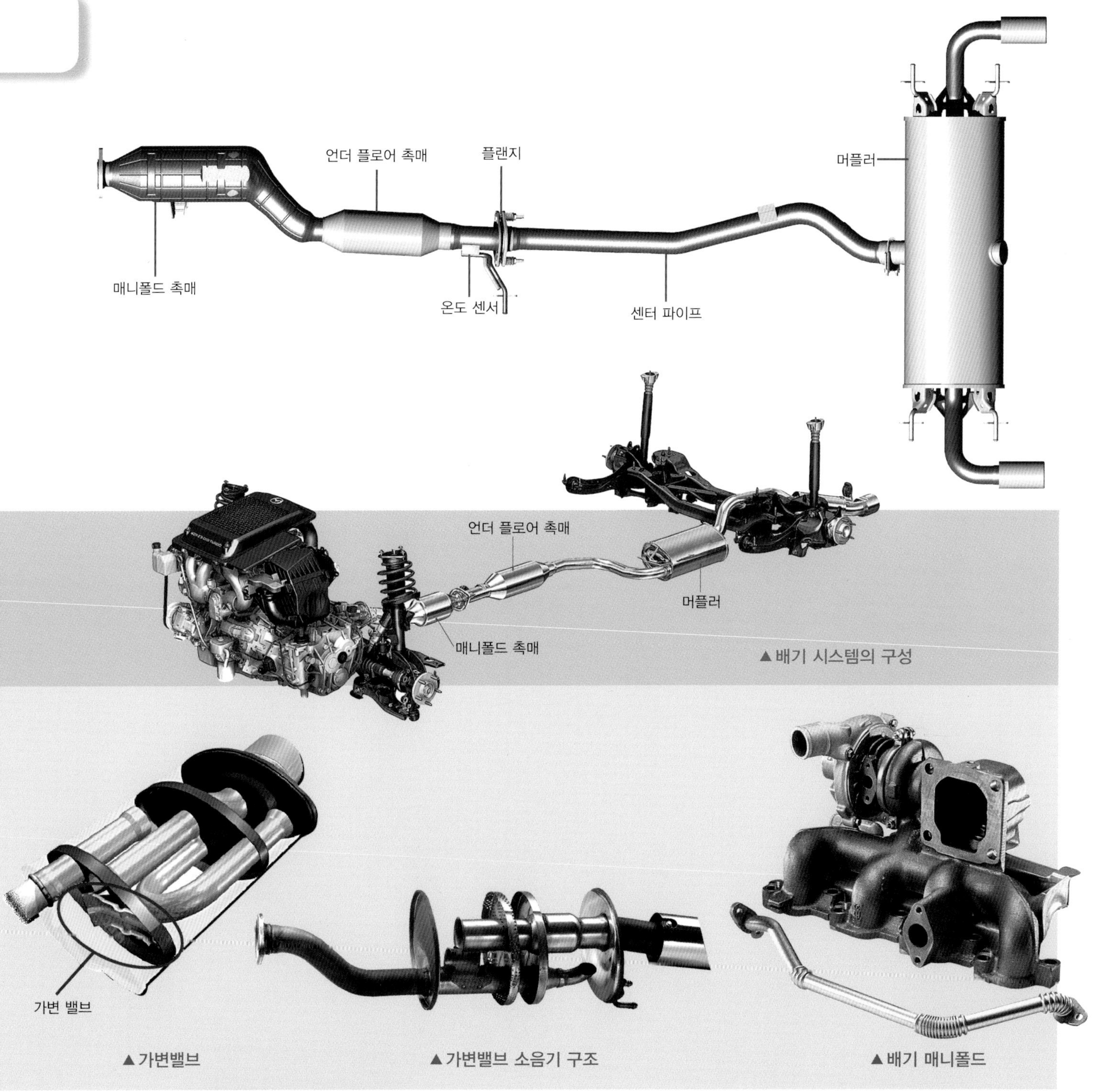

언더 플로어 촉매　플랜지　머플러

매니폴드 촉매

온도 센서　센터 파이프

언더 플로어 촉매

머플러

매니폴드 촉매

▲ 배기 시스템의 구성

가변 밸브

▲ 가변밸브

▲ 가변밸브 소음기 구조

▲ 배기 매니폴드

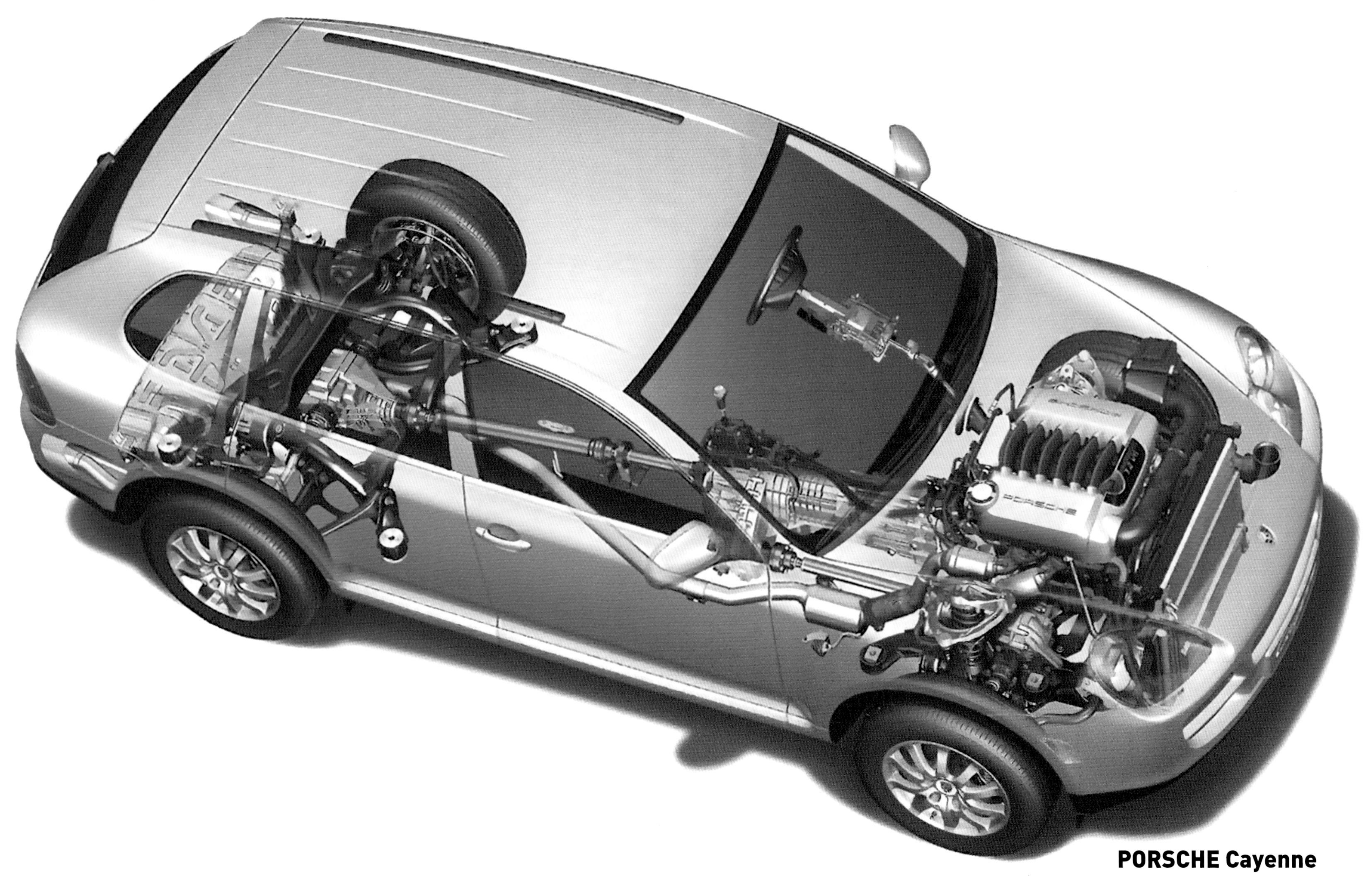

여러 가지 과급기

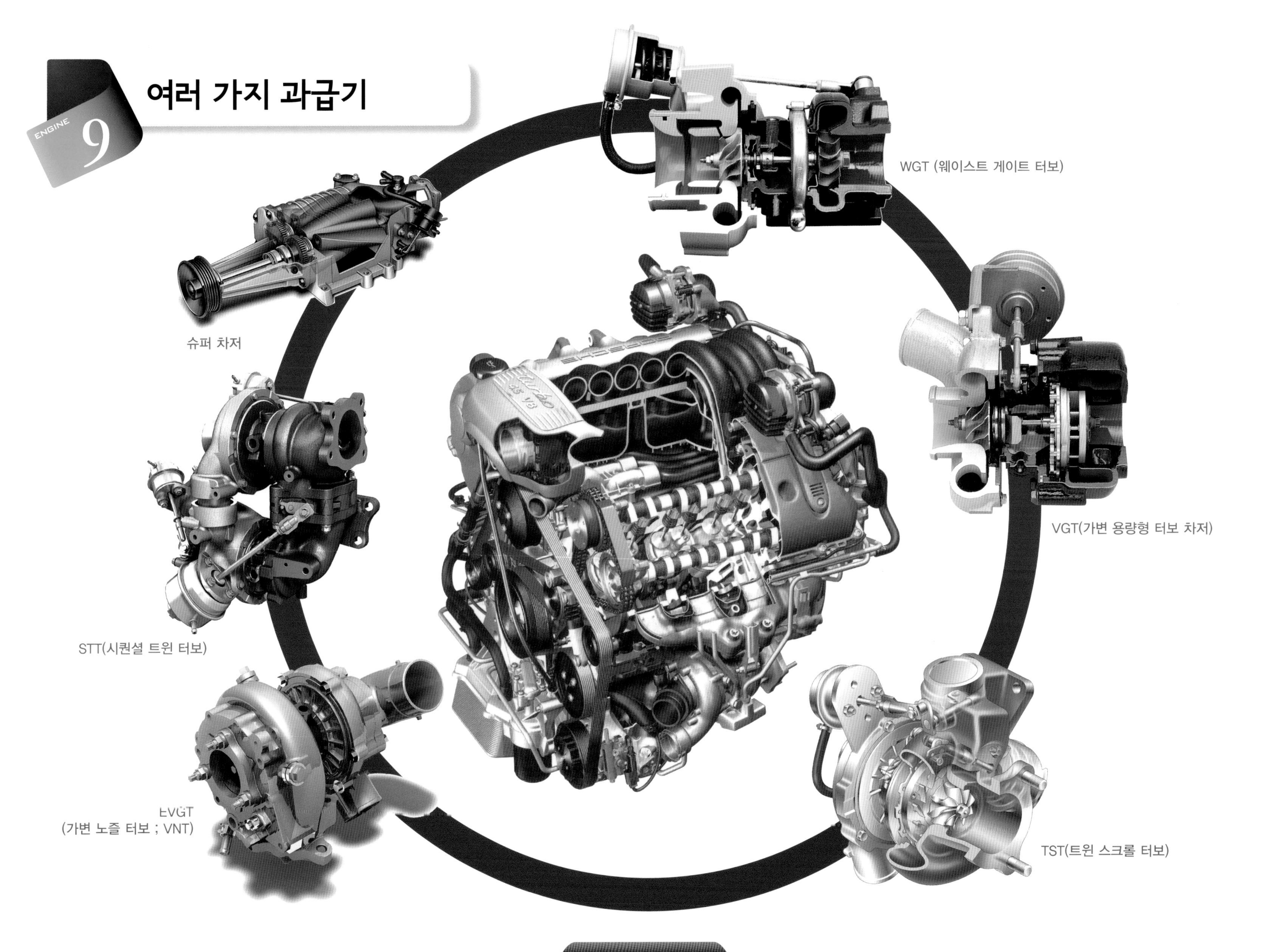

WGT (웨이스트 게이트 터보)

슈퍼 차저

VGT(가변 용량형 터보 차저)

STT(시퀀셜 트윈 터보)

EVGT
(가변 노즐 터보 ; VNT)

TST(트윈 스크롤 터보)

GoldenBell®
www.gbbook.co.kr

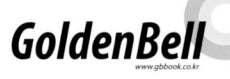

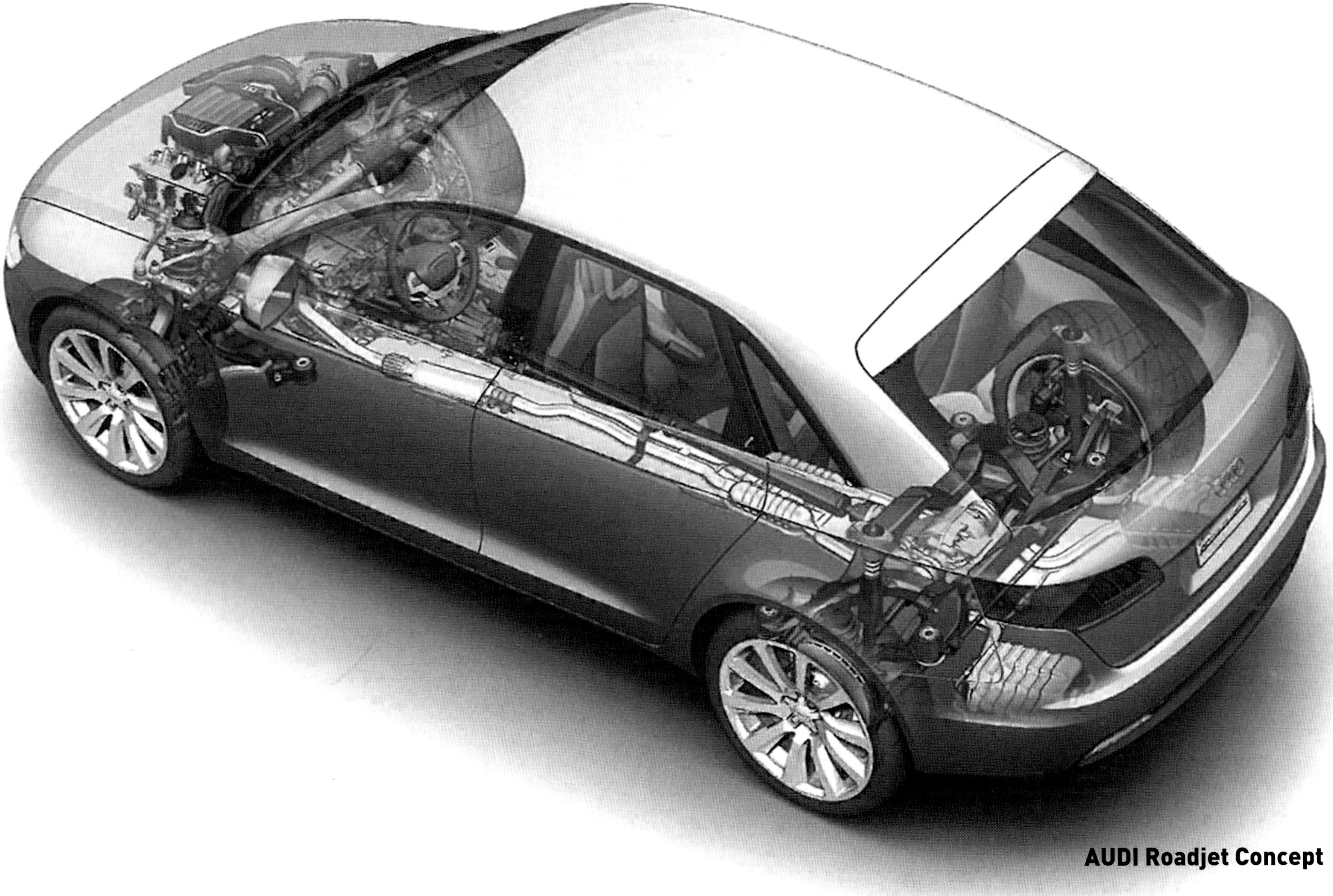

AUDI Roadjet Concept

터보차저 시스템

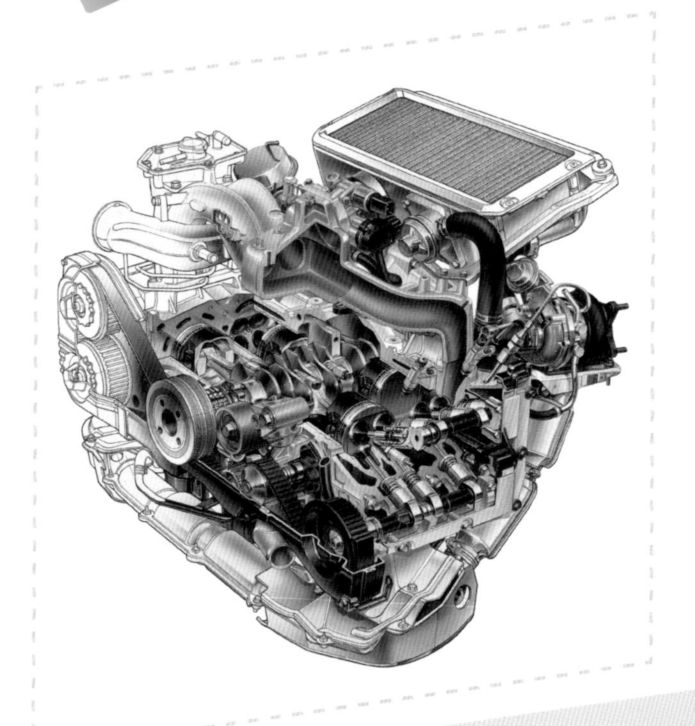

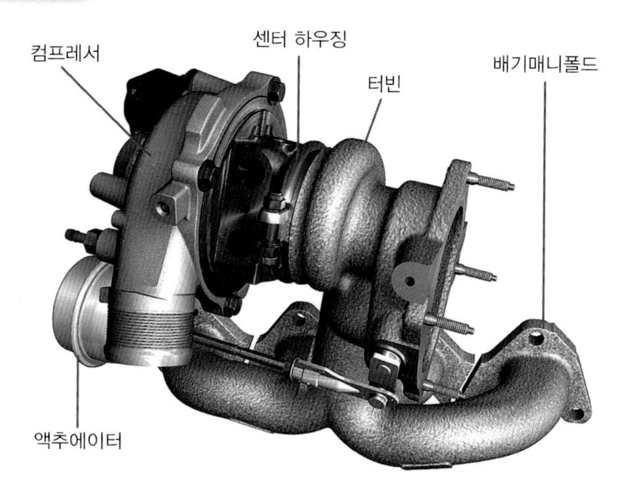

컴프레서　센터 하우징　터빈　배기매니폴드

액추에이터

▲ 터보차저 어셈블리

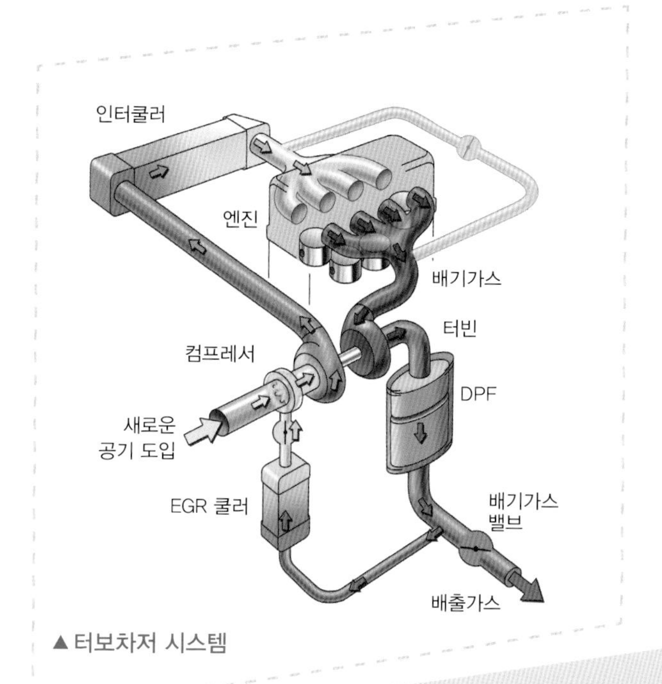

인터쿨러

엔진

배기가스

컴프레서　터빈

새로운
공기 도입　DPF

EGR 쿨러

배기가스
밸브

배출가스

▲ 터보차저 시스템

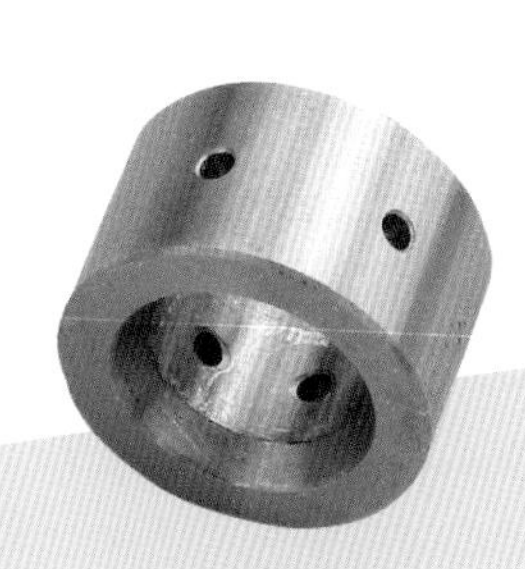

▲ 플로팅 베어링

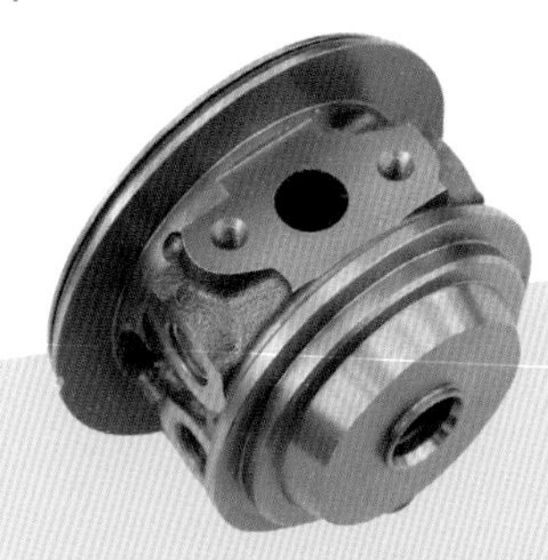

▲ 플로팅 베어링 하우징

백워드형 컴프레서▶

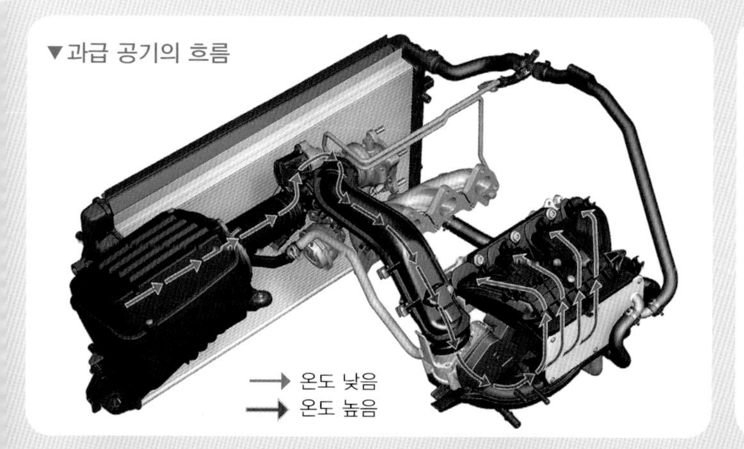

▼ 과급 공기의 흐름

→ 온도 낮음
→ 온도 높음

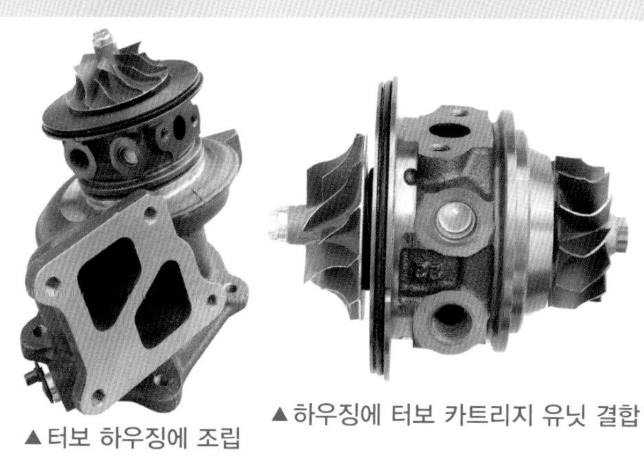

▲ 터보 하우징에 조립

▲ 하우징에 터보 카트리지 유닛 결합

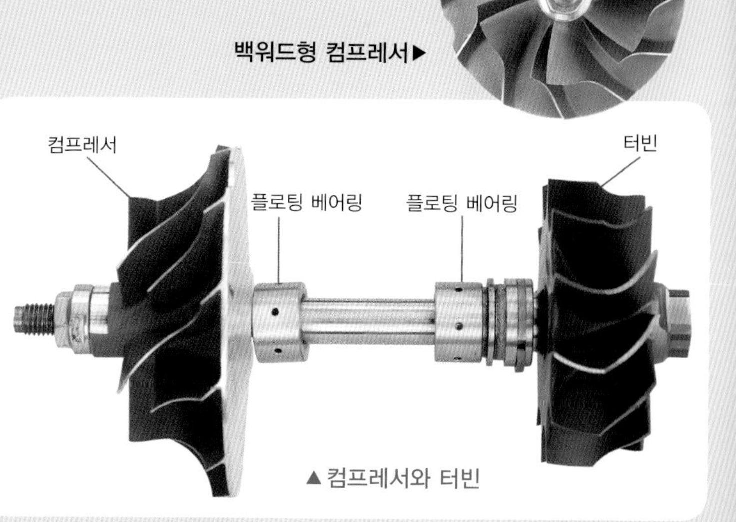

컴프레서　터빈

플로팅 베어링　플로팅 베어링

▲ 컴프레서와 터빈

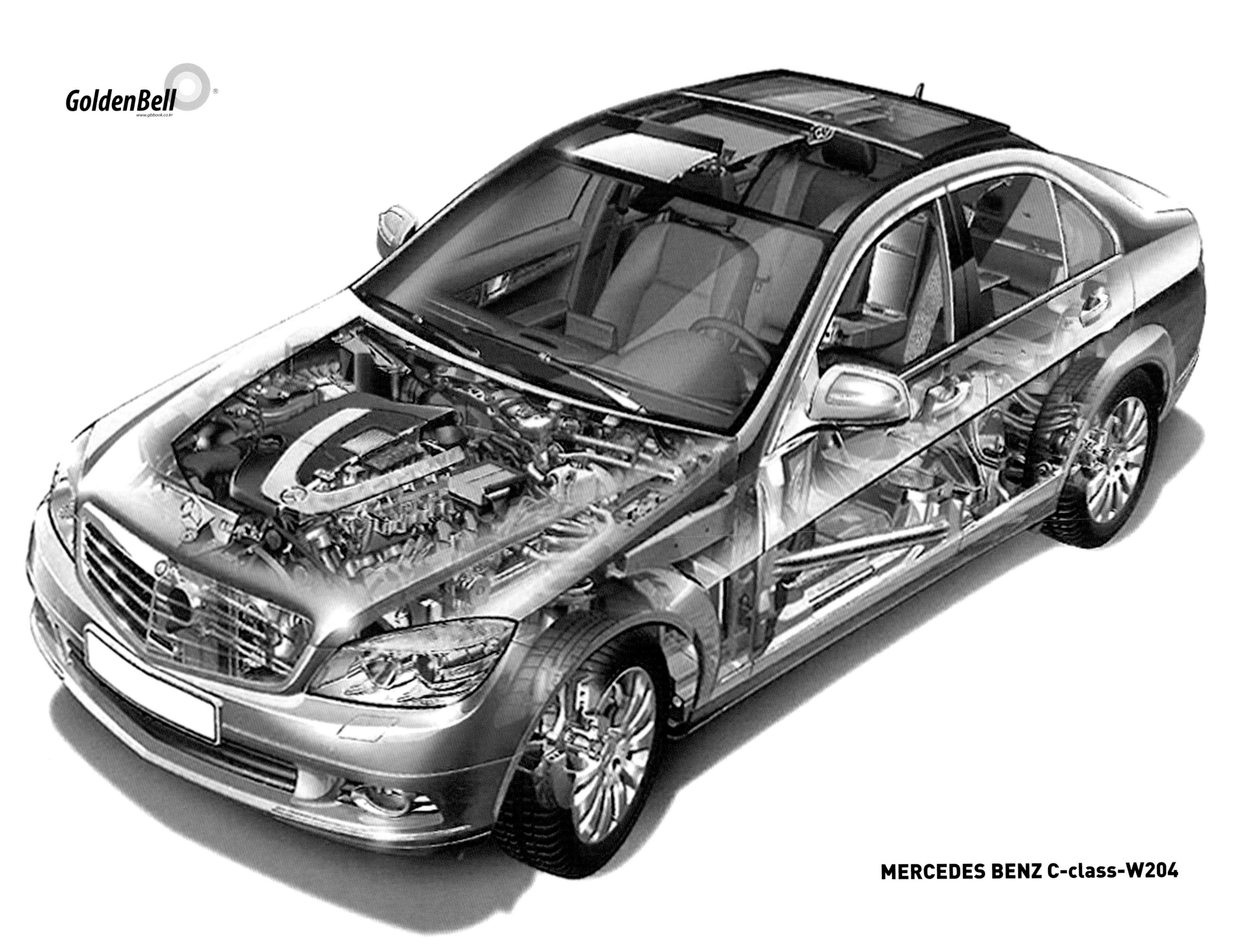

MERCEDES BENZ C-class-W204

슈퍼 차저 시스템

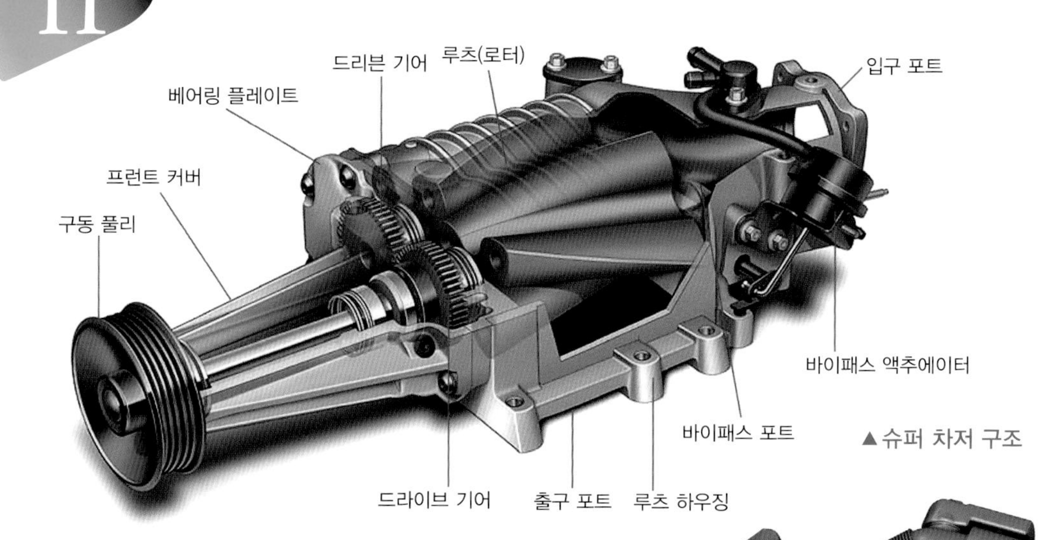

▲ 슈퍼 차저 구조

베어링 플레이트
프런트 커버
구동 풀리
드리븐 기어
루츠(로터)
입구 포트
바이패스 액추에이터
바이패스 포트
드라이브 기어
출구 포트
루츠 하우징

인터 쿨러

전동 워터 펌프

▲ 인터 쿨러

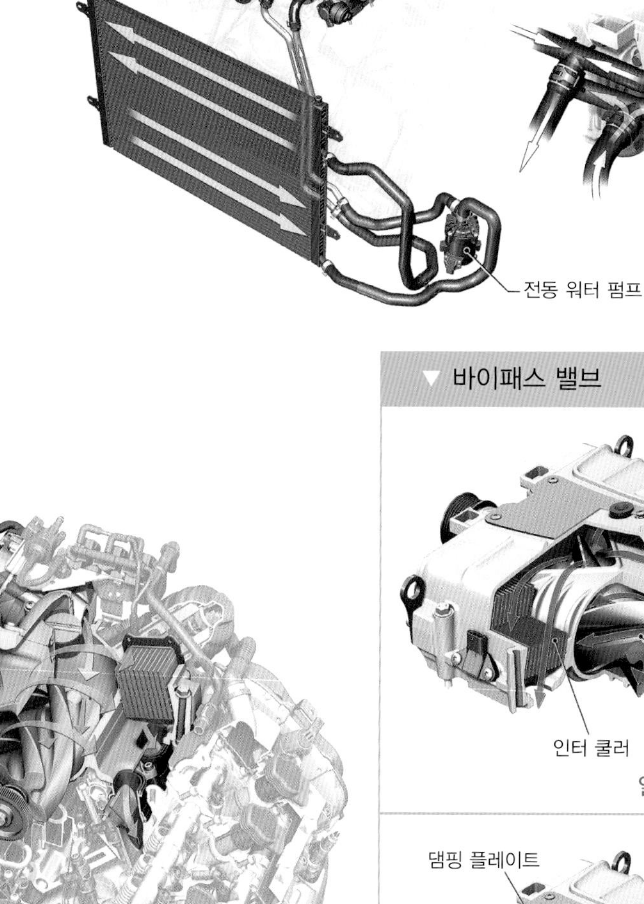

▲ 출구 포트

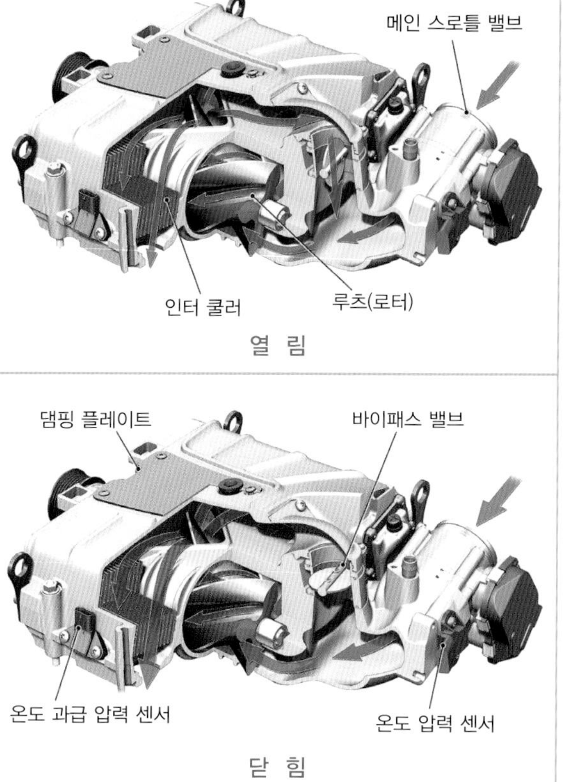

▲ 과급 공기 흐름

◀ 루츠(로터)

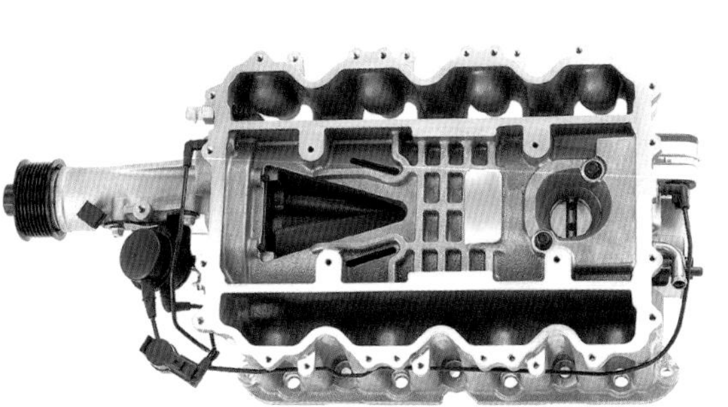

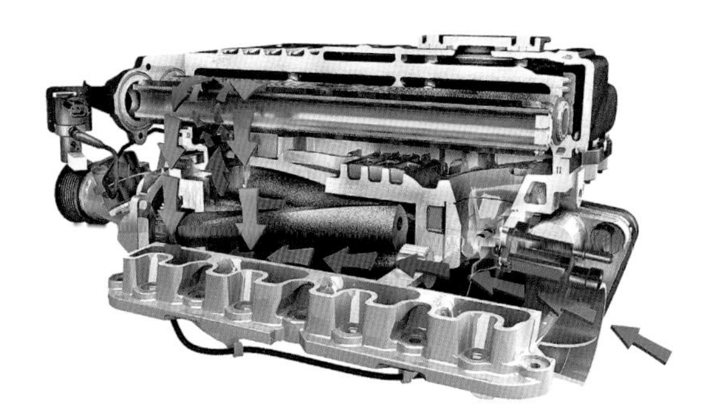

▼ 바이패스 밸브

메인 스로틀 밸브
인터 쿨러
루츠(로터)

열 림

댐핑 플레이트
바이패스 밸브
온도 과급 압력 센서
온도 압력 센서

닫 힘

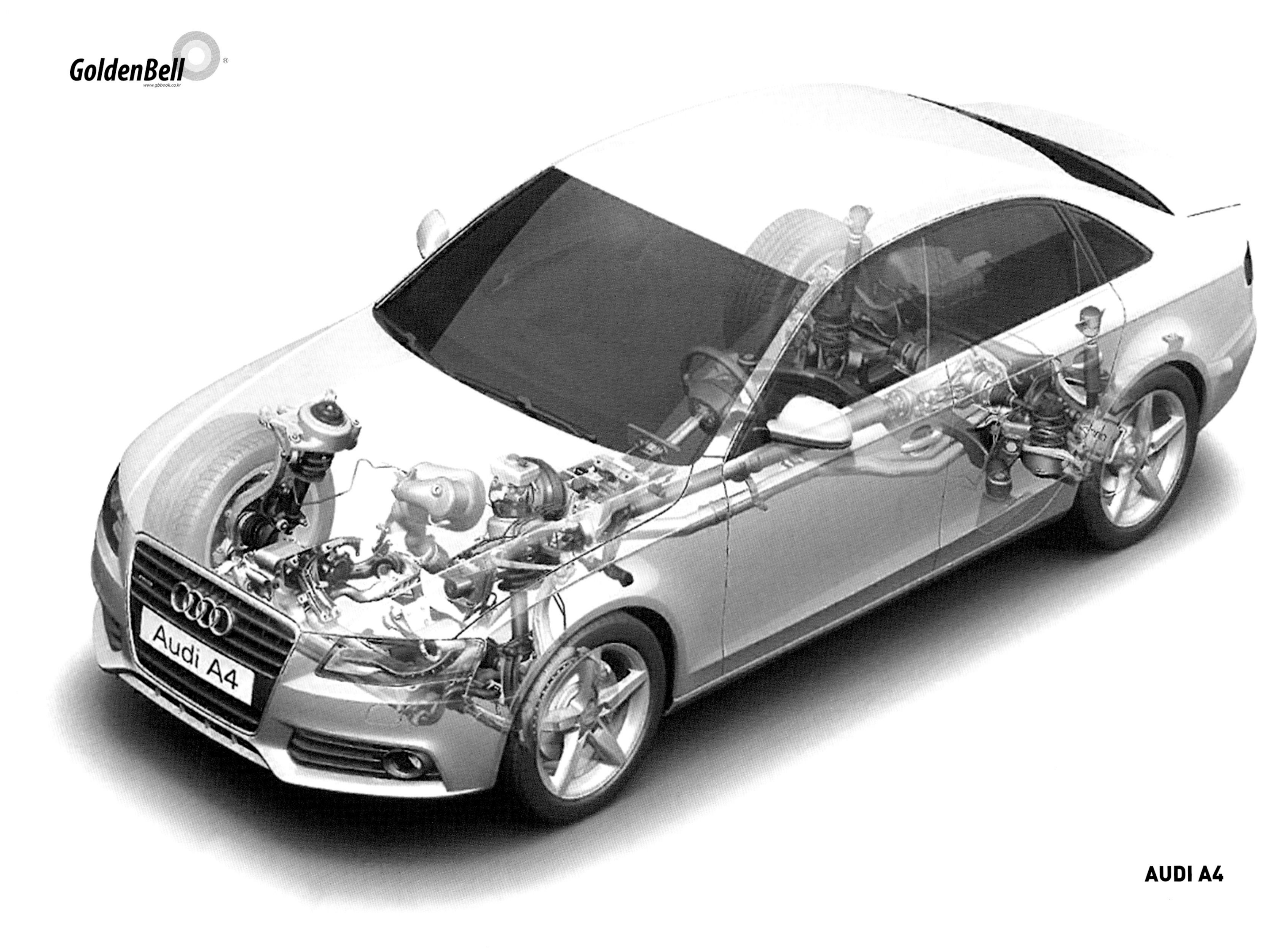

가변 용량 터보차저 시스템
(**V**ariable **G**eometry **T**urbocharger)

DC 일렉트릭 모터

▲ EVGT(가변 노즐 터보 : VNT)

가이드 베인 터빈

VGT 구조

컨트롤 액추에이터

흡입

배기

서지탱크로

가이드 베인

컨트롤 액추에이터

터빈 하우징

흡입

컴프레서

배기

컴프레서 하우징

가이드 베인

노즐

▼ 베인 상태

고속시 가이드 베인 상태

저속시 가이드 베인 상태

가이드 베인

컴프레서

가이드 베인

터빈

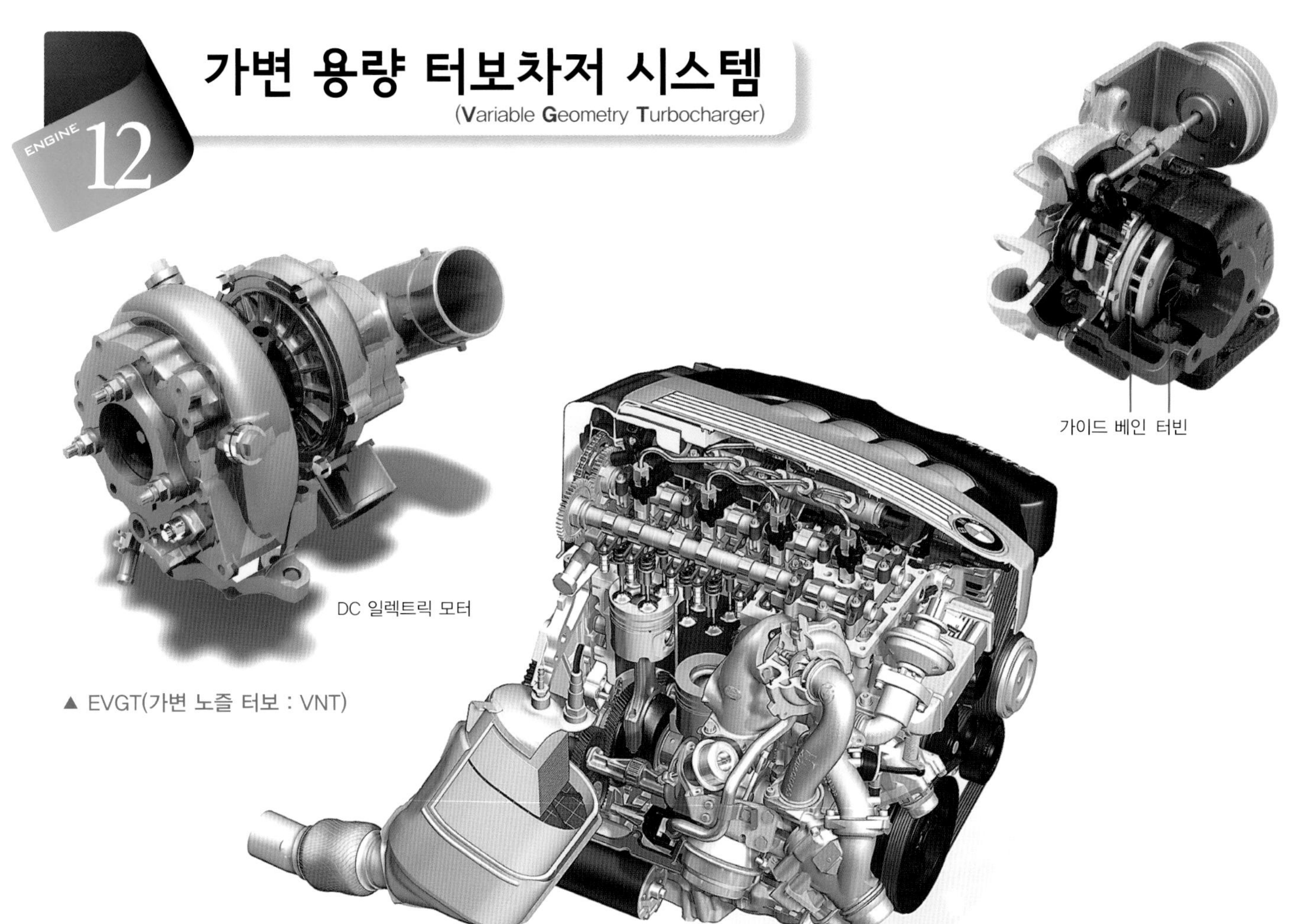

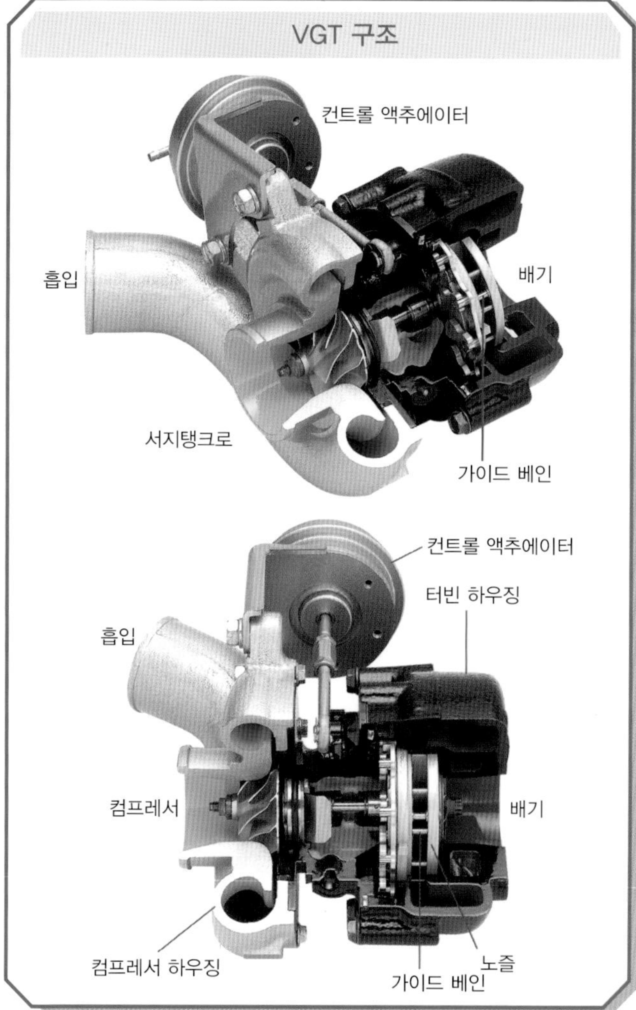

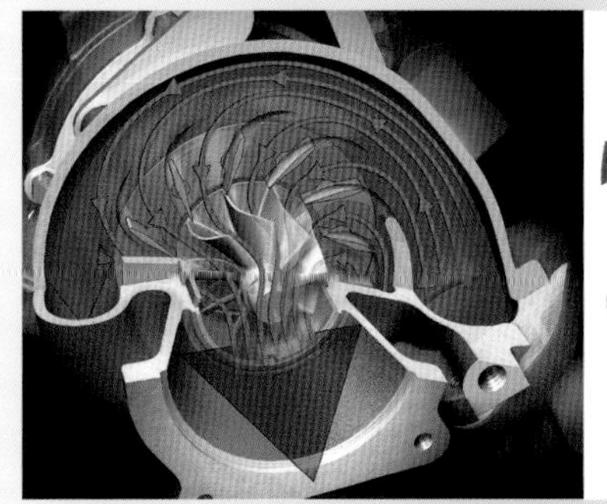

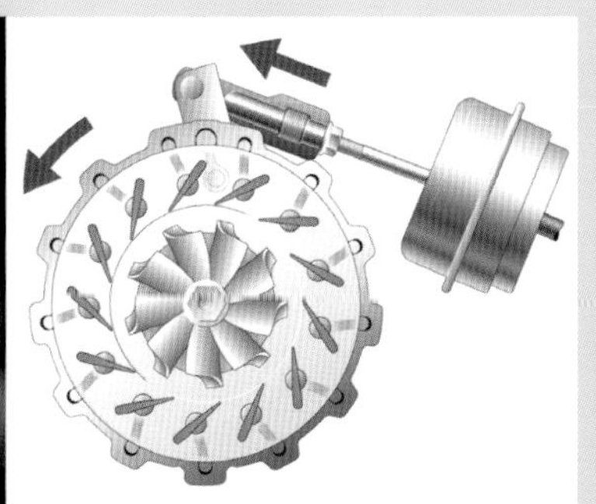

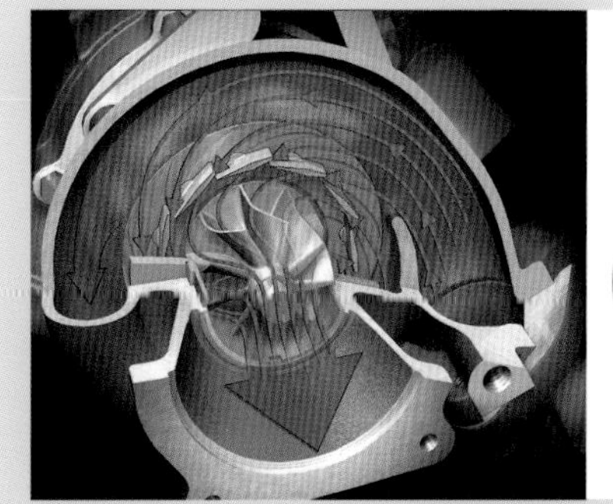

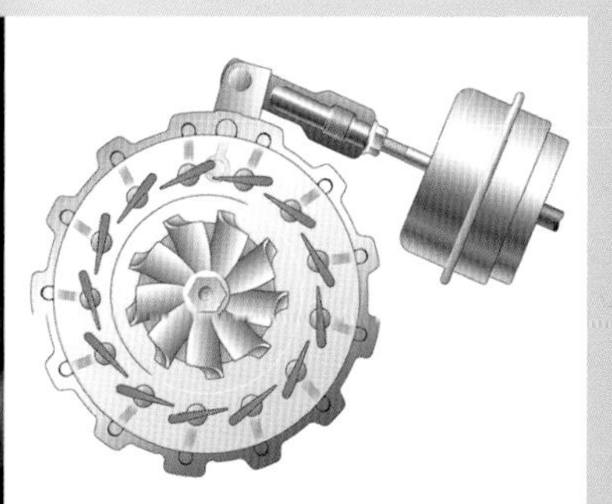

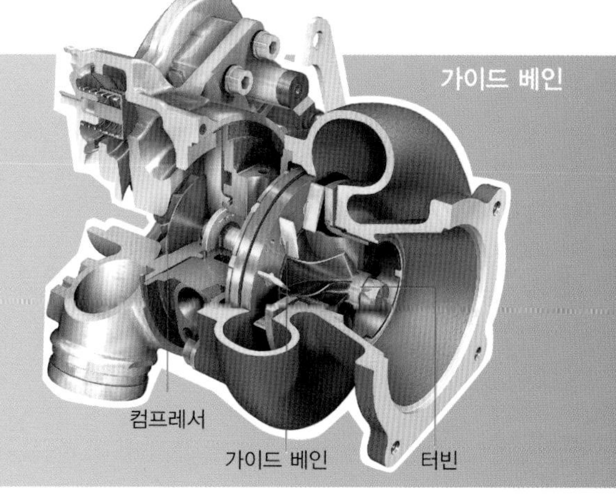

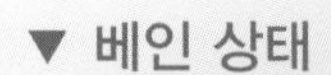

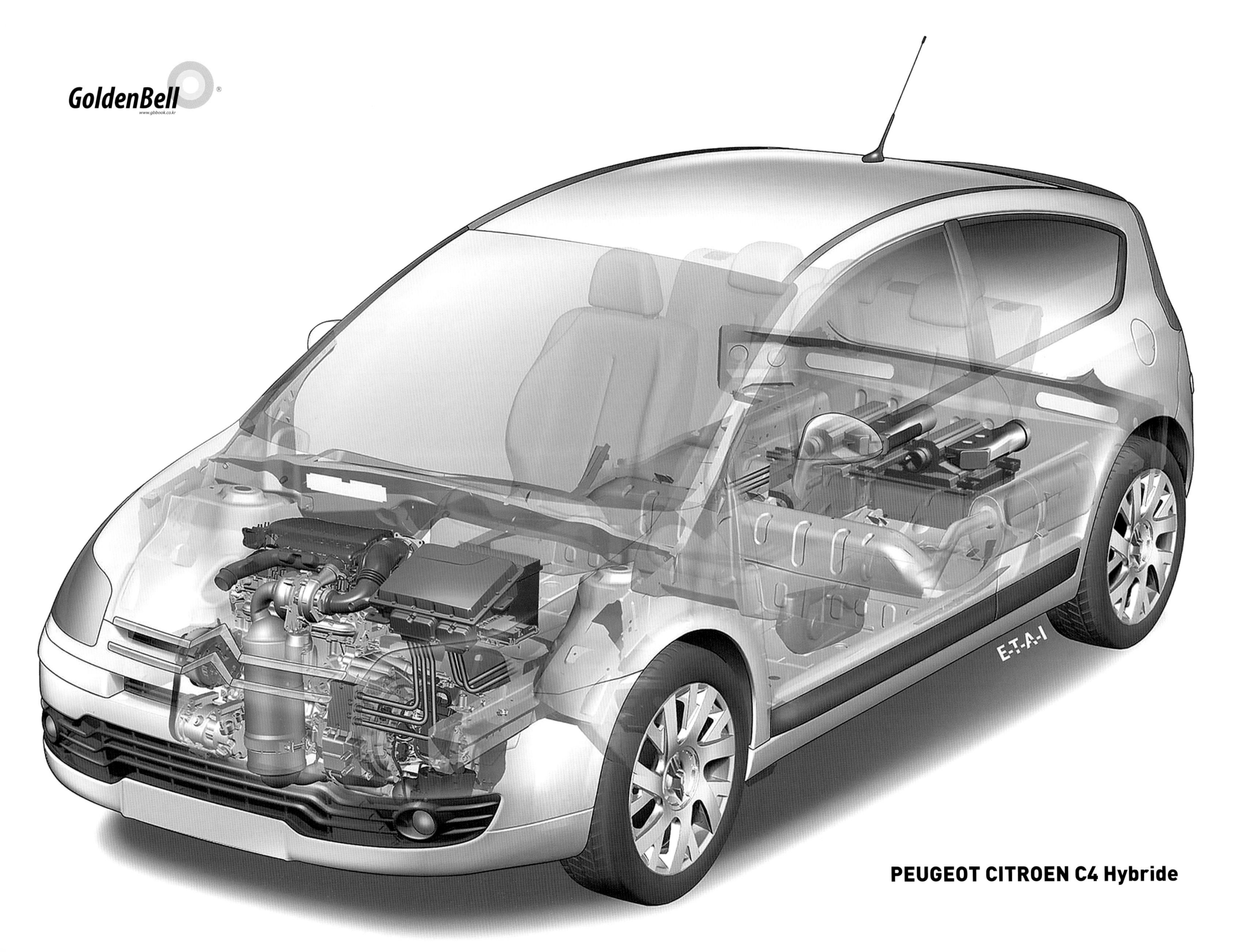

PEUGEOT CITROEN C4 Hybride

ET.A-1

연료 인젝션 테크놀로지

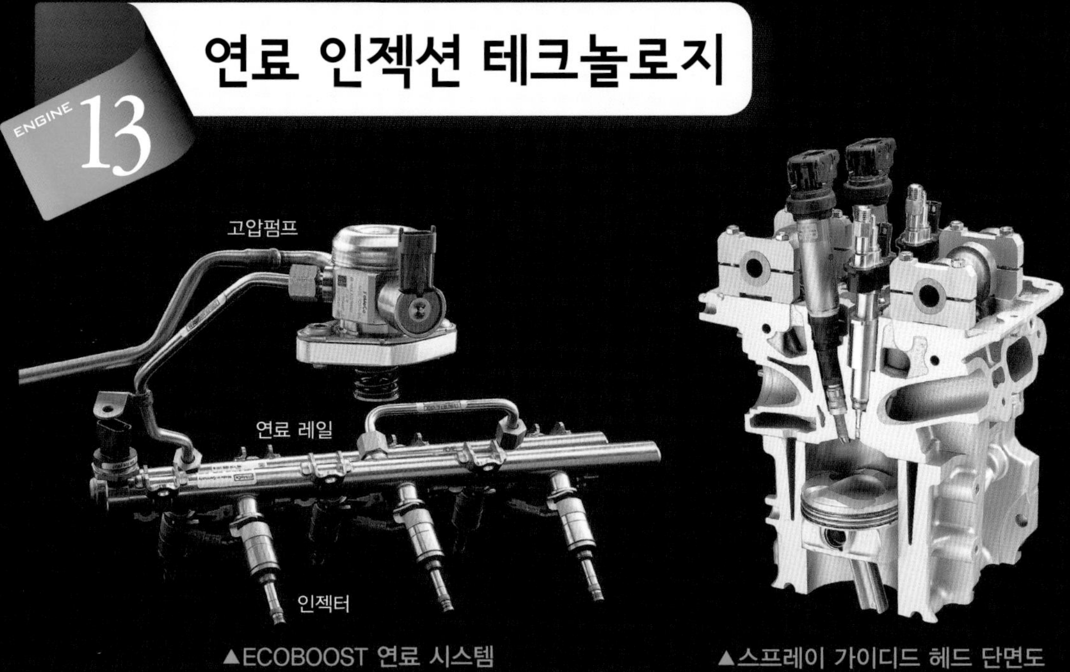

고압펌프

연료 레일

인젝터

▲ECOBOOST 연료 시스템

▲스프레이 가이디드 헤드 단면도

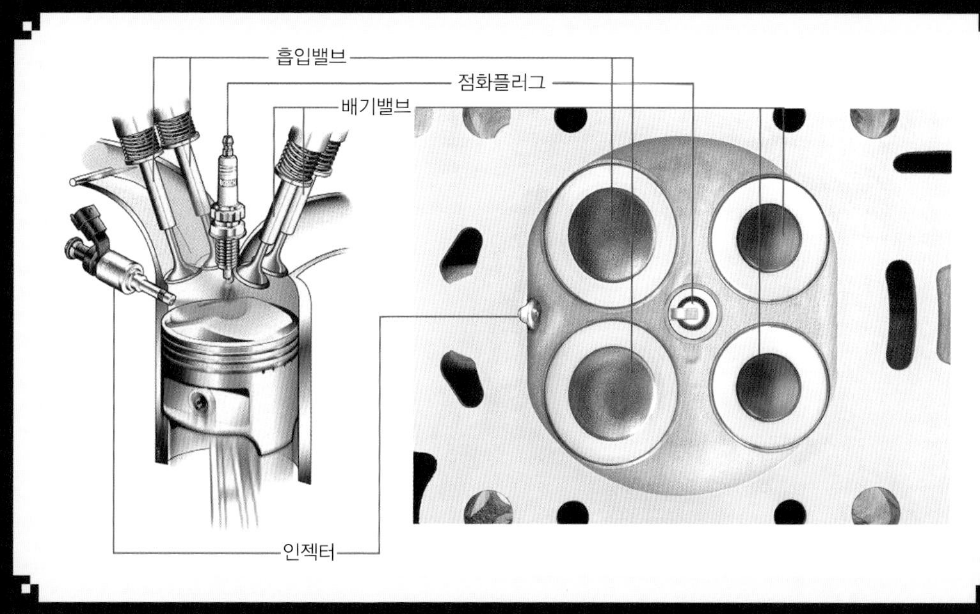

흡입밸브

점화플러그

배기밸브

인젝터

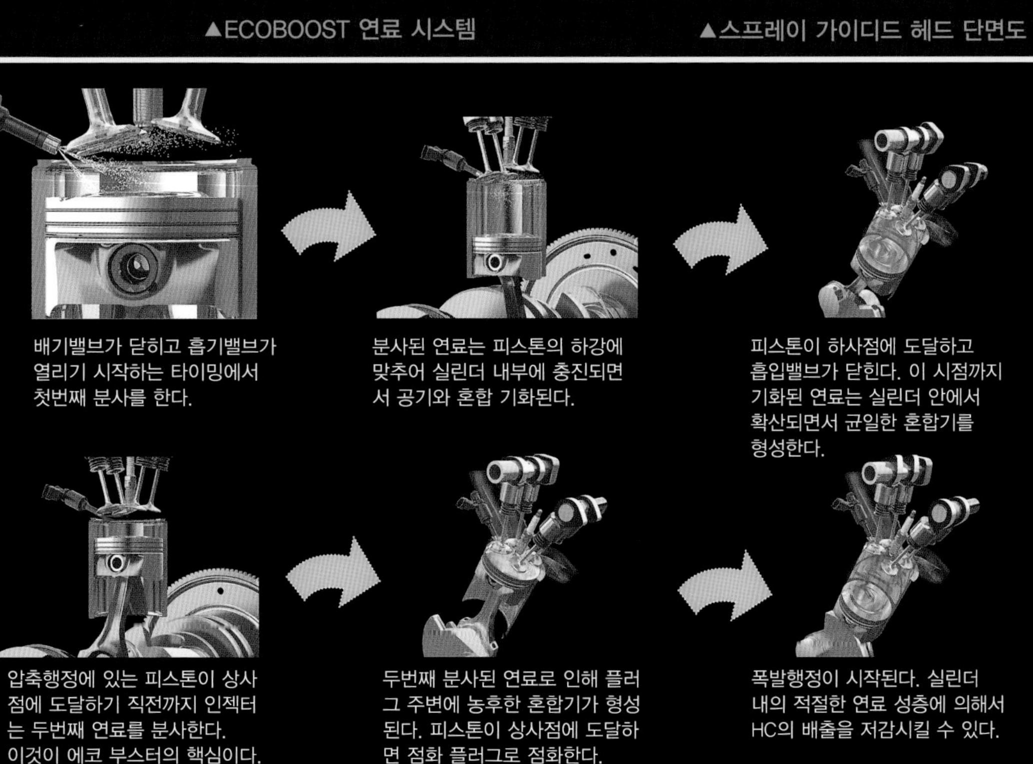

배기밸브가 닫히고 흡기밸브가
열리기 시작하는 타이밍에서
첫번째 분사를 한다.

분사된 연료는 피스톤의 하강에
맞추어 실린더 내부에 충진되면
서 공기와 혼합 기화된다.

피스톤이 하사점에 도달하고
흡입밸브가 닫힌다. 이 시점까지
기화된 연료는 실린더 안에서
확산되면서 균일한 혼합기를
형성한다.

압축행정에 있는 피스톤이 상사
점에 도달하기 직전까지 인젝터
는 두번째 연료를 분사한다.
이것이 에코 부스터의 핵심이다.

두번째 분사된 연료로 인해 플러
그 주변에 농후한 혼합기가 형성
된다. 피스톤이 상사점에 도달하
면 점화 플러그로 점화한다.

폭발행정이 시작된다. 실린더
내의 적절한 연료 성층에 의해서
HC의 배출을 저감시킬 수 있다.

▲ECOBOOST 엔진의 워밍업 운시시 연소

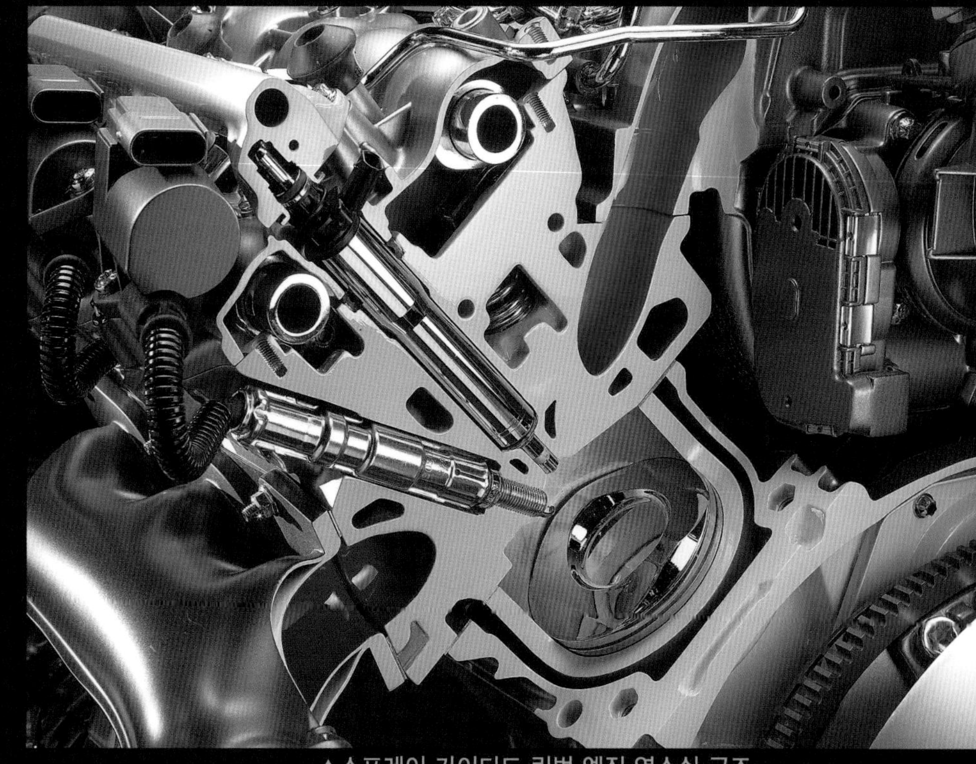

▲스프레이 가이디드 린번 엔진 연소실 구조

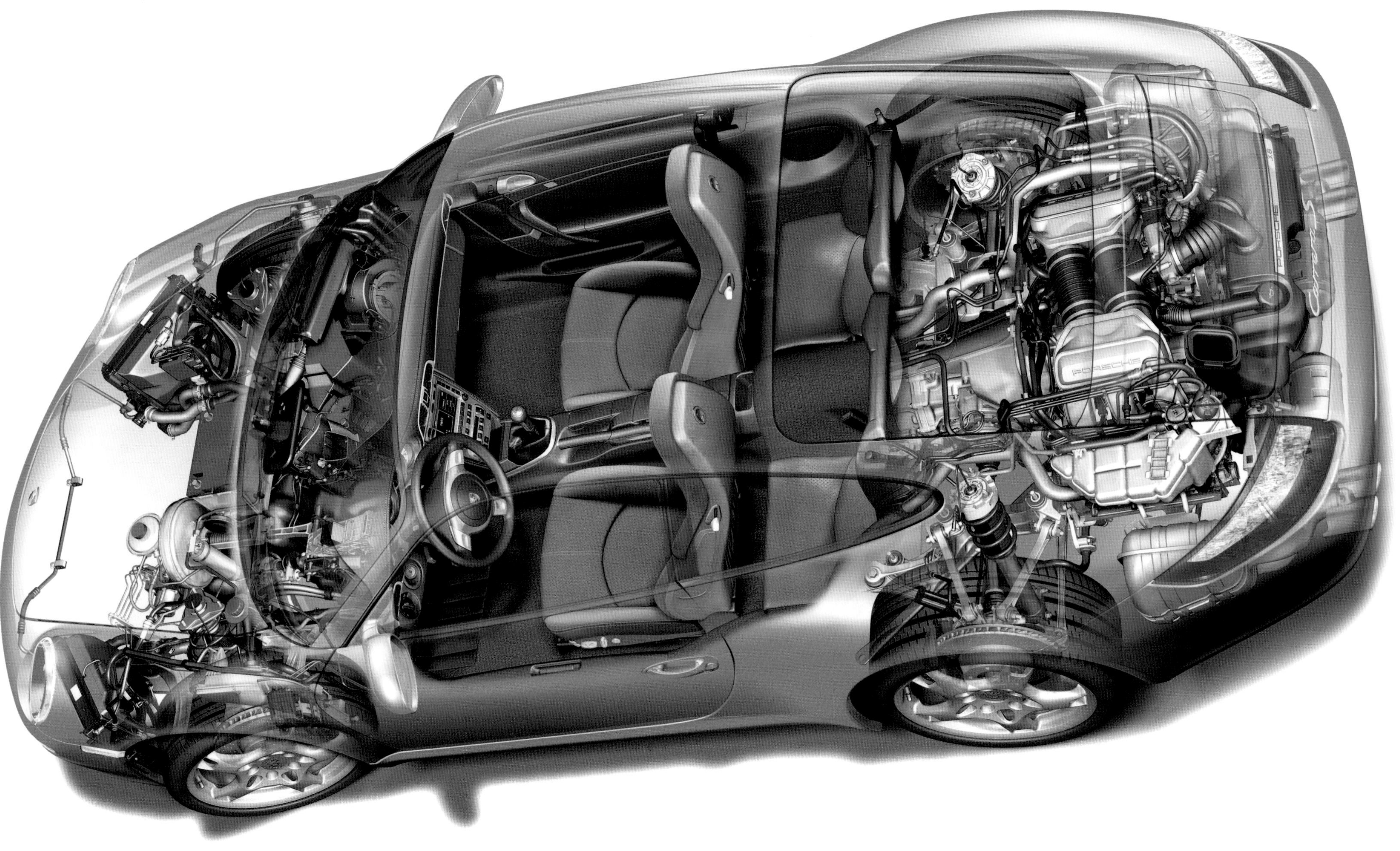

액화 석유 가스 분사 시스템
(Liquefied Petroleum gas Injection)

▼ LPI 시스템의 구성

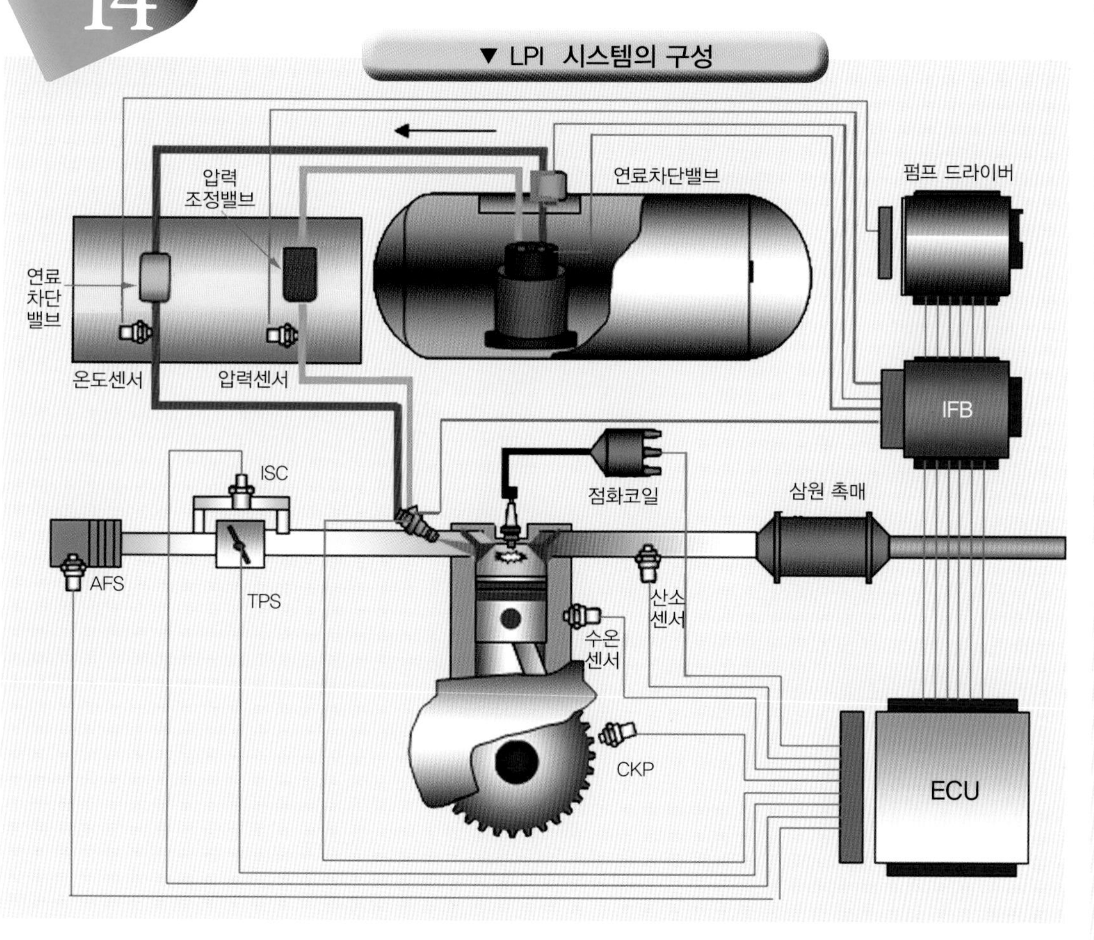

연료 조정밸브
연료차단밸브
펌프 드라이버
연료 차단 밸브
온도센서
압력센서
IFB
ISC
점화코일
삼원 촉매
AFS
TPS
산소 센서
수온 센서
CKP
ECU

▼ LPI 연료 시스템의 구성

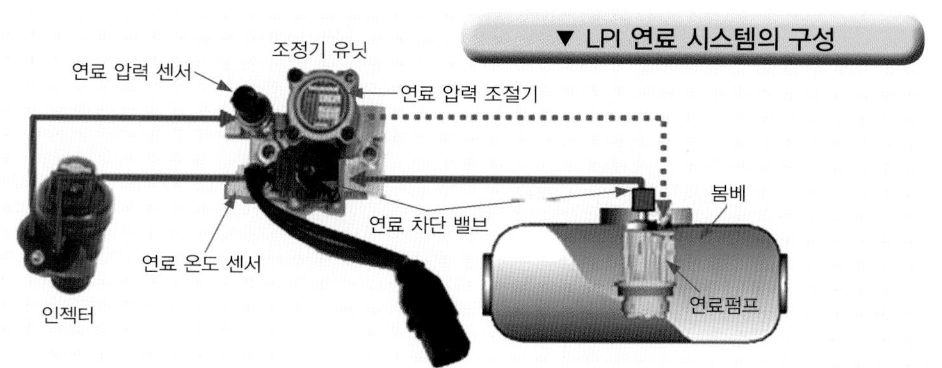

연료 압력 센서
조정기 유닛
연료 압력 조절기
연료 차단 밸브
봄베
연료 온도 센서
연료펌프
인젝터

▼ LPI 연료 시스템의 작동 순서

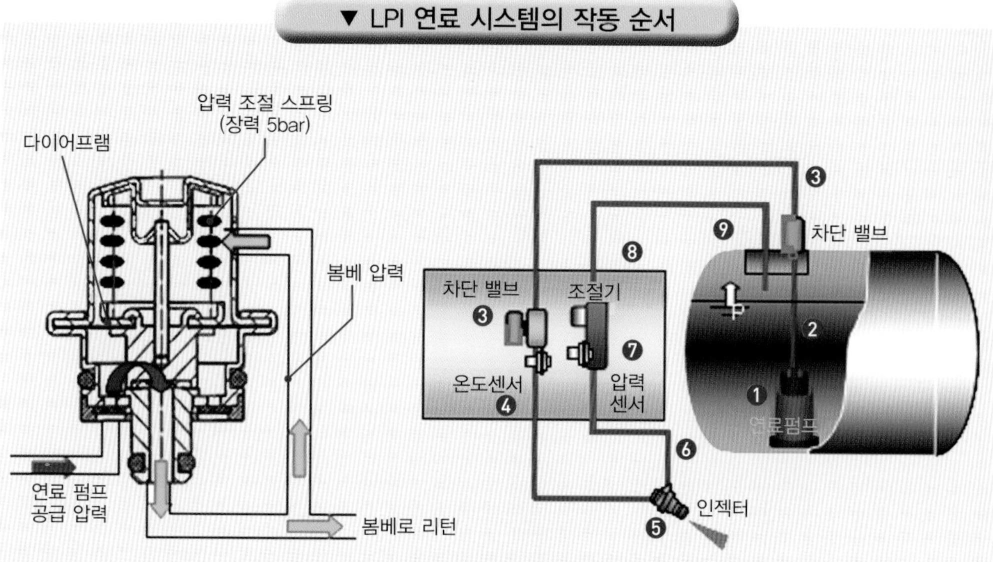

압력 조절 스프링 (장력 5bar)
다이어프램
봄베 압력
차단 밸브
차단 밸브
조절기
온도센서
압력 센서
연료펌프
인젝터
연료 펌프 공급 압력
봄베로 리턴

▼ 연료 압력 조절기와 연료 탱크 구조

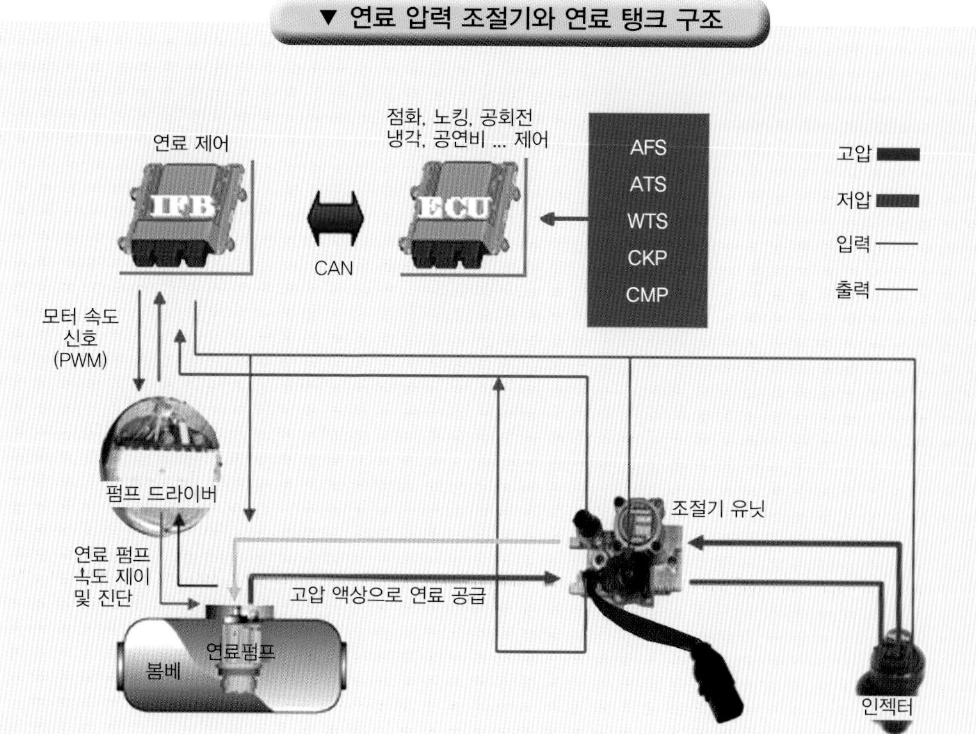

연료 제어
점화, 노킹, 공회전 냉각, 공연비 ... 제어
IFB
ECU
AFS
ATS
WTS
CKP
CMP
CAN
고압
저압
입력
출력
모터 속도 신호 (PWM)
펌프 드라이버
연료 펌프 속도 지이 및 진단
고압 액상으로 연료 공급
조절기 유닛
봄베
연료펌프
인젝터

MERCEDES BENZ E-class(W212)

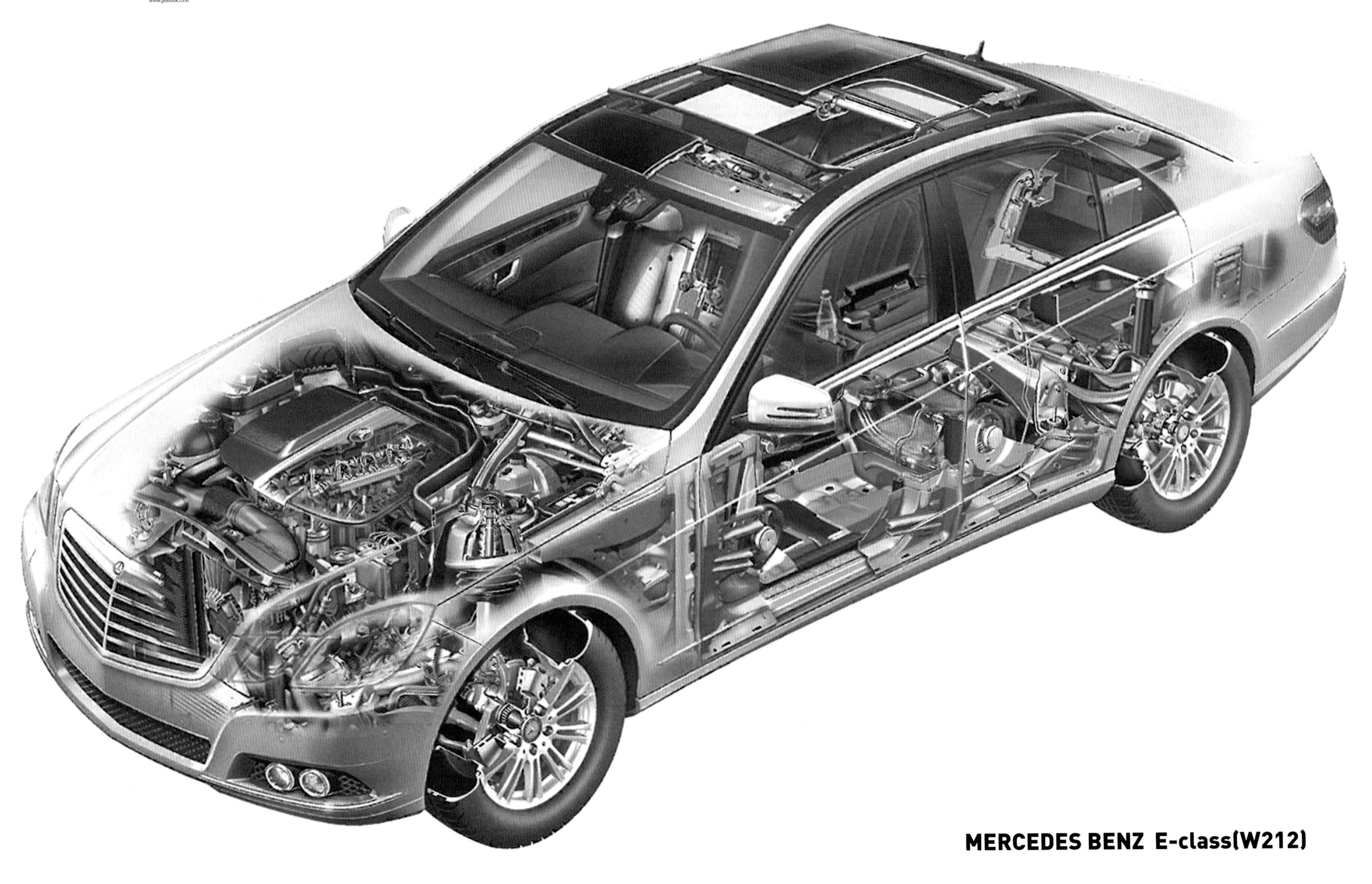

압축 천연 가스 시스템
(**C**ompressed **N**atural **G**as)

▼ CNG 자동차의 연료 시스템

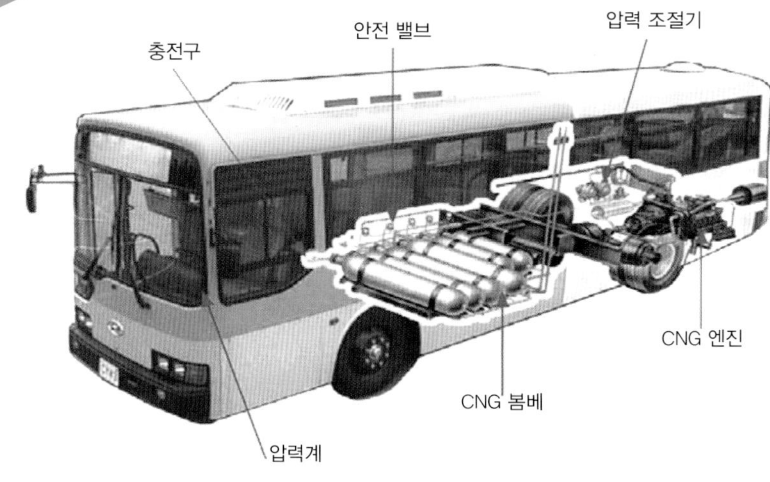

충전구
안전 밸브
압력 조절기
CNG 엔진
CNG 봄베
압력계

▼ CNG 자동차의 구성

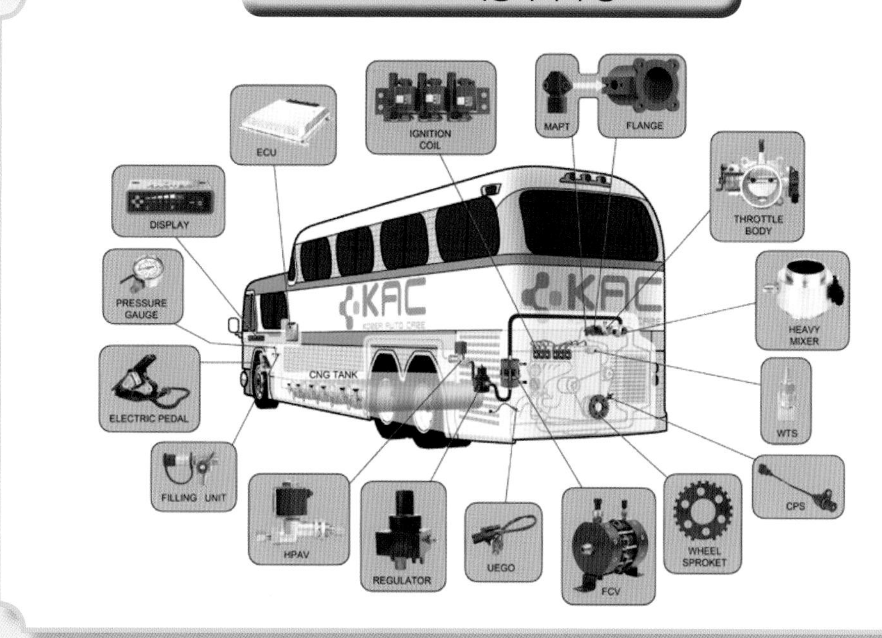

ECU
IGNITION COIL
MAPT
FLANGE
DISPLAY
THROTTLE BODY
PRESSURE GAUGE
HEAVY MIXER
ELECTRIC PEDAL
CNG TANK
WTS
FILLING UNIT
HPAV
REGULATOR
UEGO
FCV
WHEEL SPROKET
CPS

▼ CNG 연료 시스템의 구성

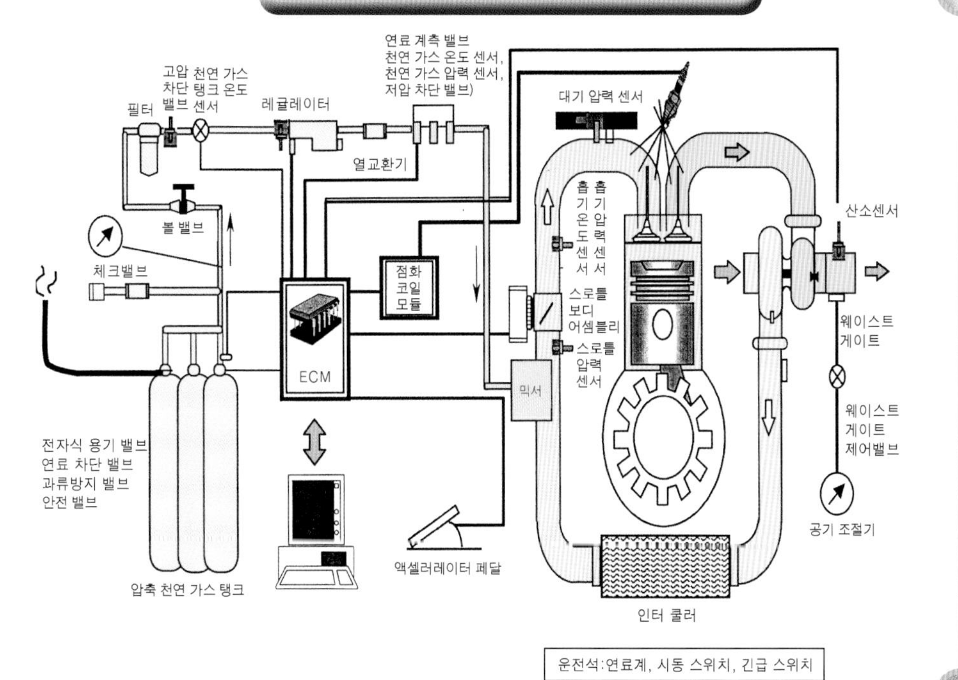

연료 계측 밸브
천연 가스 온도 센서,
천연 가스 압력 센서,
저압 차단 밸브)
고압 천연 가스
차단
밸브
필터
탱크 온도
센서
레귤레이터
대기 압력 센서
열교환기
볼 밸브
점화
코일
모듈
산소센서
체크밸브
흡기 온도 센서
흡기 압력 센서
스로틀 보디 어셈블리
스로틀 압력 센서
ECM
믹서
웨이스트 게이트
웨이스트 게이트 제어밸브
전자식 용기 밸브
연료 차단 밸브
과류방지 밸브
안전 밸브
공기 조절기
압축 천연 가스 탱크
액셀러레이터 페달
인터 쿨러
운전석:연료계, 시동 스위치, 긴급 스위치

▼ CNG 연료 시스템의 구성(3세대)

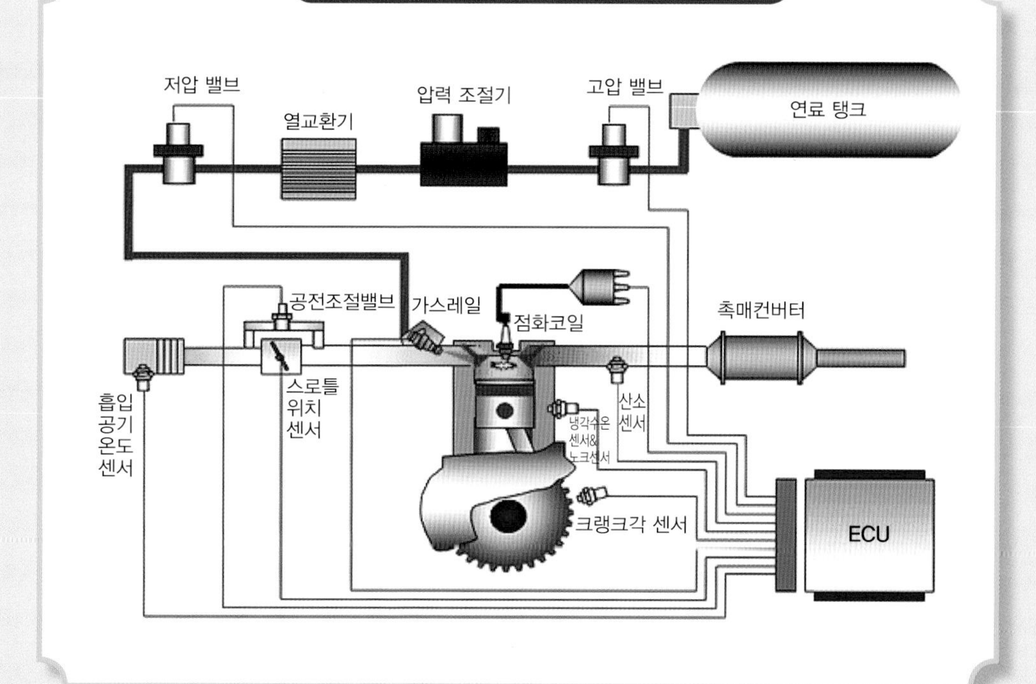

저압 밸브
열교환기
압력 조절기
고압 밸브
연료 탱크
공전조절밸브
가스레일
점화코일
촉매컨버터
흡입 공기 온도 센서
스로틀 위치 센서
냉각수온 센서&노크센서
산소 센서
크랭크각 센서
ECU

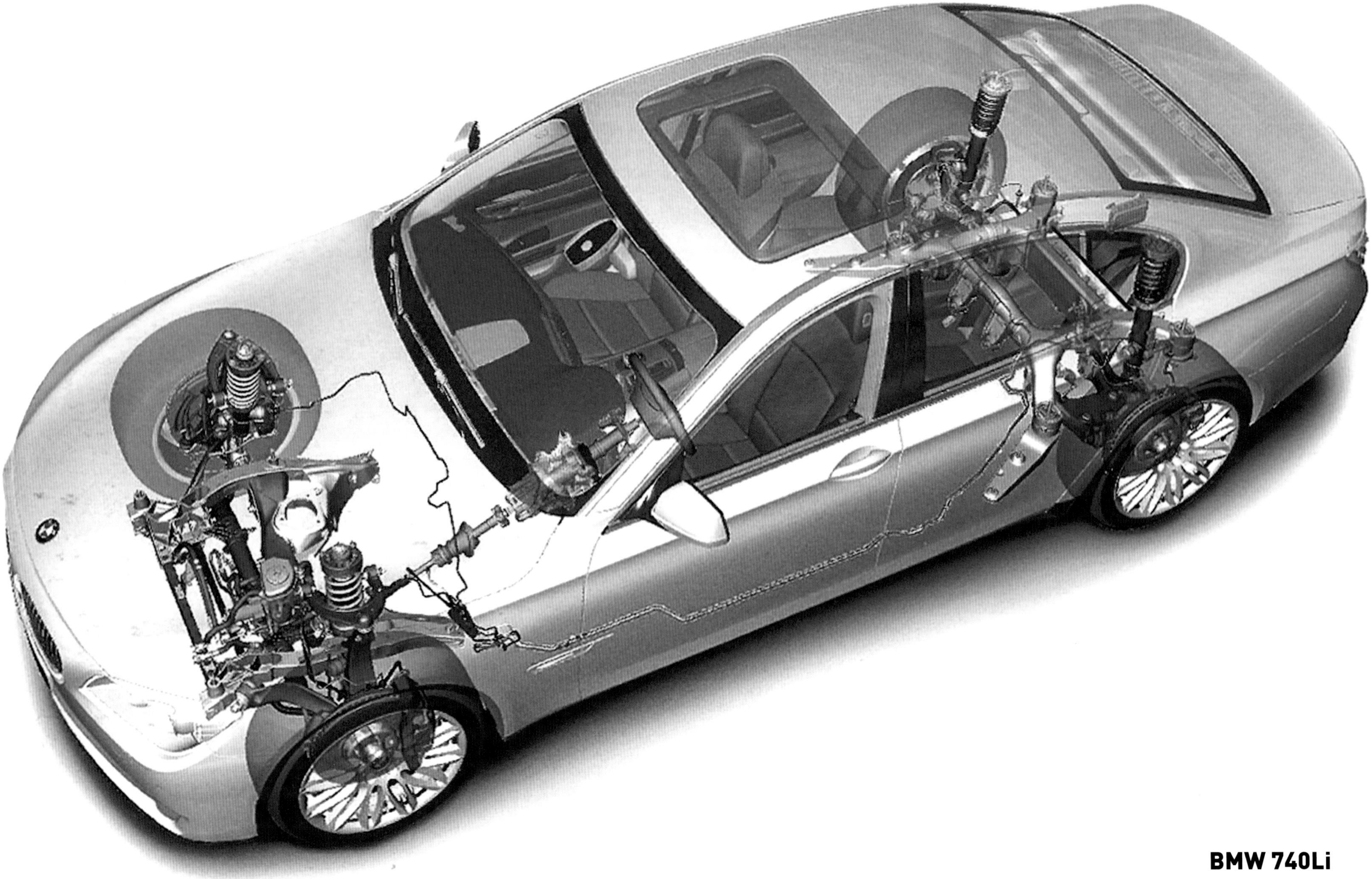

BMW 740Li

가솔린 직접 분사 시스템
(**G**asoline **D**irect **I**njection)

애트킨슨 사이클

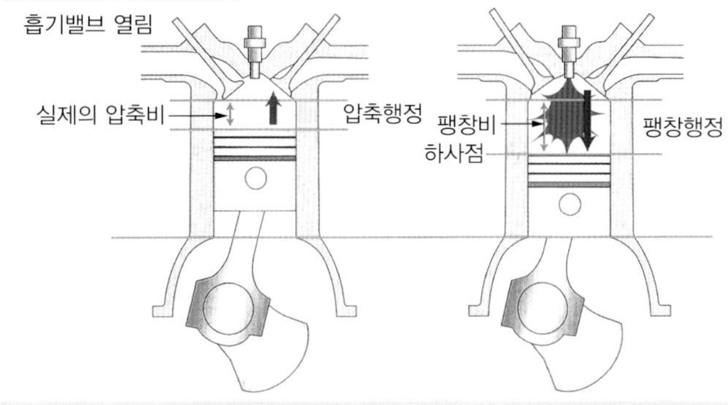

흡기밸브 열림

실제의 압축비 · 압축행정 · 팽창비 · 팽창행정 · 하사점

▼ 스프레이 가이디드 연소실 부품 배치도

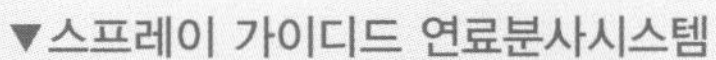

인젝터 · 흡입 포트

배기포트 · 점화 플러그 · 피스톤

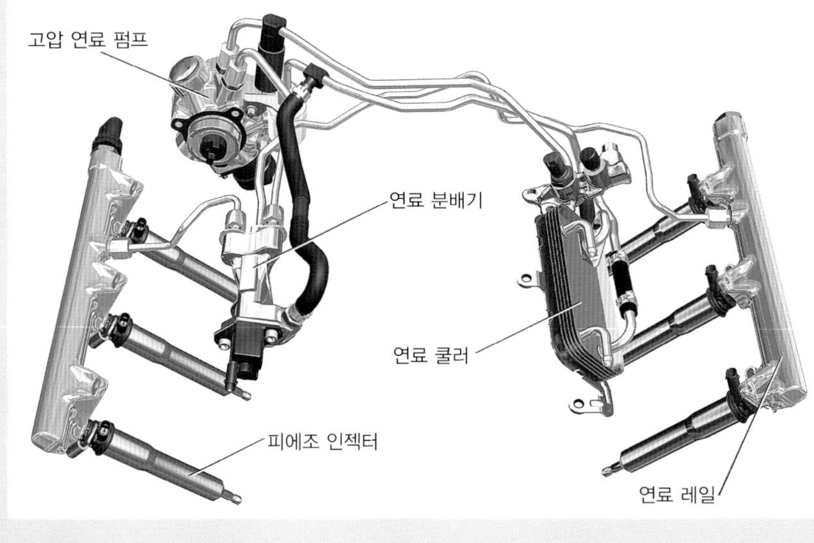

GDI 연료분사

▼ 스프레이 가이디드 연료분사시스템

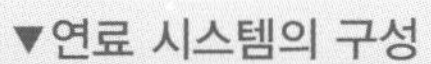

고압 연료 펌프

연료 분배기

연료 쿨러

피에조 인젝터

연료 레일

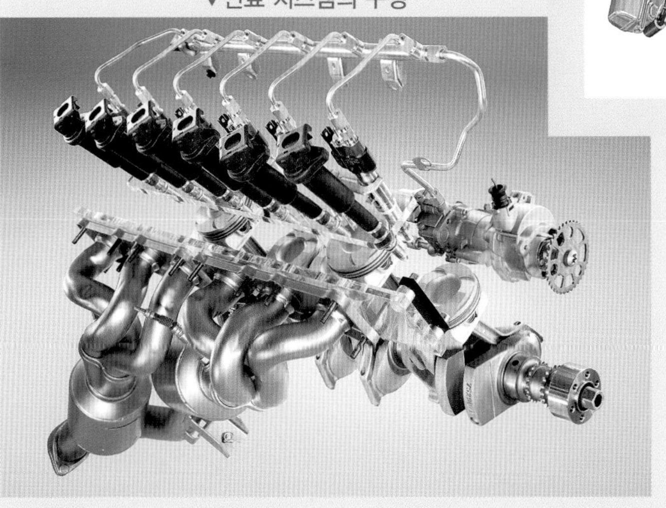

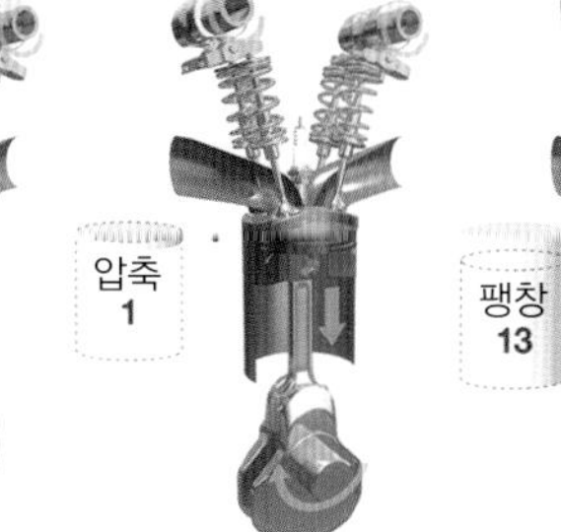

연소실 형상

▼ 연료 시스템의 구성

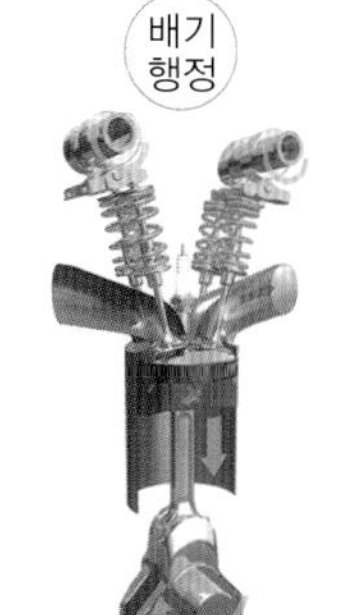

▼ 밀러 사이클의 작동

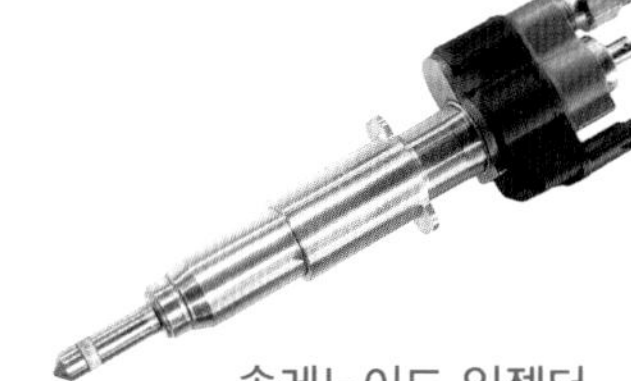

하사점 · 피스톤 상승시작 · 상사점 · 팽창 행정 · 배기 행정

압축 8 · 압축 1 · 팽창 13

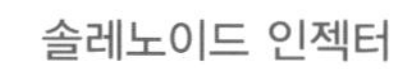

솔레노이드 인젝터

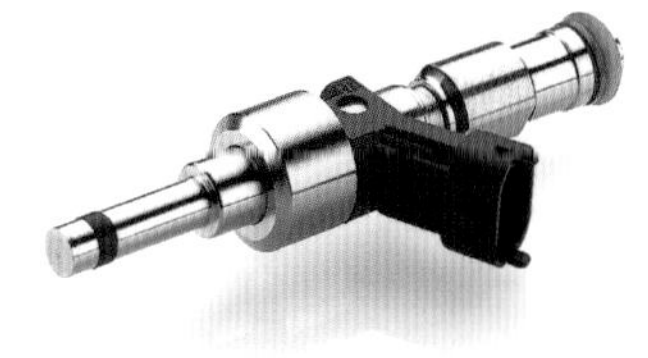

피에조 인젝터

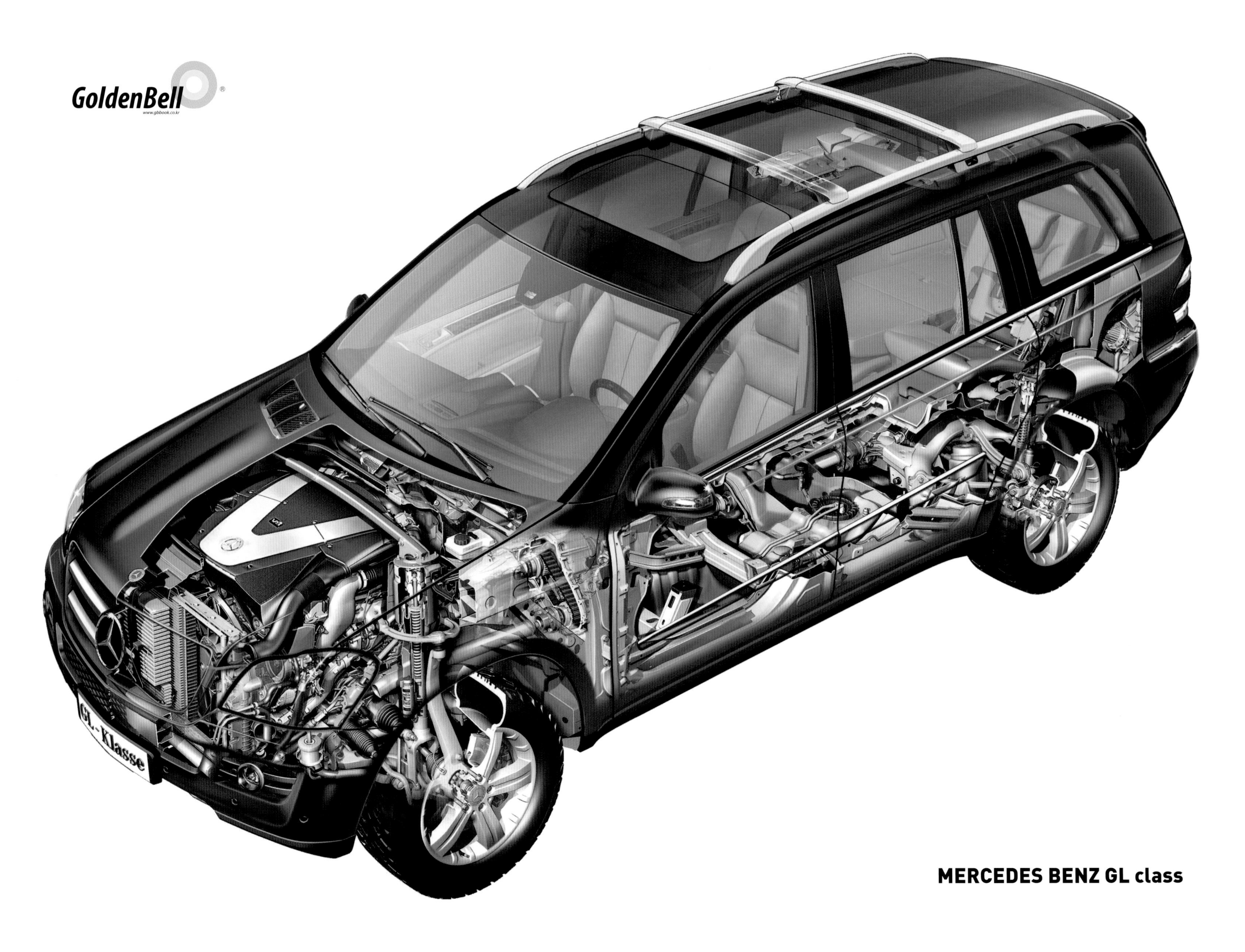
GoldenBell
www.gbbook.co.kr
GL-Klasse
MERCEDES BENZ GL class

커먼레일 디젤 분사 시스템 A
(Common Rail Diesel Injection)

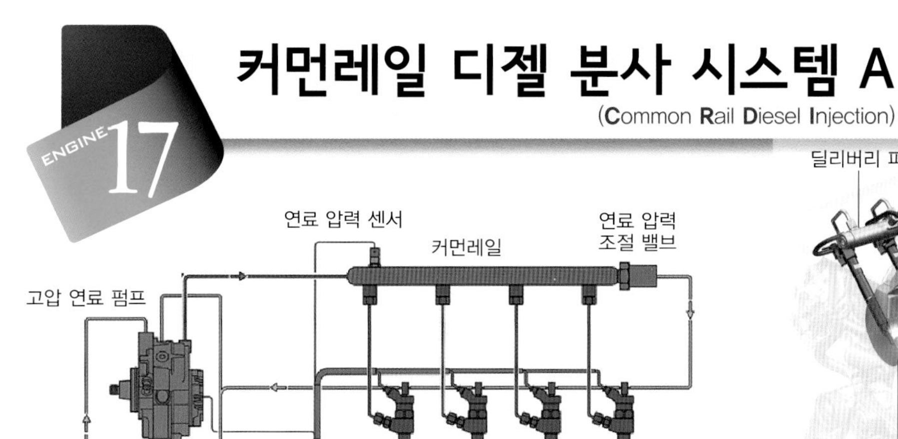

연료 압력 센서
커먼레일
연료 압력 조절 밸브
고압 연료 펌프
연료 필터
인젝터
연료 탱크
ECU

▲ 커먼레일 시스템의 구성

딜리버리 파이프(커먼레일)

연료 펌프
인젝터
연료 펌프 구동용 풀리

▲ 커먼레일 연료 계통

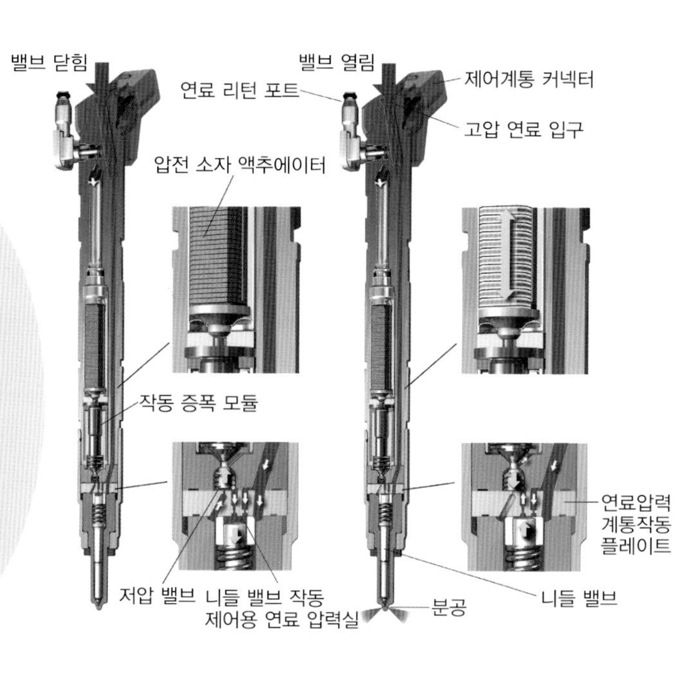

밸브 닫힘
밸브 열림
제어계통 커넥터
연료 리턴 포트
고압 연료 입구
압전 소자 액추에이터
작동 증폭 모듈
저압 밸브
니들 밸브 작동
제어용 연료 압력실
분공
니들 밸브
연료압력 계통작동 플레이트

▲ 인젝터 작동

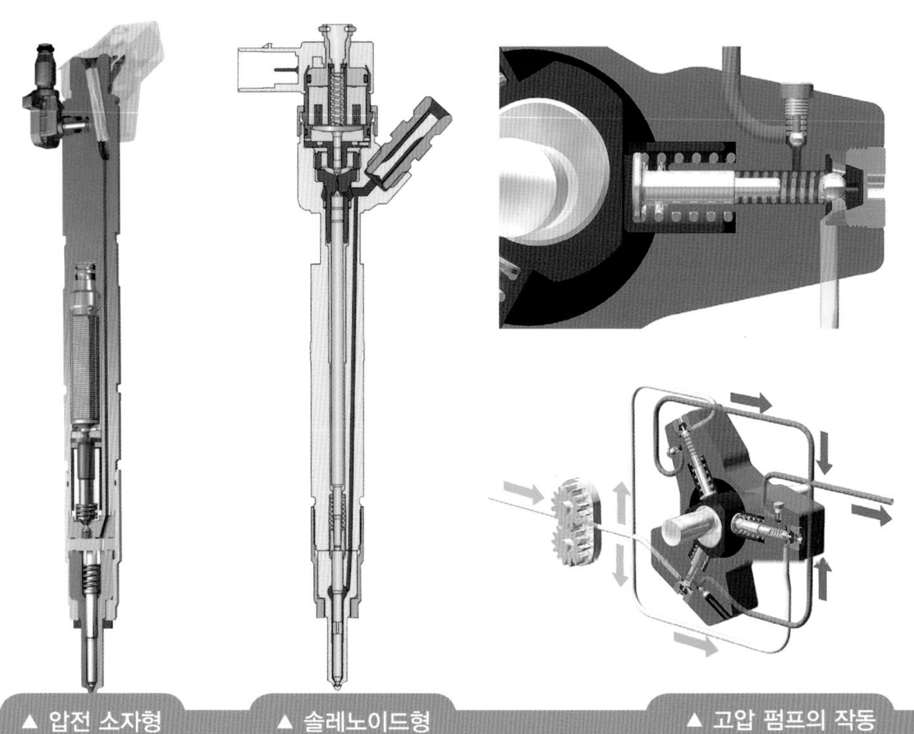

▲ 압전 소자형   ▲ 솔레노이드형

▲ 고압 펌프의 작동

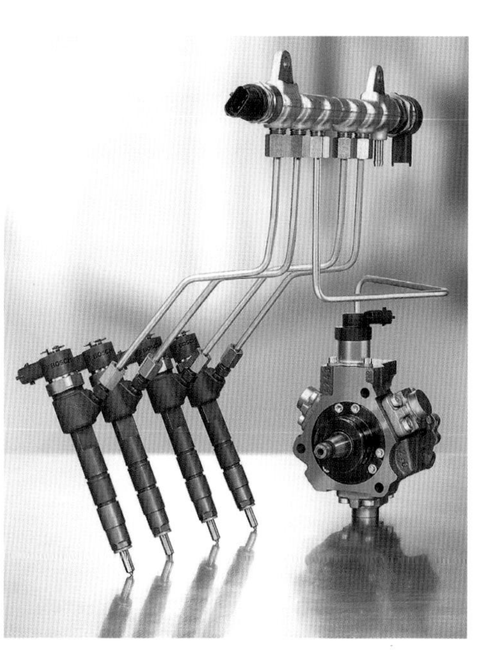

▲ 고압 연료 계통

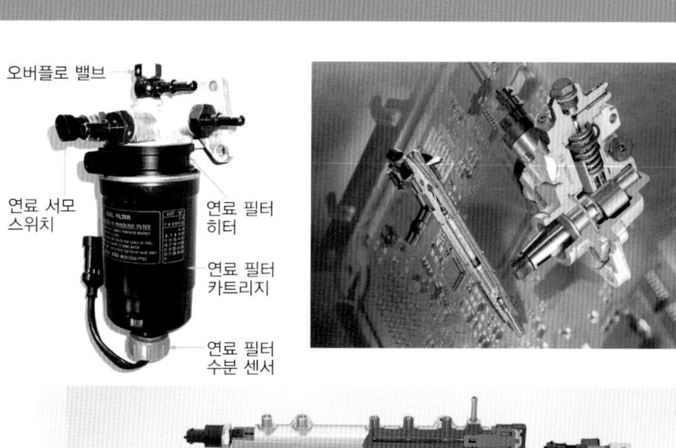

오버플로 밸브
연료 서모 스위치
연료 필터 히터
연료 필터 카트리지
연료 필터 수분 센서

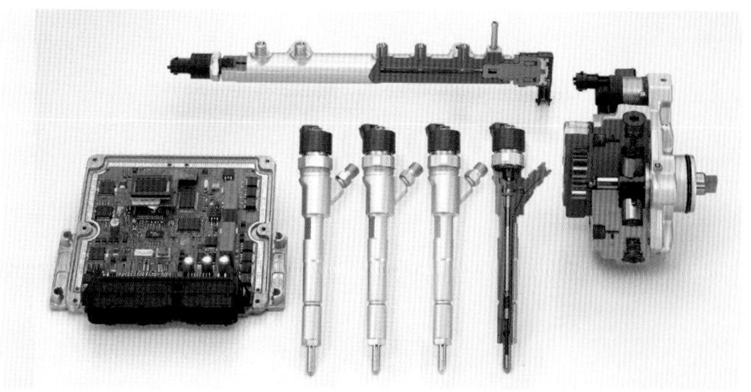

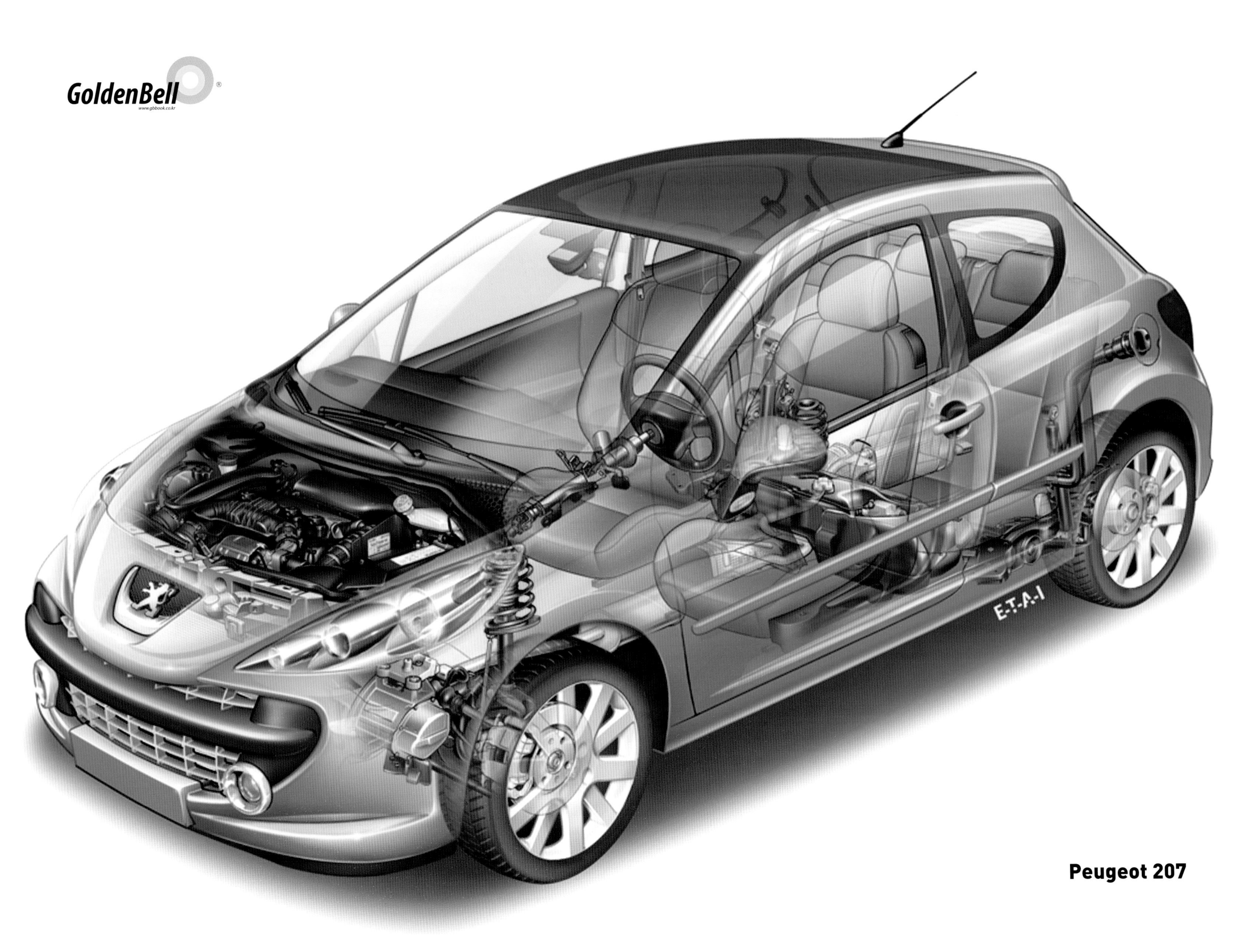

커먼레일 디젤 분사 시스템 B

(**C**ommon **R**ail **D**iesel **I**njection)

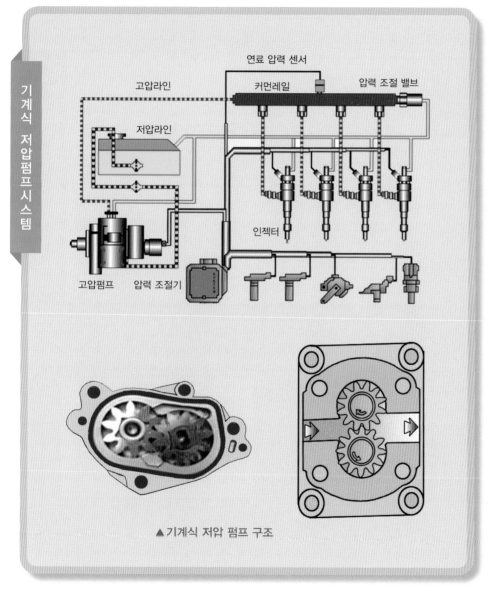

기계식 저압펌프시스템

- 연료 압력 센서
- 고압라인
- 커먼레일
- 압력 조절 밸브
- 저압라인
- 인젝터
- 고압펌프
- 압력 조절기

▲ 기계식 저압 펌프 구조

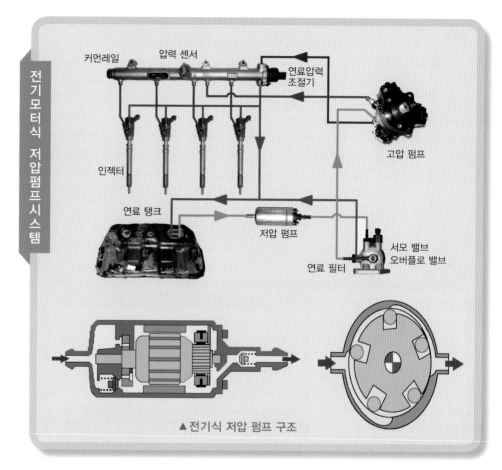

전기모터식 저압펌프시스템

- 커먼레일
- 압력 센서
- 연료압력 조절기
- 고압 펌프
- 인젝터
- 연료 탱크
- 저압 펌프
- 서모 밸브 오버플로 밸브
- 연료 필터

▲ 전기식 저압 펌프 구조

- 플라이밍 펌프
- 연료 필터 히터 연료 온도 스위치
- 수분 감지 센서

▲ 연료 필터

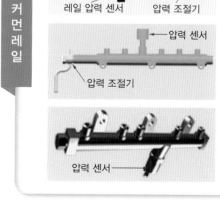

커먼레일

- 레일 압력 센서
- 압력 조절기
- 압력 센서
- 압력 조절기
- 압력 센서

커먼레일 디젤 분사 시스템 B

(**C**ommon **R**ail **D**iesel **I**njection)

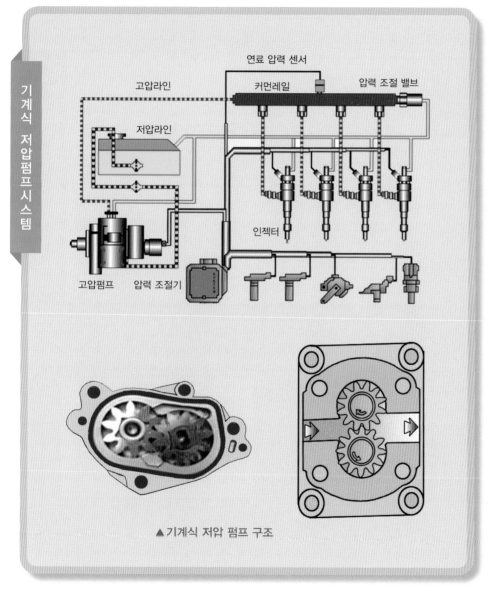

기계식 저압펌프시스템

연료 압력 센서 · 고압라인 · 커먼레일 · 압력 조절 밸브 · 저압라인 · 인젝터 · 고압펌프 · 압력 조절기

▲ 기계식 저압 펌프 구조

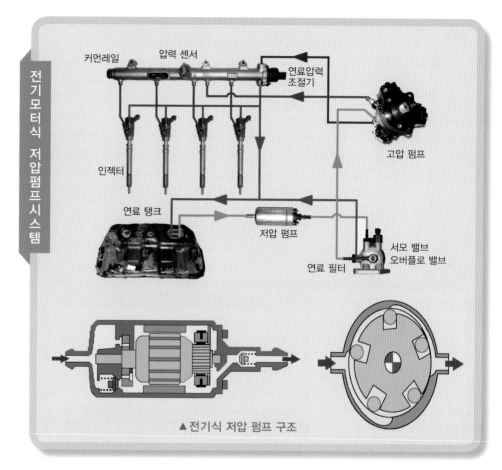

전기모터식 저압펌프시스템

커먼레일 · 압력 센서 · 연료압력 조절기 · 고압 펌프 · 인젝터 · 연료 탱크 · 저압 펌프 · 서모 밸브 오버플로 밸브 · 연료 필터

▲ 전기식 저압 펌프 구조

플라이밍 펌프 · 연료 필터 히터 연료 온도 스위치 · 수분 감지 센서

▲ 연료 필터

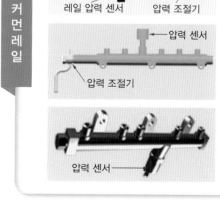

커먼레일

레일 압력 센서 · 압력 조절기 · 압력 센서 · 압력 조절기 · 압력 센서

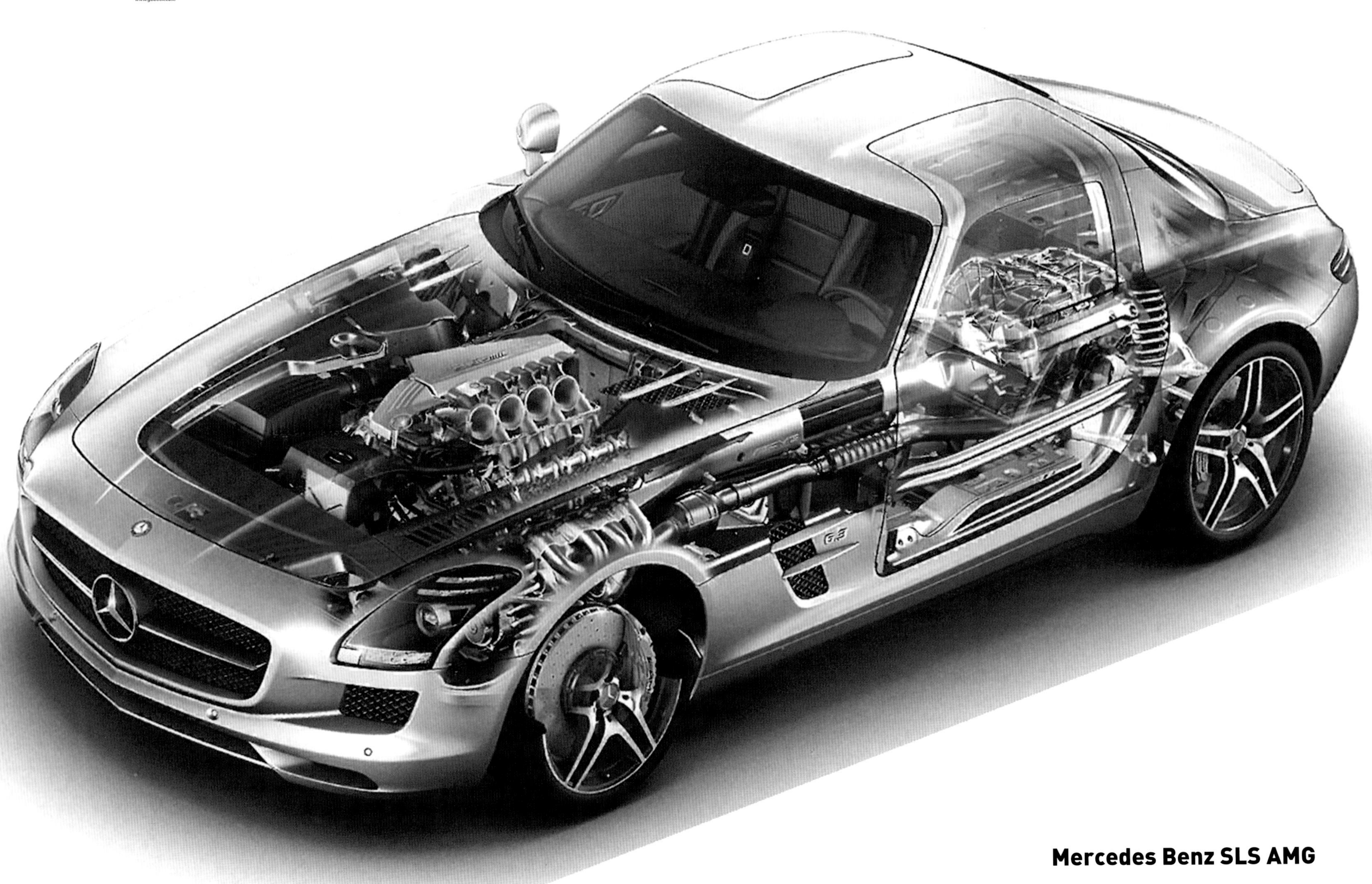

가솔린 배기가스 정화 시스템 A

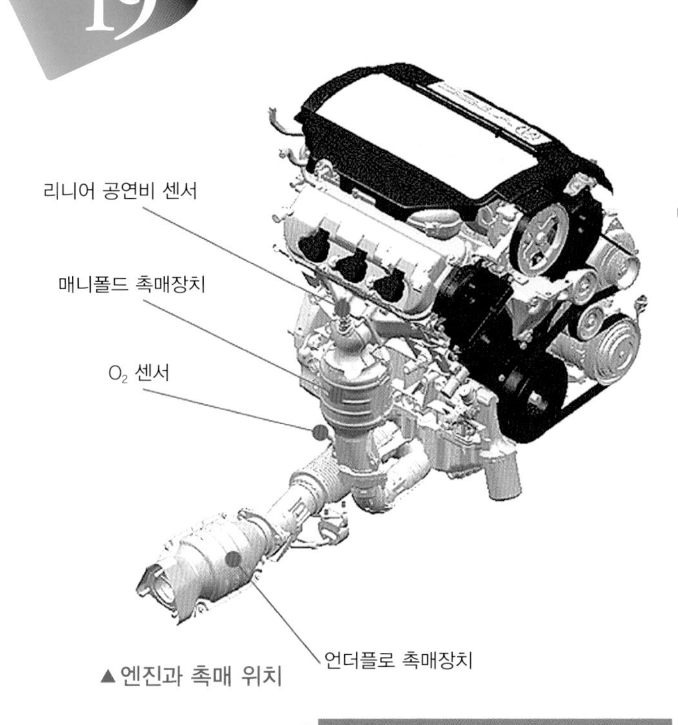

▲ 엔진과 촉매 위치

- 리니어 공연비 센서
- 매니폴드 촉매장치
- O_2 센서
- 언더플로 촉매장치

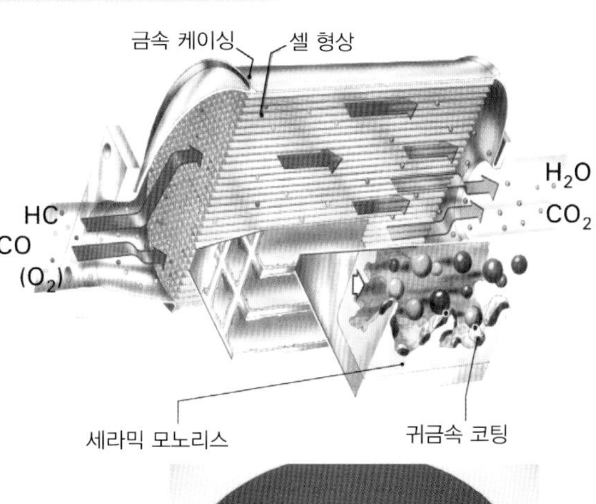

- 금속 케이싱
- 셀 형상
- 세라믹 모노리스
- 귀금속 코팅

HC
CO
(O_2)

H_2O
CO_2

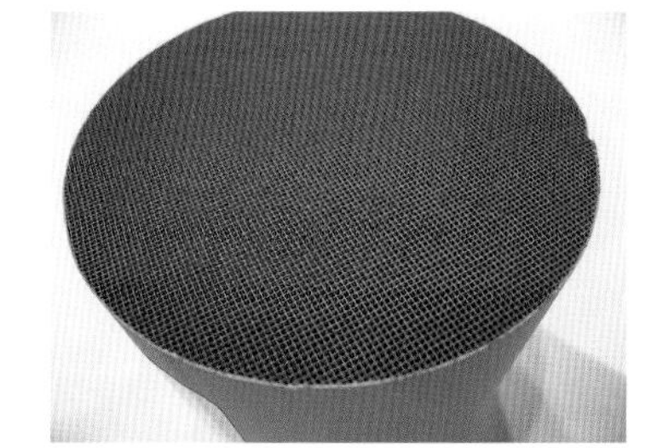

▲ 슈퍼인텔리전트 촉매(페로브스카이트화)

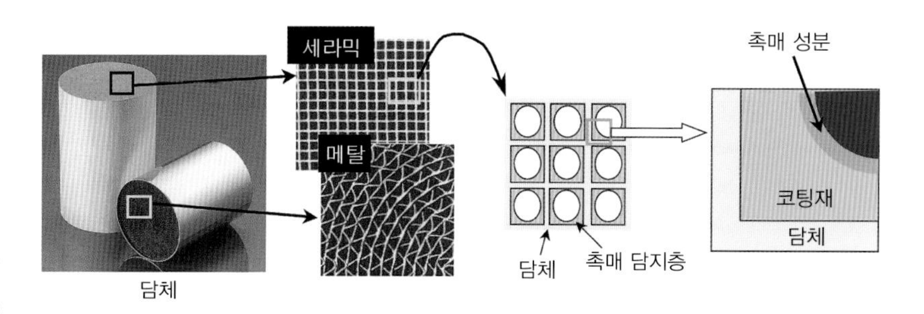

- 세라믹
- 메탈
- 담체
- 촉매 성분
- 코팅재
- 담체
- 담체
- 촉매 담지층

배기가스 유해 성분 / 촉매 반응 / 무해한 배기가스로

배기가스 유해 성분	촉매 반응	무해한 배기가스로
HC(탄화수소)	산화 반응	$H_2O + CO_2$ (물과 이산화탄소)
CO(일산화탄소)	산화 반응	CO_2 (이산화탄소)
NOx(질소산화물)	환원 반응	$N_2 + O_2$ (질소, 산소)

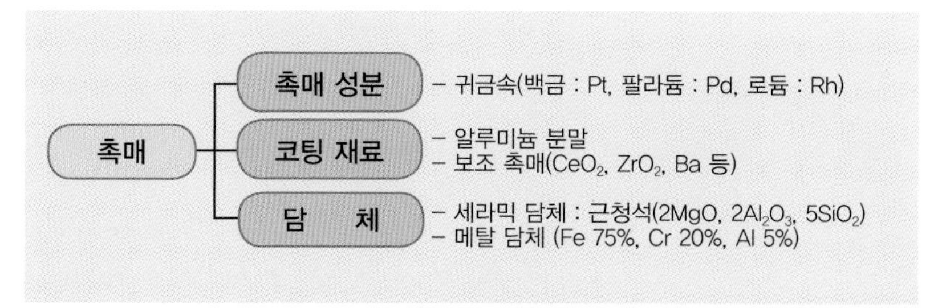

- 촉매
  - 촉매 성분 — 귀금속(백금 : Pt, 팔라듐 : Pd, 로듐 : Rh)
  - 코팅 재료 — 알루미늄 분말
    - 보조 촉매(CeO_2, ZrO_2, Ba 등)
  - 담 체 — 세라믹 담체 : 근청석($2MgO$, $2Al_2O_3$, $5SiO_2$)
    - 메탈 담체 (Fe 75%, Cr 20%, Al 5%)

페로브스카이트 결정물의 구조

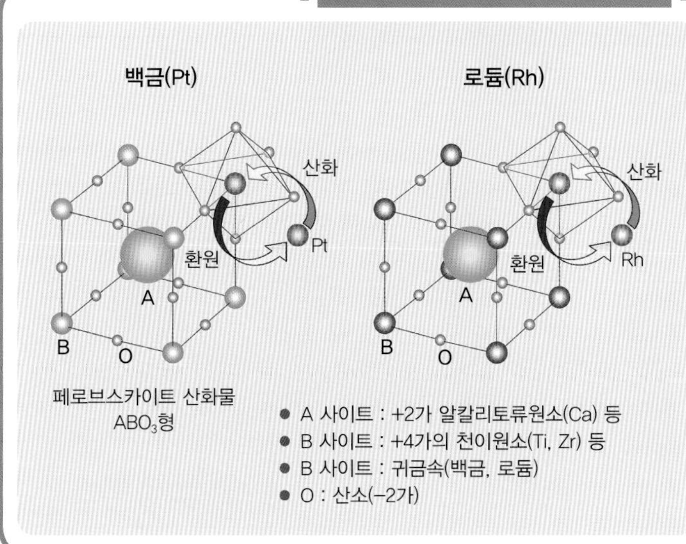

백금(Pt)
산화 / 환원 / Pt
A / B / O

페로브스카이트 산화물
ABO₃형

- A 사이트 : +2가 알칼리토류원소(Ca) 등
- B 사이트 : +4가의 천이원소(Ti, Zr) 등
- B 사이트 : 귀금속(백금, 로듐)
- O : 산소(-2가)

로듐(Rh)
산화 / 환원 / Rh
A / B / O

팔라듐(Pd)
산화 / 환원 / Pd
A / B / O

- A 사이트 : 란탄
- B 사이트 : 철
- B 사이트 : 팔라듐
- O : 산소(-2가)

자기 재생 기능 물질

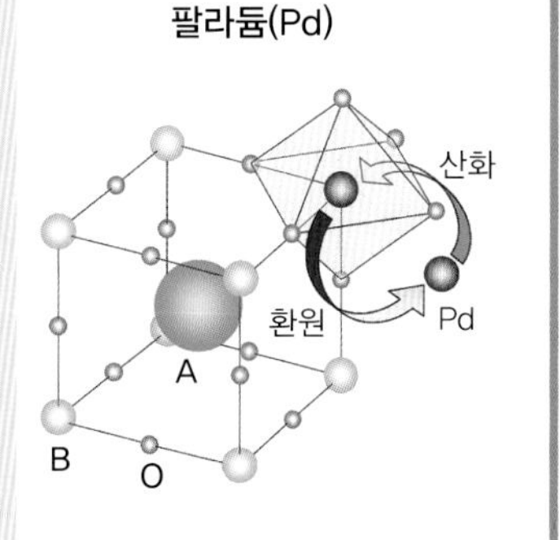

- 페로브스카이트형 산화물
- Pb이온(0.1nm)
- 산화(고정)
- 자기 재생 기능
- 환원(석출)
- 금속 Pb나노입자 (1~3nm)
- R
- A
- O
- ABO₃형
- ● ; A 사이트(La)
- ○ ; B 사이트(Fe)
- ◉ ; B 사이트(Pd)
- ○ ; 산소

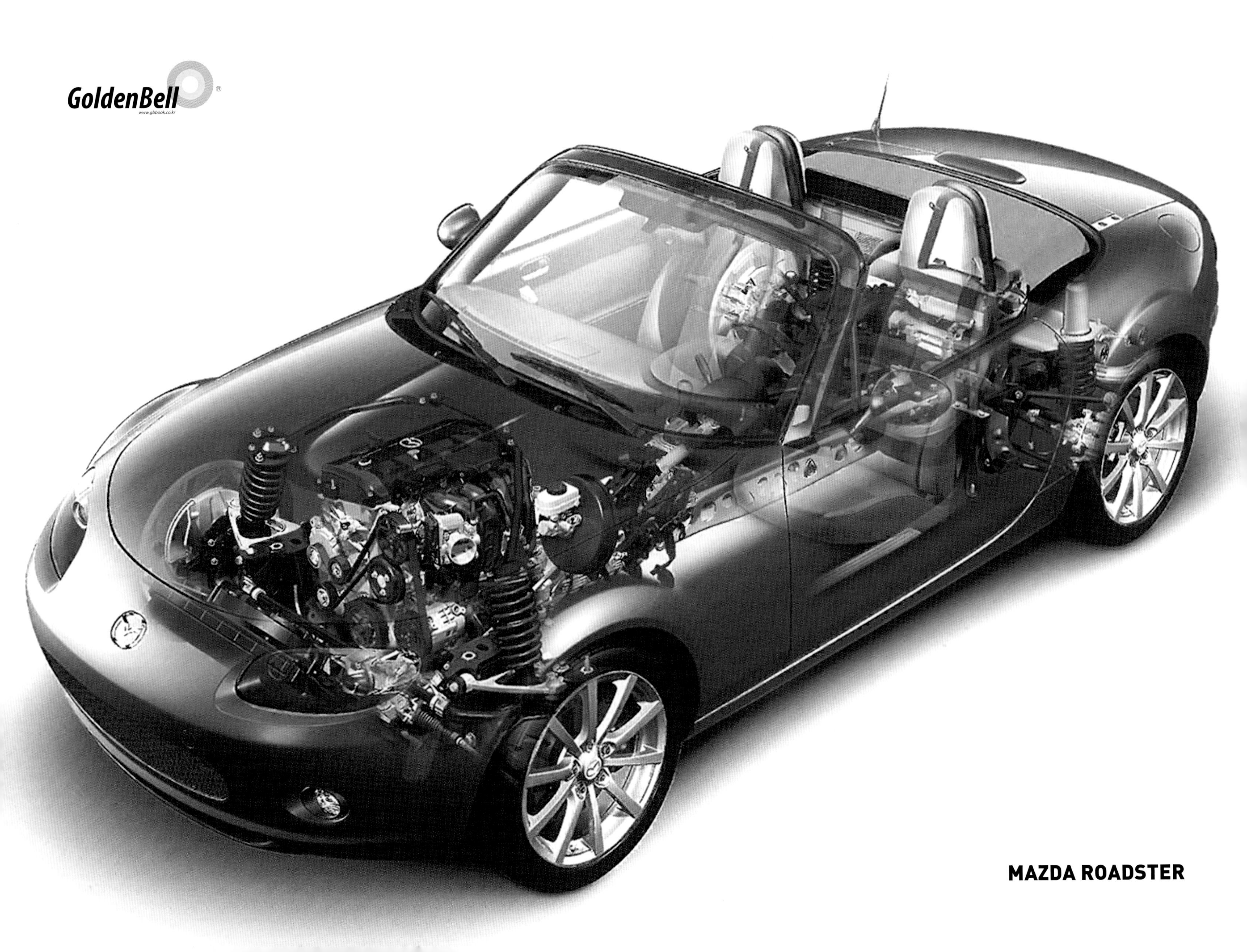

가솔린 배기가스 정화 시스템 B

ENGINE 20

▲ 차세대 메탈 담체 & 전기 가열 시스템

새로운 촉매 기술에 의한 귀금속 분산 모델

기존 촉매

서포트 재료(세라믹스)

귀금속 입자 10nm 이상

수 10nm ~ 수 100nm

열이 가해지면 귀금속 입자가 표면을 이동하여 응집한다.

개발 촉매

서포트 재료(세라믹스)

귀금속 입자 5nm 이상

수 10nm

귀금속 입자는 서포트 재료에 들어 있기 때문에 응집되지 않는다.

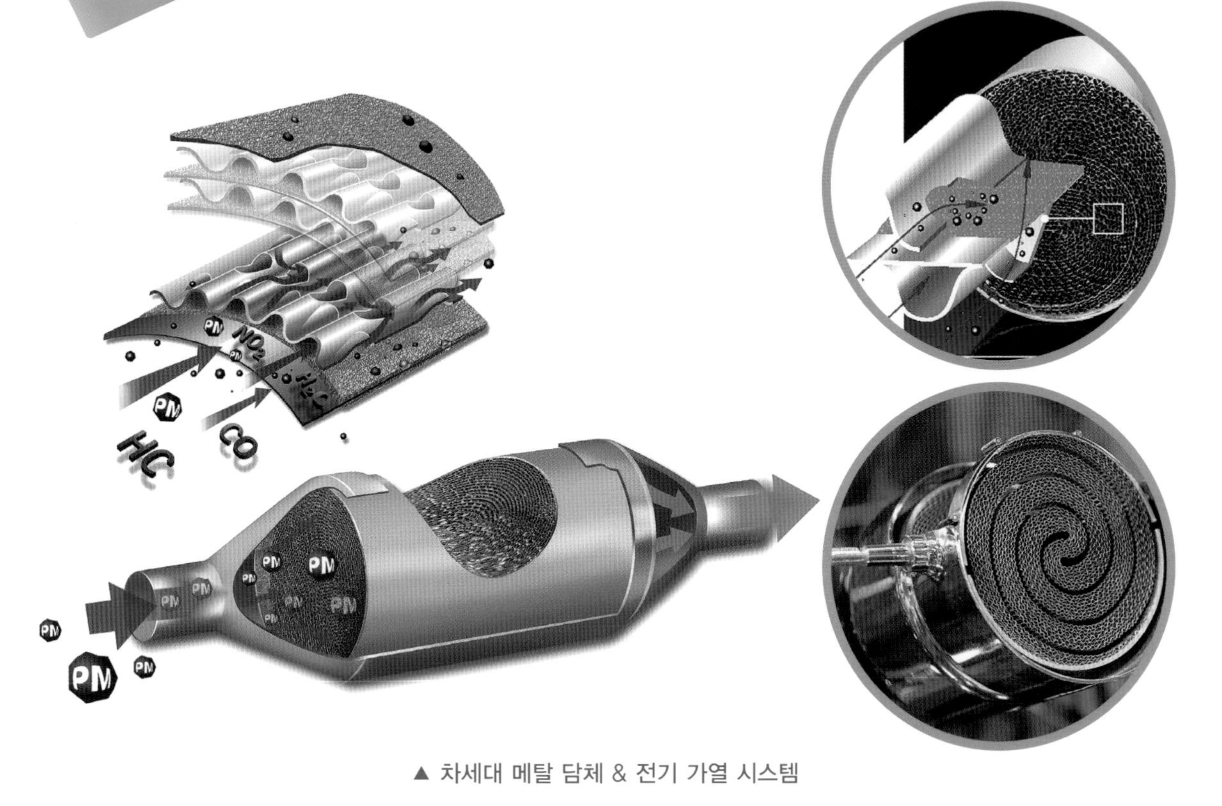

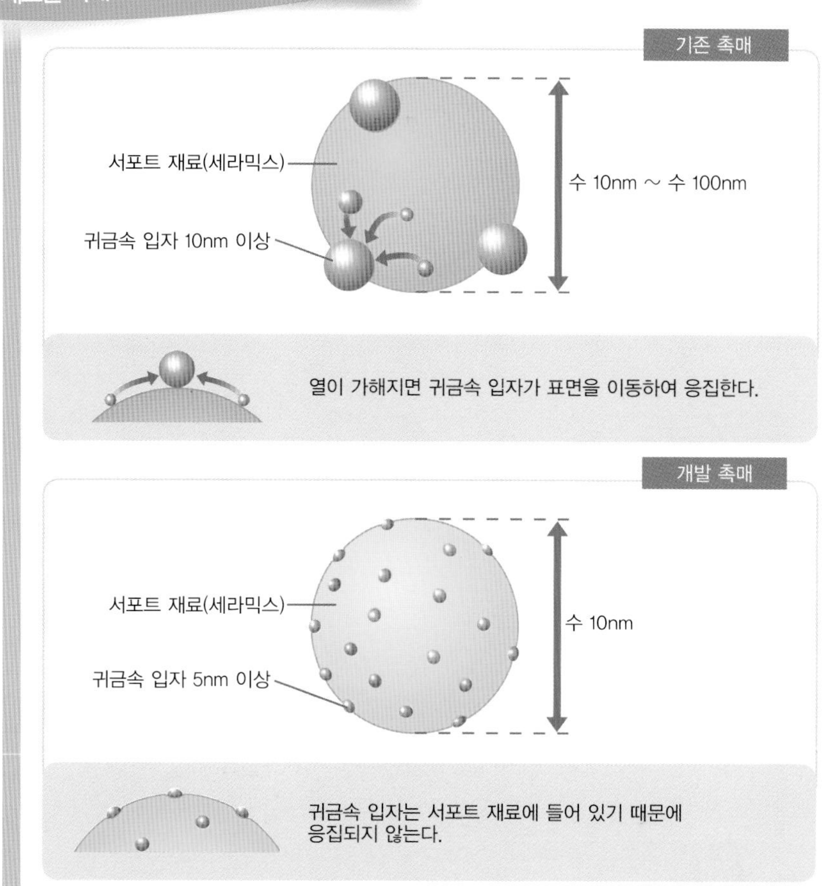

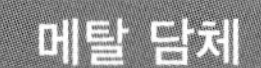

메탈 담체

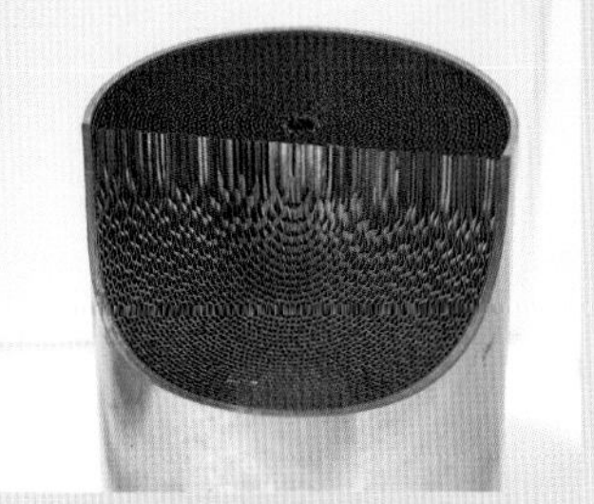

기존의 메탈 담체

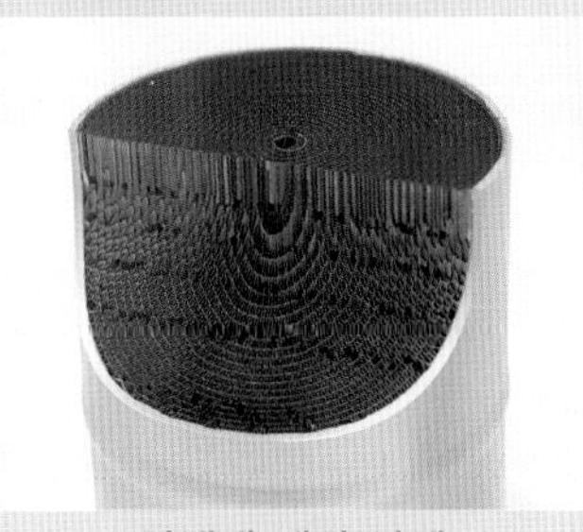

차세대 메탈 담체

귀금속 입자

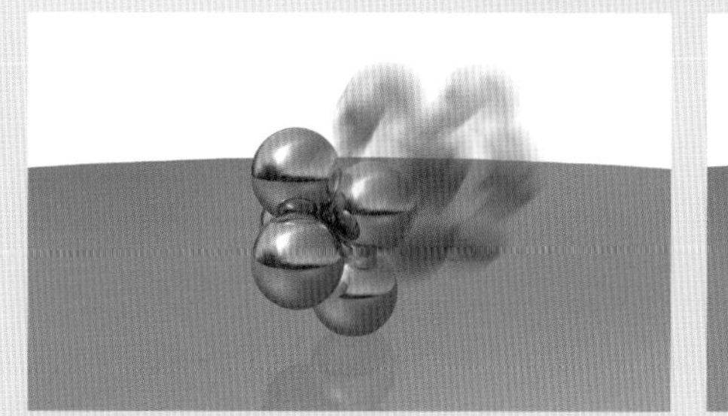

기존 촉매

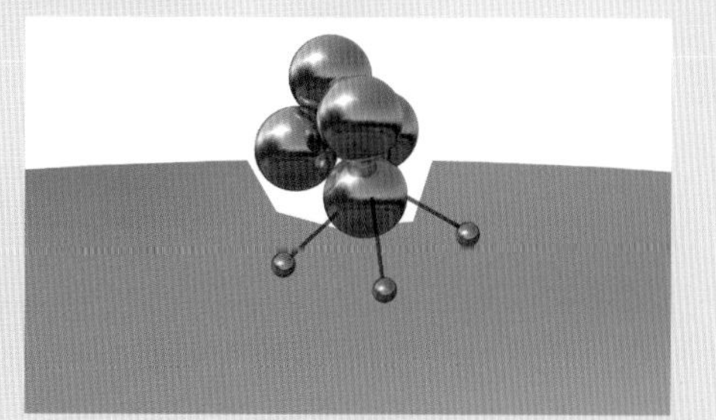

개발 촉매

CHEVROLET Camaro

디젤 배기가스 후처리 시스템 A

① 엔진 제어 컴퓨터
② 커먼레일 분사장치
③ 산화 촉매
④ DPF(디젤 미립자 여과기)
⑤ 배기 압력 센서
⑥ DPF 앞뒤 차압 검출 센서

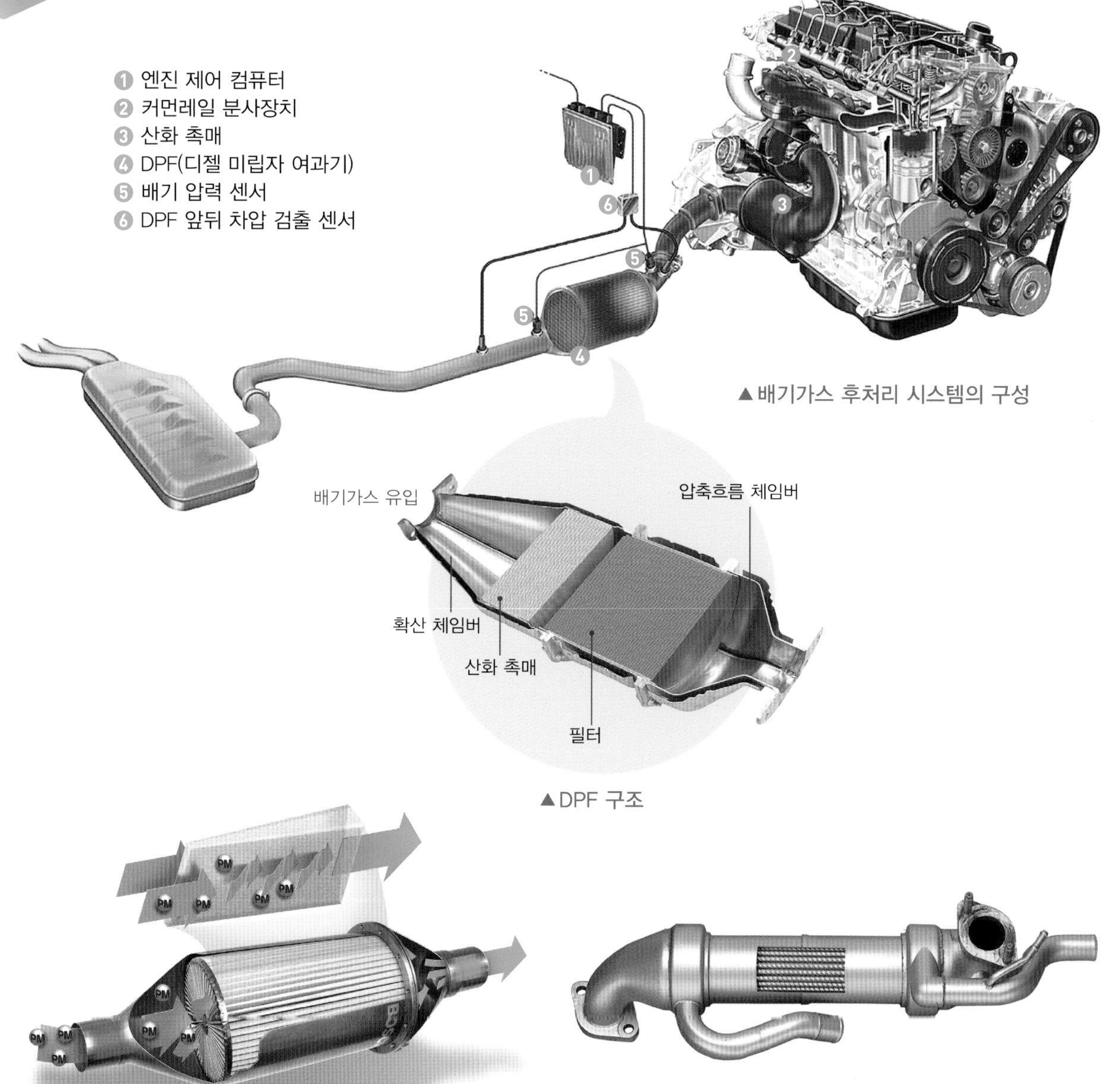

▲ 배기가스 후처리 시스템의 구성

배기가스 유입
압축흐름 체임버
확산 체임버
산화 촉매
필터

▲ DPF 구조

▲ 세라믹 벽 구조

▲ EGR 쿨러 구조

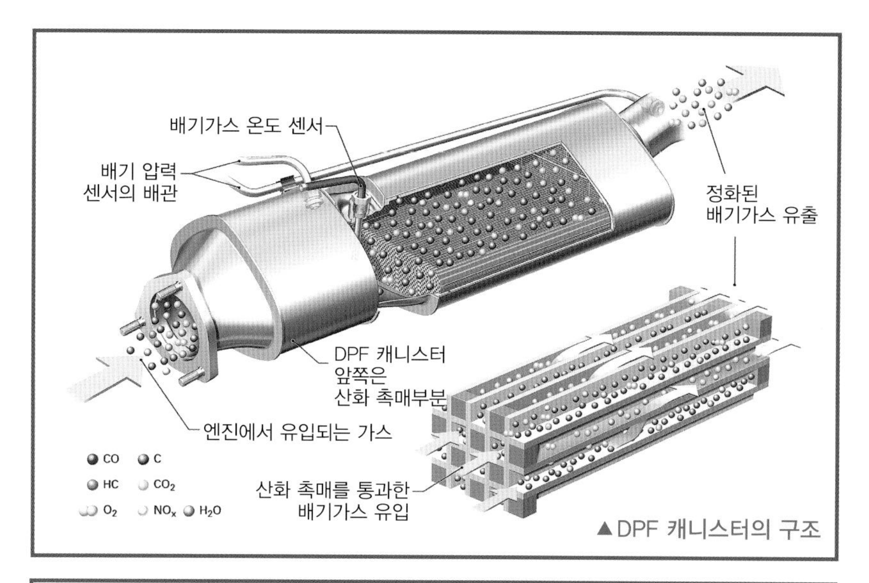

배기가스 온도 센서
배기 압력 센서의 배관
정화된 배기가스 유출
DPF 캐니스터 앞쪽은 산화 촉매부분
엔진에서 유입되는 가스
● CO ● C
● HC ● CO₂
● O₂ ● NOₓ ● H₂O
산화 촉매를 통과한 배기가스 유입

▲ DPF 캐니스터의 구조

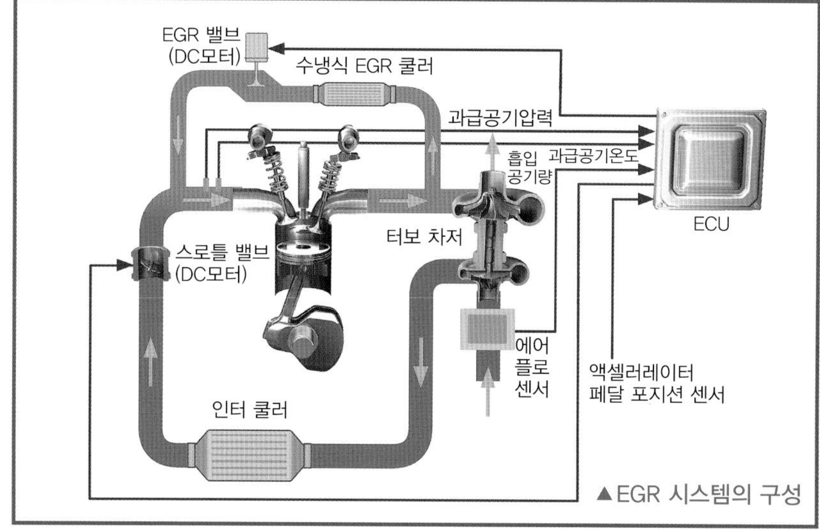

EGR 밸브 (DC모터)
수냉식 EGR 쿨러
과급공기압력
흡입 과급공기온도 공기량
ECU
스로틀 밸브 (DC모터)
터보 차저
인터 쿨러
에어 플로 센서
액셀러레이터 페달 포지션 센서

▲ EGR 시스템의 구성

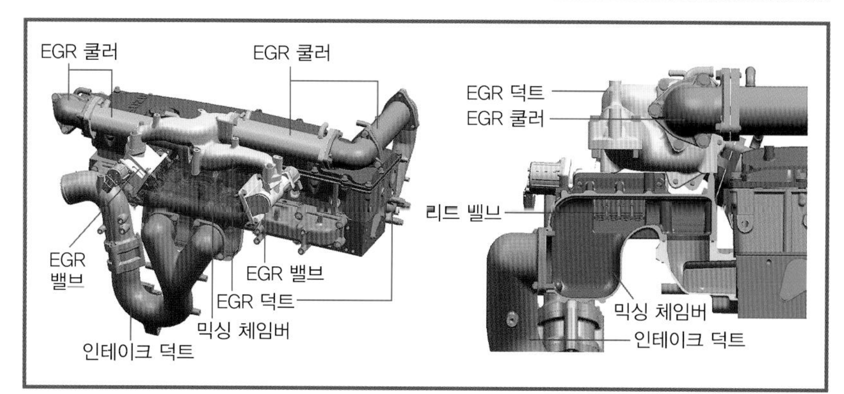

EGR 쿨러
EGR 쿨러
EGR 덕트
EGR 쿨러
리드 밸브
EGR 밸브
EGR 덕트
EGR 밸브
믹싱 체임버
인테이크 덕트
믹싱 체임버
인테이크 덕트

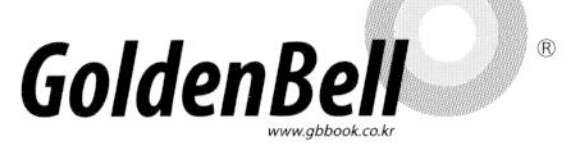

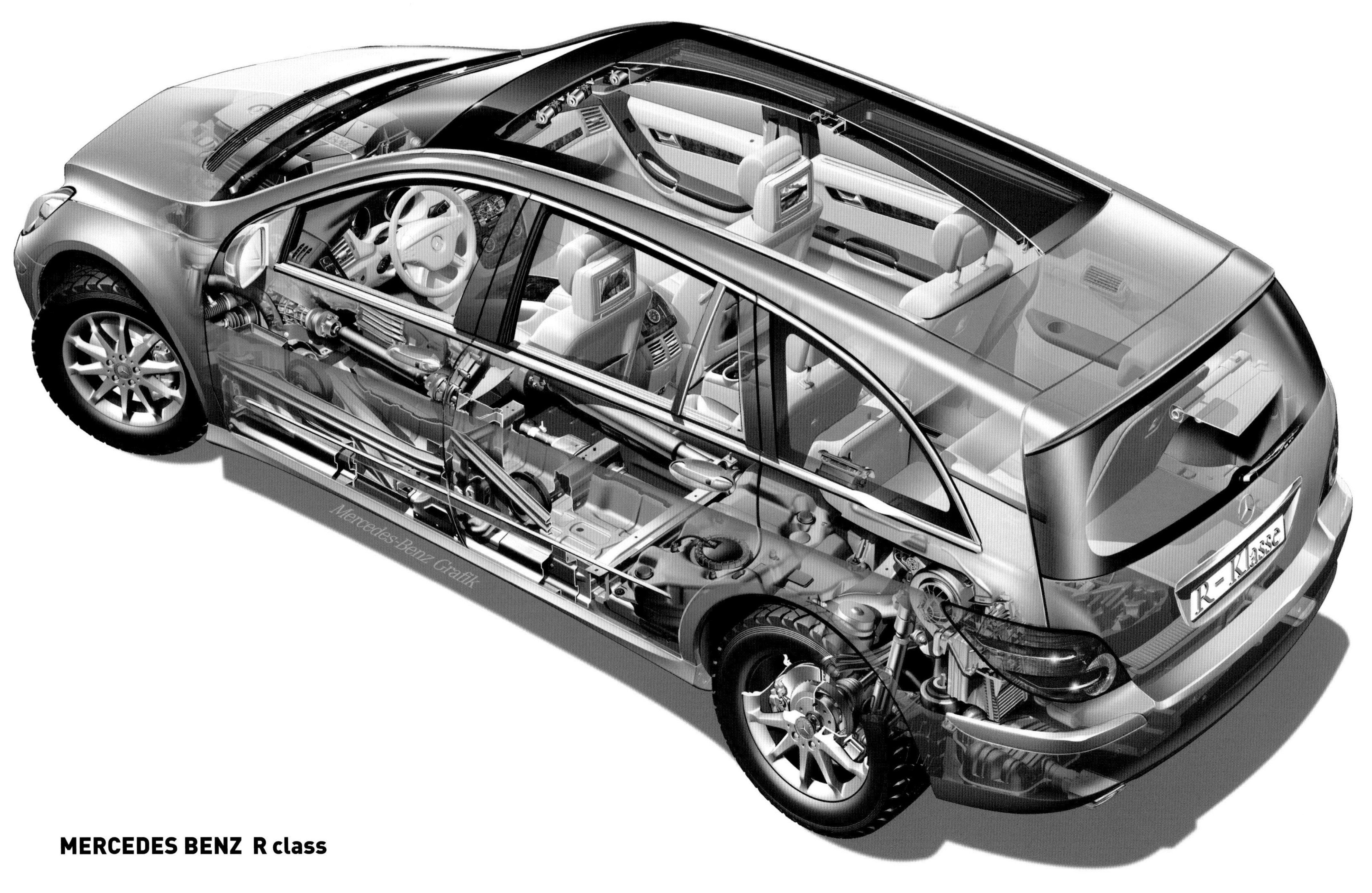

디젤 배기가스 후처리 시스템 B

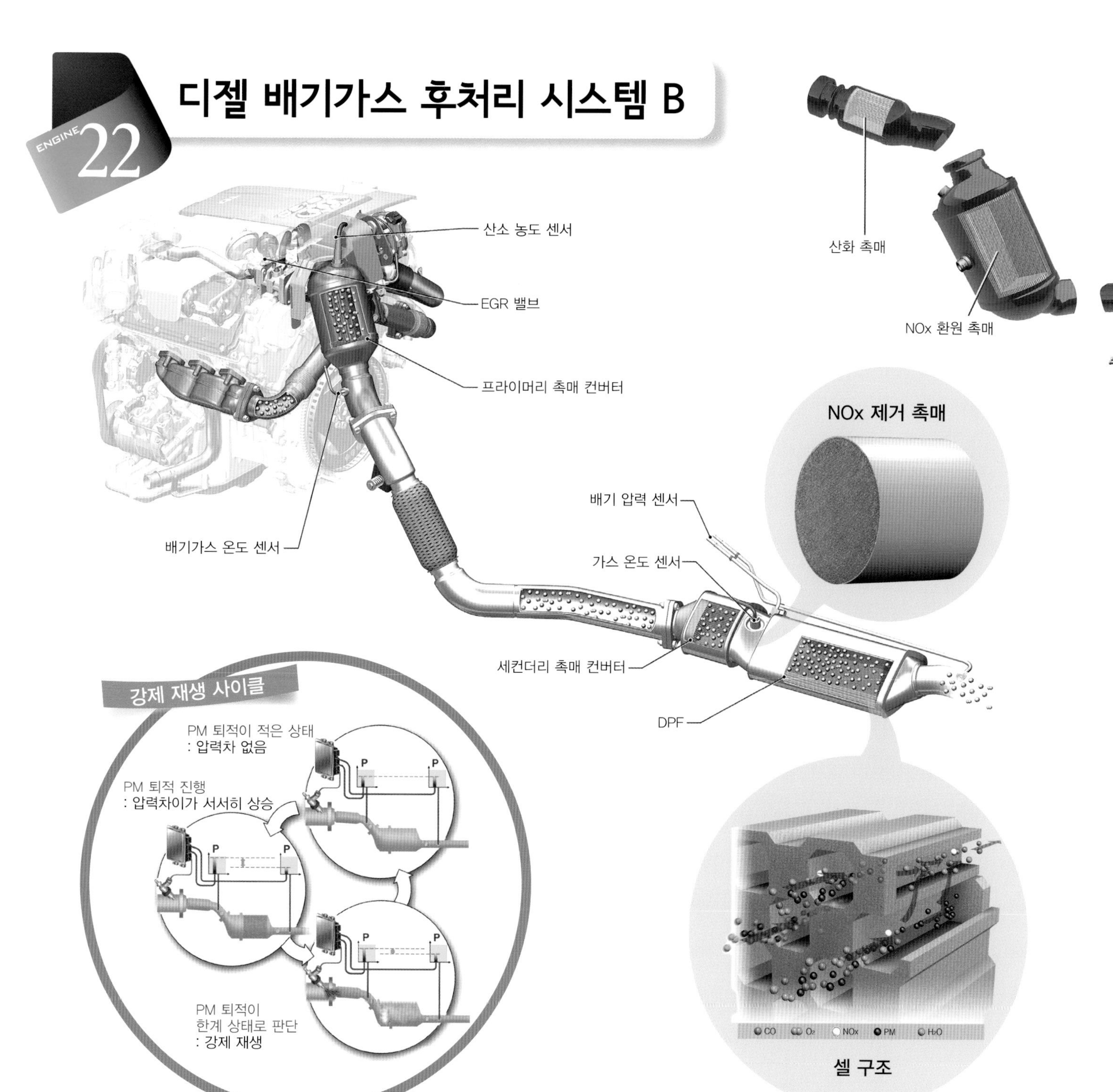

산소 농도 센서

EGR 밸브

프라이머리 촉매 컨버터

배기가스 온도 센서

배기 압력 센서

가스 온도 센서

세컨더리 촉매 컨버터

DPF

강제 재생 사이클

PM 퇴적이 적은 상태
: 압력차 없음

PM 퇴적 진행
: 압력차이가 서서히 상승

PM 퇴적이
한계 상태로 판단
: 강제 재생

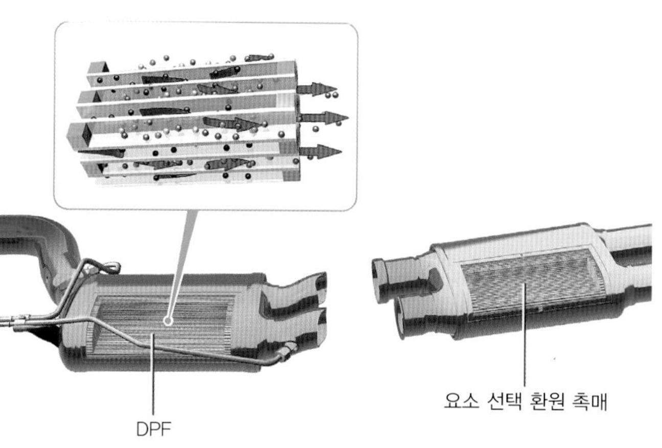

산화 촉매

NOx 환원 촉매

DPF

요소 선택 환원 촉매

NOx 제거 촉매

셀 구조

○ CO ○ O₂ ○ NOx ● PM ○ H₂O

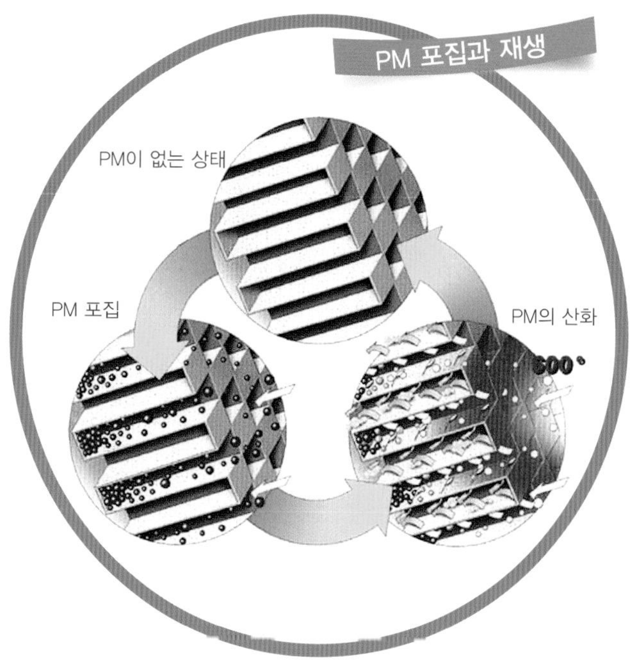

PM 포집과 재생

PM이 없는 상태

PM 포집

PM의 산화

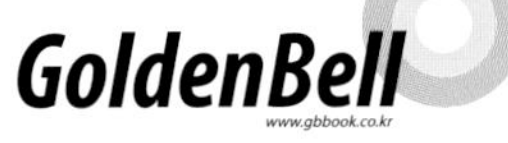

SUBARU Legacy

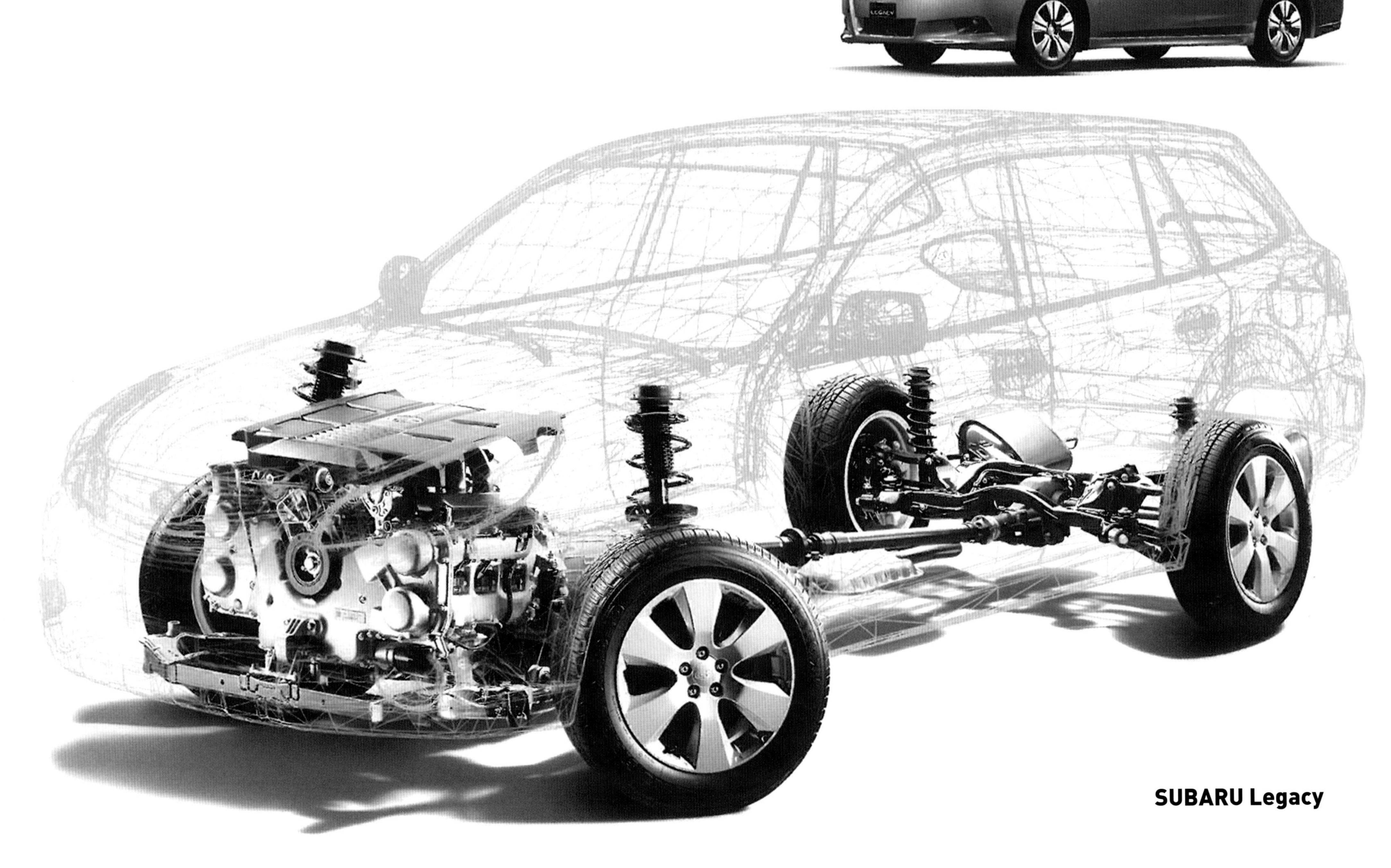

디젤 배기가스 후처리 시스템 C

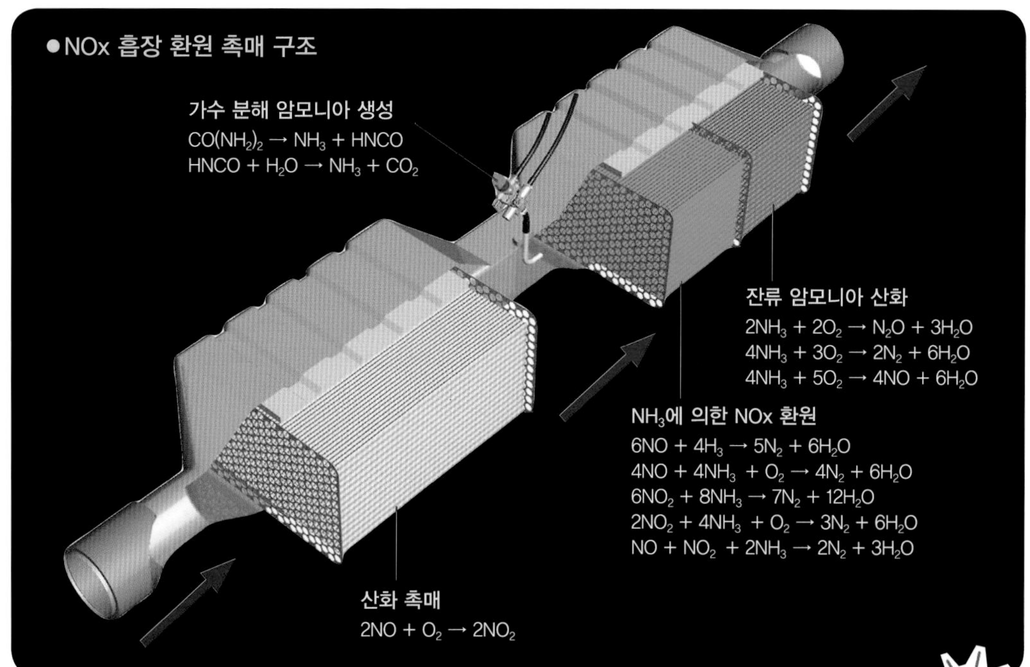

연소 압력 센서
람다 센서
NOx 센서
엔진 제어 장치
액체 요소 탱크
배기가스 온도 센서
액체 요소 펌프
액체 요소 분사밸브
NOx 센서
산화 촉매 컨버터
DPF
NOx 촉매 컨버터

▲ 액체 요소형 배기가스 컨트롤 시스템

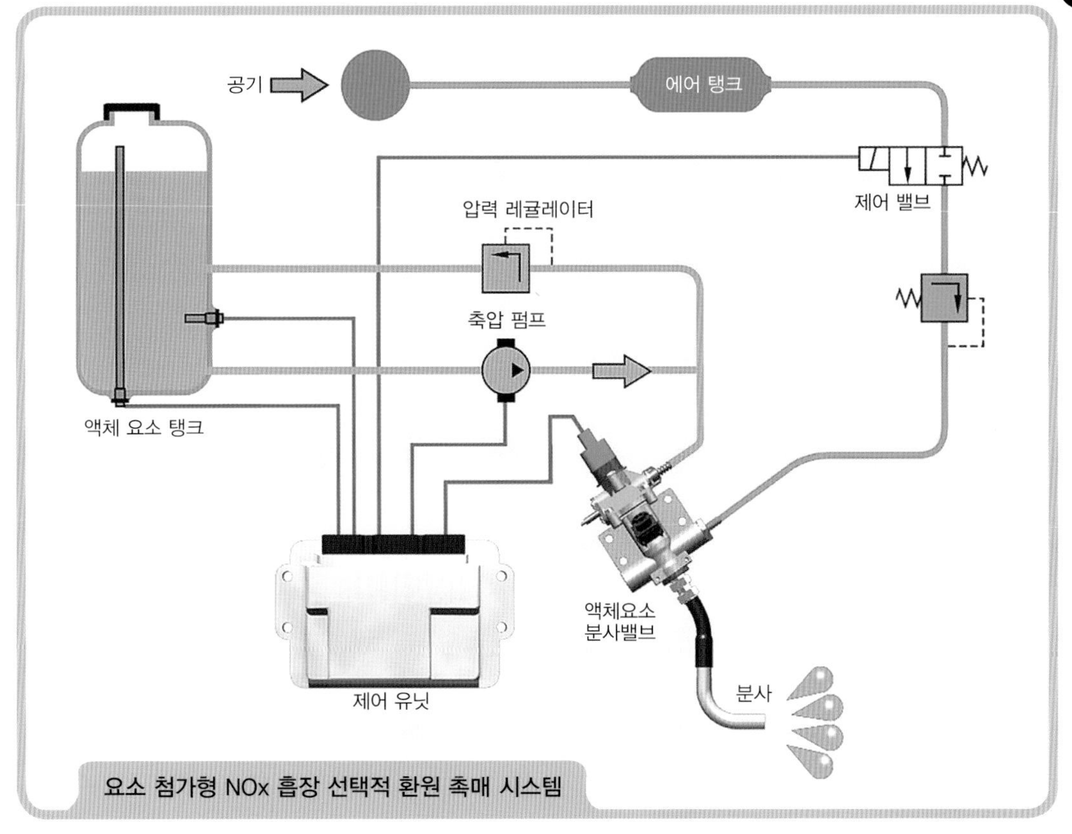

● NOx 흡장 환원 촉매 구조

가수 분해 암모니아 생성
$CO(NH_2)_2 \rightarrow NH_3 + HNCO$
$HNCO + H_2O \rightarrow NH_3 + CO_2$

잔류 암모니아 산화
$2NH_3 + 2O_2 \rightarrow N_2O + 3H_2O$
$4NH_3 + 3O_2 \rightarrow 2N_2 + 6H_2O$
$4NH_3 + 5O_2 \rightarrow 4NO + 6H_2O$

NH_3에 의한 NOx 환원
$6NO + 4H_3 \rightarrow 5N_2 + 6H_2O$
$4NO + 4NH_3 + O_2 \rightarrow 4N_2 + 6H_2O$
$6NO_2 + 8NH_3 \rightarrow 7N_2 + 12H_2O$
$2NO_2 + 4NH_3 + O_2 \rightarrow 3N_2 + 6H_2O$
$NO + NO_2 + 2NH_3 \rightarrow 2N_2 + 3H_2O$

산화 촉매
$2NO + O_2 \rightarrow 2NO_2$

공기
에어 탱크
제어 밸브
압력 레귤레이터
축압 펌프
액체 요소 탱크
액체요소 분사밸브
제어 유닛
분사

요소 첨가형 NOx 흡장 선택적 환원 촉매 시스템

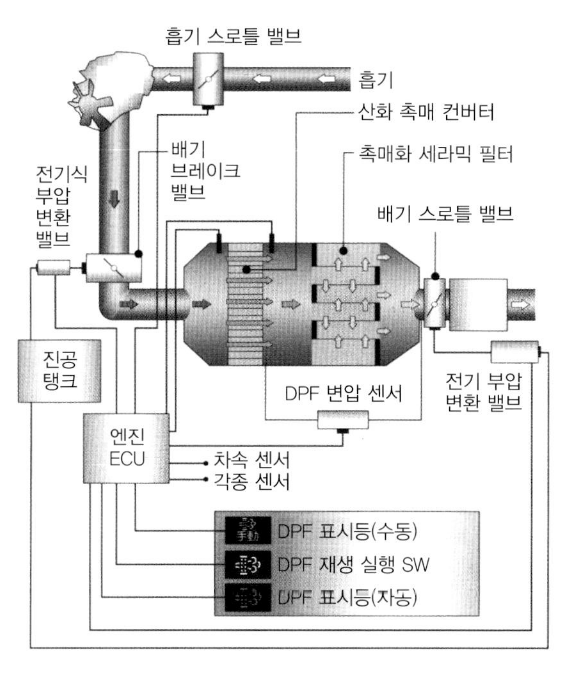

흡기 스로틀 밸브
흡기
산화 촉매 컨버터
촉매화 세라믹 필터
배기 브레이크 밸브
배기 스로틀 밸브
전기식 부압 변환 밸브
진공 탱크
DPF 변압 센서
전기 부압 변환 밸브
엔진 ECU
차속 센서
각종 센서

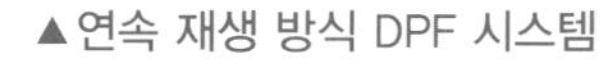

DPF 표시등(수동)
DPF 재생 실행 SW
DPF 표시등(자동)

▲ 연속 재생 방식 DPF 시스템

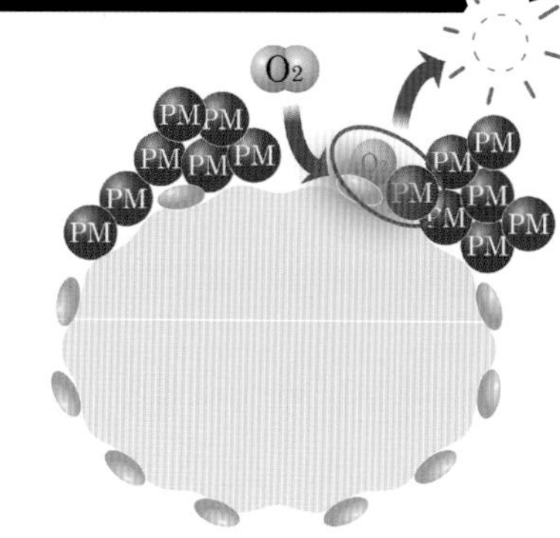

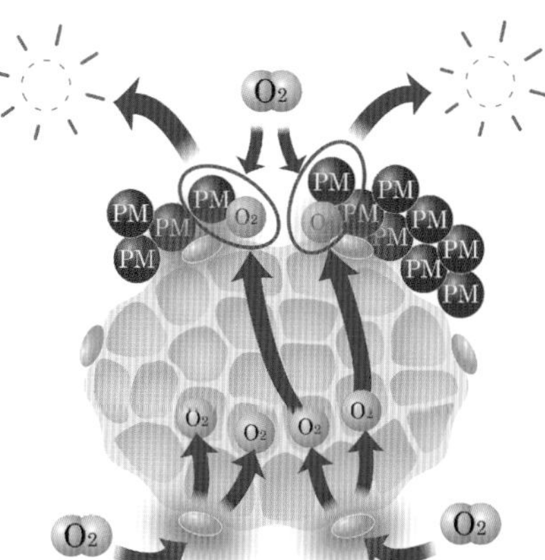

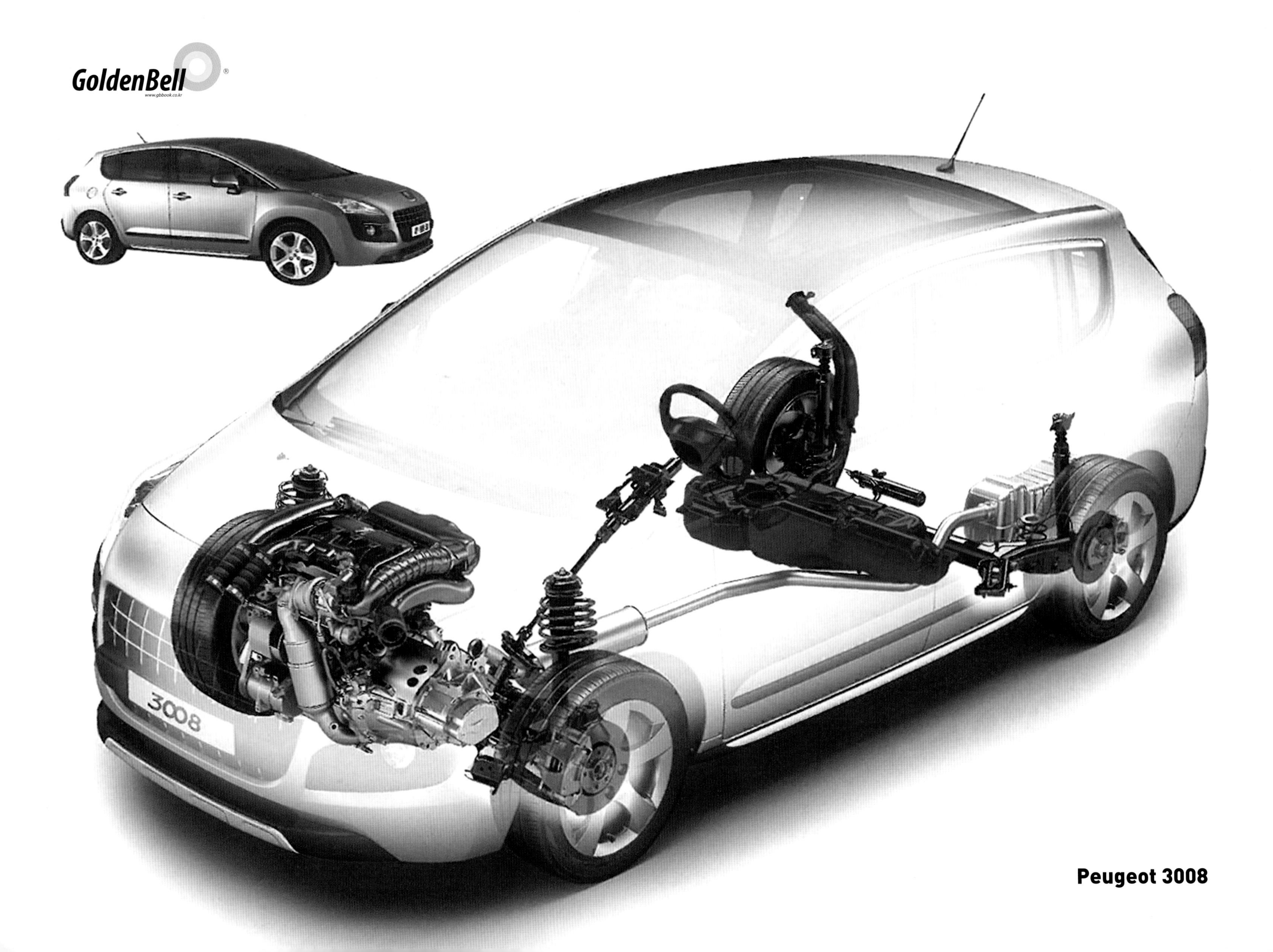

Peugeot 3008

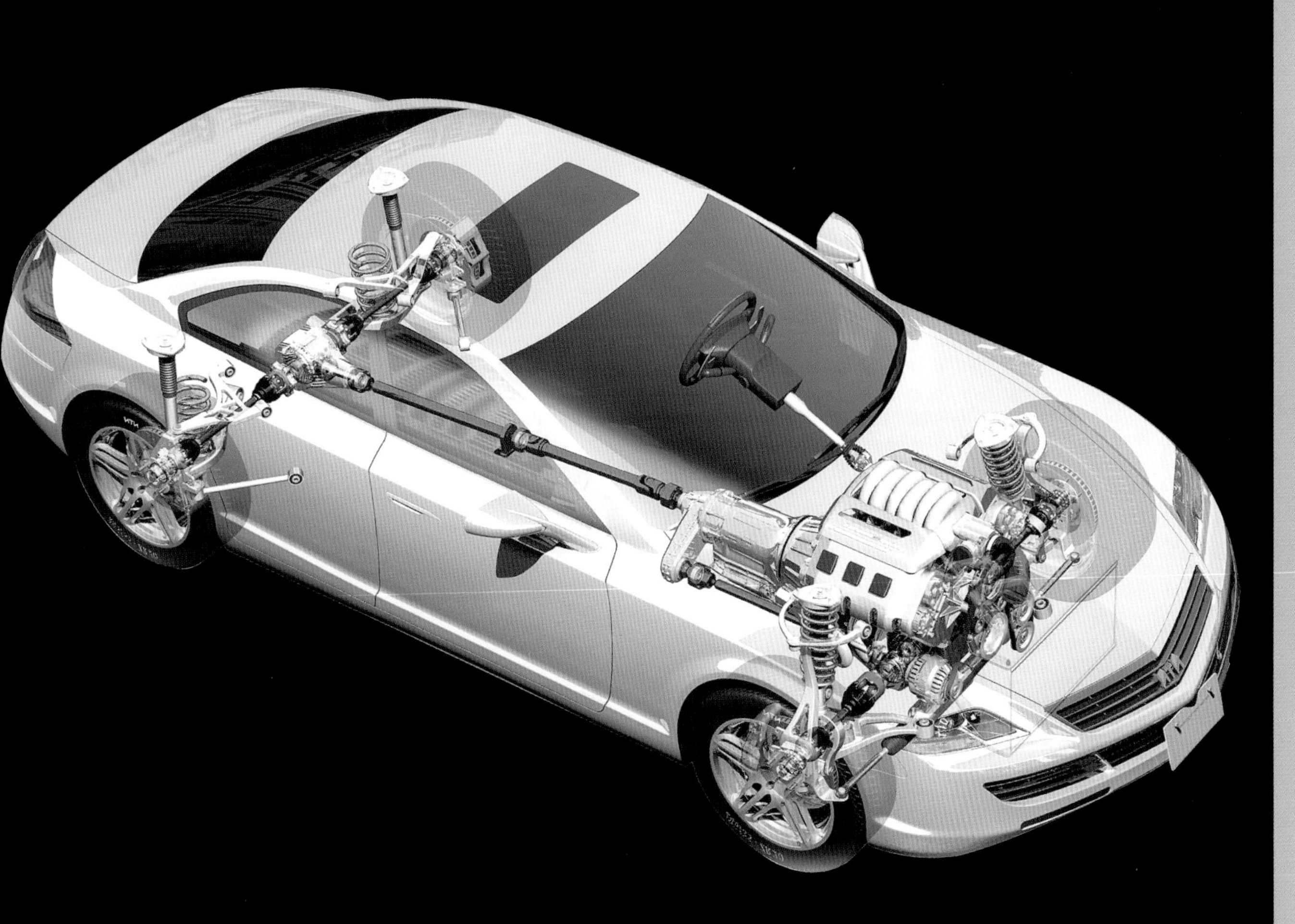

02

CHASSIS
섀시

BMW 550i

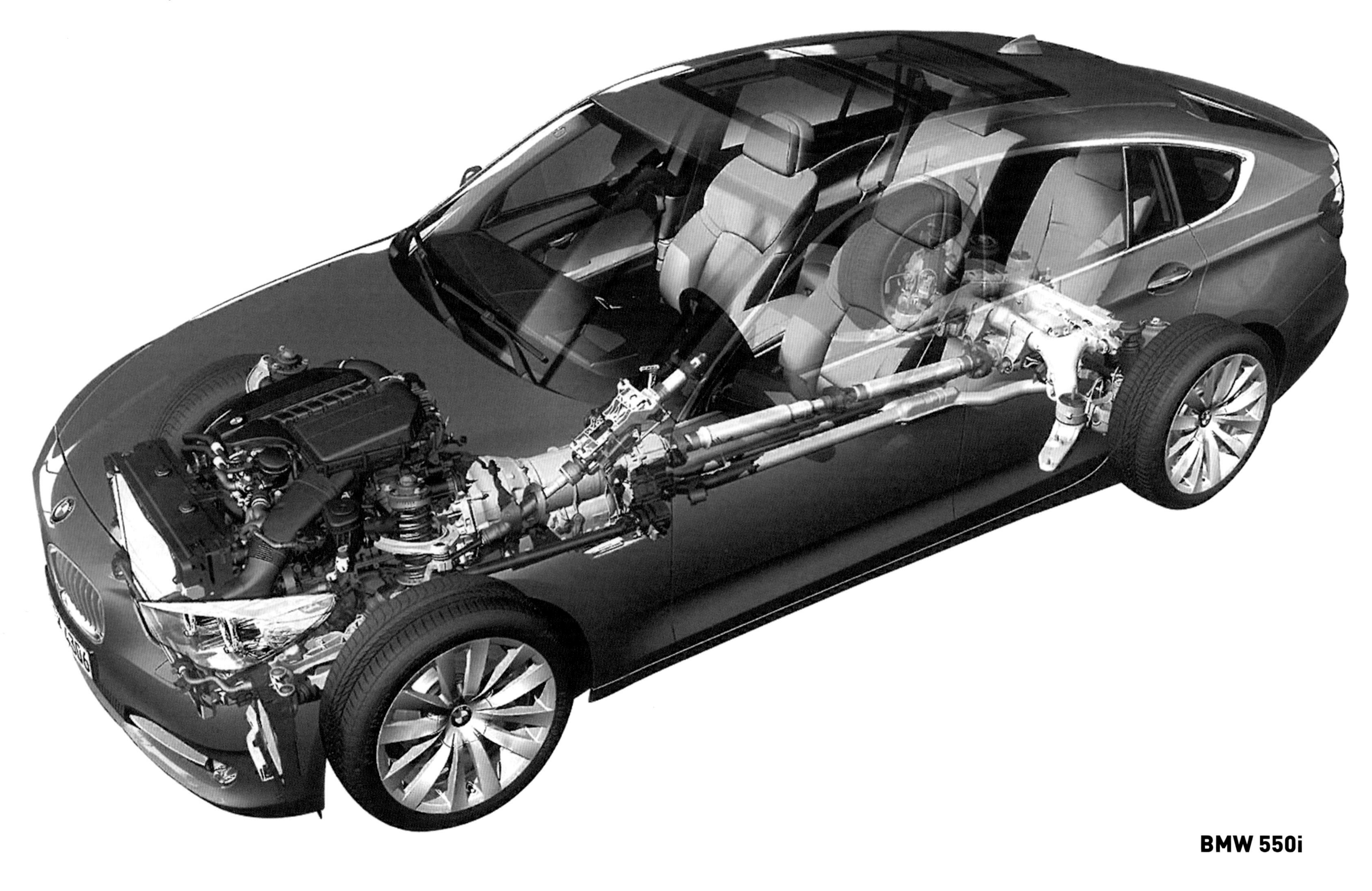

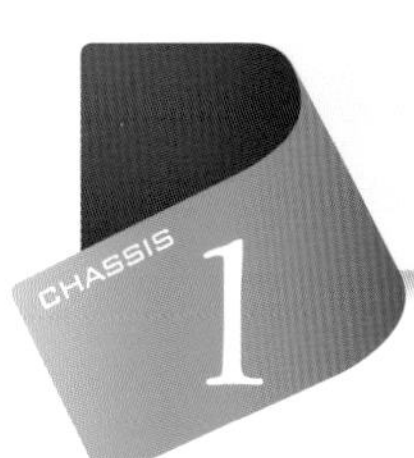

클러치 시스템

클러치 페달

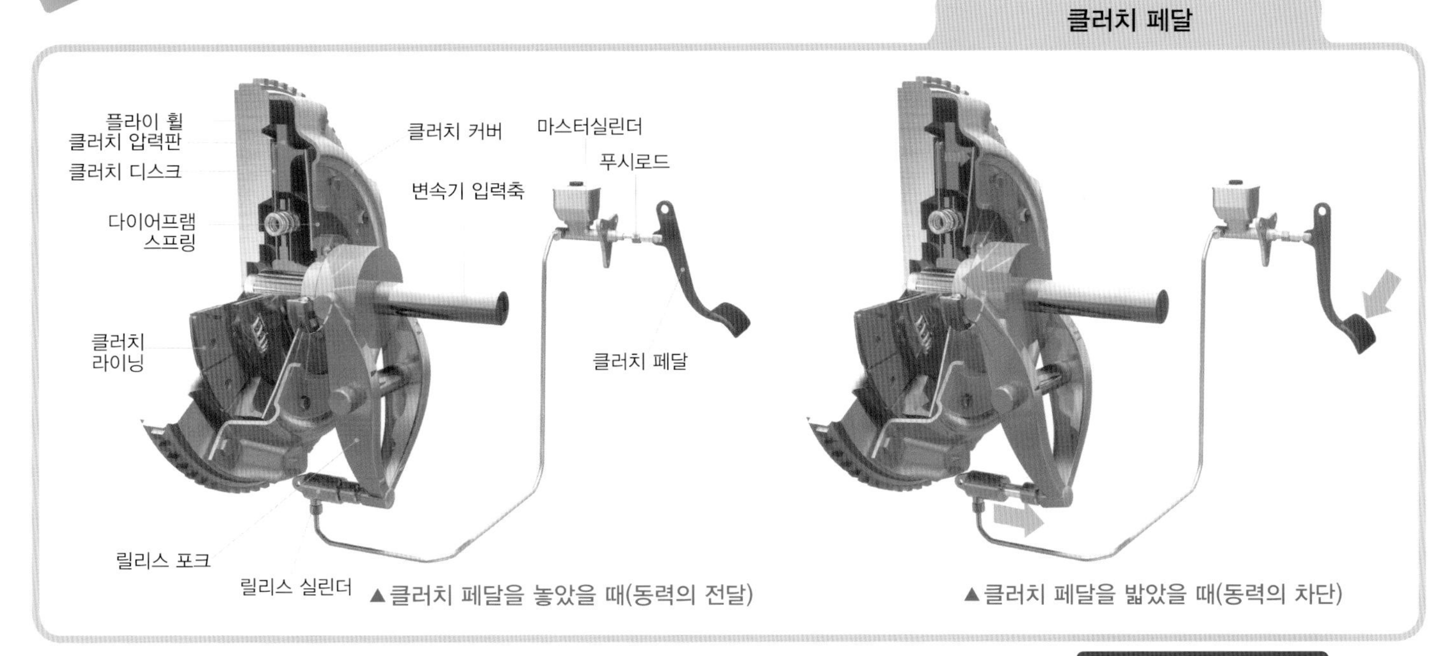

플라이 휠
클러치 압력판
클러치 디스크
다이어프램 스프링
클러치 라이닝
릴리스 포크
릴리스 실린더

클러치 커버
변속기 입력축
마스터실린더
푸시로드
클러치 페달

▲클러치 페달을 놓았을 때(동력의 전달)

▲클러치 페달을 밟았을 때(동력의 차단)

클러치 디스크의 작동

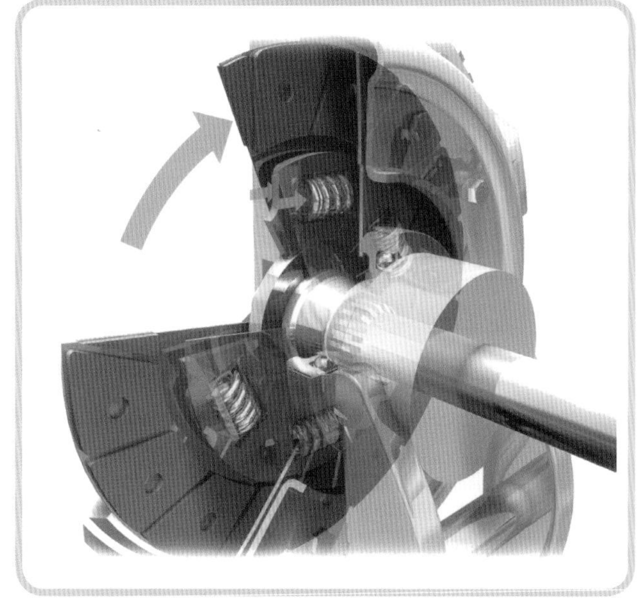

클러치 구조

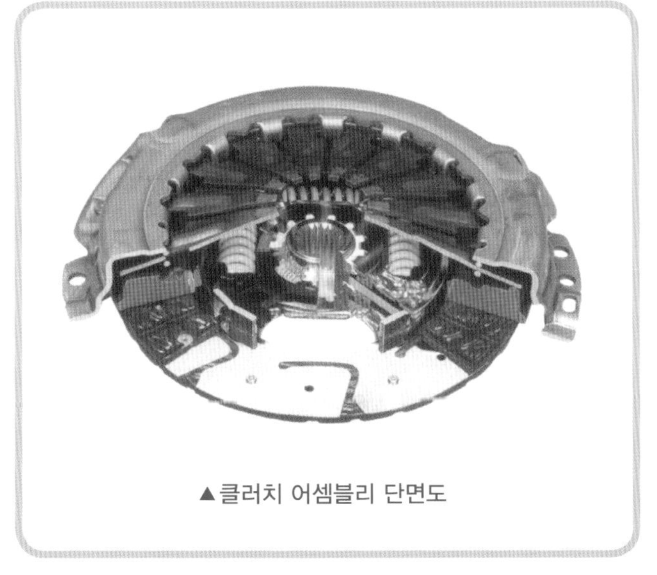

▲클러치 어셈블리 단면도

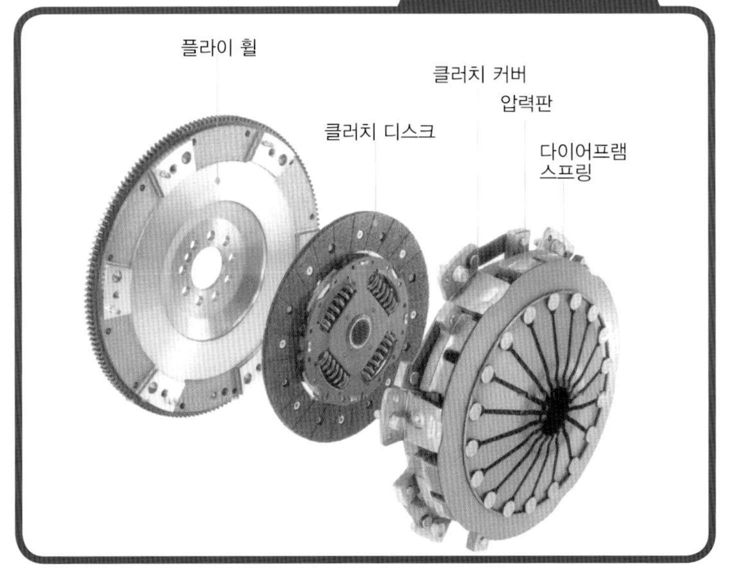

플라이 휠
클러치 디스크
클러치 커버
압력판
다이어프램 스프링

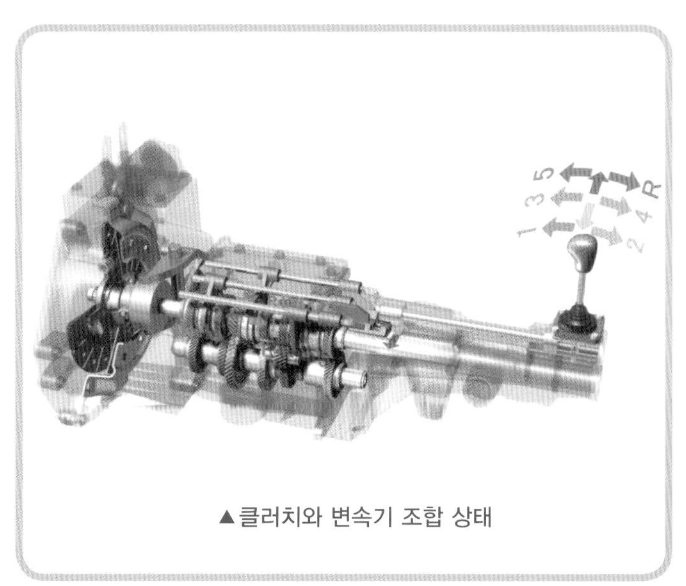

▲클러치와 변속기 조합 상태

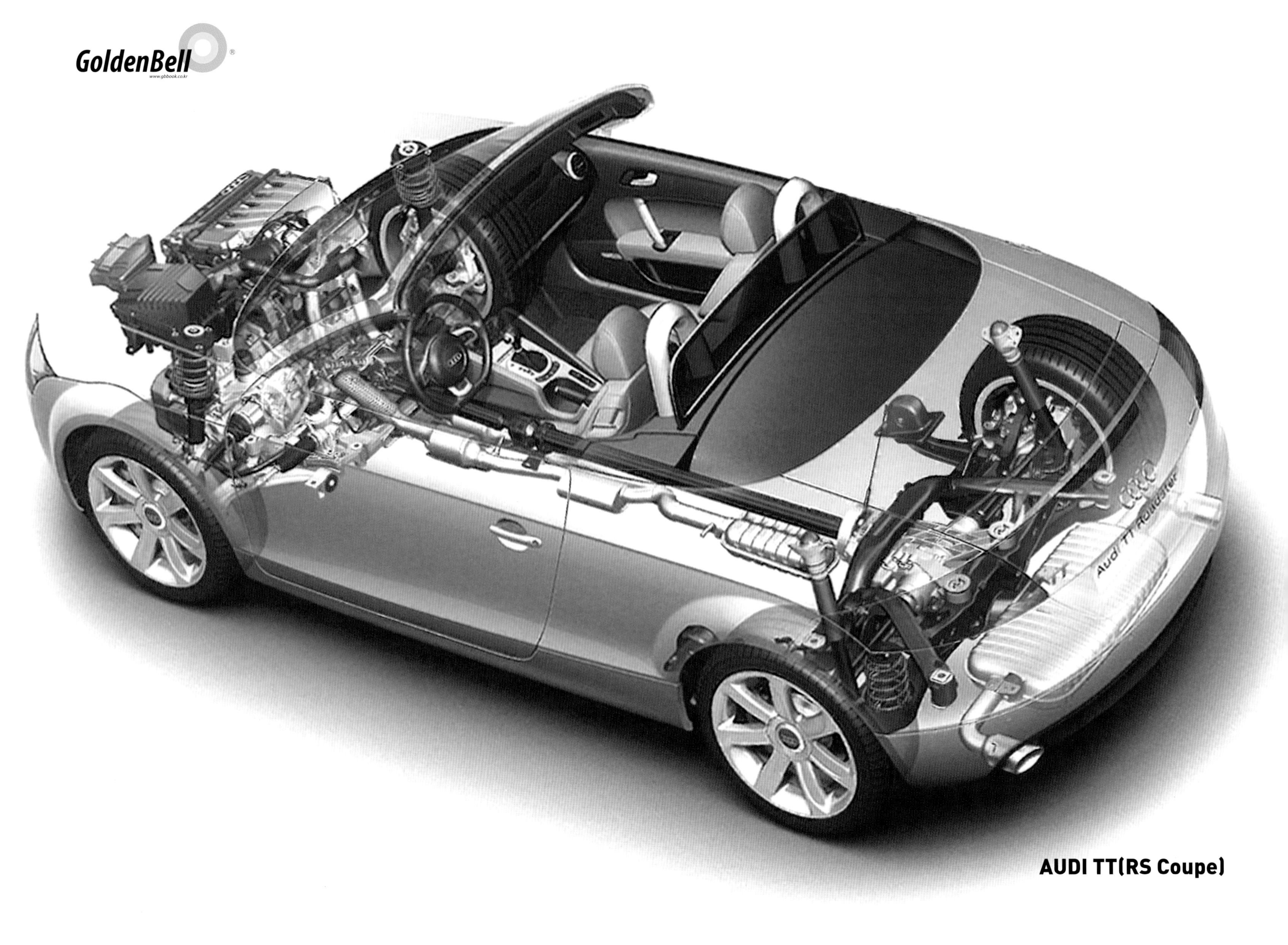

AUDI TT(RS Coupe)

듀얼 클러치 시스템

댐퍼
릴리스 베어링
클러치 1
클러치 2

▲듀얼 클러치 구성

▲듀얼 클러치 조립 상태(단면도)

▼듀얼 클러치 구성 부품

이퀄라이징 피스톤
메인 허브
실링
내외 클러치 각각 작동용 피스톤
아우터 플레이트 캐리어 (각각 입력)
드라이빙 플레이트
입력 허브 (엔진 직결)
이너 플레이트 캐리어 (각각 출력)

듀얼 클러치 디스크
클러치 디스크
입력축 2
입력축 1

듀얼 클러치 압력판과 레버 스프링

센터 플레이트
압력판 1
압력판 2
릴리스 레버 스프링
베어링
액추에이션 베어링

센터 플레이트
압력판 1
카운터 샤프트 2
카운터 샤프트 1
압력판 1
압력판 2
압력판 2
다이어프램 스프링
클러치 세트 2
클러치 세트 1
메커트로닉스

듀얼 클러치 변속기(DCT)

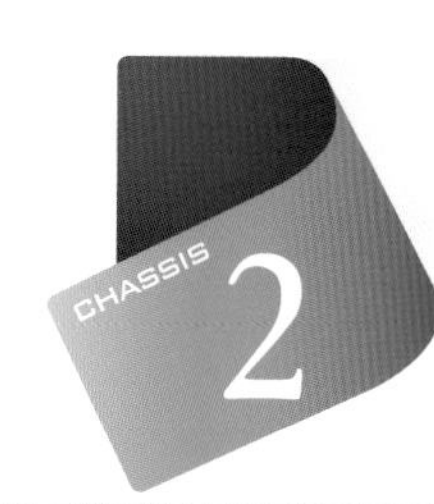

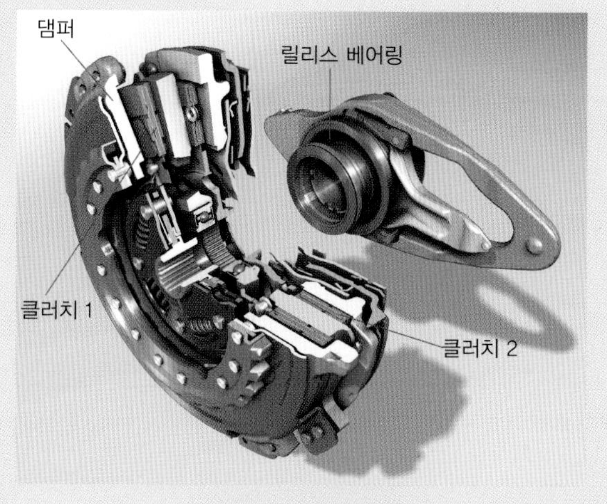

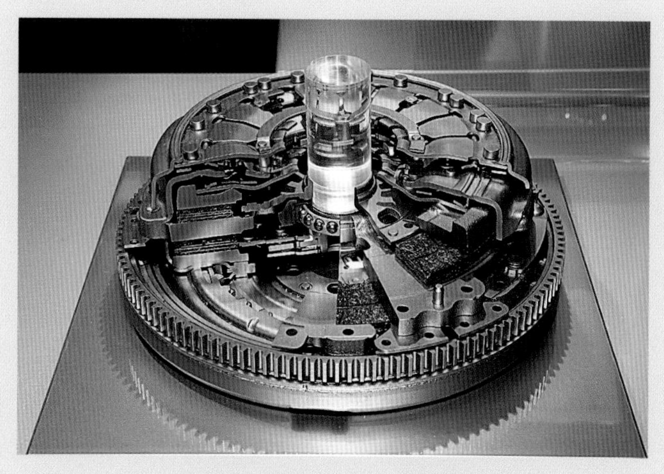

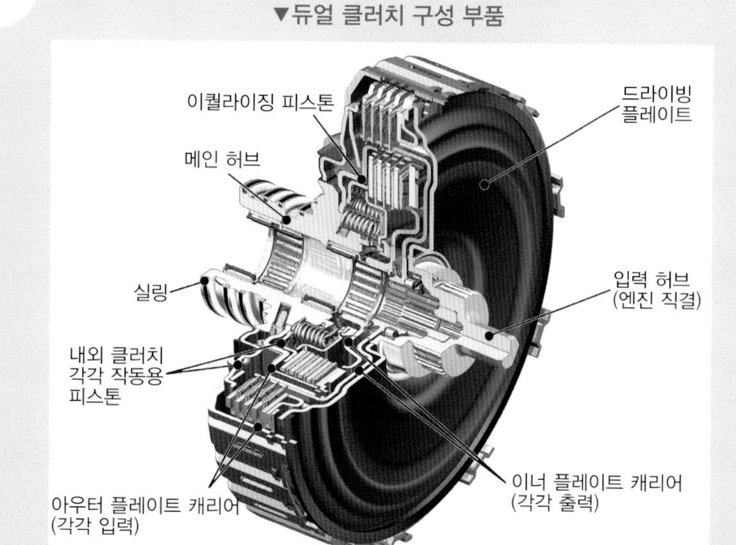

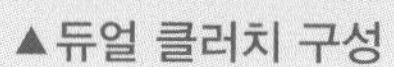

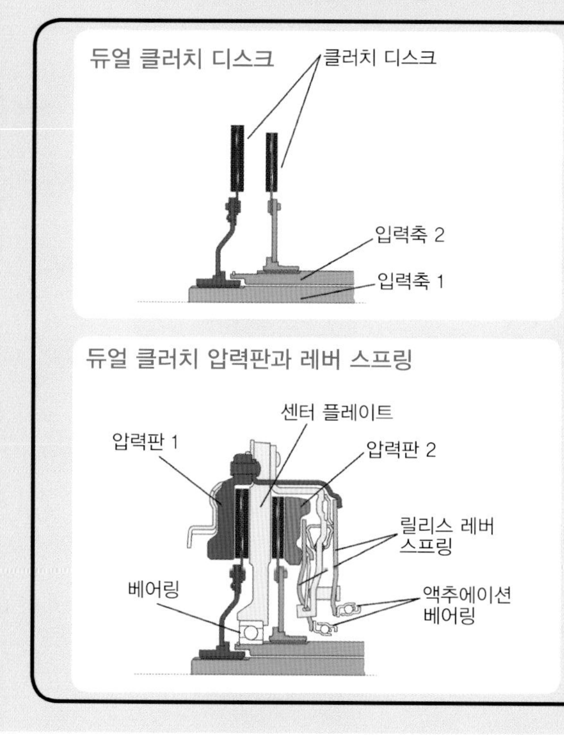

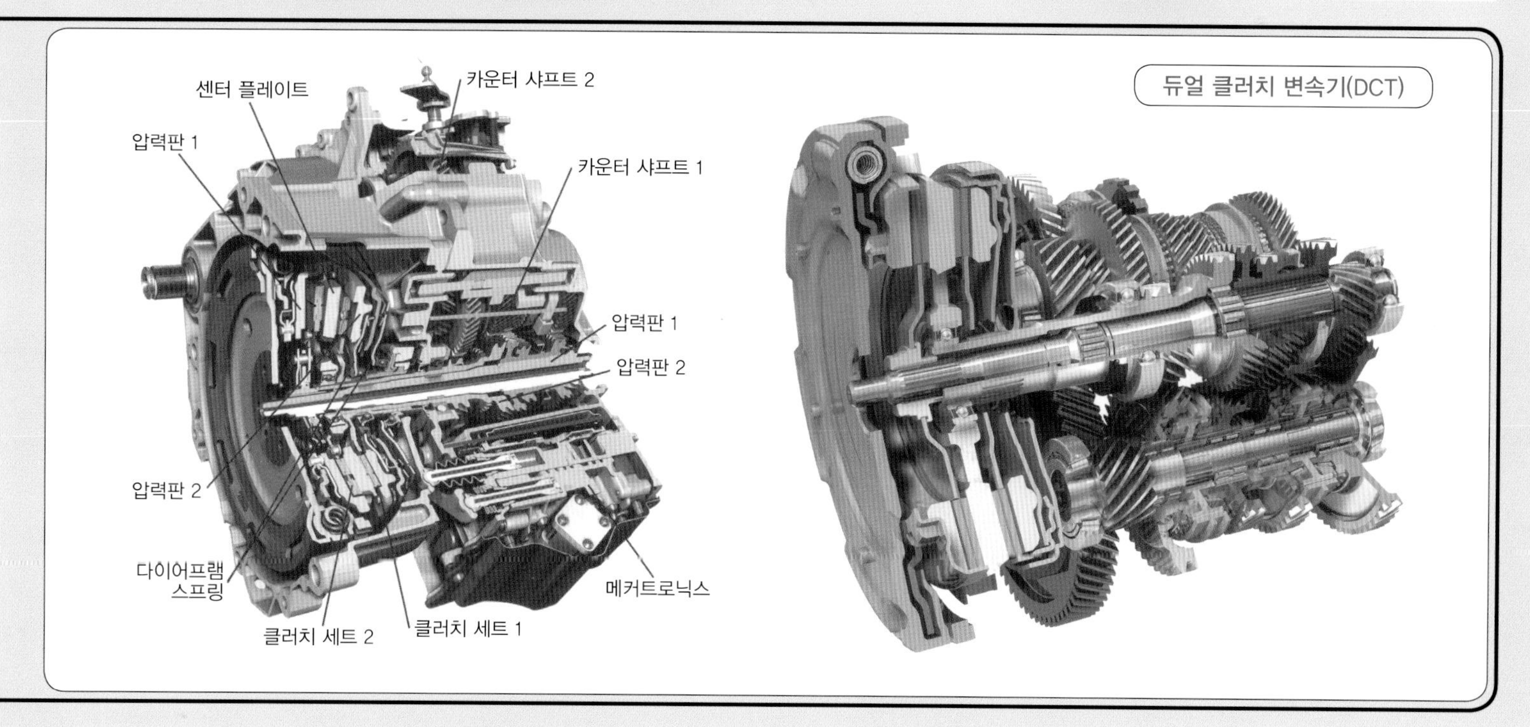

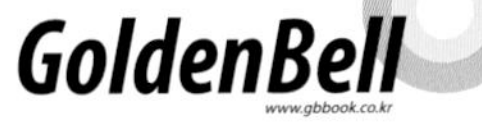

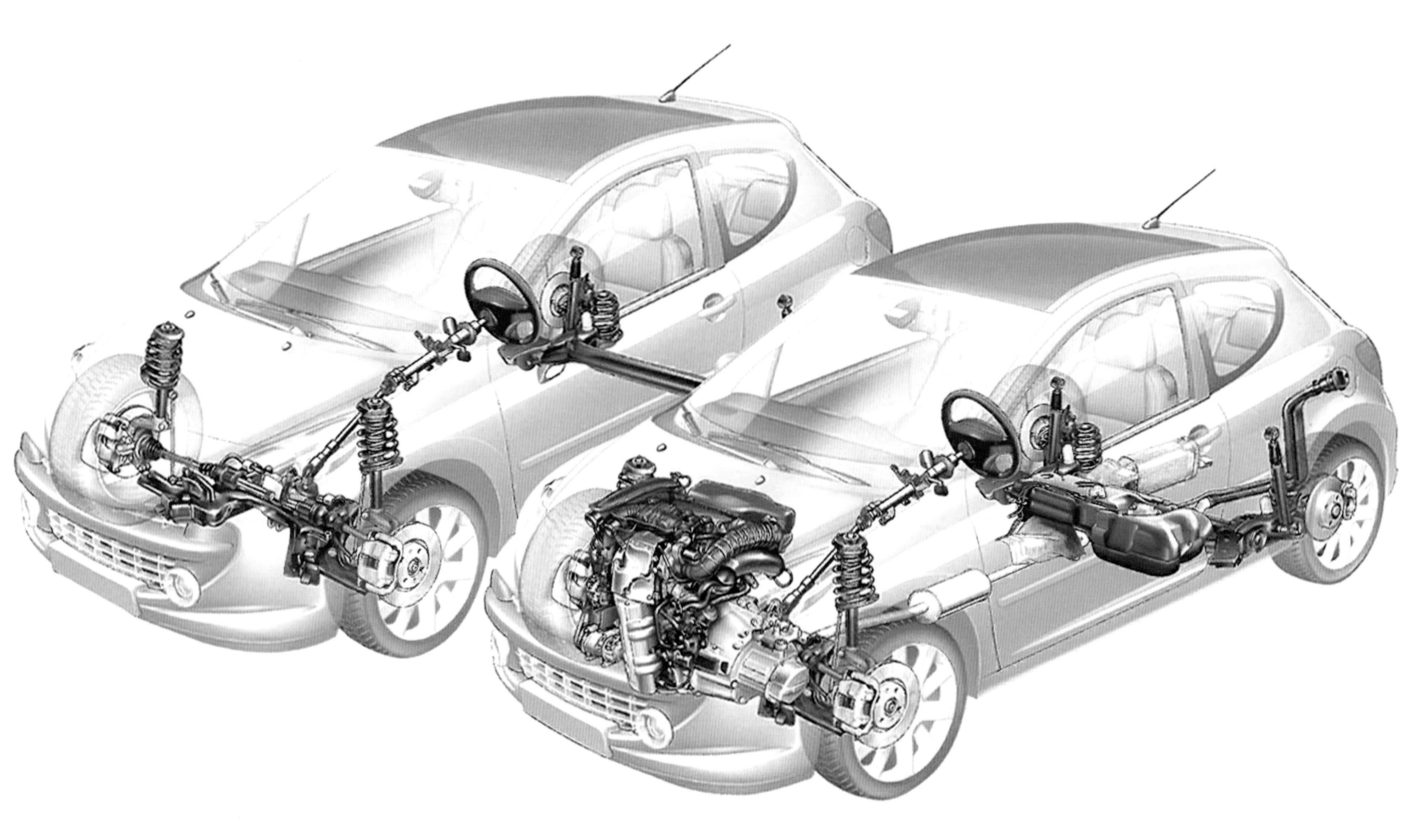

수동 변속기
(Manual Transmission)

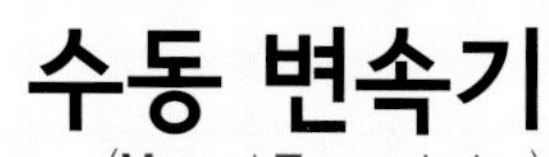

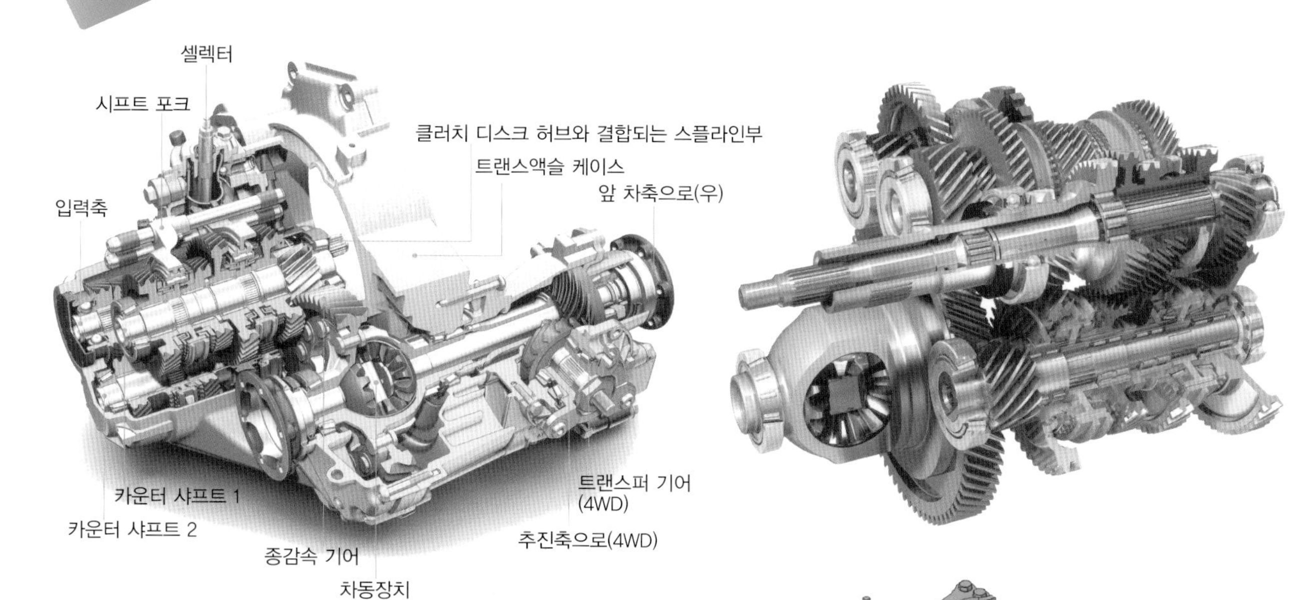

셀렉터

시프트 포크

입력축

클러치 디스크 허브와 결합되는 스플라인부
트랜스액슬 케이스
앞 차축으로(우)

카운터 샤프트 1
카운터 샤프트 2
종감속 기어
차동장치
트랜스퍼 기어 (4WD)
추진축으로(4WD)

▲ 트랜스액슬(FF용)

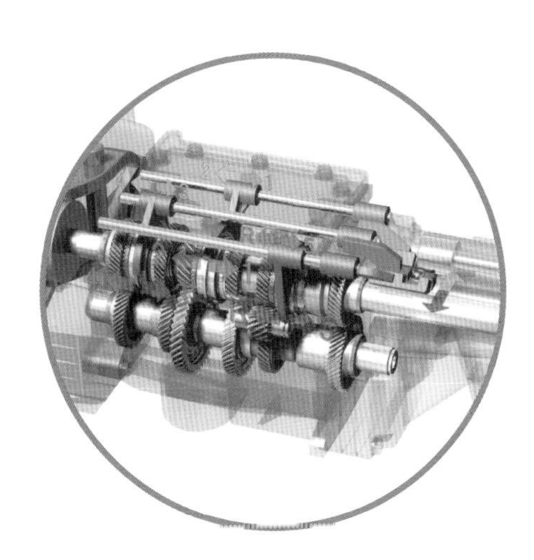

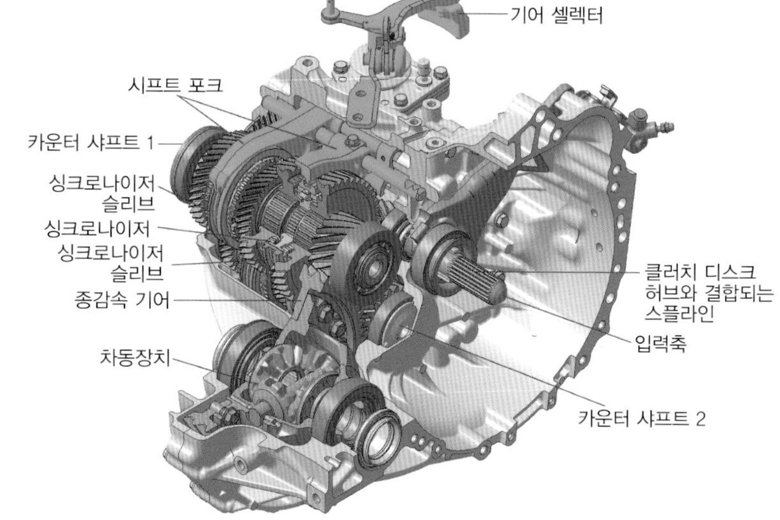

기어 셀렉터
시프트 포크
카운터 샤프트 1
싱크로나이저 슬리브
싱크로나이저
싱크로나이저 슬리브
종감속 기어
차동장치
클러치 디스크 허브와 결합되는 스플라인
입력축
카운터 샤프트 2

▲ 트랜스액슬(FF용)

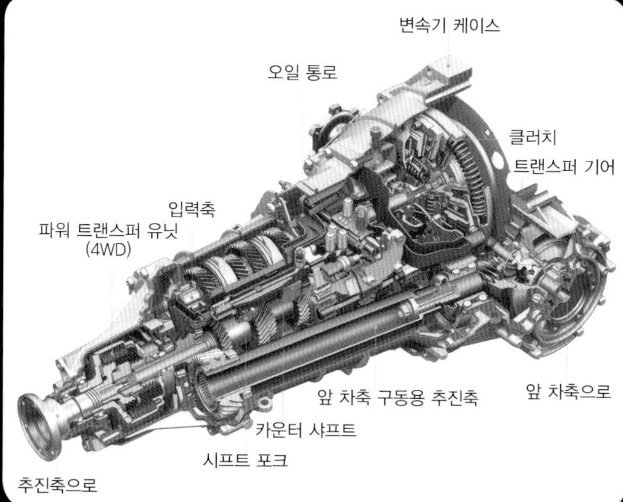
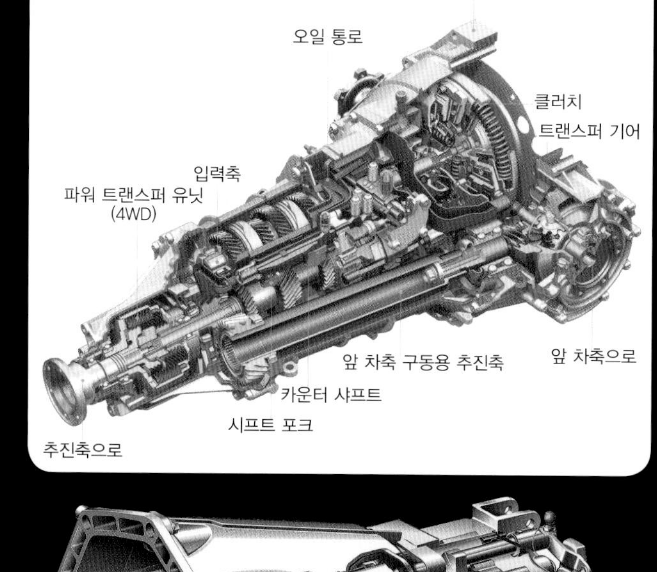

변속기 케이스
오일 통로
클러치
트랜스퍼 기어
입력축
파워 트랜스퍼 유닛 (4WD)
앞 차축 구동용 추진축
앞 차축으로
카운터 샤프트
시프트 포크
추진축으로

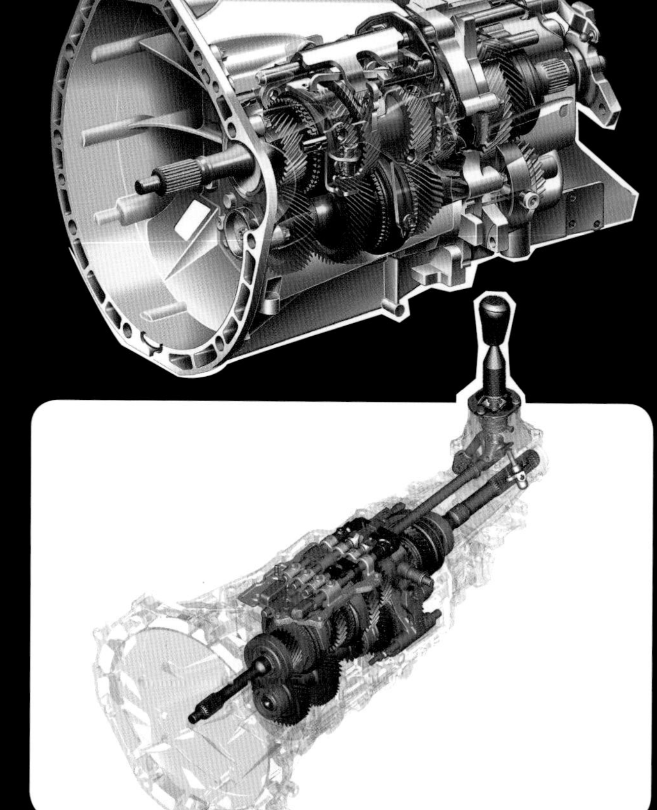

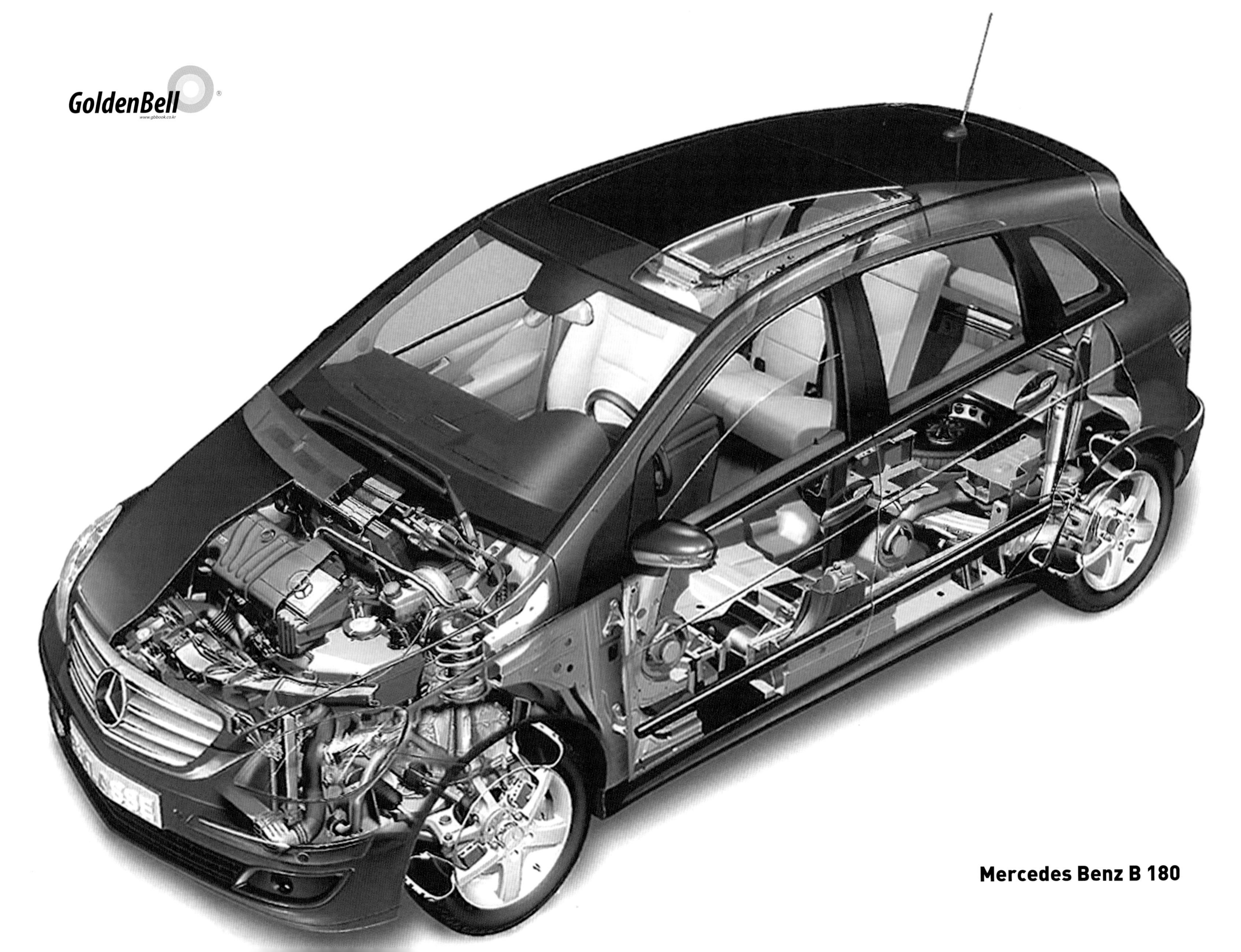

Mercedes Benz B 180

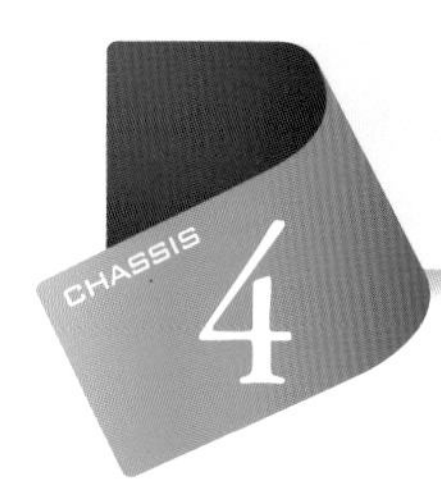

듀얼 클러치 변속기
(**D**ual **C**lutch **T**ransmission)

클러치의 동력전달경로

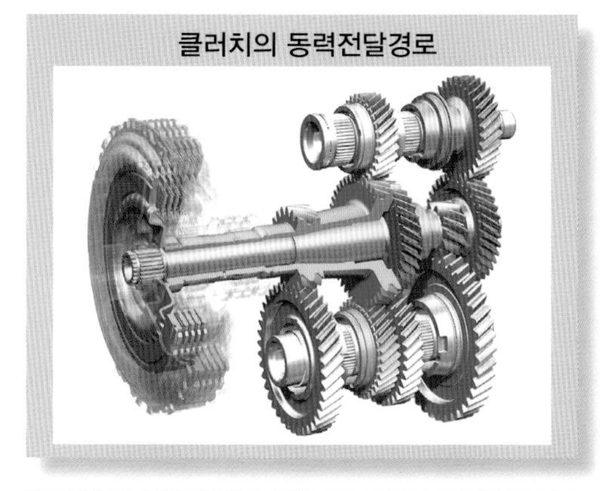

클러치의 1의 동력전달경로

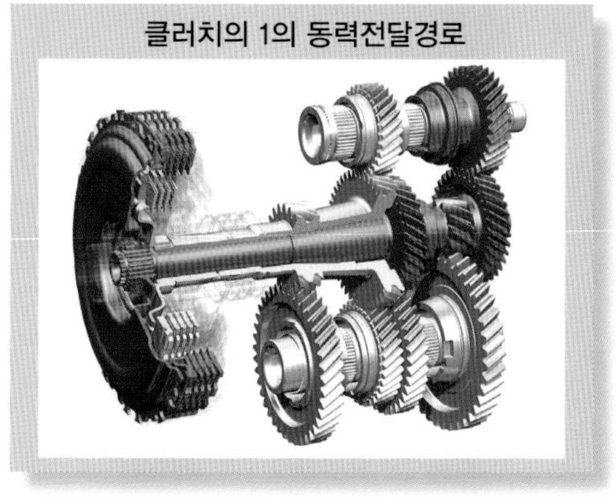

클러치의 2의 동력전달경로

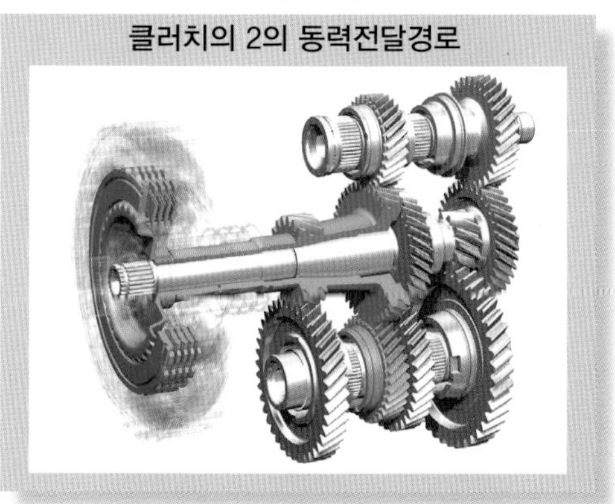

▼ 듀얼 클러치 변속기의 구조

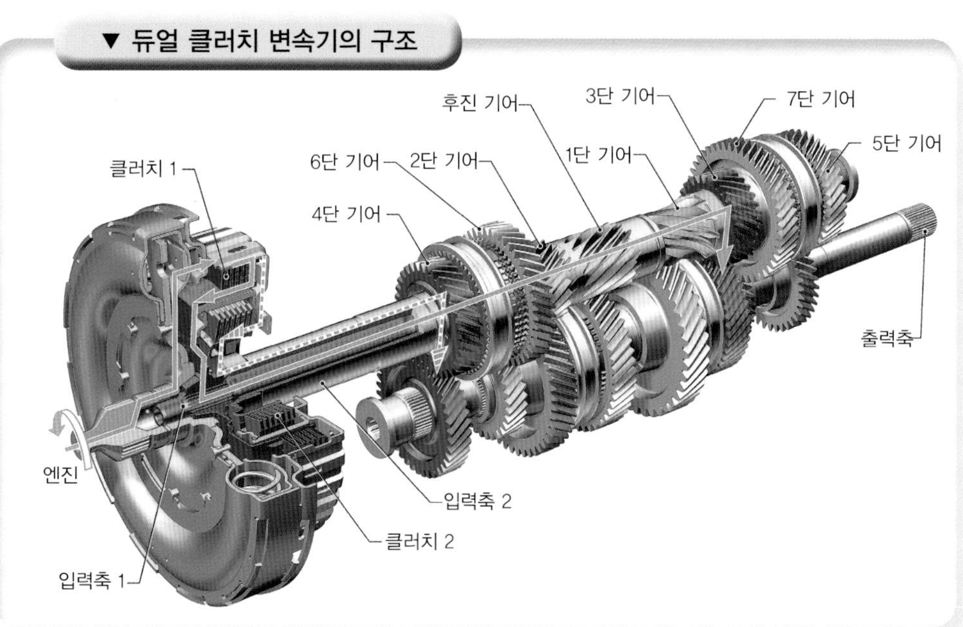

후진 기어　3단 기어　7단 기어
6단 기어　2단 기어　1단 기어　5단 기어
클러치 1
4단 기어
출력축
엔진
입력축 2
클러치 2
입력축 1

▼ 7단 DCT 전개도

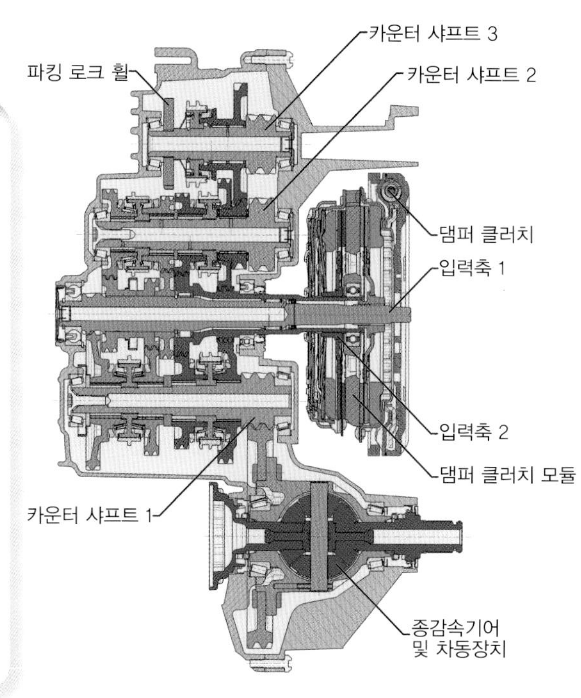

카운터 샤프트 3
파킹 로크 휠　카운터 샤프트 2
댐퍼 클러치
입력축 1
입력축 2
댐퍼 클러치 모듈
카운터 샤프트 1
종감속기어
및 차동장치

▼ DCT의 구조

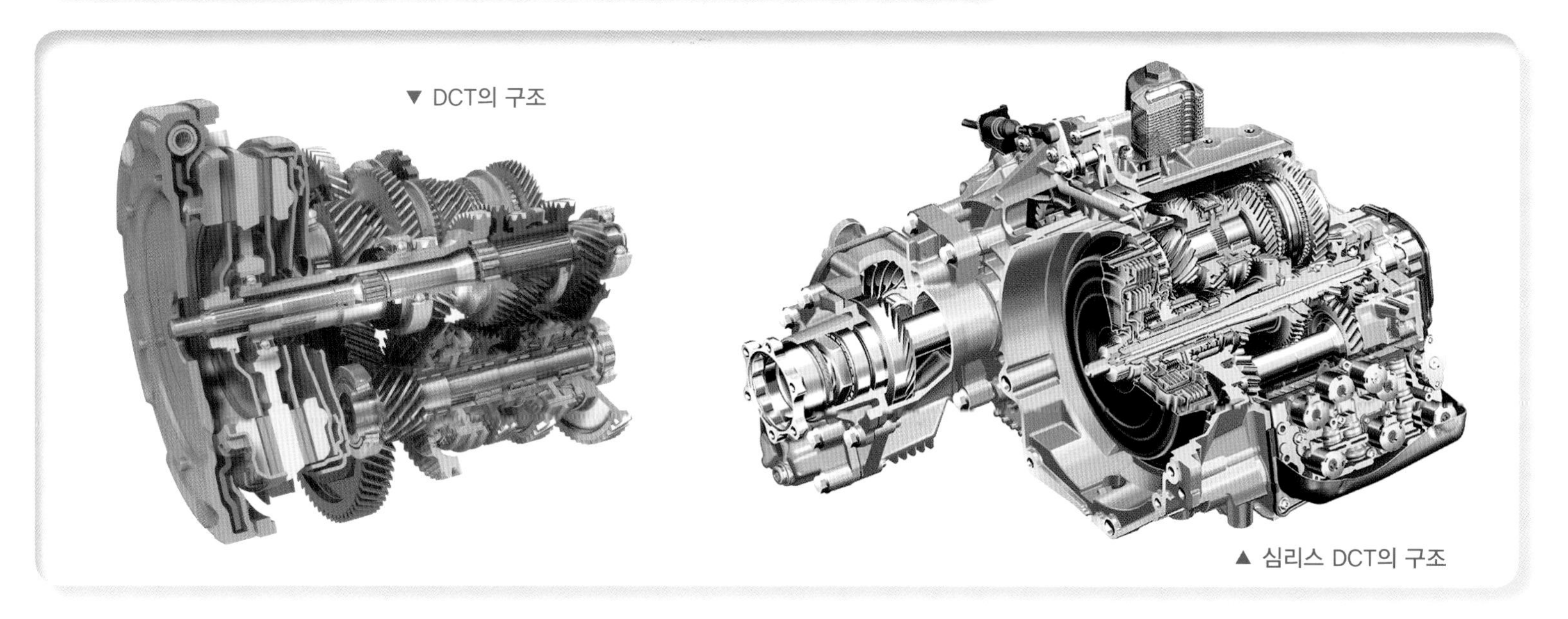

▲ 심리스 DCT의 구조

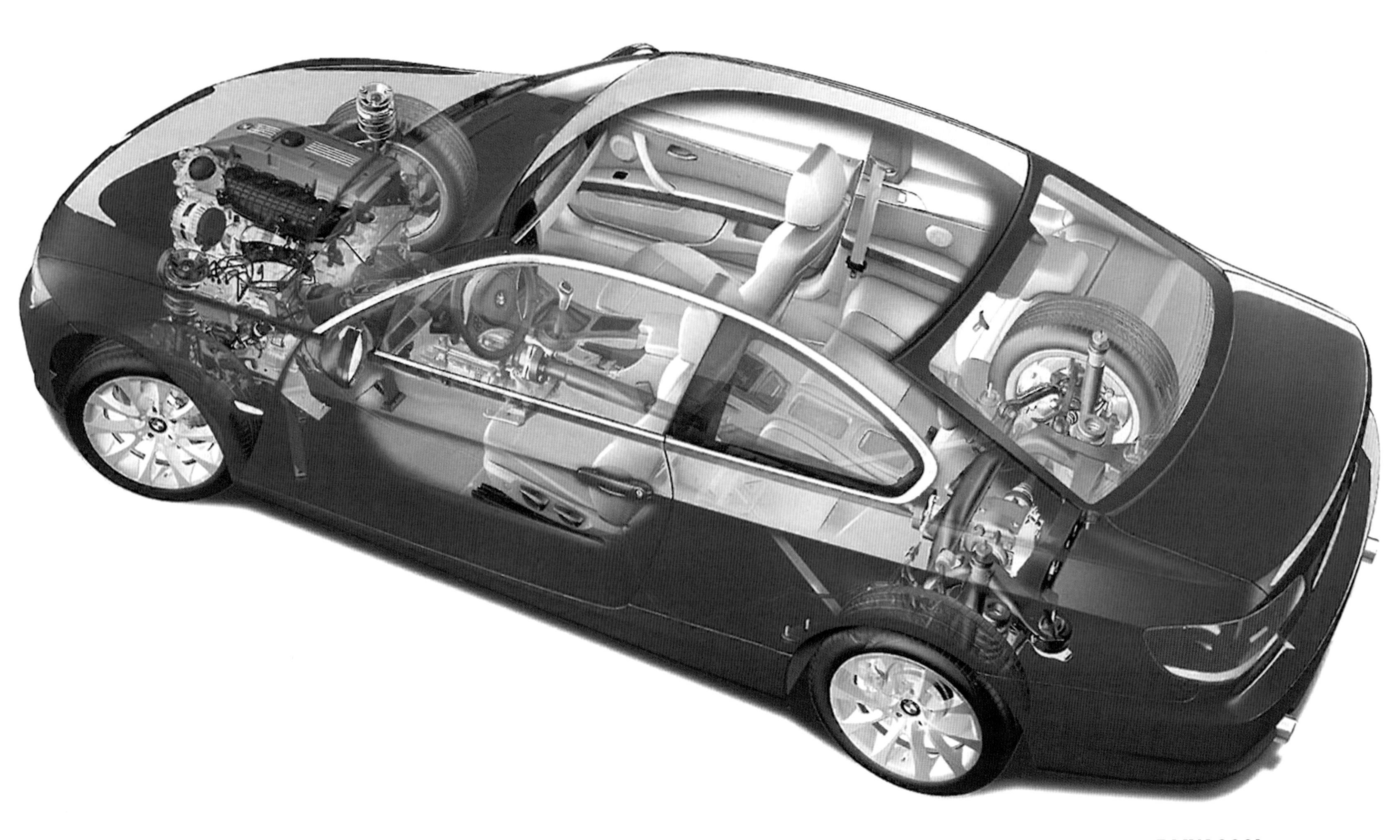

BMW 320i coupe

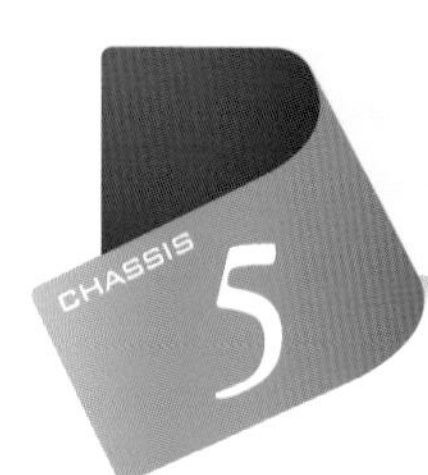

토크 컨버터

토크 컨버터의 구조

터빈 러너
스테이터
일방향 클러치
펌프 임펠러
록업 클러치
출력축
엔진 장착용 보스
케이스

링 기어
유성 기어
출력축
일방향 클러치
클러치 어셈블리
선 기어
입력축
토크 컨버터

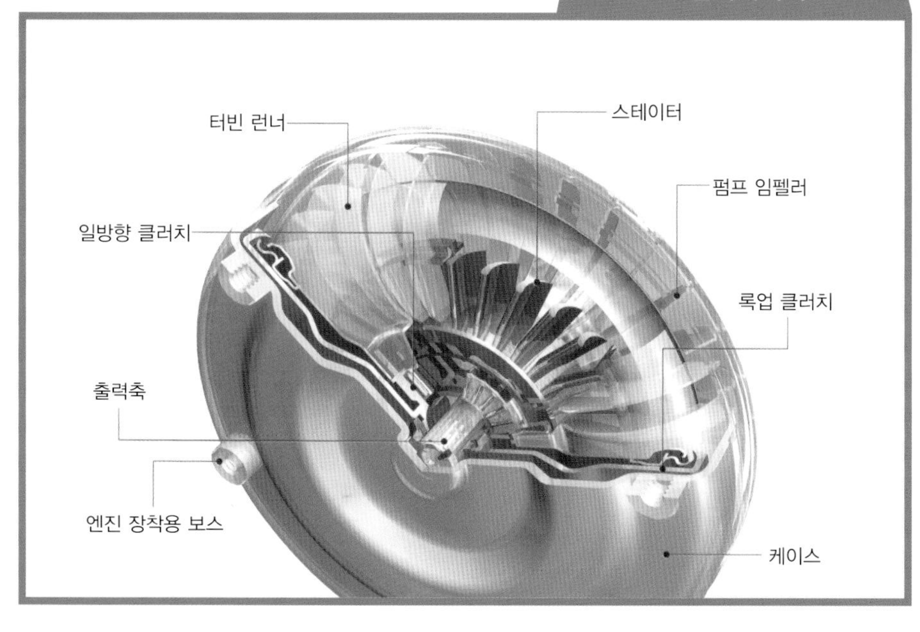

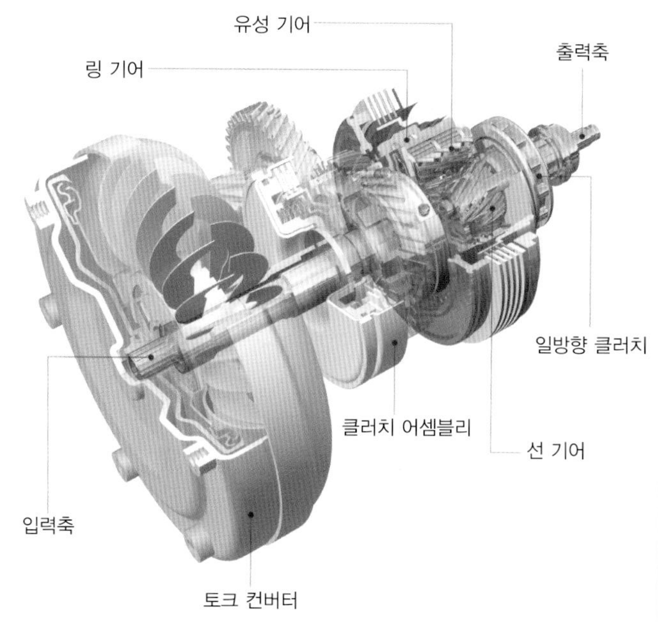

▲토크 컨버터와 유성기어 세트의 결합

▲댐퍼 클러치 작동

▲편평형 토크 컨버터

펌프 임펠러
터빈 러너
스테이터

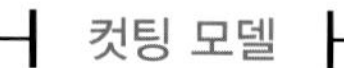

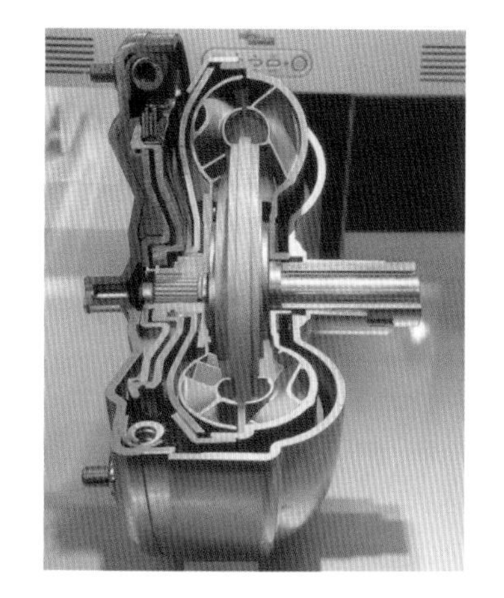

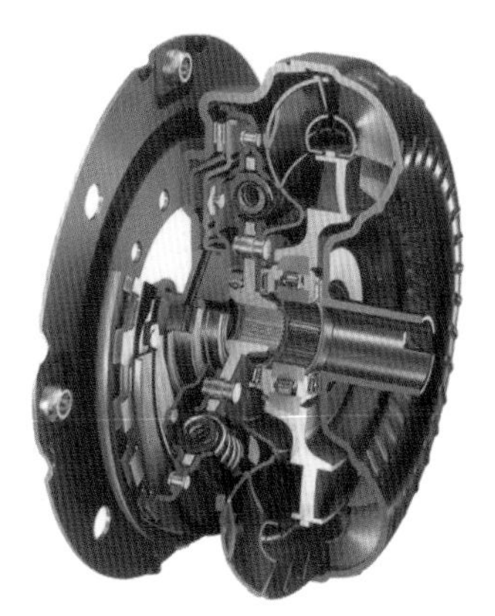

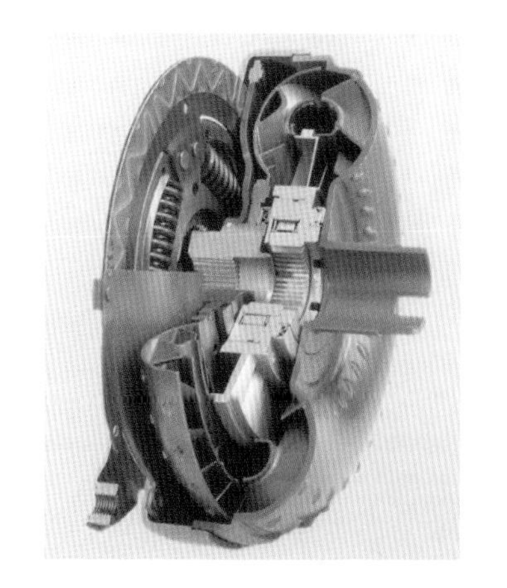

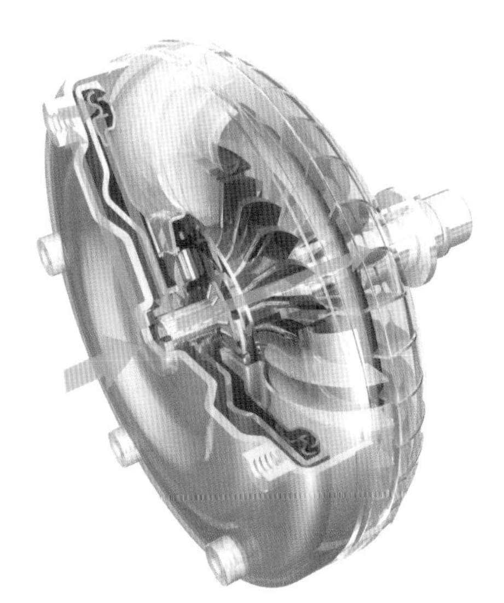

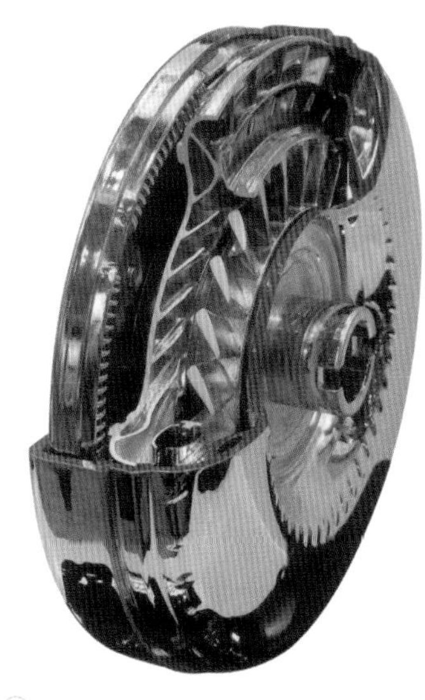

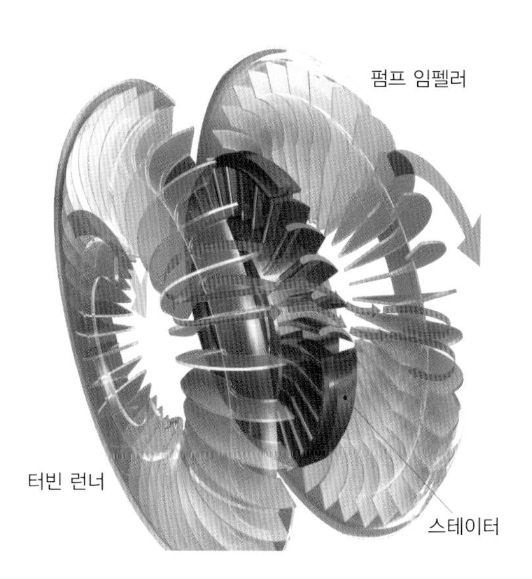

▲토크 컨버터 내의 오일 흐름

MAZDA AXELA 20S SKYACTIV

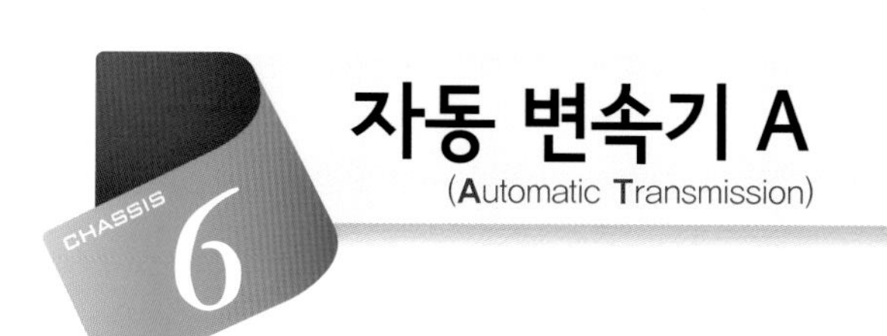

자동 변속기 A
(**A**utomatic **T**ransmission)

▽ 6단 자동변속기의 구조

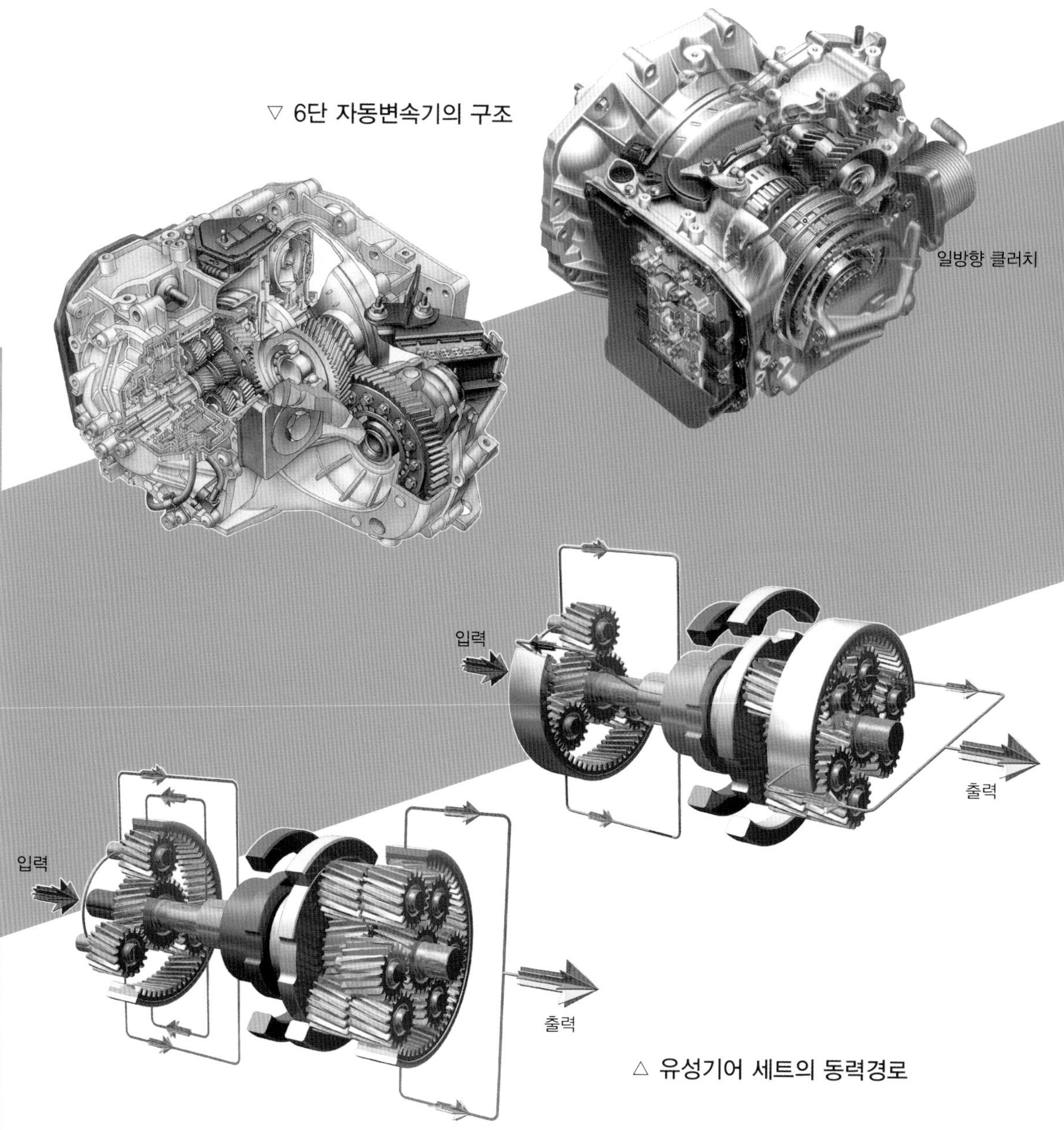

일방향 클러치

▼ 자동변속기의 구조(FF용)

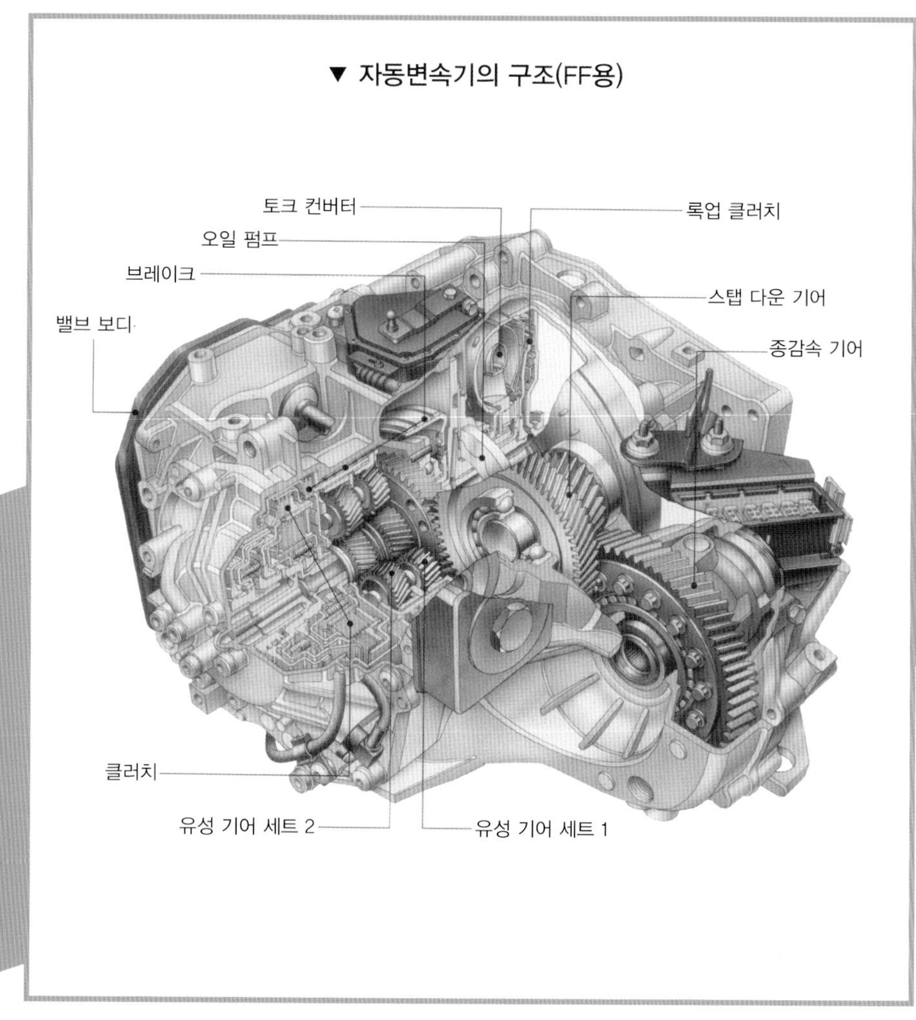

토크 컨버터

오일 펌프

브레이크

밸브 보디

록업 클러치

스탭 다운 기어

종감속 기어

입력

출력

클러치

유성 기어 세트 2

유성 기어 세트 1

입력

출력

△ 유성기어 세트의 동력경로

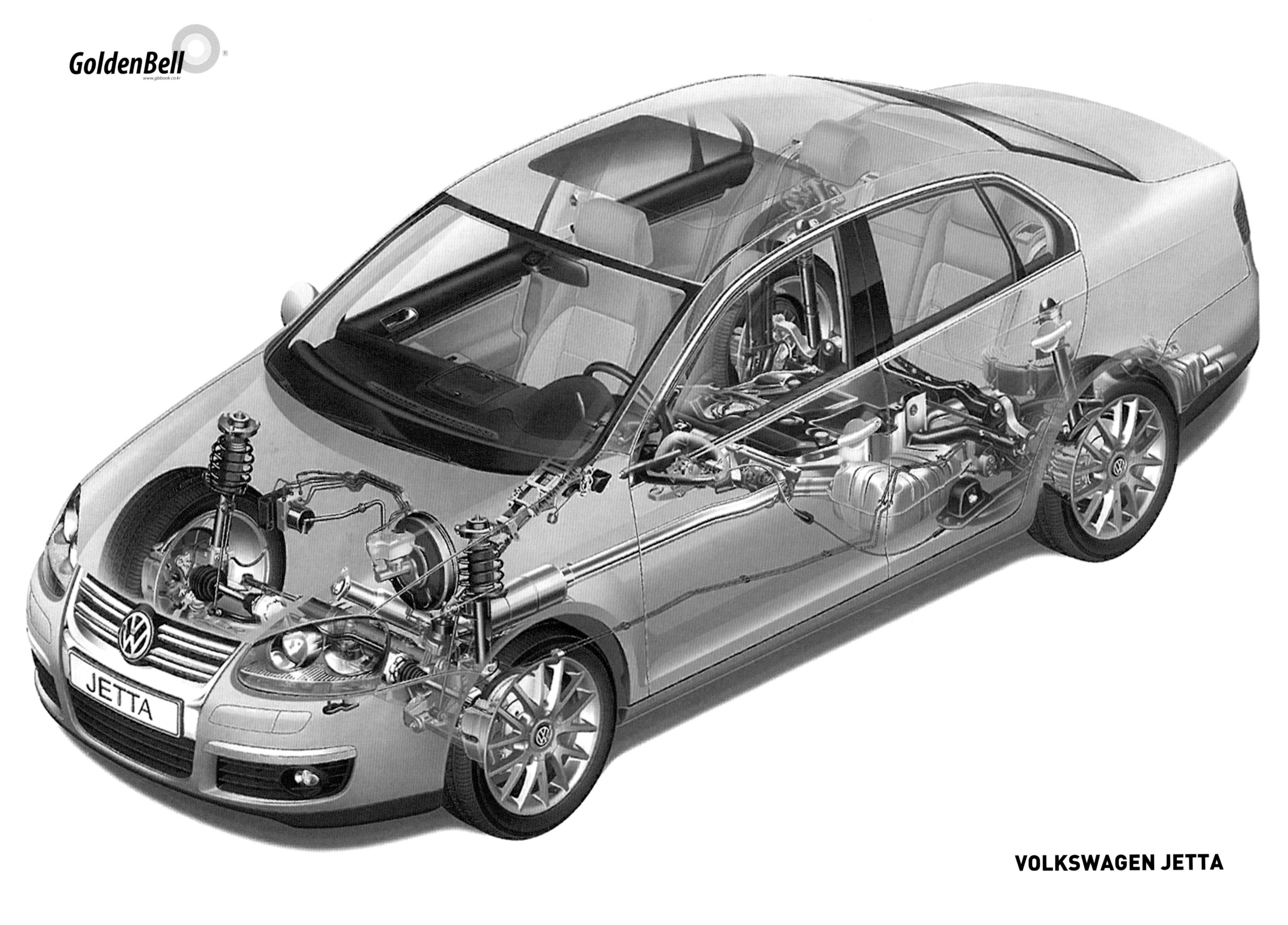

자동 변속기 B
(**A**utomatic **T**ransmission)

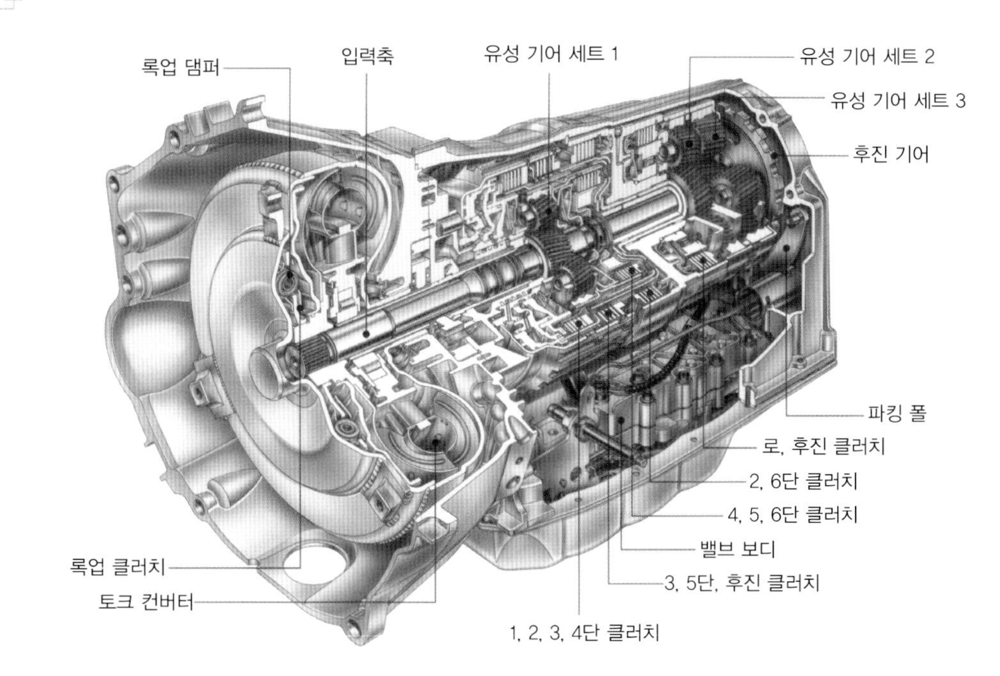

록업 댐퍼
입력축
유성 기어 세트 1
유성 기어 세트 2
유성 기어 세트 3
후진 기어
파킹 폴
로, 후진 클러치
2, 6단 클러치
4, 5, 6단 클러치
밸브 보디
3, 5단, 후진 클러치
록업 클러치
토크 컨버터
1, 2, 3, 4단 클러치

▲ 자동변속기의 구조(FF용)

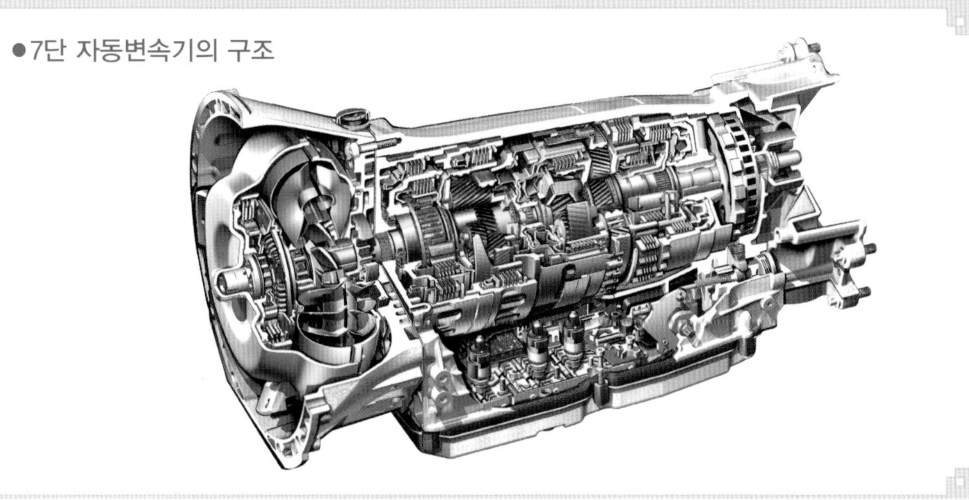

●6단 자동변속기의 구조

●7단 자동변속기의 구조

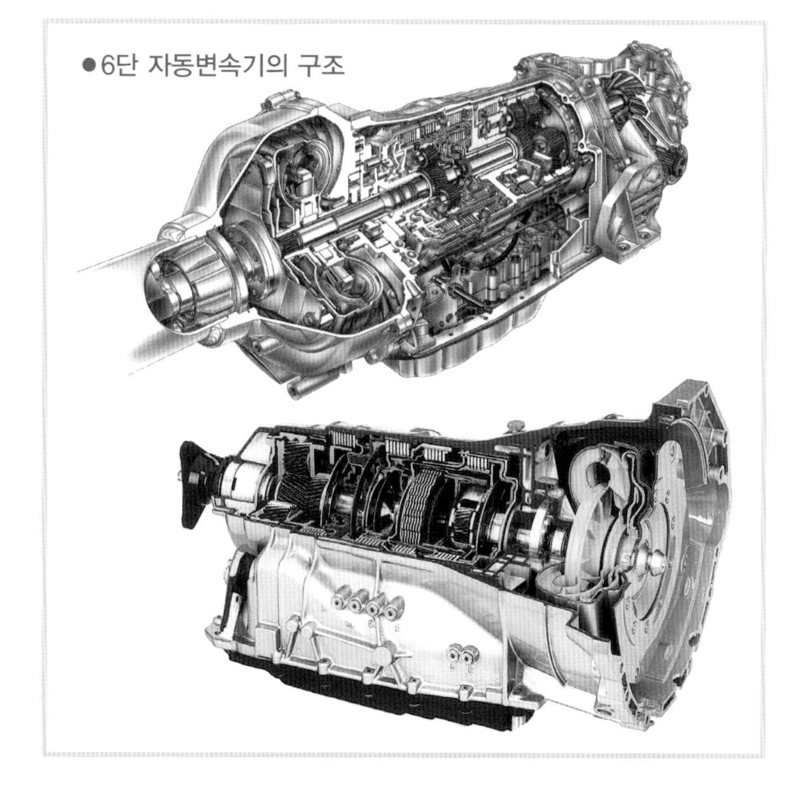

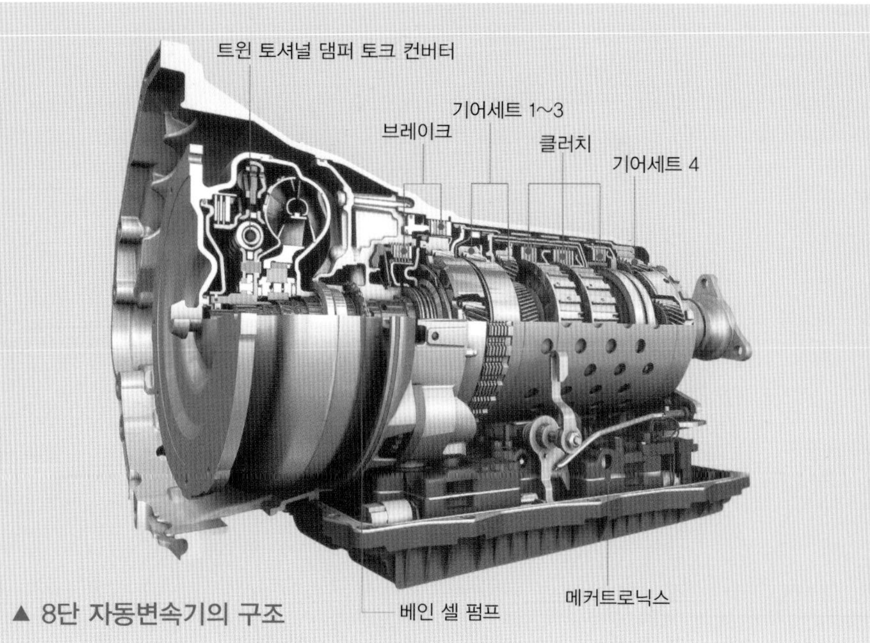

트윈 토셔널 댐퍼 토크 컨버터
기어세트 1~3
브레이크
클러치
기어세트 4
베인 셀 펌프
메커트로닉스

▲ 8단 자동변속기의 구조

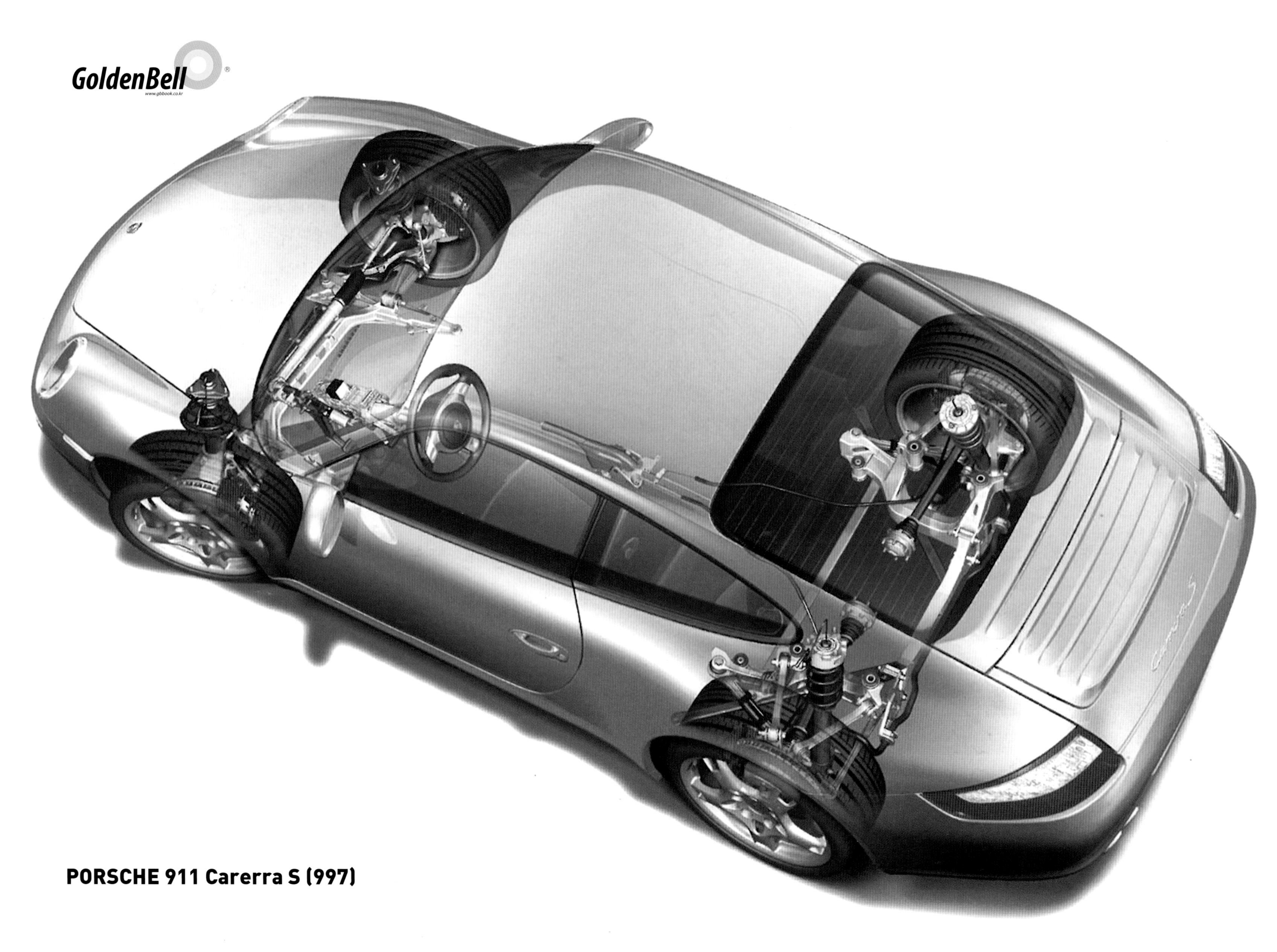

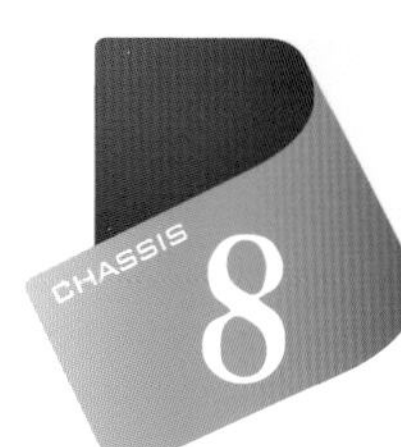

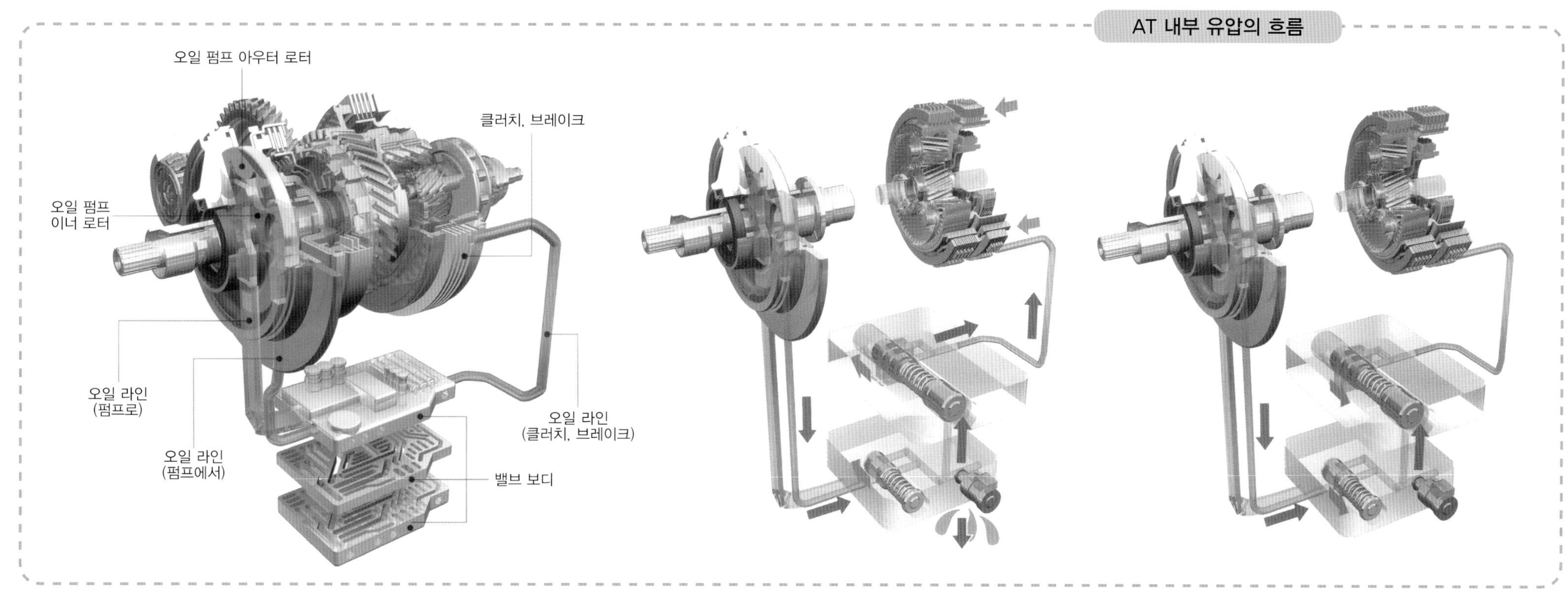

자동 변속기 밸브 보디

AT 내부 유압의 흐름

오일 펌프 아우터 로터

클러치, 브레이크

오일 펌프
이너 로터

오일 라인
(펌프로)

오일 라인
(클러치, 브레이크)

오일 라인
(펌프에서)

밸브 보디

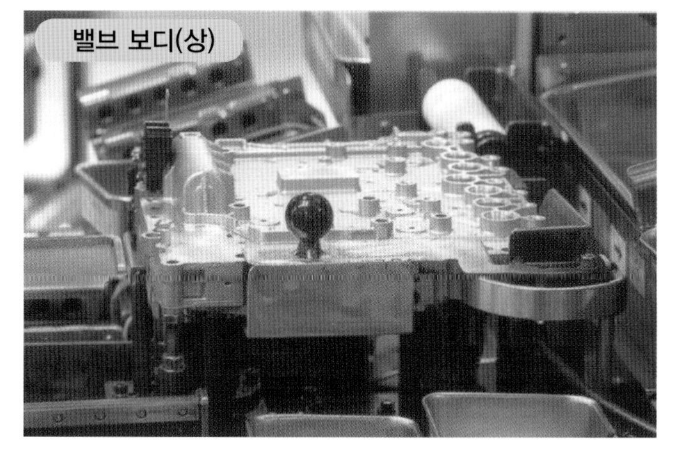

밸브 보디(상)

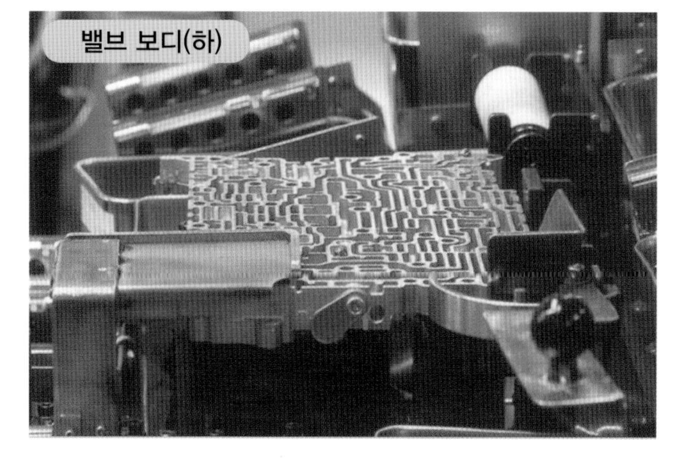

밸브 보디(하)

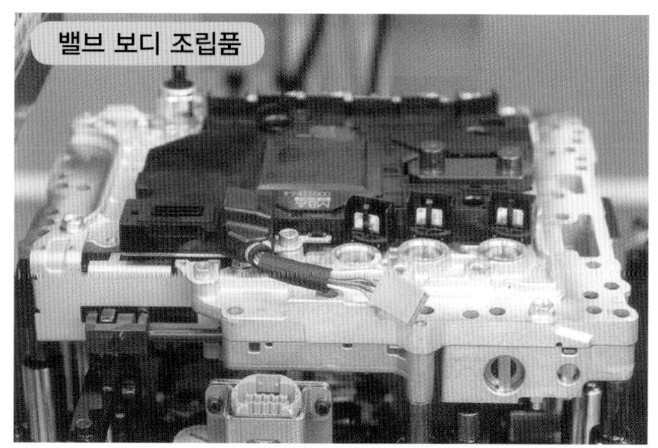

밸브 보디 조립품

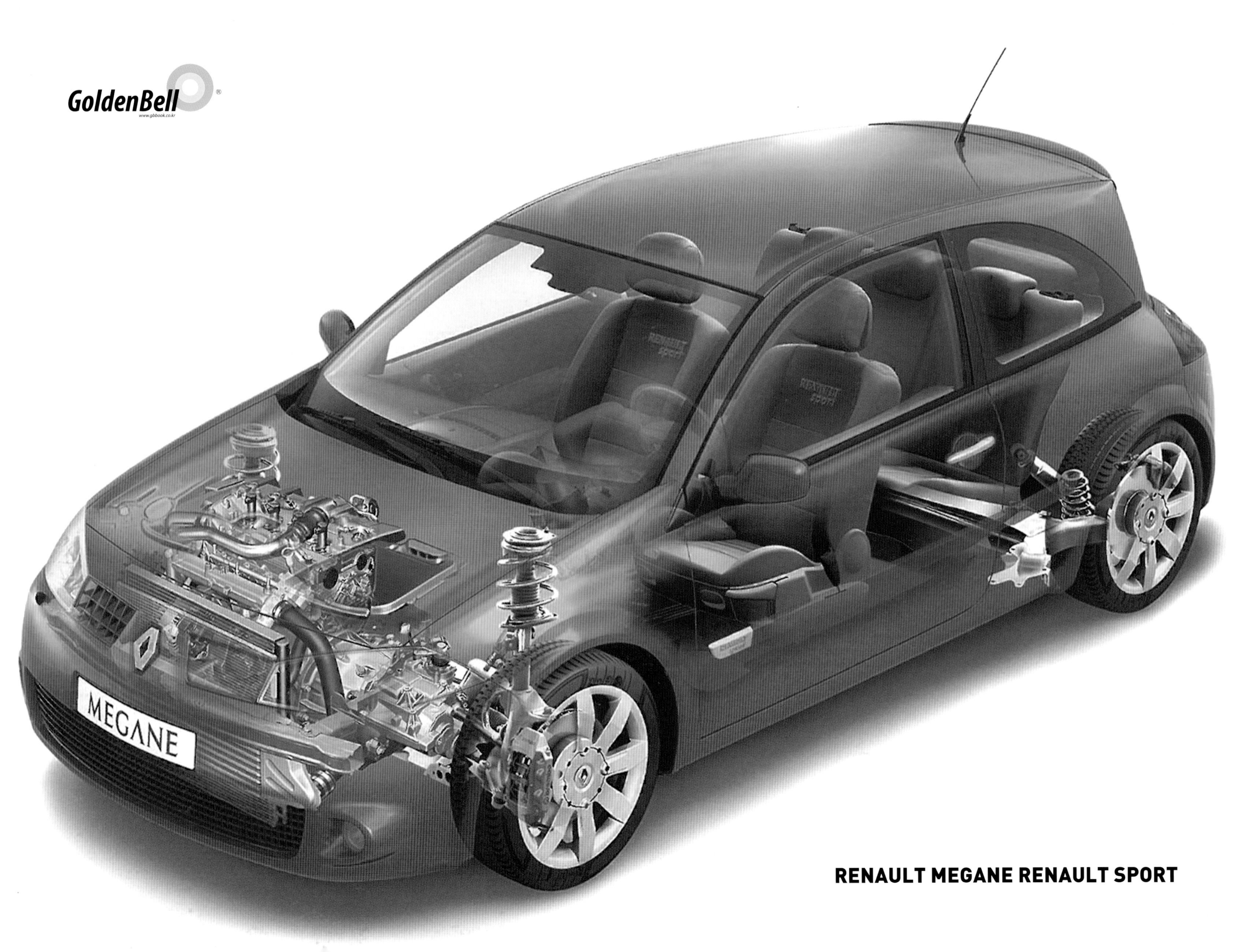

MEGANE

무단 변속기
(Continuously Variable Transmission)

▲금속 벨트 CVT 구조

▲체인 구동 CVT 구조

출력축 풀리

토크 컨버터
(발진 장치)

후진용 유성 기어 세트

오일 펌프
구동용 체인

오일 펌프

금속 벨트

제어 모듈

입력축 풀리

변속 풀리
+
링 플레이트 체인

감속 상태

증속 상태

최대 감속

최대 가속

▲CVT 변속 원리

벨트가 감기는 지름의 변화로 변속

금속 벨트의 구성

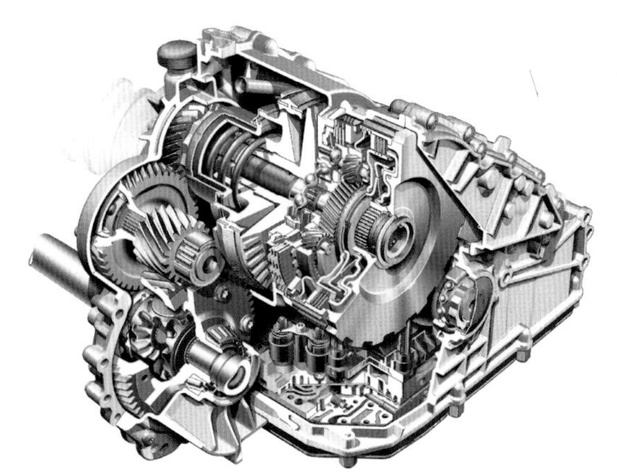

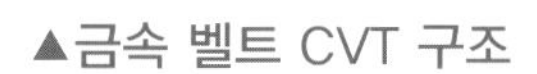

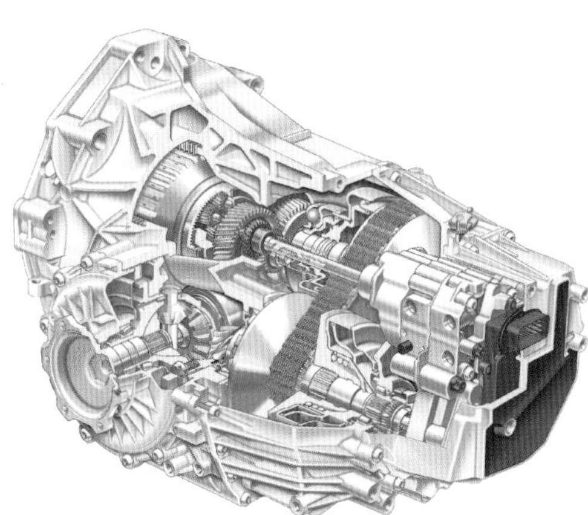

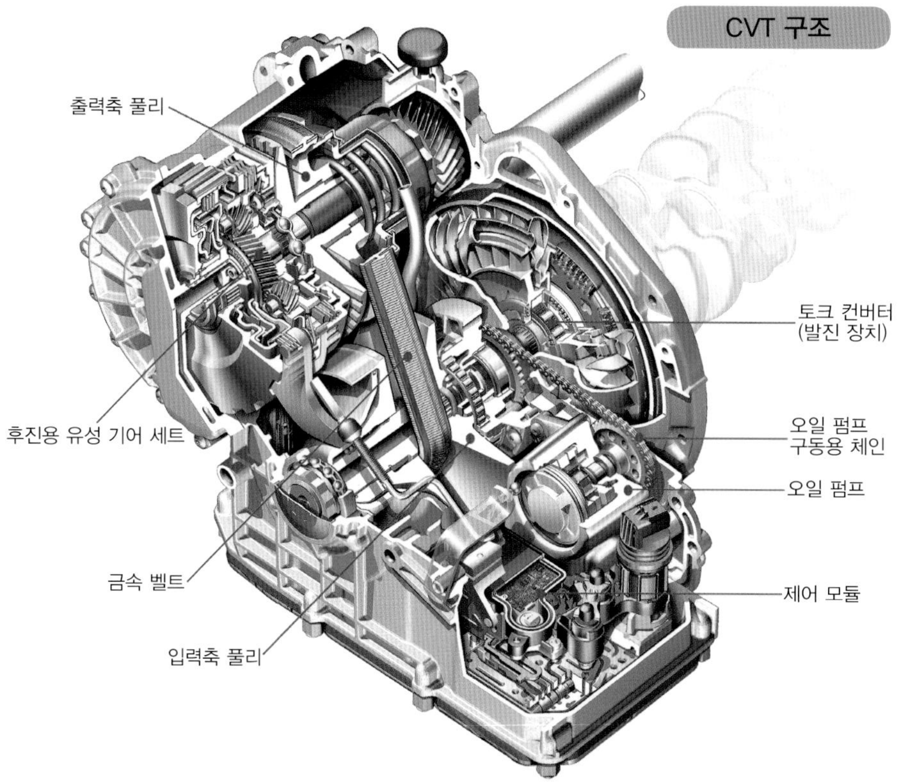

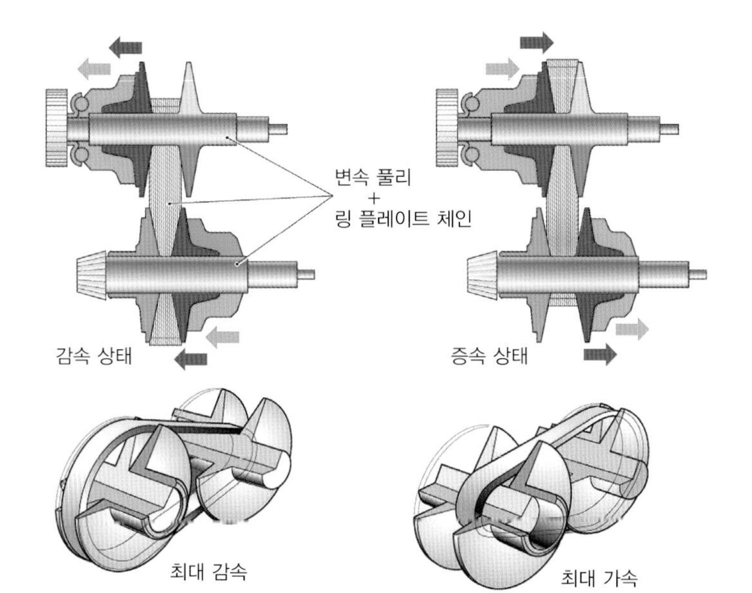

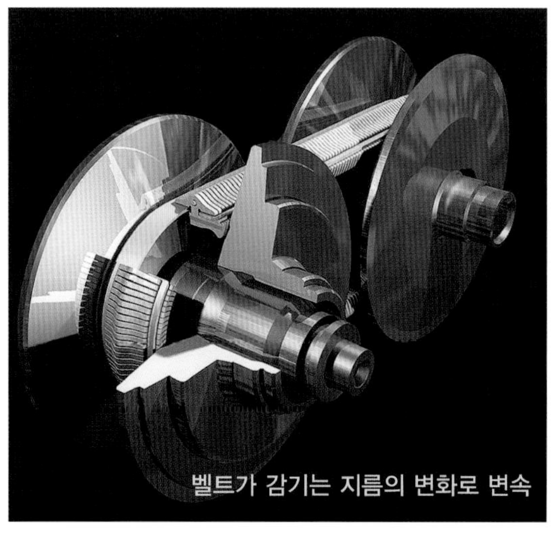

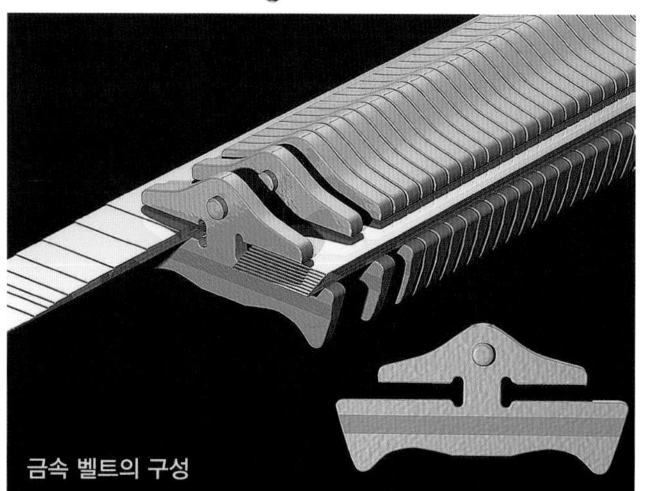

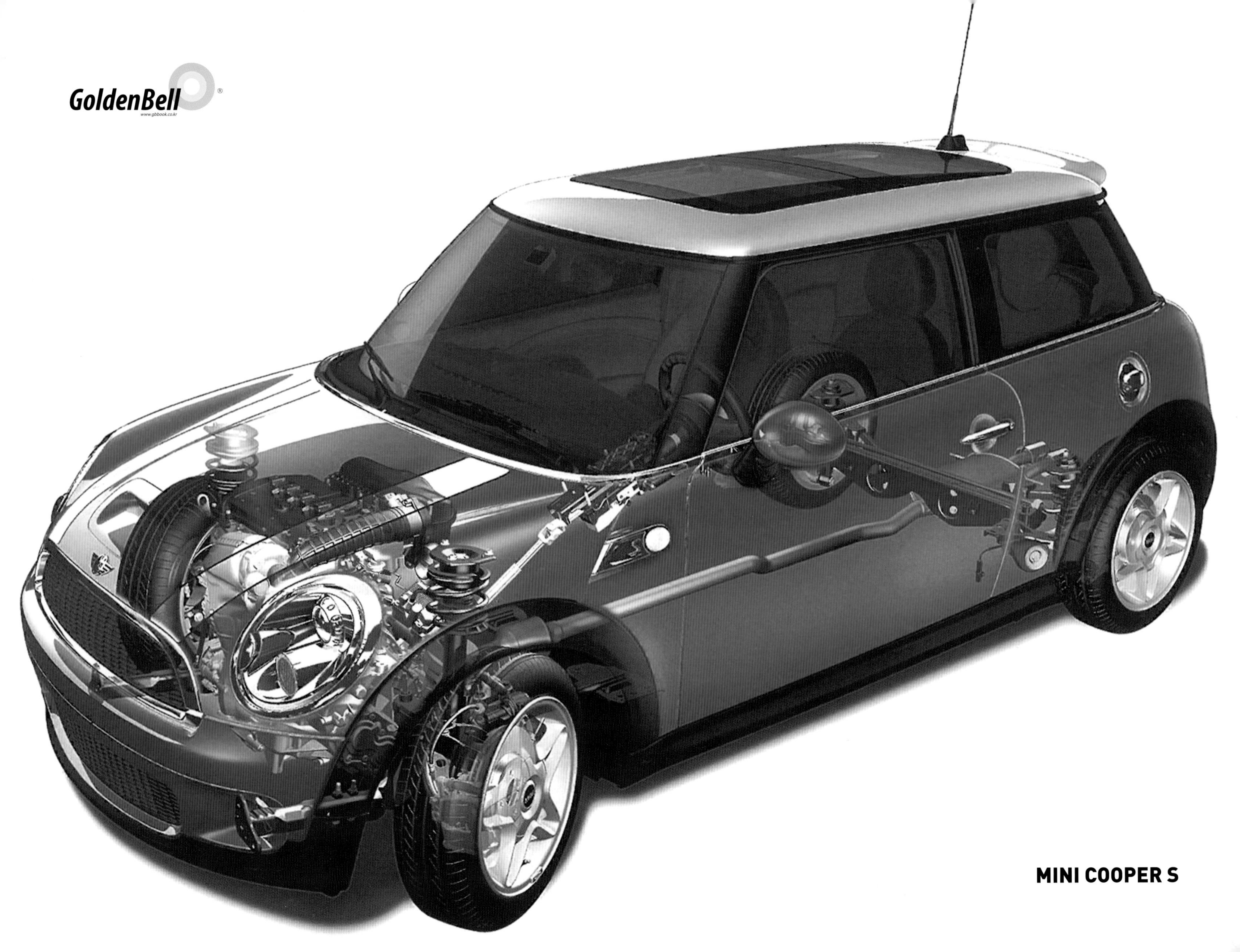
GoldenBell
www.gbbook.co.kr
MINI COOPER S

종감속 및 차동장치

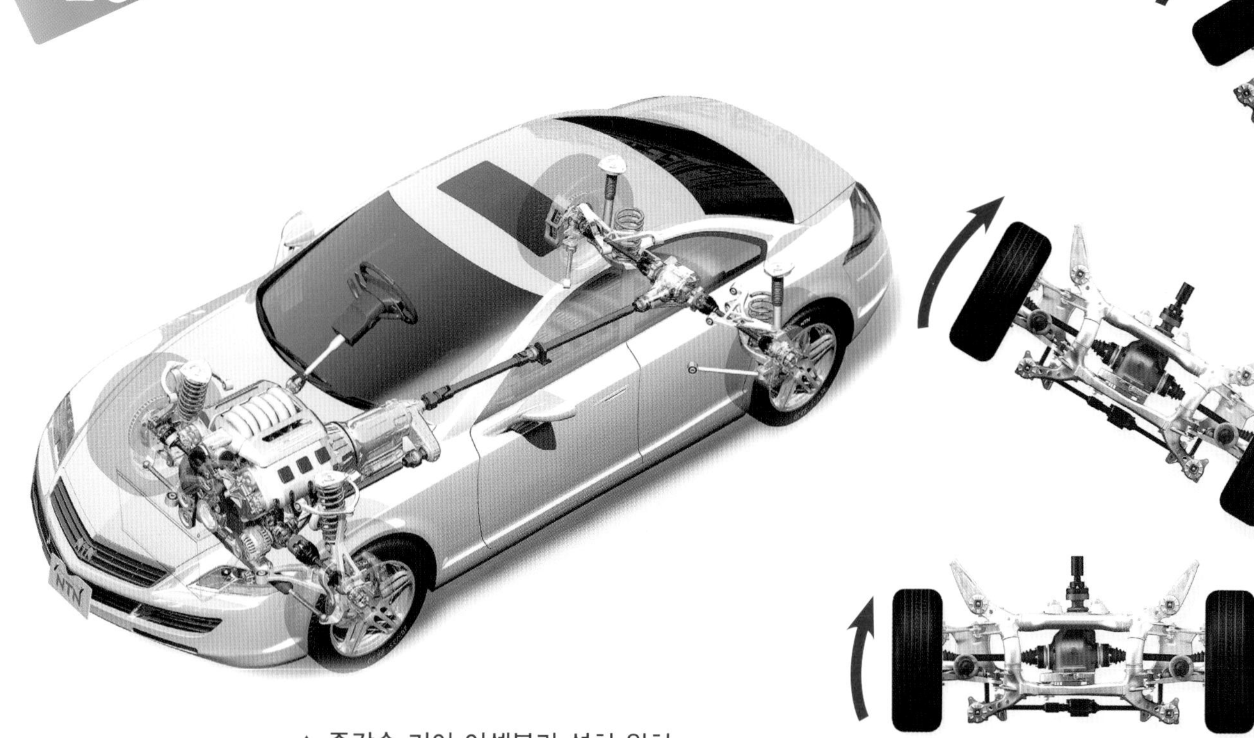
종감속 기어 어셈블리(FR용)

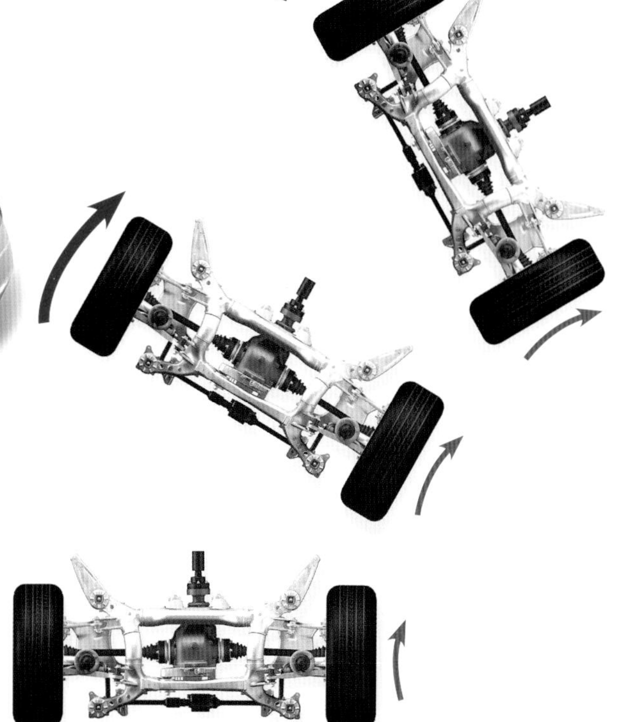
차동기어 어셈블리

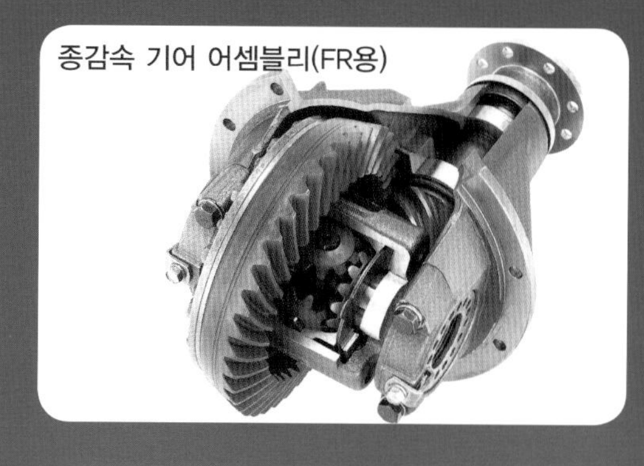
사이드 기어와 피니언 기어

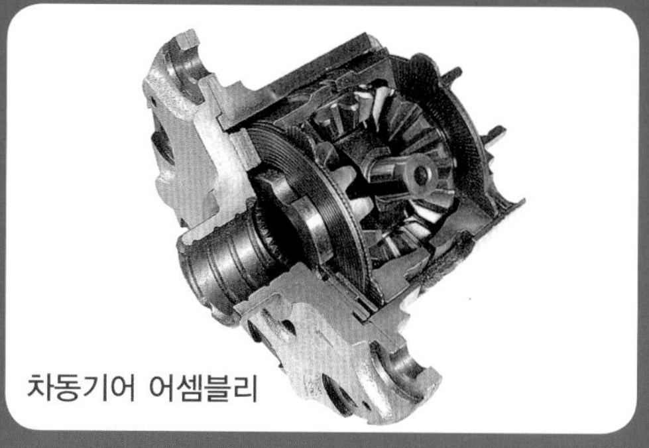
▲ 종감속 기어 어셈블리 설치 위치

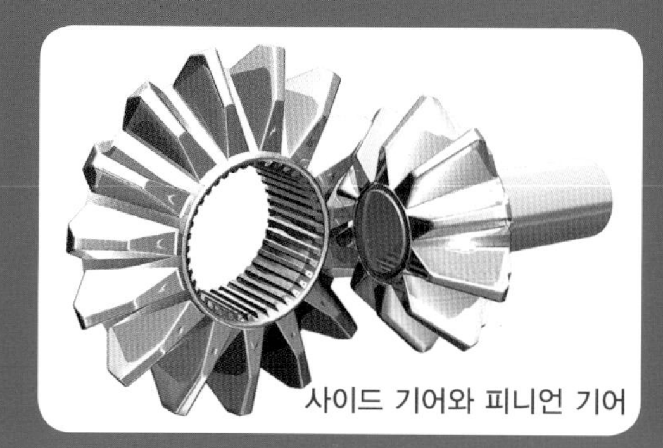
▲ 선회의 원리

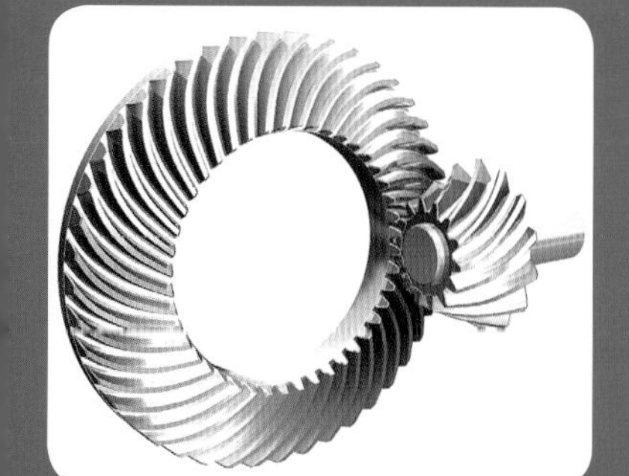
스파이럴 베벨 기어

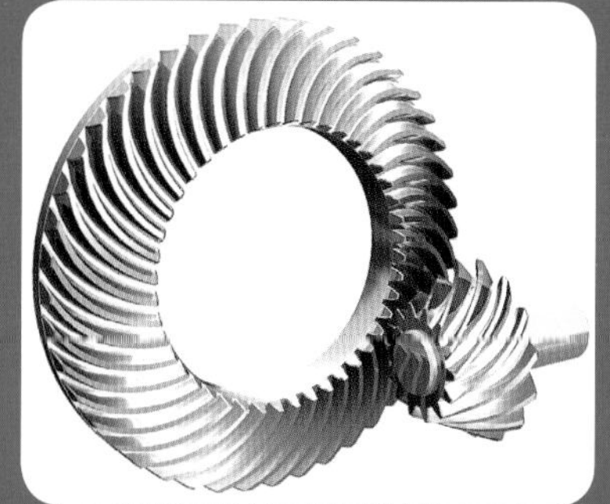
하이포이드 기어

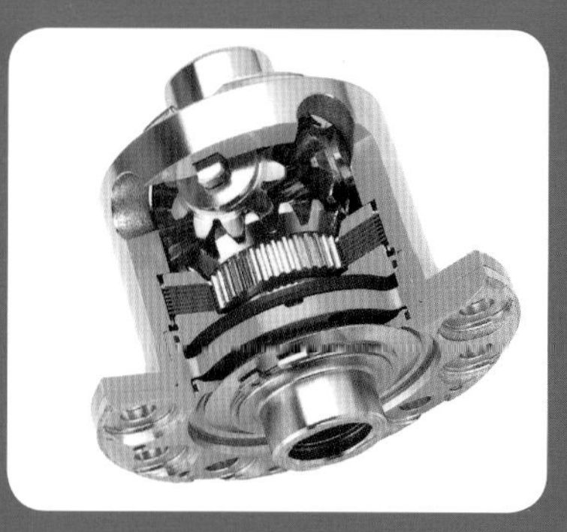
회전차 감응식 비스커스 LSD

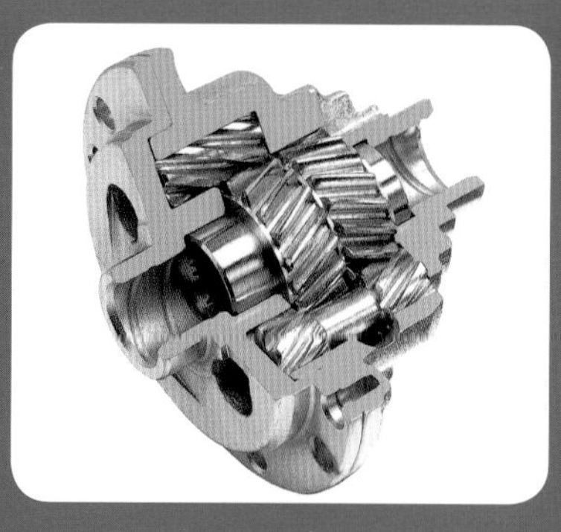
토크 감응식 LSD(헬리컬 기어)

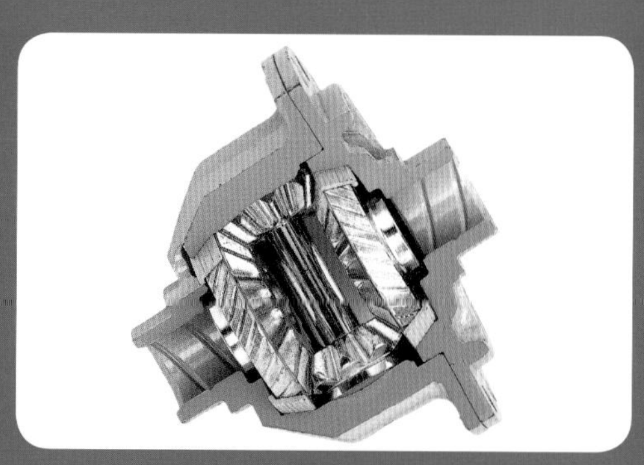
토크 감응식 슈퍼 LSD

MAZDA AXELA

액슬축(구동축)

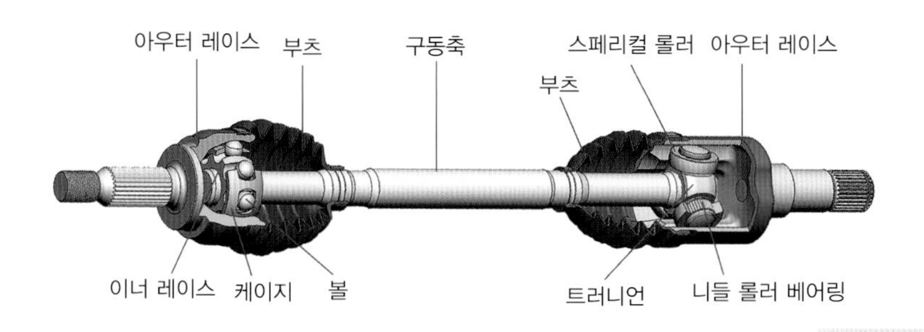

아우터 레이스　부츠　구동축　스페리컬 롤러　아우터 레이스
부츠
이너 레이스　케이지　볼　트러니언　니들 롤러 베어링

▲ 액슬축의 구조

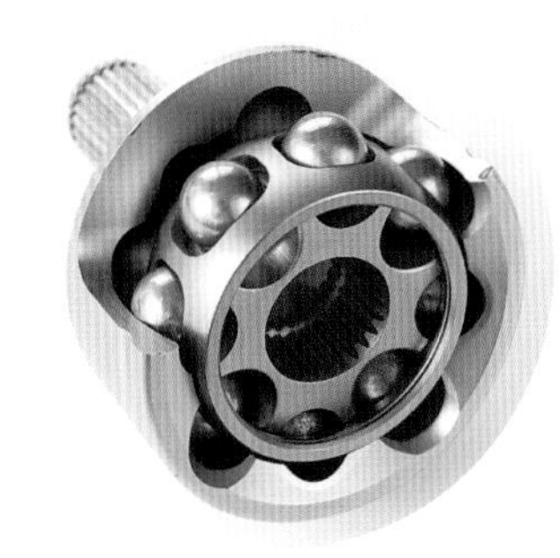

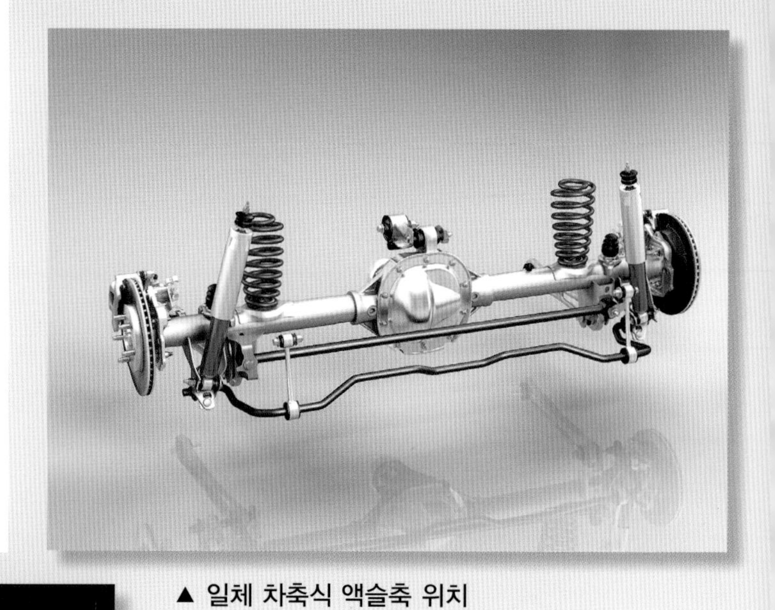

▲ 일체 차축식 액슬축 위치

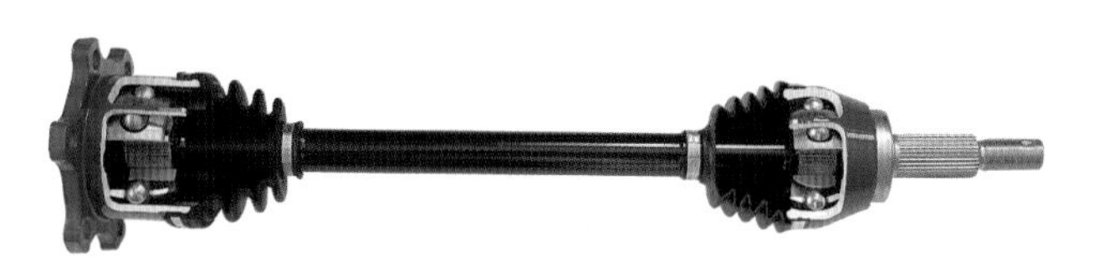

▲ 액슬축(구동축)

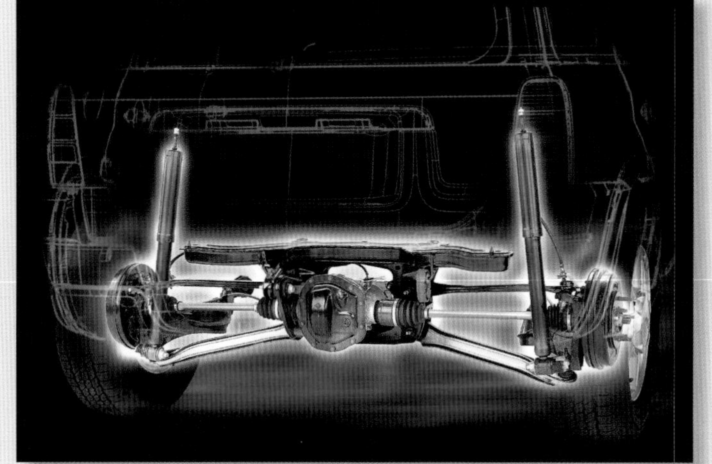

▲▲ 독립 현가식 액슬축 위치

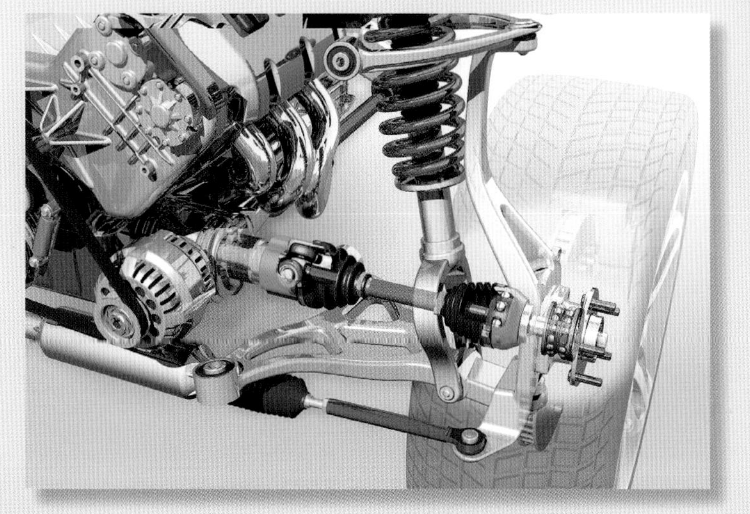

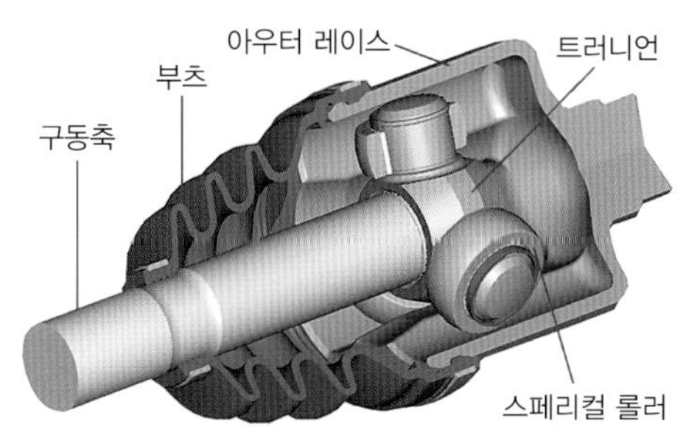

아우터 레이스　트러니언
부츠
구동축
볼 케이지　스페리컬 롤러

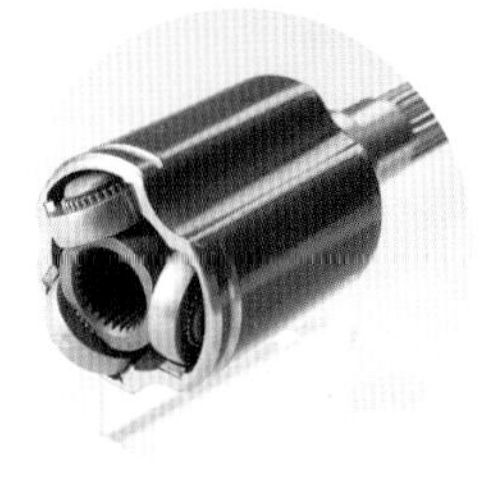

부츠　아우터 레이스
구동축
볼 케이지　이너 레이스

▲ 등속조인트의 구조

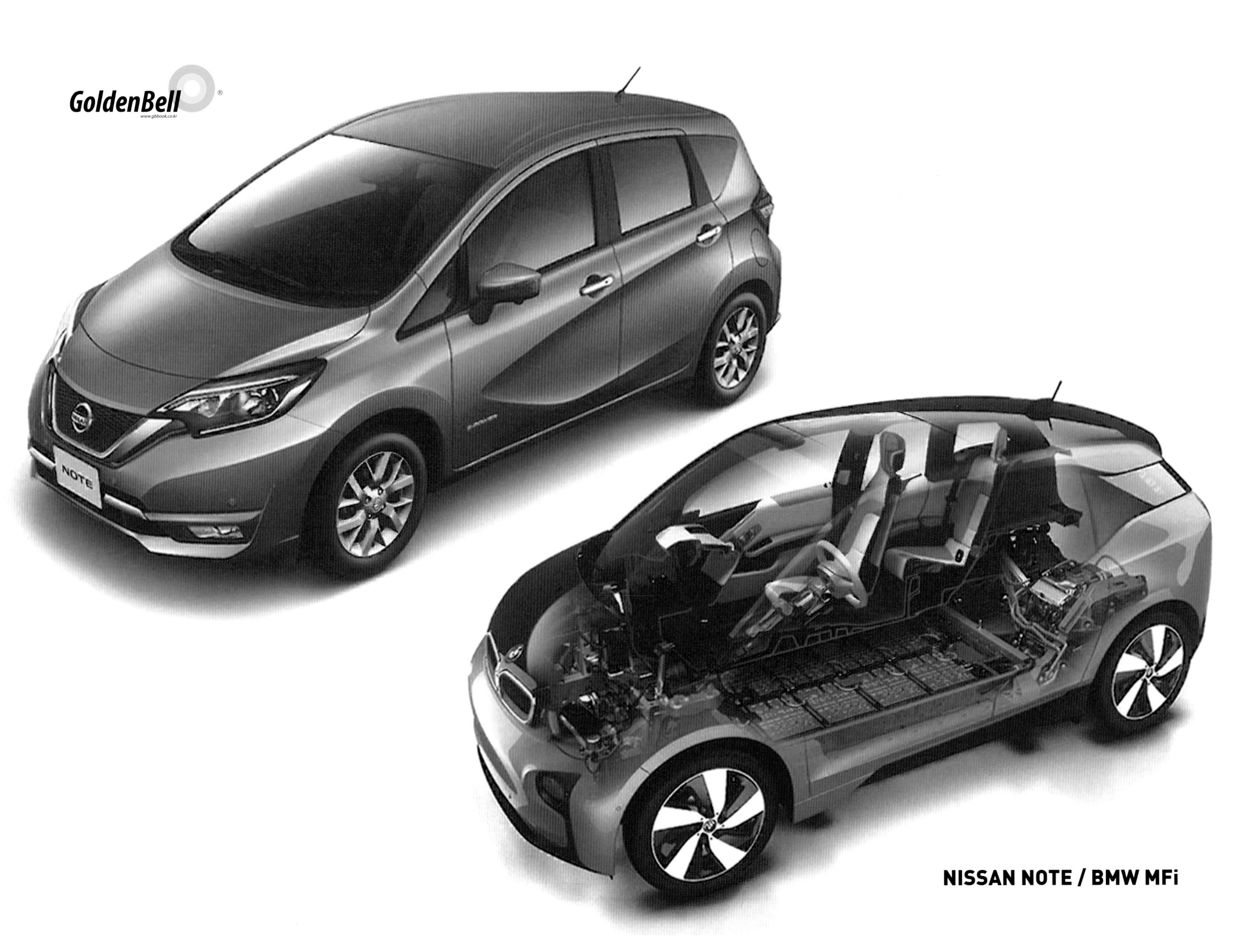

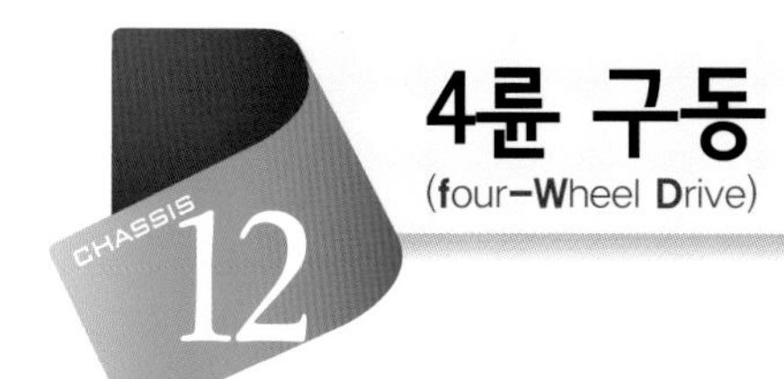

4륜 구동
(four-Wheel Drive)

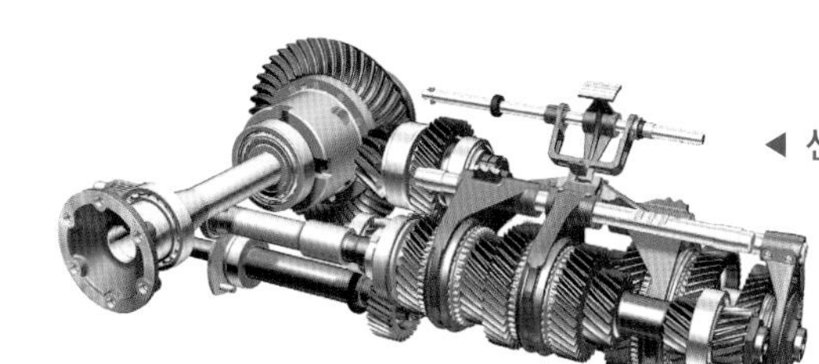

◀ 센터 디퍼렌셜 트랜스퍼 케이스 구조

▼ 다이렉트 4WD

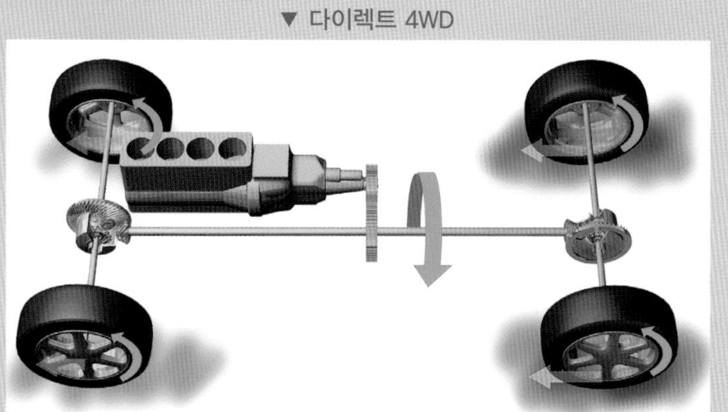

▼ 셀렉티브 4WD

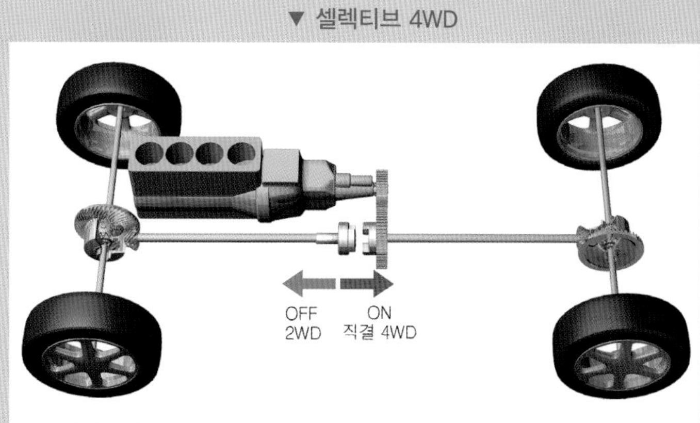

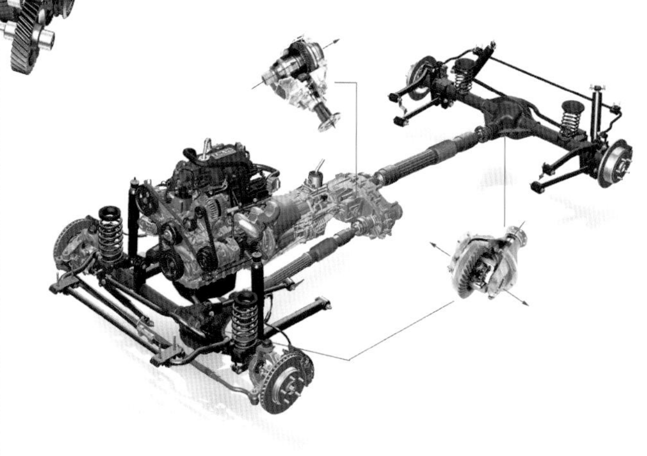

OFF
2WD

ON
직결 4WD

▼ 동력전달 경로

센터 디퍼렌셜

차동제한기구~직결 4WD로
패시브 메커니컬
액티브 제어

▲ 센터 디퍼렌셜 4WD

메인구동

직결
(어느 한쪽)

토크전달
메커니즘

결합(전달토크
한계)을 높이면
직결 4WD로 전환

서브 구동

▲ 토크 스플릿 4WD

▼ 토크 스플릿 트랜스퍼 케이스 구조

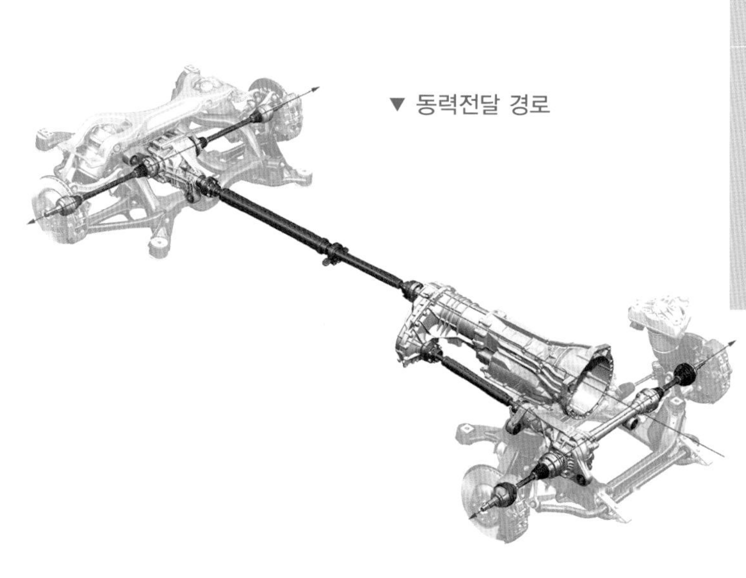

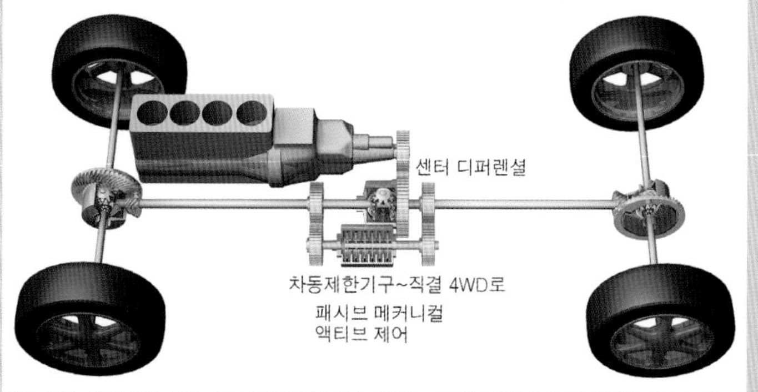

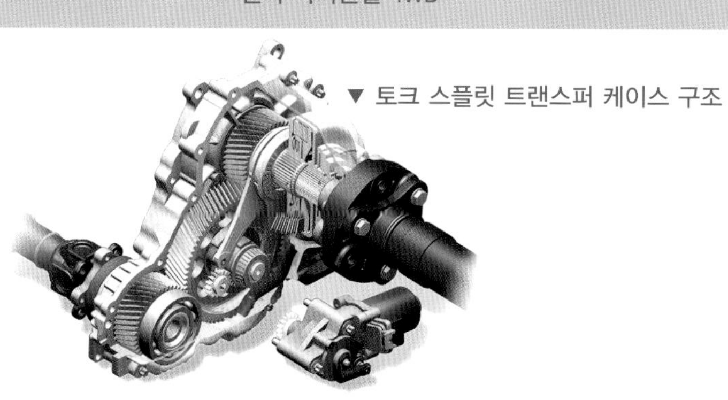

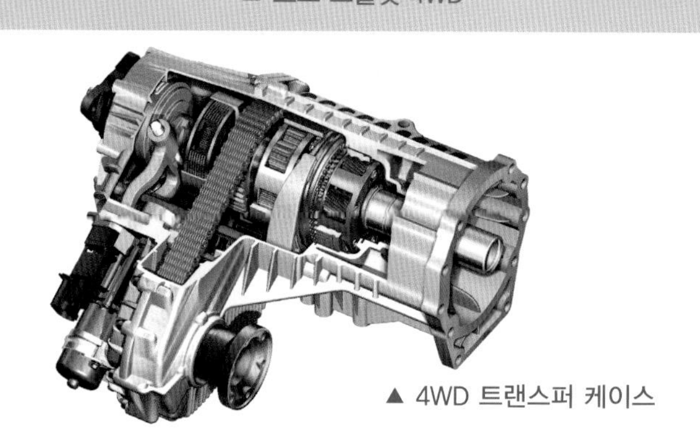

▲ 4WD 트랜스퍼 케이스

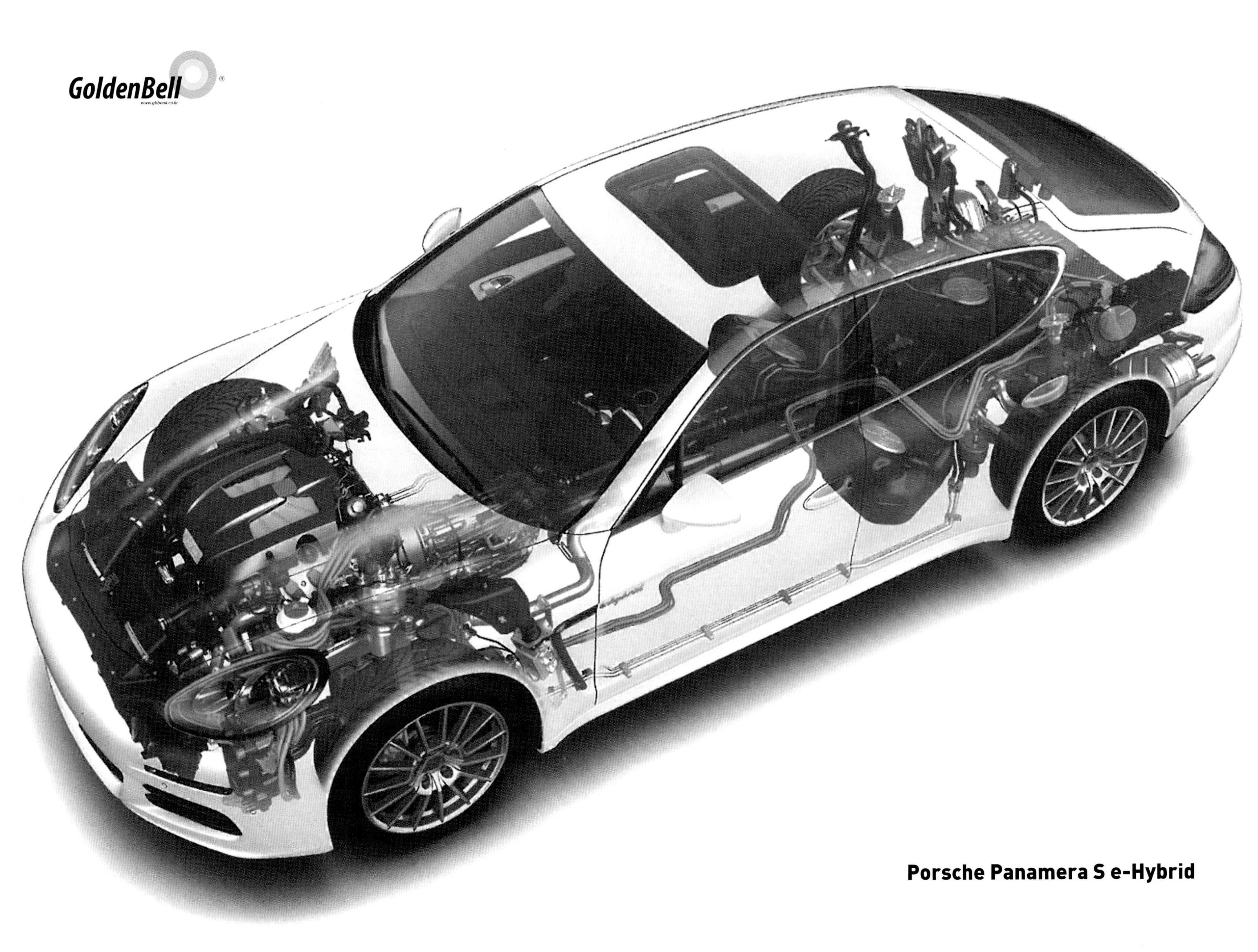

Porsche Panamera S e-Hybrid

현가 장치

▲ 더블 위시본 앞 현가장치

어퍼 마운트
스티어링 기어 박스
어퍼 컨트롤 암
코일 & 쇽업소버
앤티롤 바 링크
보디 마운트 부시(고무)
타이로드
코일 스프링 & 쇽업소버
스티어링 랙 케이스
스태빌라이저
로어 컨트롤 암
구동축
서브 프레임
서브 프레임
로어 컨트롤 암
엔진 마운트
허브 캐리어 서포트
구동축

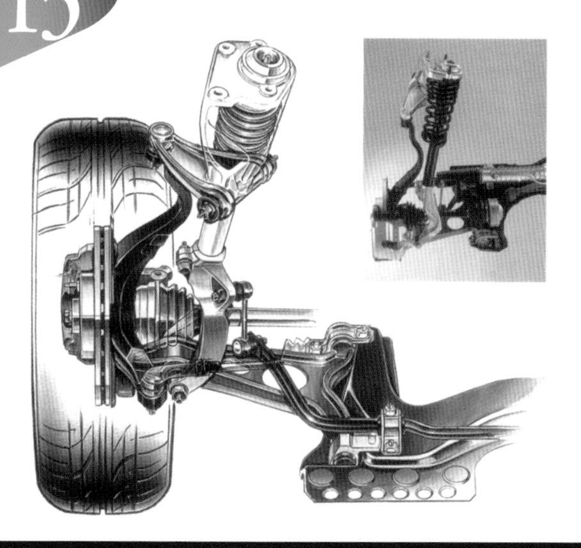

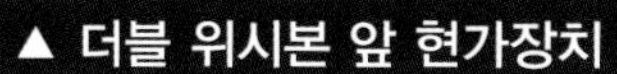

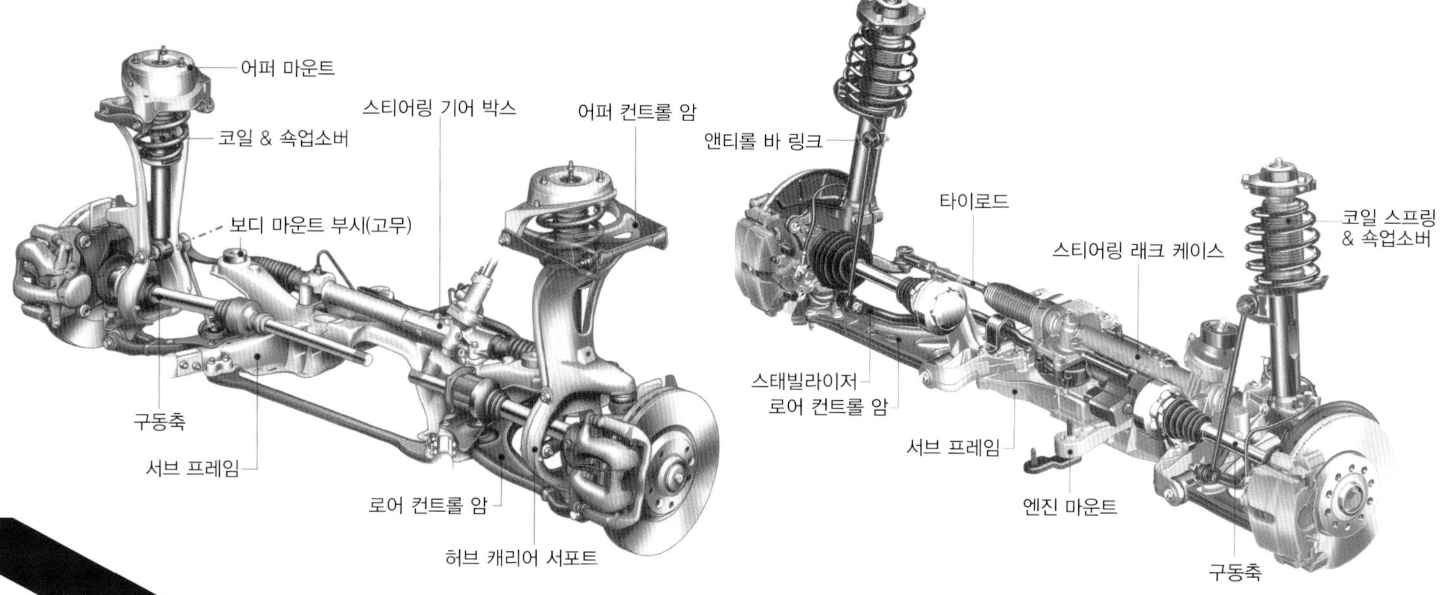

▲ 더블 위시본 앞 현가장치 구조

▲ 맥퍼슨 형식 앞 현가장치 구조

▲ 스트러트형 뒤 현가장치

스티어링 기어 박스
로어 리테이닝 링크
공기 스프링 & 쇽업소버
트레일링 링크
쇽업소버
코일 스프링
어퍼 링크
앤티롤 바
크로스 멤버 로어 리테이닝 링크
타이로드
앤티롤 바 링크
허브 캐리어
앤티롤 바 링크
앤티롤 바
토 컨트롤 링그
서브 프레임

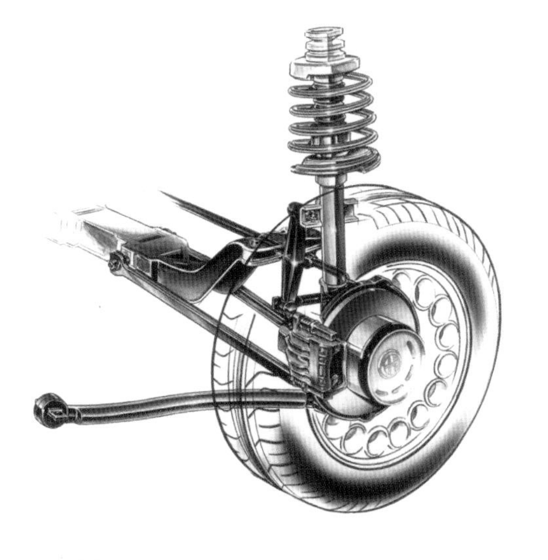

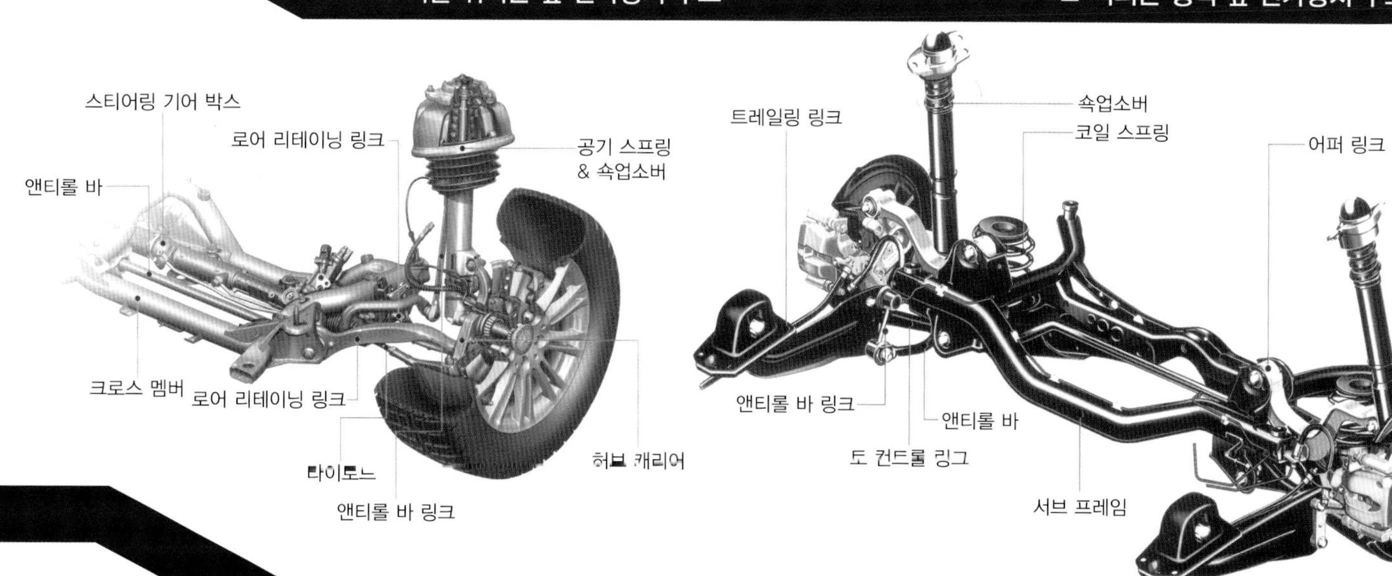

▲ 공기 스프링 앞 현가장치 구조

▲ 트레일링 링크식 뒤 현가장치 구조

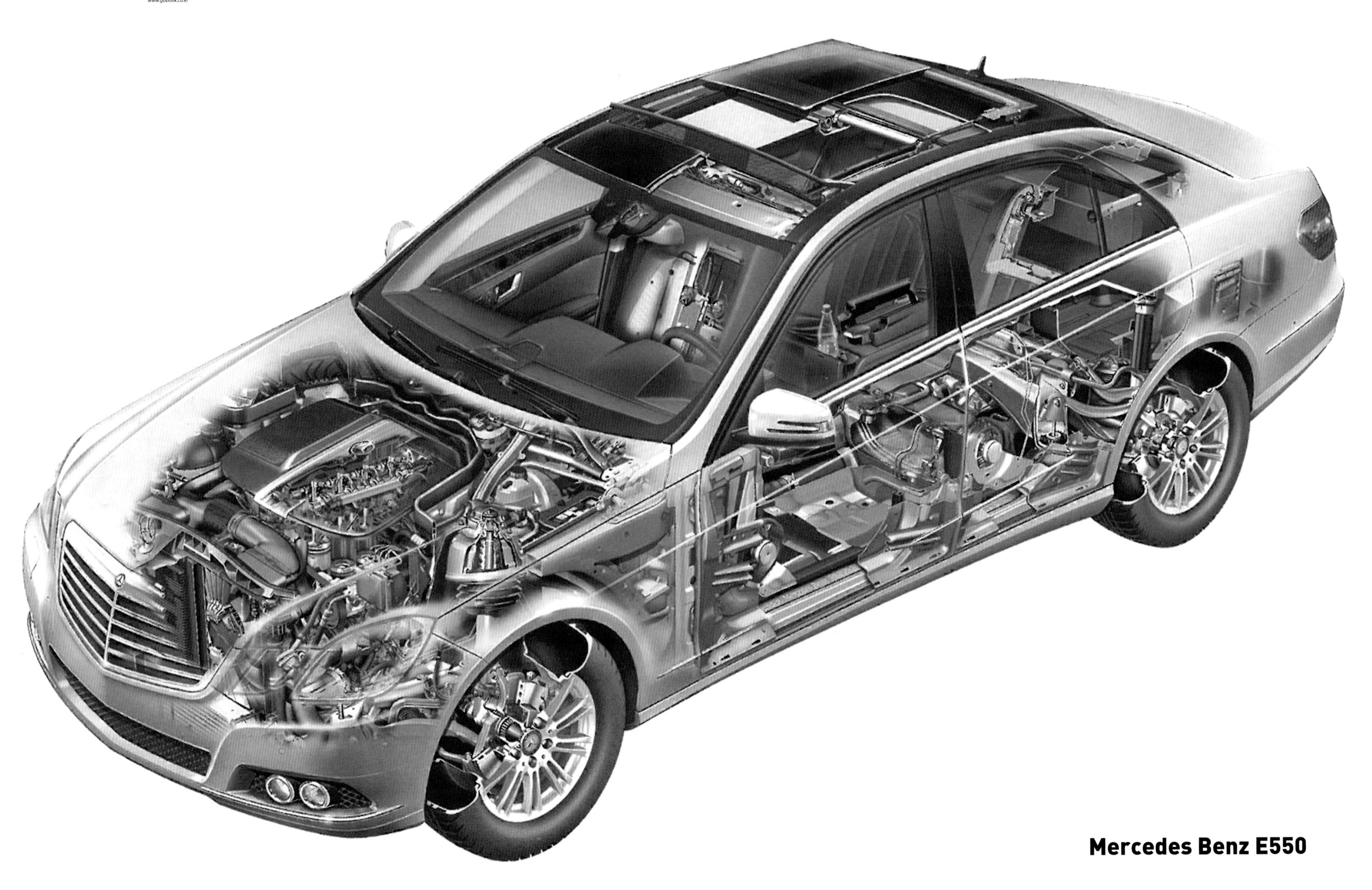

Mercedes Benz E550

조향 장치

스티어링 휠

스티어링 샤프트

스티어링 기어 박스

타이로드
스티어링 너클

▲▼ 조향 장치의 구조

피니언 기어

등속 조인트

서브 프레임

타이로드

스태빌라이저

래크 케이스

▲ 조향 기어 박스(웜 기어 형식)

▼ 조향 링키지의 결합

기어 박스와 링키지 연결

▼ 일체 차축식 조향장치의 구조

조향 핸들

조향 축

너클 암

조향 기어
액슬 축

너클 스핀늘

타이로드 암

타이로드 엔드   드래그 링크

피트먼 암

타이로드

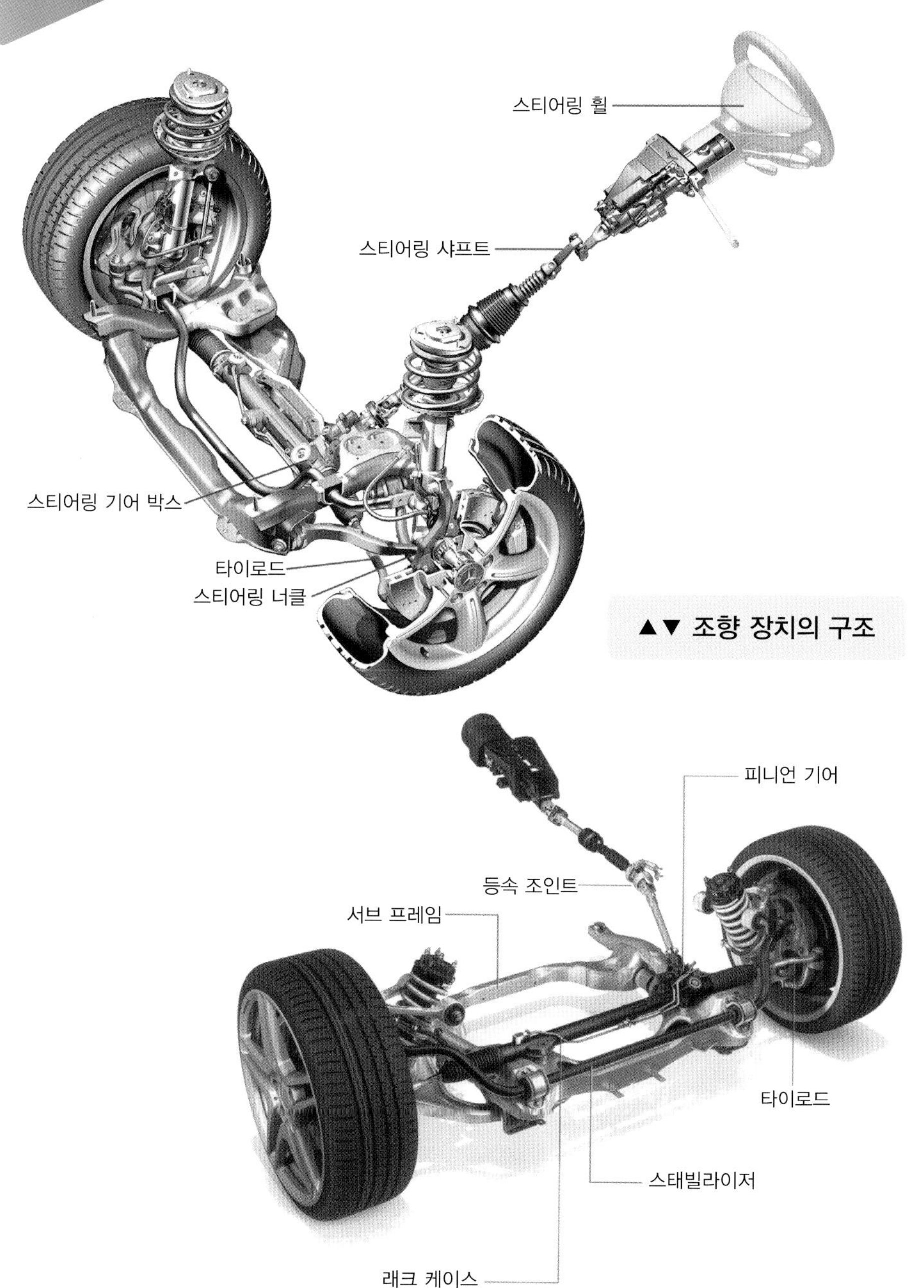

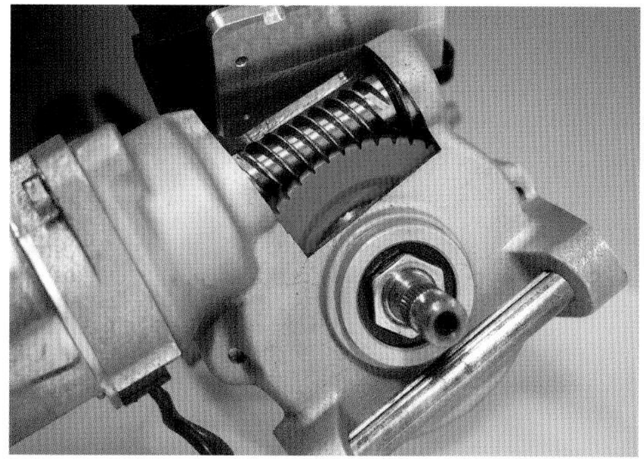

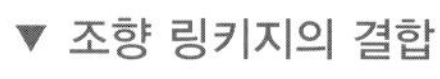

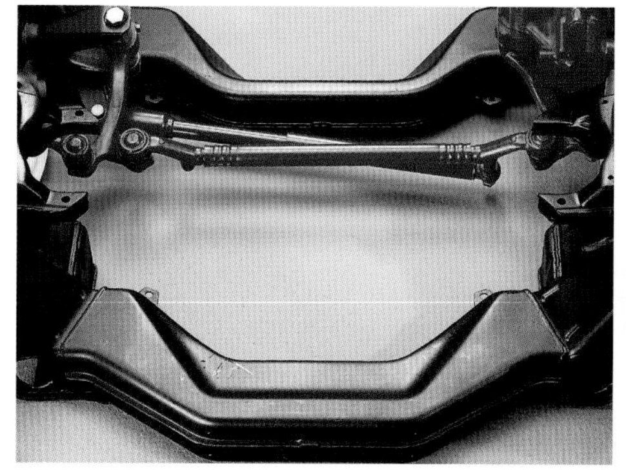

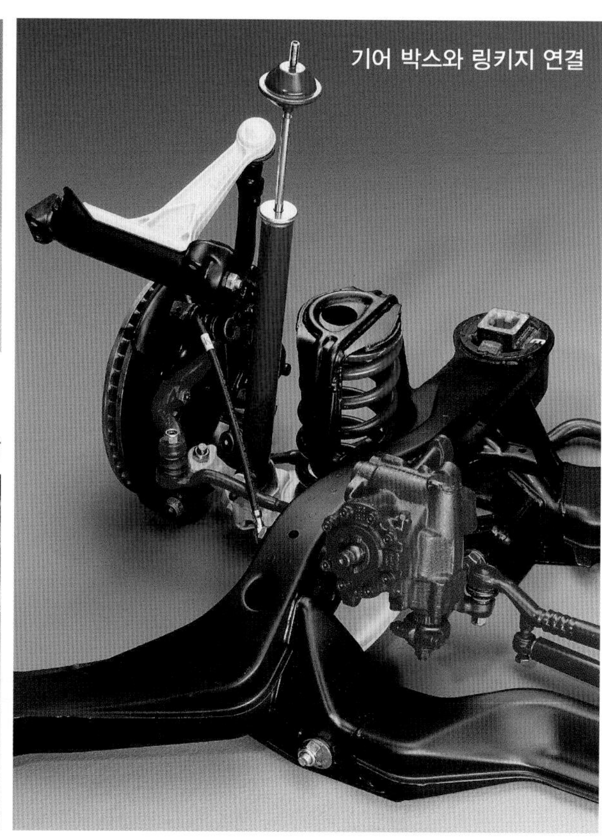

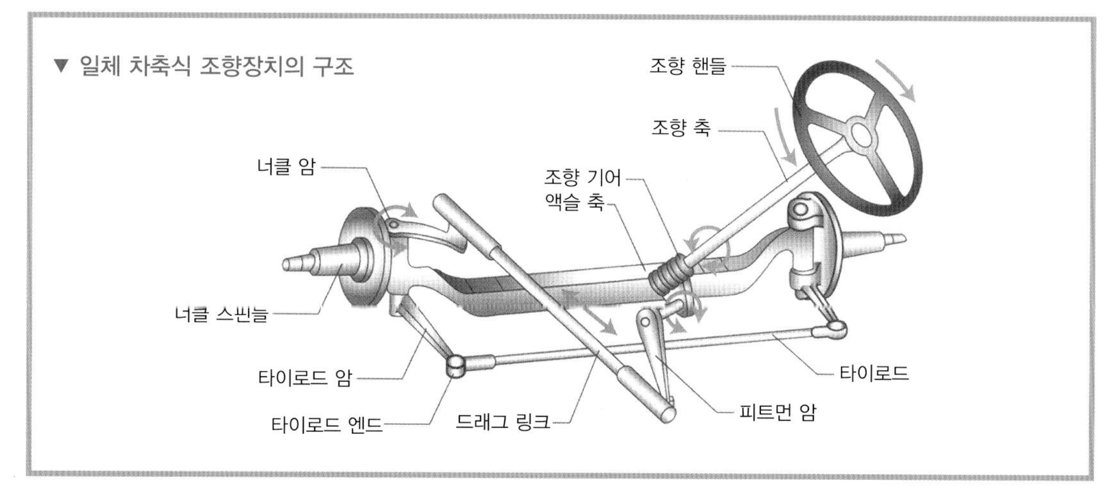

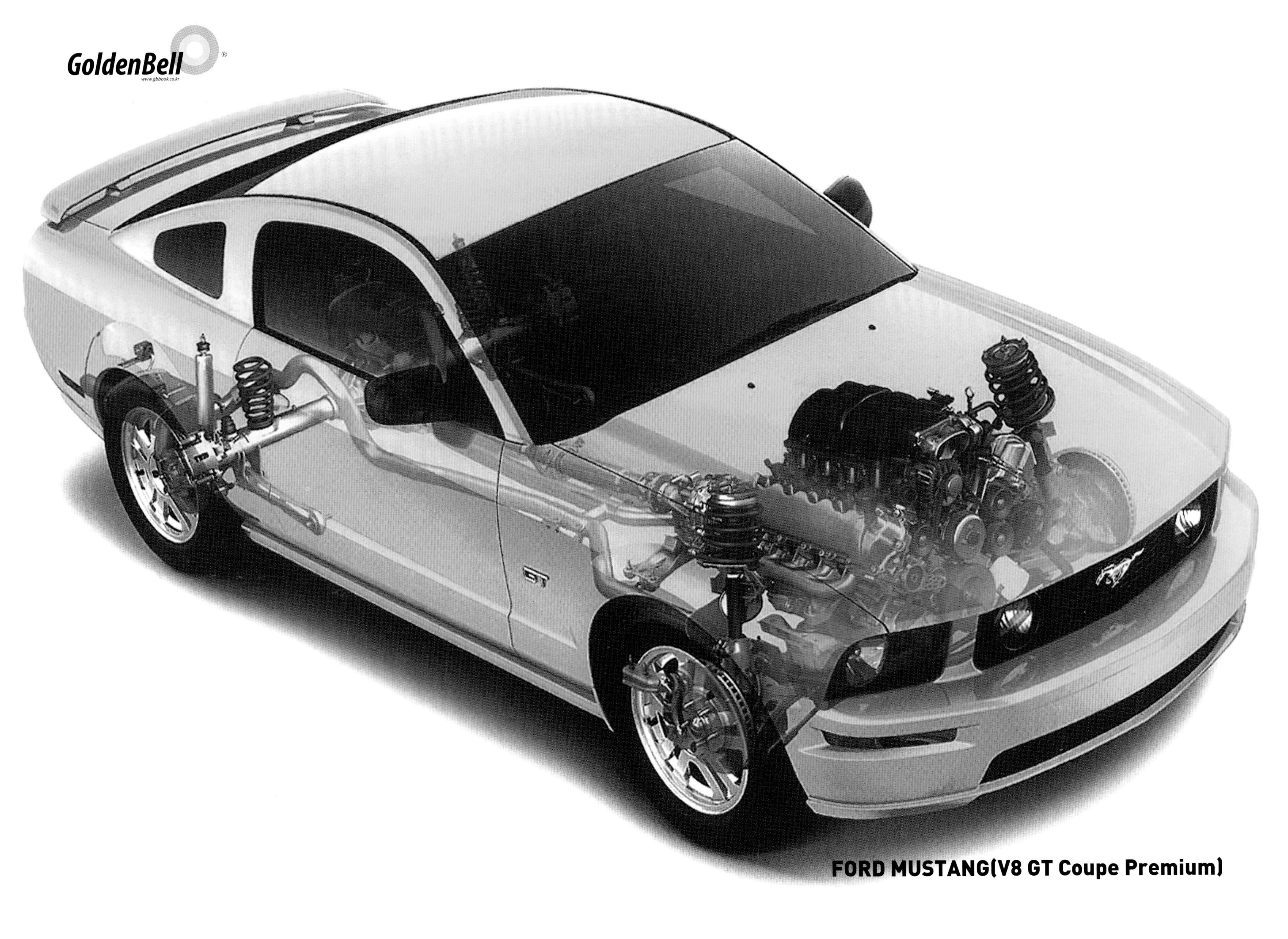

FORD MUSTANG(V8 GT Coupe Premium)

동력 조향 장치

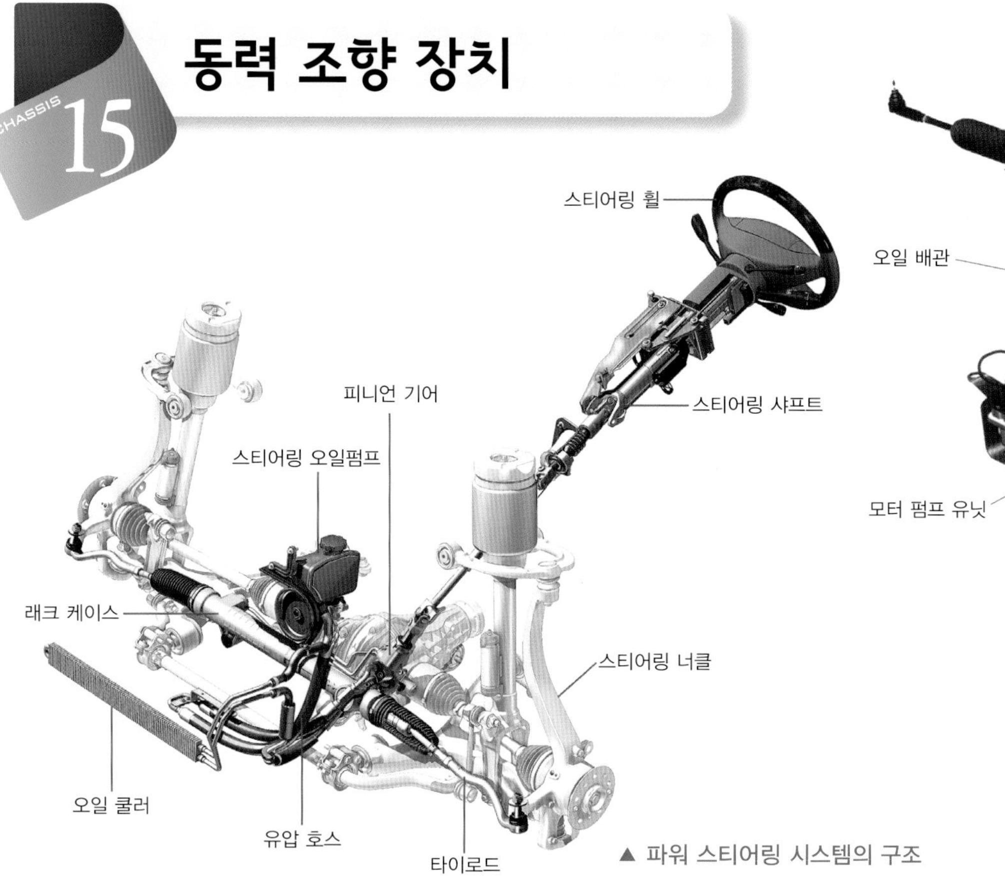

스티어링 휠

피니언 기어

스티어링 오일펌프

스티어링 샤프트

래크 케이스

스티어링 너클

오일 쿨러

유압 호스

타이로드

▲ 파워 스티어링 시스템의 구조

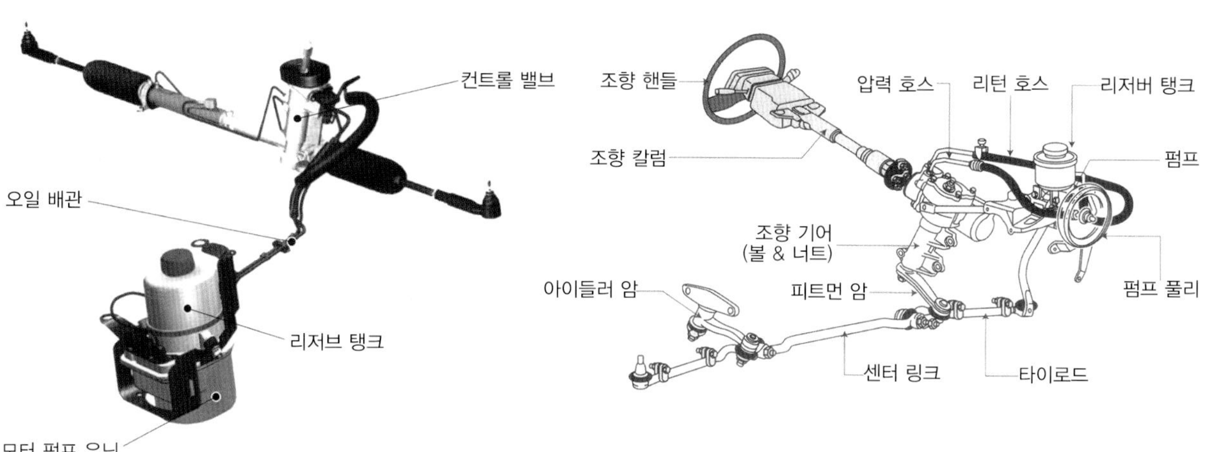

컨트롤 밸브

오일 배관

리저브 탱크

모터 펌프 유닛

▲ 전동 유압식 파워 스티어링 시스템의 구조

조향 핸들

조향 칼럼

압력 호스   리턴 호스   리저버 탱크

펌프

조향 기어
(볼 & 너트)

아이들러 암   피트먼 암

펌프 풀리

센터 링크   타이로드

▲ 볼 너트식 파워 스티어링 시스템의 구조

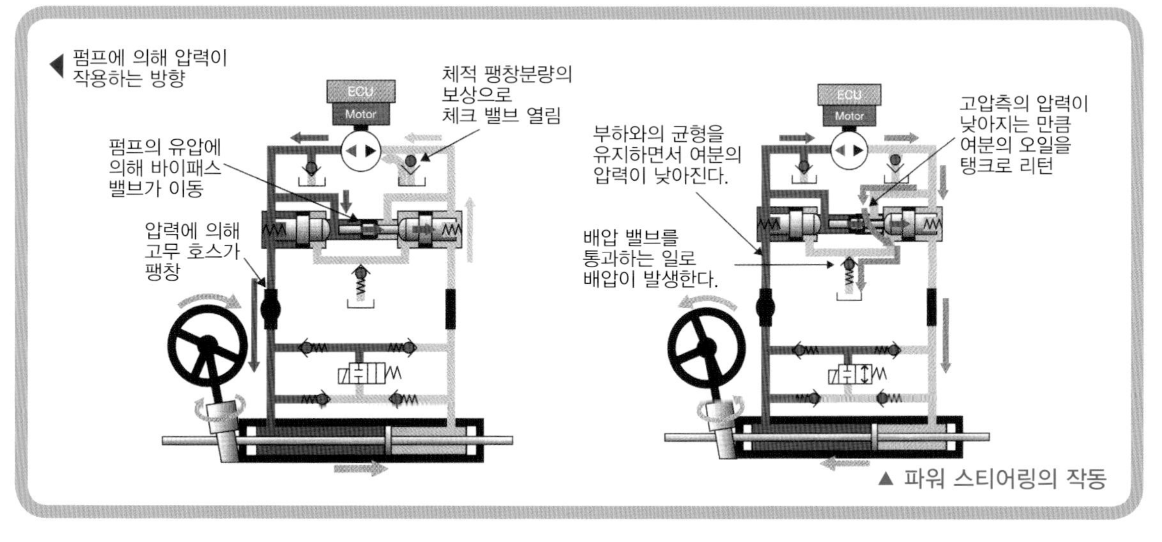

◀ 펌프에 의해 압력이
작용하는 방향

체적 팽창분량의
보상으로
체크 밸브 열림

펌프의 유압에
의해 바이패스
밸브가 이동

압력에 의해
고무 호스가
팽창

부하와의 균형을
유지하면서 여분의
압력이 낮아진다.

배압 밸브를
통과하는 일로
배압이 발생한다.

고압측의 압력이
낮아지는 만큼
여분의 오일을
탱크로 리턴

▲ 파워 스티어링의 작동

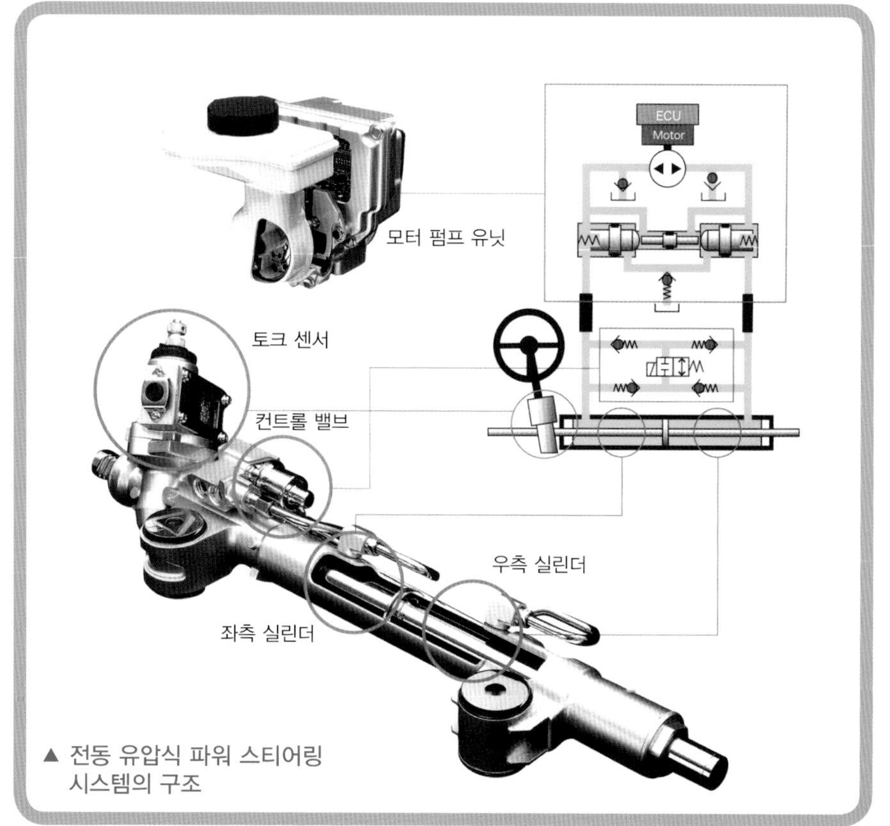

모터 펌프 유닛

토크 센서

컨트롤 밸브

우측 실린더

좌측 실린더

▲ 전동 유압식 파워 스티어링
시스템의 구조

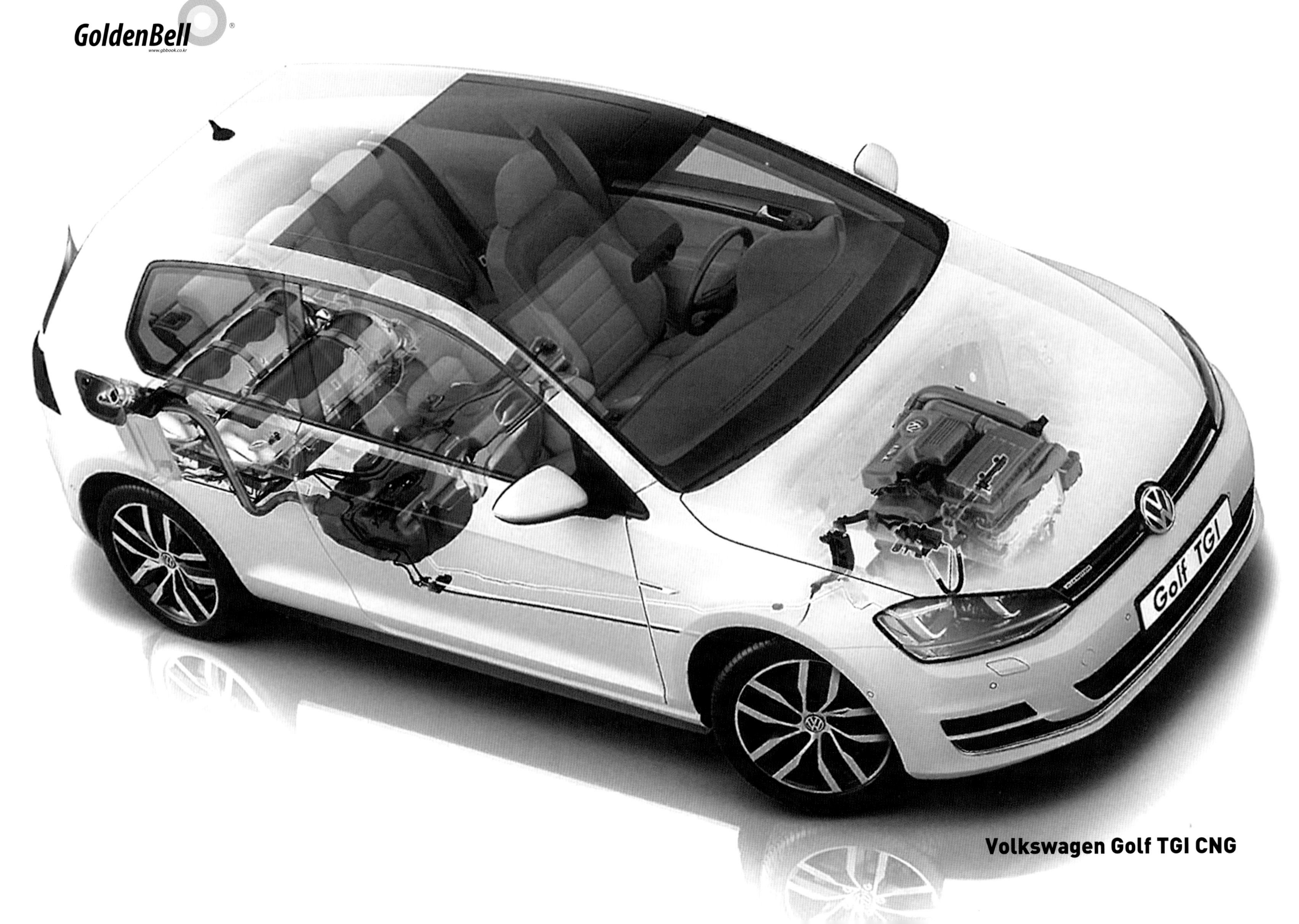

Volkswagen Golf TGI CNG

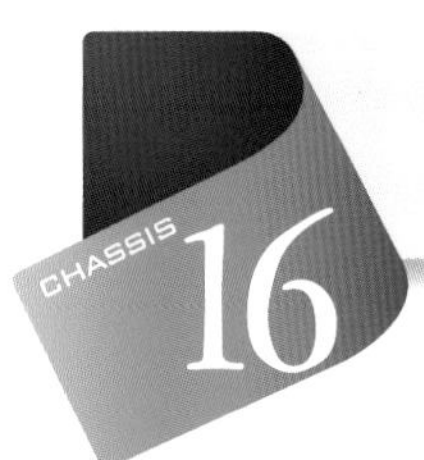
전동 동력 조향 장치
(**M**otor-**D**riven **P**ower **S**teering)

컬럼 어시스트 방식(C-EPS)

전동 모터를 조향 칼럼 축에 설치하고 클러치, 감속기구(웜과 웜기어) 및 조향 조작력 센서 등을 통하여 조향 조작력의 증대를 수행한다. 컴퓨터가 차속 센서, 조향 조작력 센서 등을 통하여 운전상황을 검출하여 전동기의 구동 토크를 제어함으로서 적절한 조향 조작력의 증대를 수행한다.

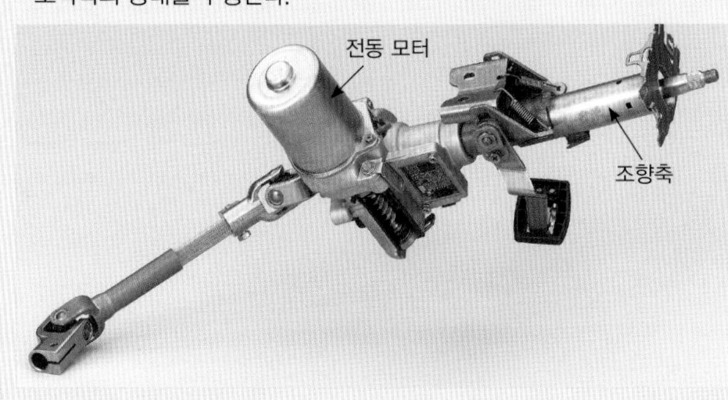

전동 모터
조향축

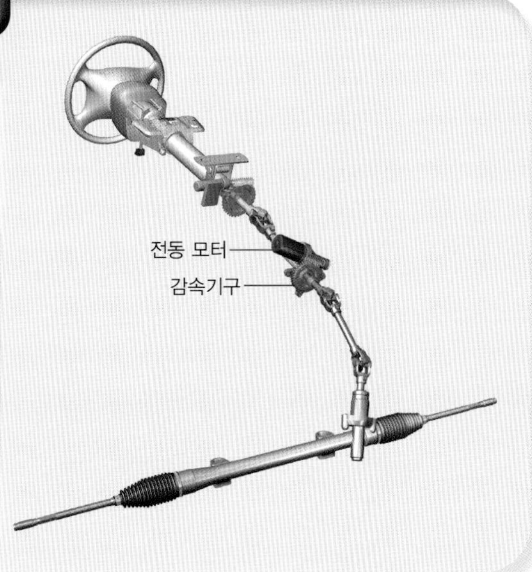

전동 모터
감속기구

피니언 어시스트 방식(P-EPS)

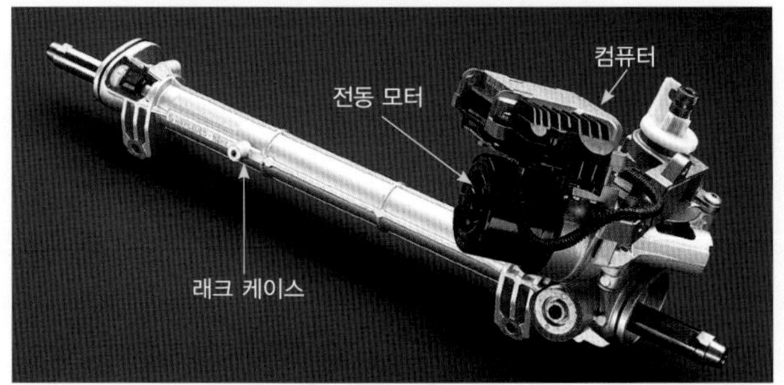

컴퓨터
전동 모터
래크 케이스

전동 모터를 조향 기어의 피니언 축에 설치하여 클러치, 감속기구(웜과 웜기어) 및 조향 조작력 센서 등을 통하여 조향 조작력의 증대를 수행한다. 컴퓨터가 차속 센서, 조향 조작력 센서 등으로 운전상황을 검출하여 전동기의 구동 토크를 제어함으로서 적절한 조향 조작력의 증대를 수행한다.

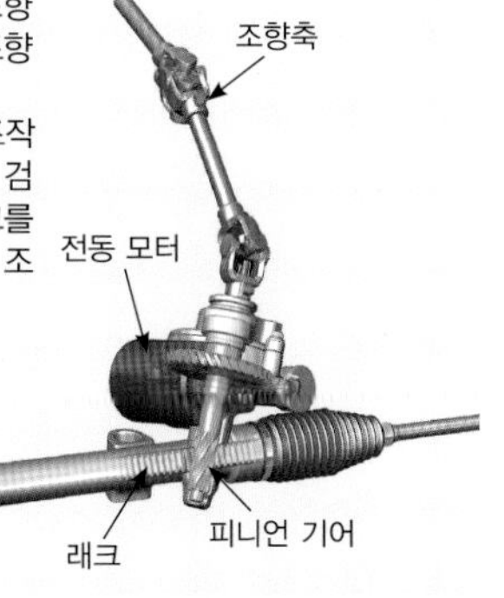

조향축
전동 모터
래크
피니언 기어

래크 어시스트 방식(R-EPS)

전동 모터를 조향 기어의 래크축에 설치하고 감속기구 및 조향 조작력 센서 등을 통하여 조향 조작력의 증대를 수행한다.

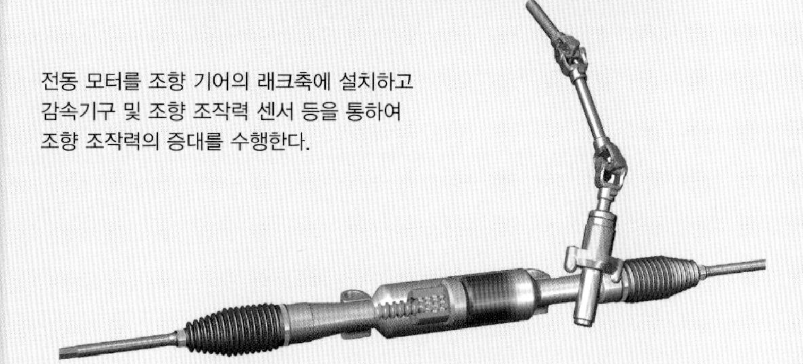

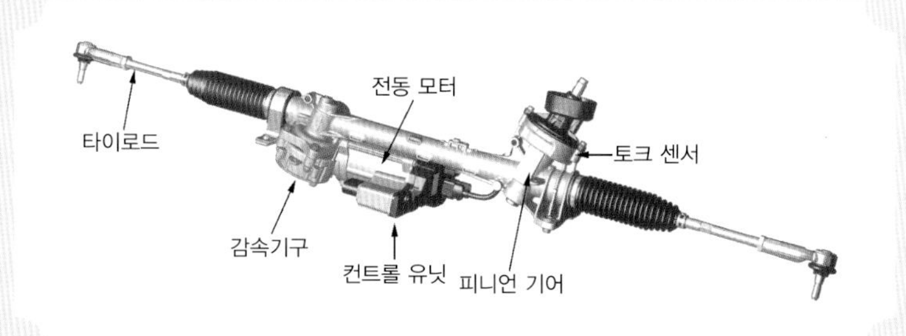

타이로드
전동 모터
토크 센서
감속기구
컨트롤 유닛
피니언 기어

컴퓨터가 차속 센서, 위치 센서, 조향 조작력 센서 등으로 운전상황을 검출하여 전동 모터의 구동 토크를 제어하며, 복원력 및 댐핑 제어로 킥백, 시미 등의 감소 및 최적 조작력의 증대를 수행한다.

조향축
피니언 기어
래크
감속기어
전동 모터

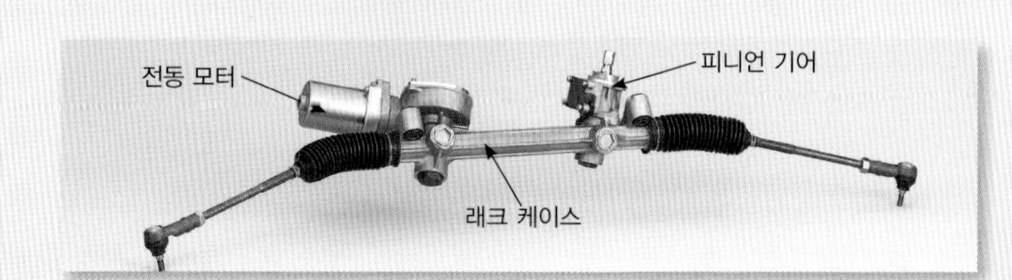

전동 모터
피니언 기어
래크 케이스

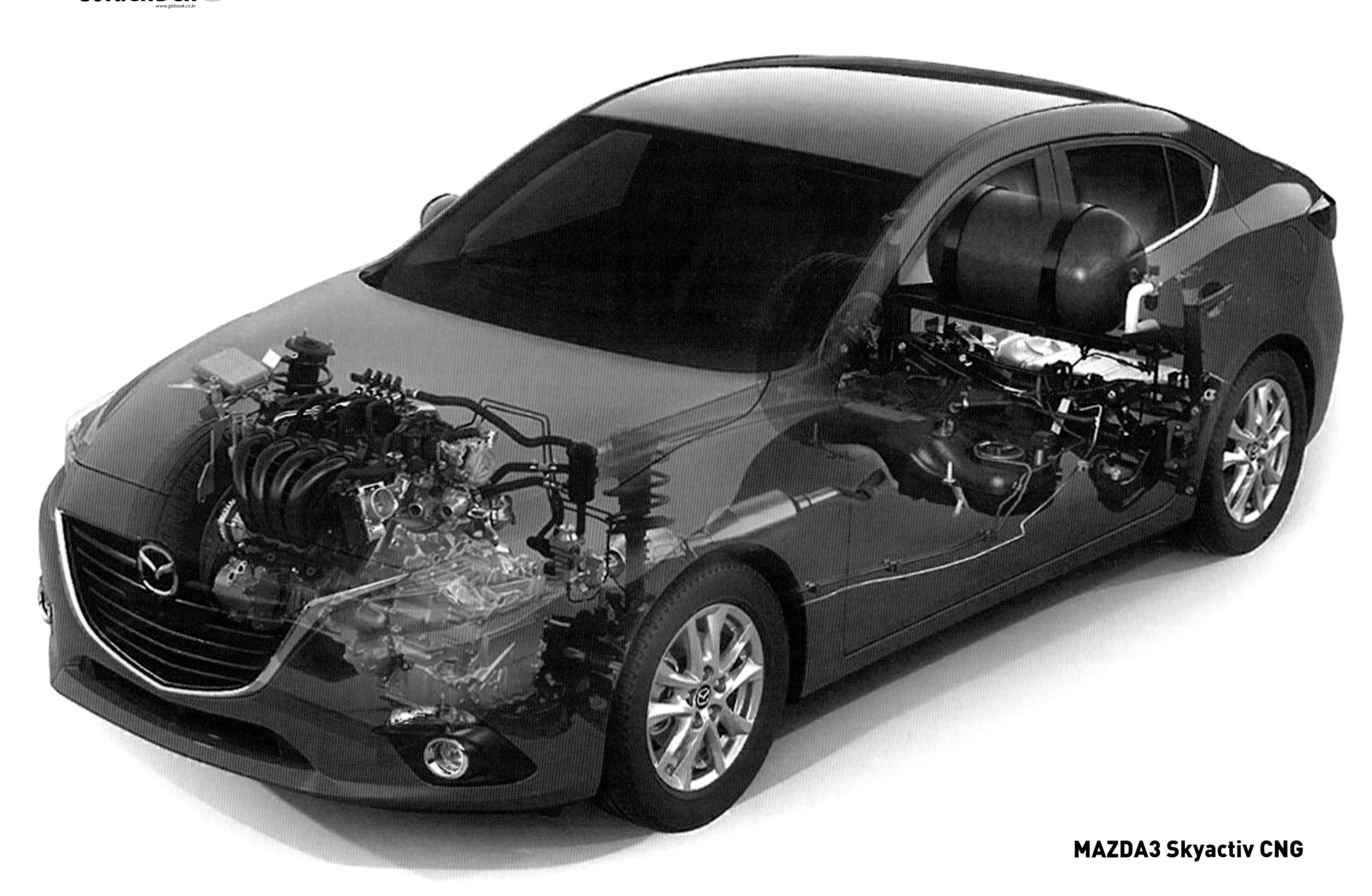

브레이크 시스템

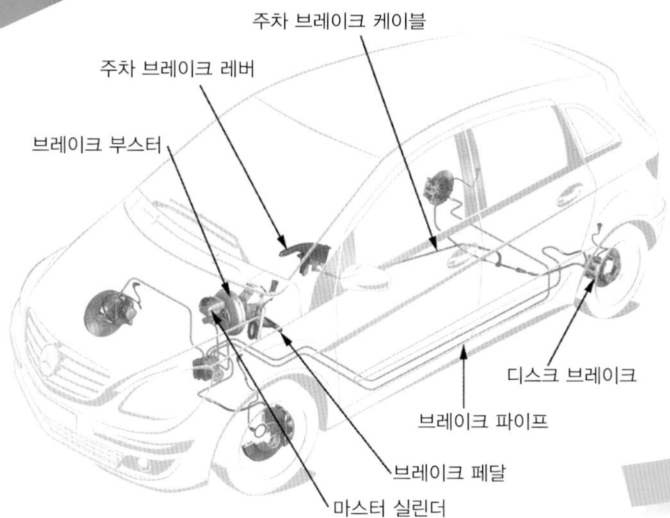

주차 브레이크 케이블
주차 브레이크 레버
브레이크 부스터
디스크 브레이크
브레이크 파이프
브레이크 페달
마스터 실린더

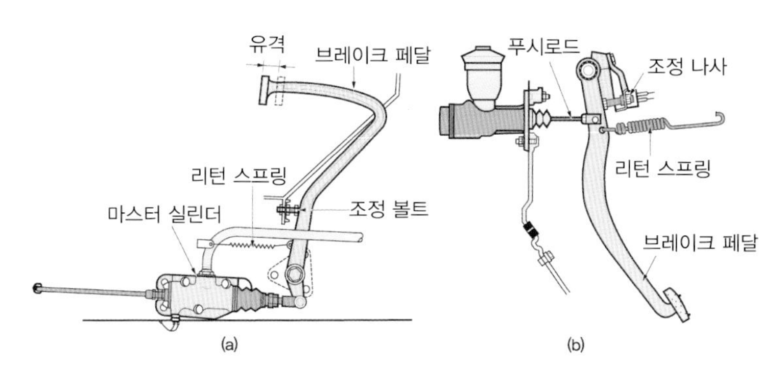

오일 리저버 탱크
주차 브레이크 레버
주차 브레이크 케이블
휠 실린더
파이프
진공 부스터
브레이크 페달
마스터 실린더
뒤 브레이크(드럼)
앞 브레이크(디스크)
캘리퍼
뒤 브레이크(디스크)
캘리퍼

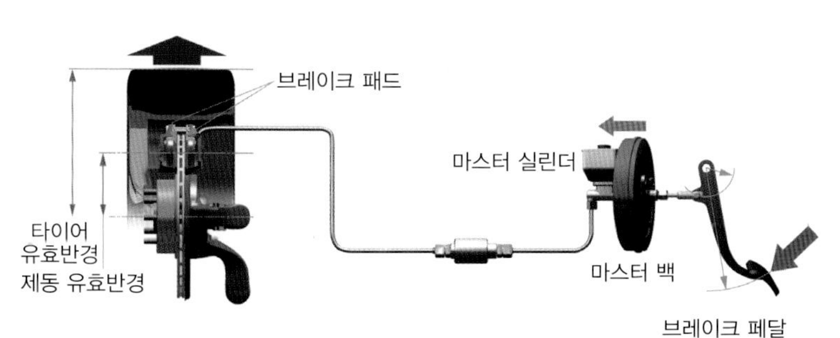

유격
브레이크 페달
푸시로드
조정 나사
리턴 스프링
마스터 실린더
조정 볼트
리턴 스프링
브레이크 페달
(a)
(b)

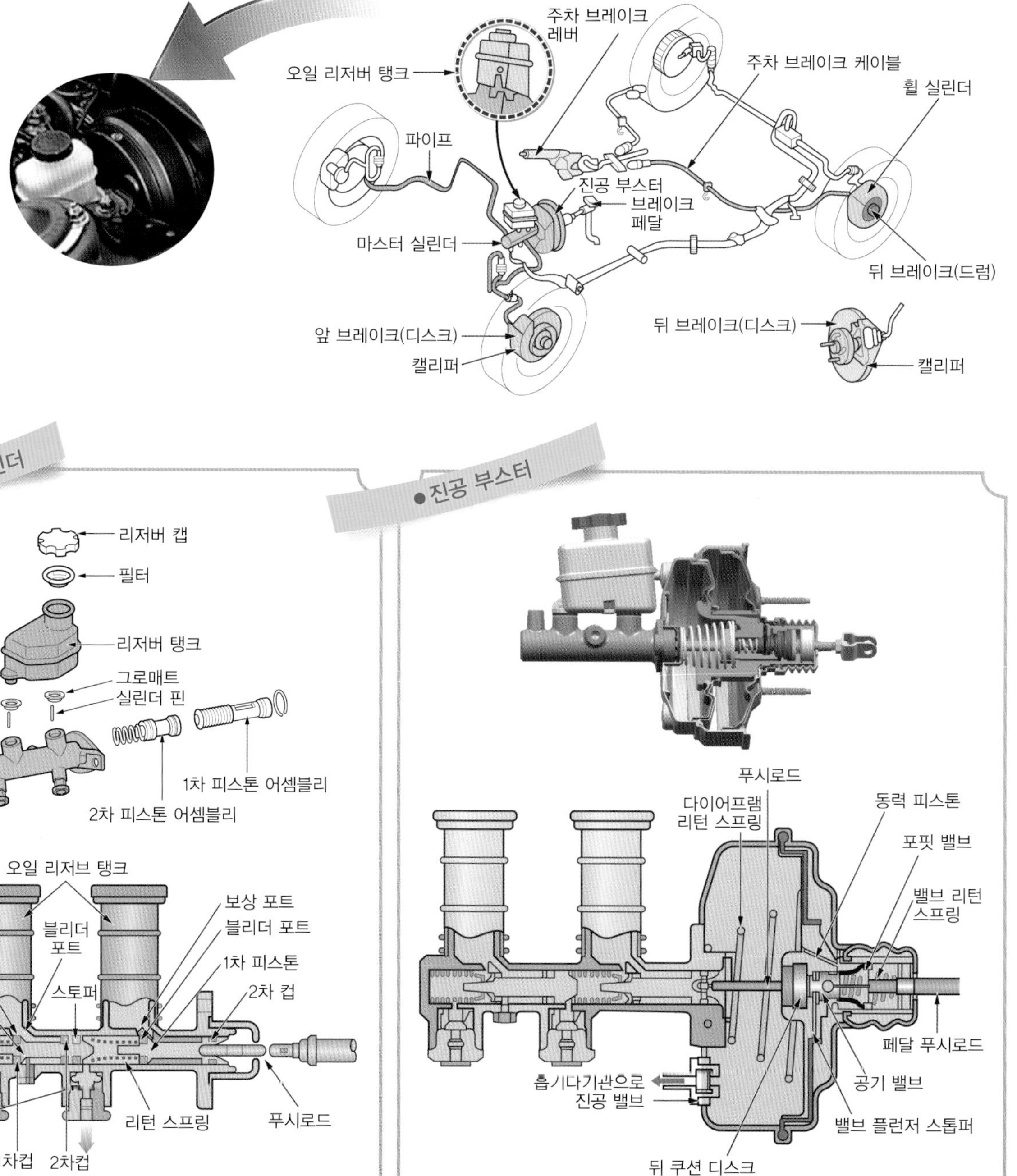

브레이크 패드
마스터 실린더
타이어 유효반경
제동 유효반경
마스터 백
브레이크 페달

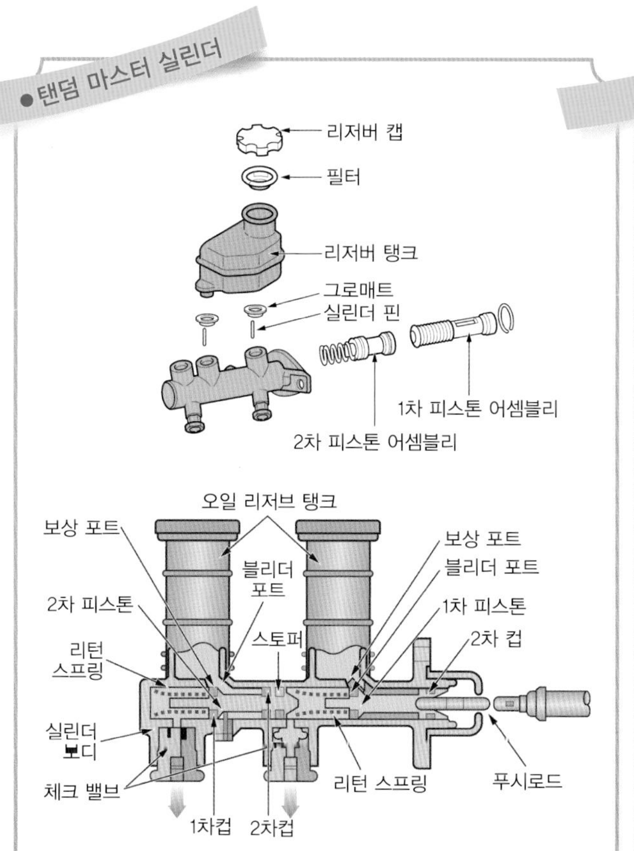

● 탠덤 마스터 실린더

리저버 캡
필터
리저버 탱크
그로매트
실린더 핀
1차 피스톤 어셈블리
2차 피스톤 어셈블리

오일 리저버 탱크
보상 포트
블리더 포트
보상 포트
블리더 포트
2차 피스톤
1차 피스톤
리턴 스프링
스토퍼
2차 컵
실린더 바디
체크 밸브
리턴 스프링
푸시로드
1차컵
2차컵

● 진공 부스터

푸시로드
다이어프램 리턴 스프링
동력 피스톤
포핏 밸브
밸브 리턴 스프링
페달 푸시로드
흡기다기관으로 진공 밸브
공기 밸브
밸브 플런저 스톱퍼
뒤 쿠션 디스크

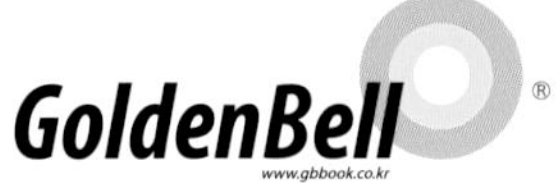

Mercedes Benz S65 AMG

유압식 롤 및 피칭방지용 충진기(어큐뮬레이터)

좌측 뒤차축에 있는 쇼크 업소버

프런트 쇼크 업소버

좌측 앞차축에 있는 쇼크 업소버
(쇼크업소버와 코일 스프링)

파워트레인 유압 배관

작동 치차비 조절 모터

리어 쇼크 업소버
(롤 및 피칭 방지 장치)

좌측 차측 시스템용의
스태빌라이저 기계적 링키지

뒤 좌측 바퀴용 충진기

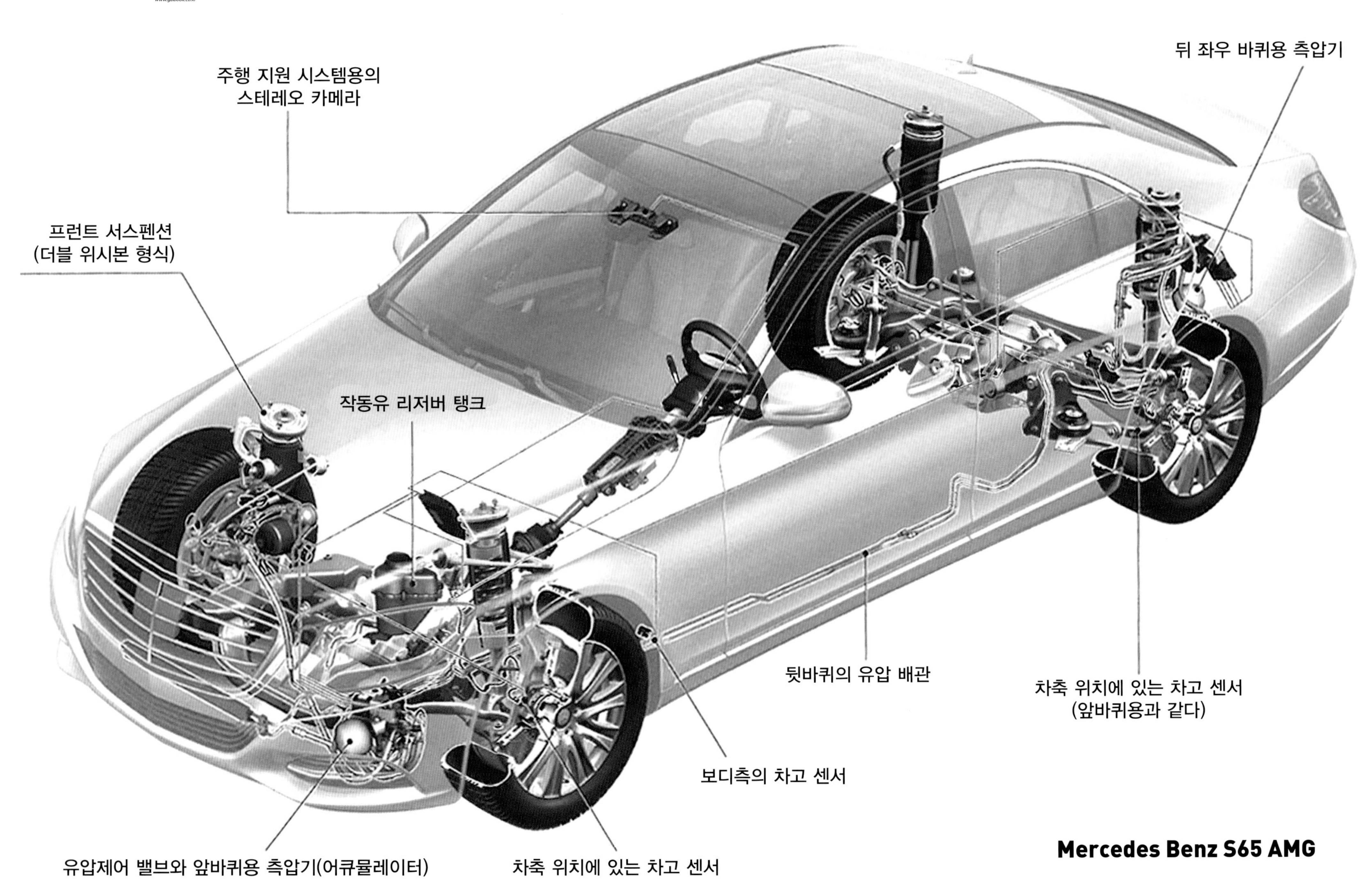

Goldenbell
www.gbbook.co.kr

드럼 브레이크 시스템

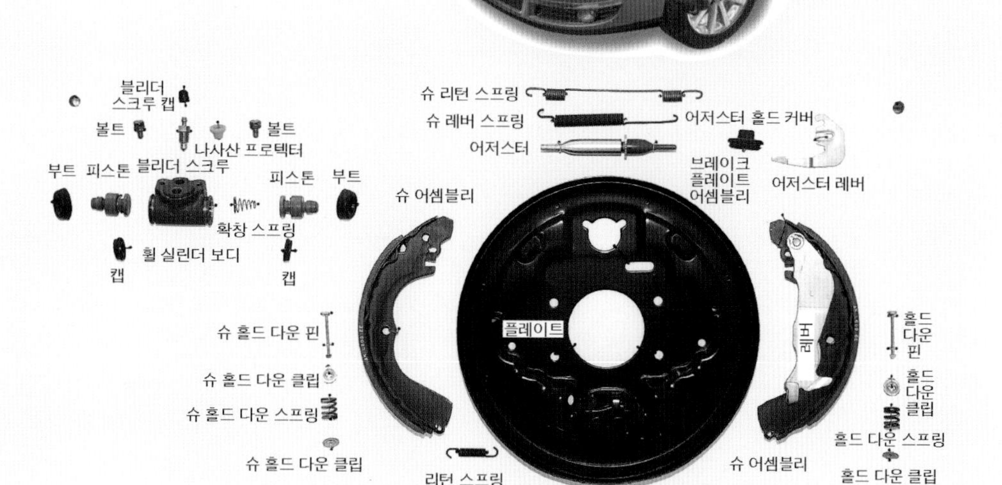

▼ 드럼 브레이크 어셈블리 구성

블리더 스크루 캡
볼트
나사산 프로텍터
볼트
부트 피스톤 블리더 스크루
피스톤 부트
확장 스프링
캡
휠 실린더 보디
캡

슈 리턴 스프링
슈 레버 스프링
어저스터
브레이크 플레이트 어셈블리
어저스터 홀드 커버
어저스터 레버
슈 어셈블리

슈 홀드 다운 핀
슈 홀드 다운 클립
슈 홀드 다운 스프링
슈 홀드 다운 클립
리턴 스프링

플레이트

홀드 다운 핀
홀드 다운 클립
홀드 다운 스프링
홀드 다운 클립
슈 어셈블리

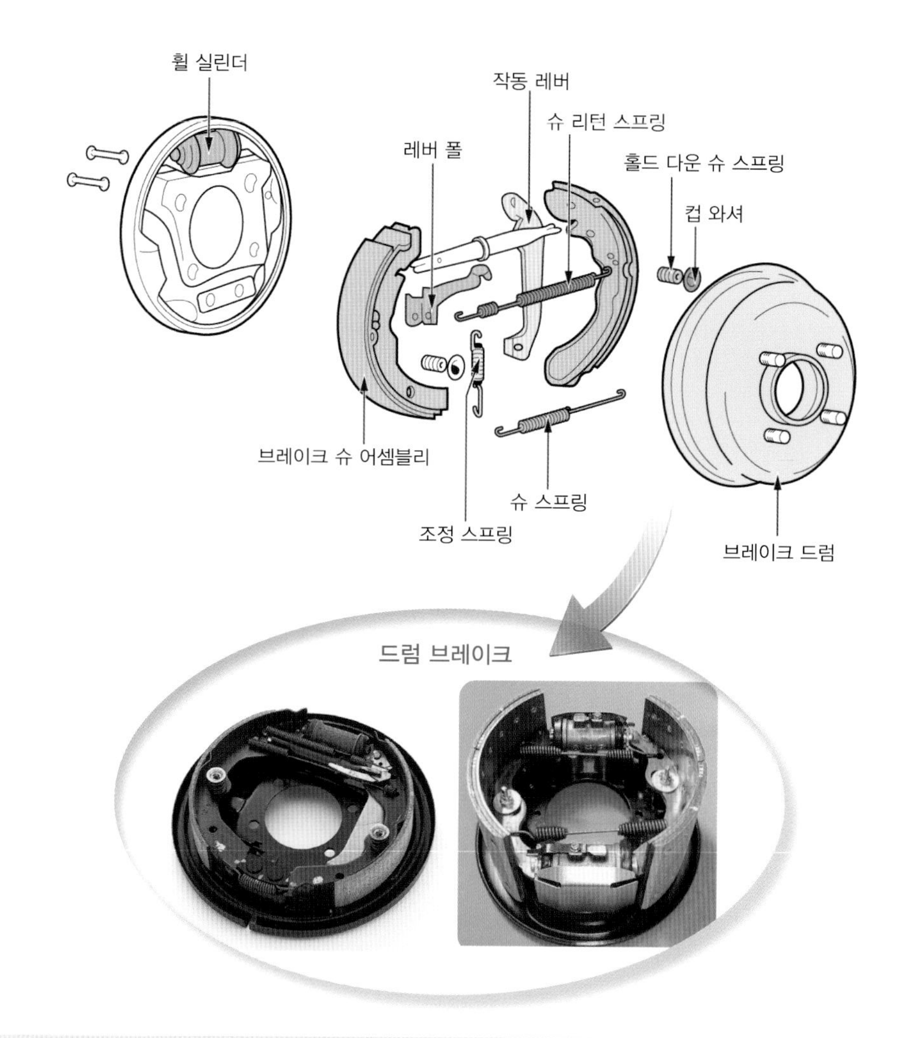

휠 실린더
작동 레버
슈 리턴 스프링
레버 폴
홀드 다운 슈 스프링
컵 와셔
브레이크 슈 어셈블리
조정 스프링
슈 스프링
브레이크 드럼

드럼 브레이크

핸드 브레이크 어셈블리 구조

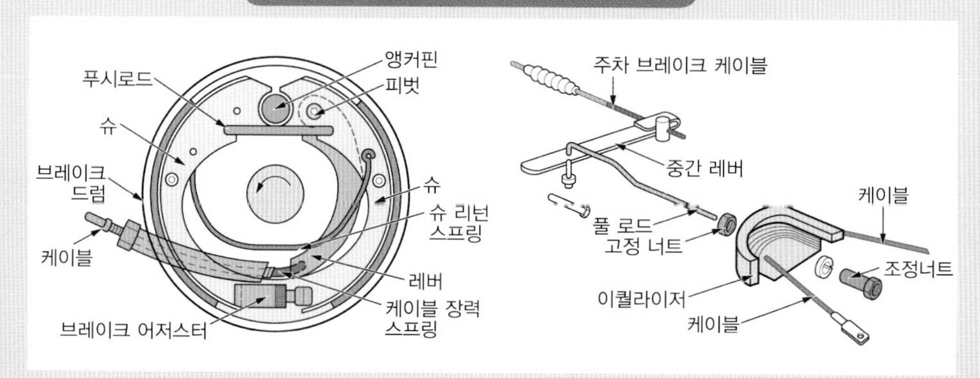

푸시로드
앵커핀
피벗
슈
슈
브레이크 드럼
슈 리번 스프링
케이블
레버
케이블 장력 스프링
브레이크 어저스터

주차 브레이크 케이블
중간 레버
풀 로드
고정 너트
이퀄라이저
케이블
조정너트
케이블

브레이크 슈 어저스터의 작동

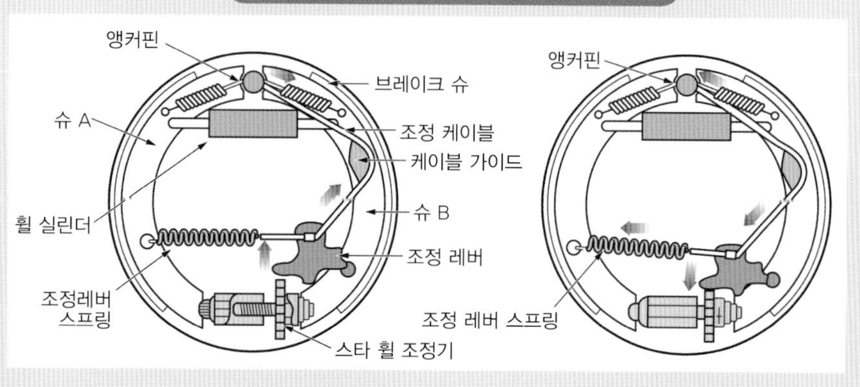

앵커핀
브레이크 슈
슈 A
조정 케이블
케이블 가이드
휠 실린더
슈 B
조정 레버
조정레버 스프링
조정 레버 스프링
스타 휠 조정기
앵커핀

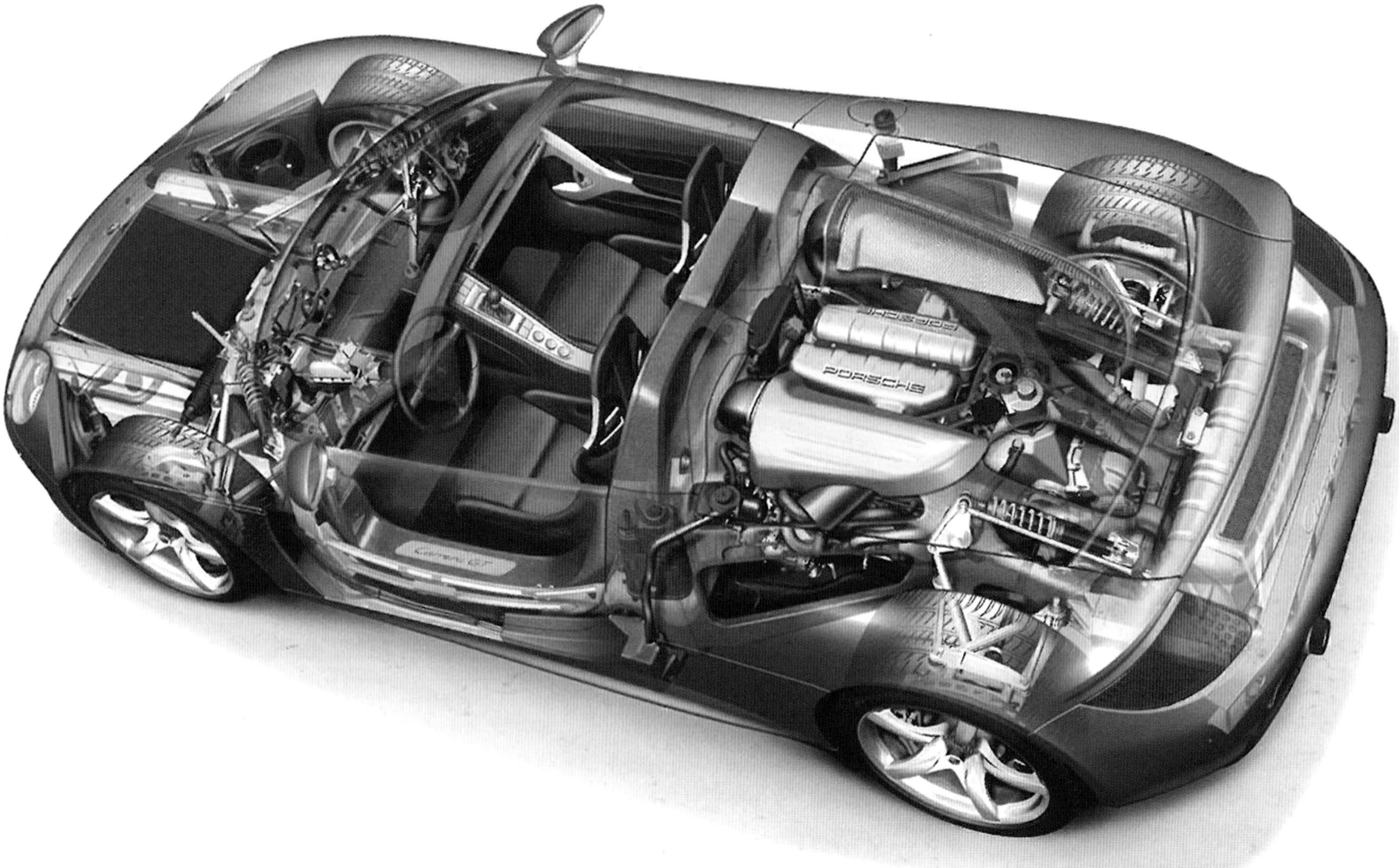

Porsche CARRERA GT

디스크 브레이크 시스템

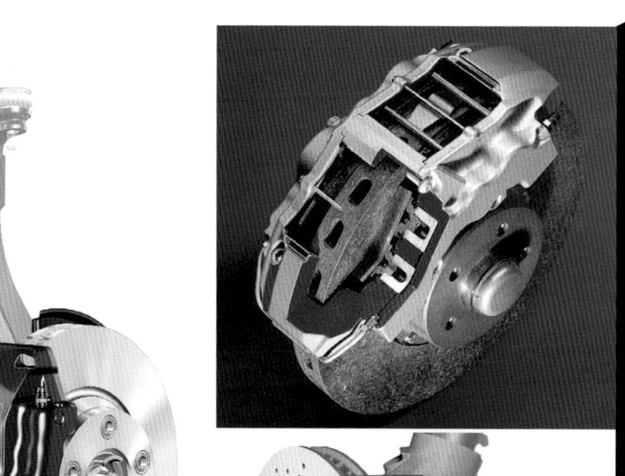

캘리퍼와 패드

디스크와 캘리퍼

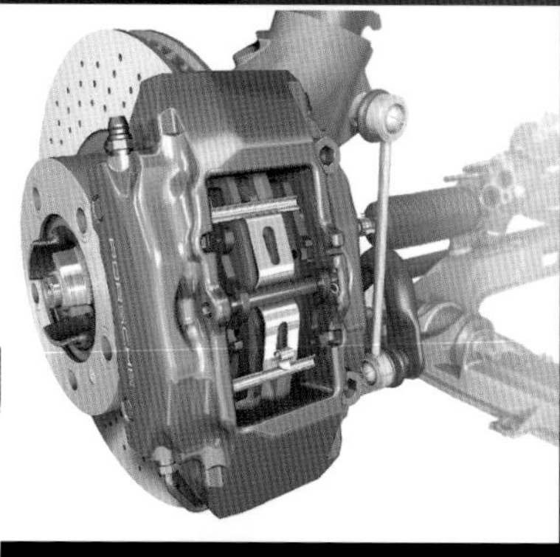

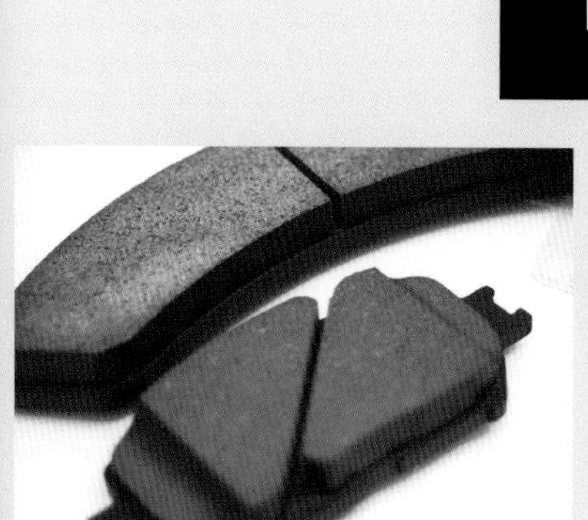

디스크 브레이크 어셈블리

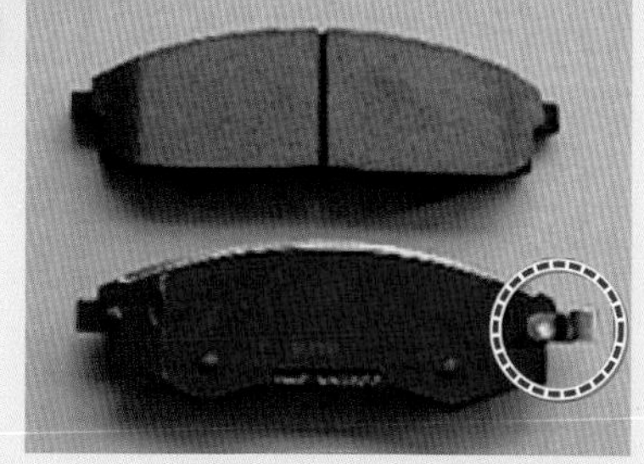

▲ 패드

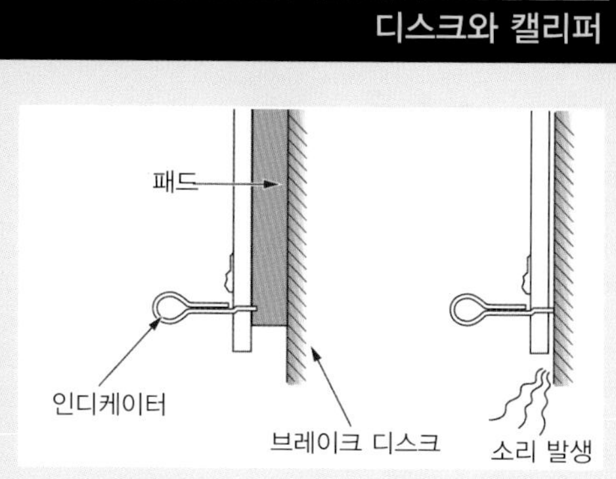

패드

인디케이터

브레이크 디스크

소리 발생

▲ 브레이크 패드 마모 경고

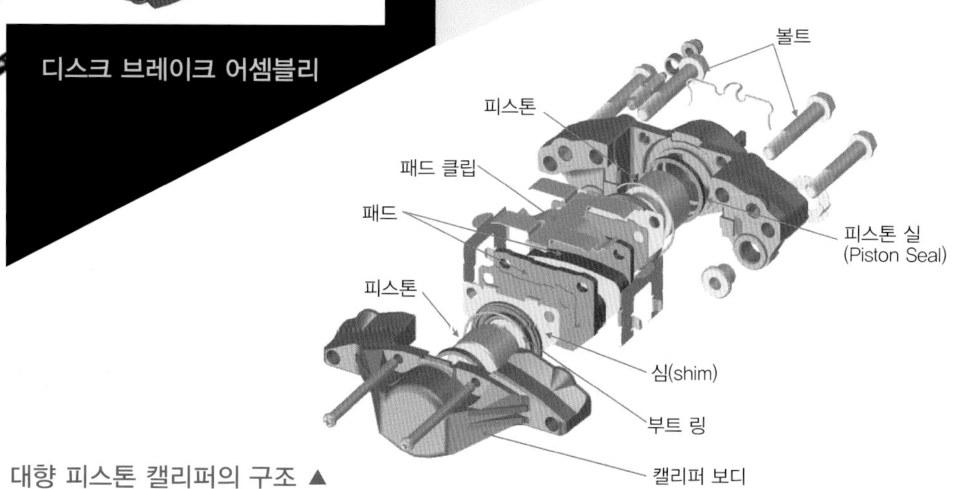

볼트

피스톤

패드 클립

패드

피스톤

피스톤 실
(Piston Seal)

심(shim)

부트 링

캘리퍼 보디

대향 피스톤 캘리퍼의 구조 ▲

▼ 부동 캘리퍼의 구조

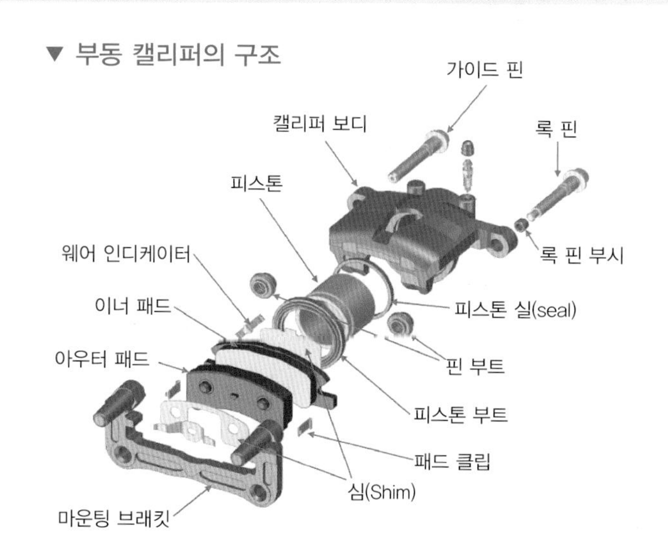

가이드 핀

캘리퍼 보디

록 핀

피스톤

웨어 인디케이터

이너 패드

아우터 패드

록 핀 부시

피스톤 실(seal)

핀 부트

피스톤 부트

패드 클립

심(Shim)

마운팅 브래킷

GoldenBell
www.gbbook.co.kr

AUDI A4 3.2FSI QUATTRO

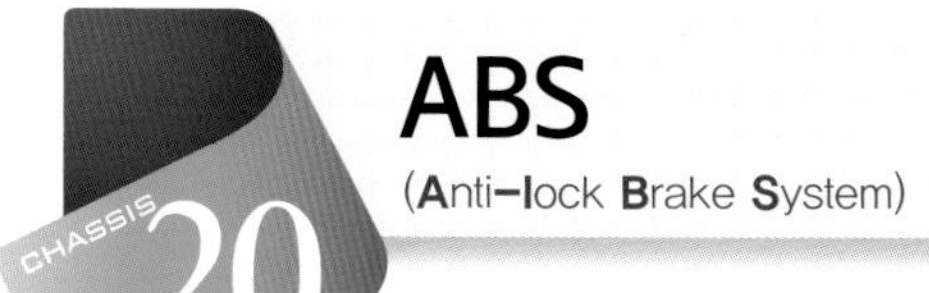

ABS
(Anti-lock Brake System)

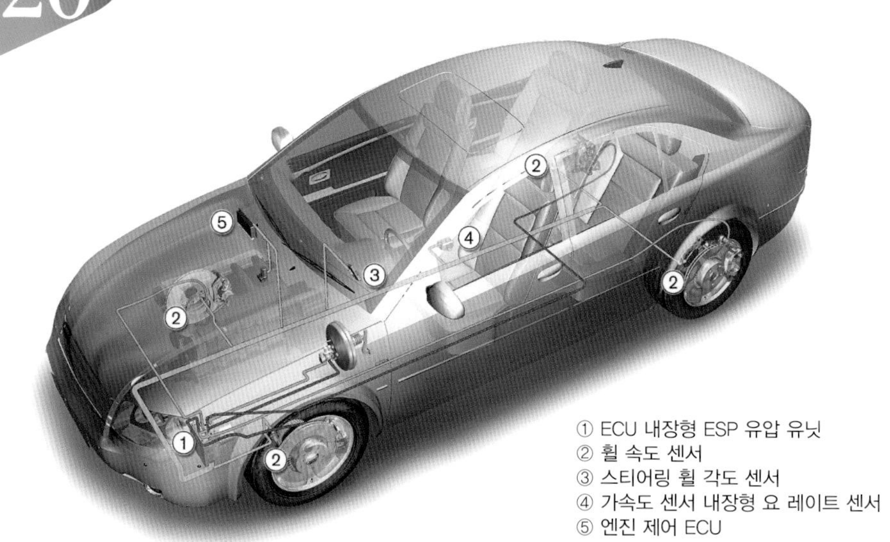

① ECU 내장형 ESP 유압 유닛
② 휠 속도 센서
③ 스티어링 휠 각도 센서
④ 가속도 센서 내장형 요 레이트 센서
⑤ 엔진 제어 ECU

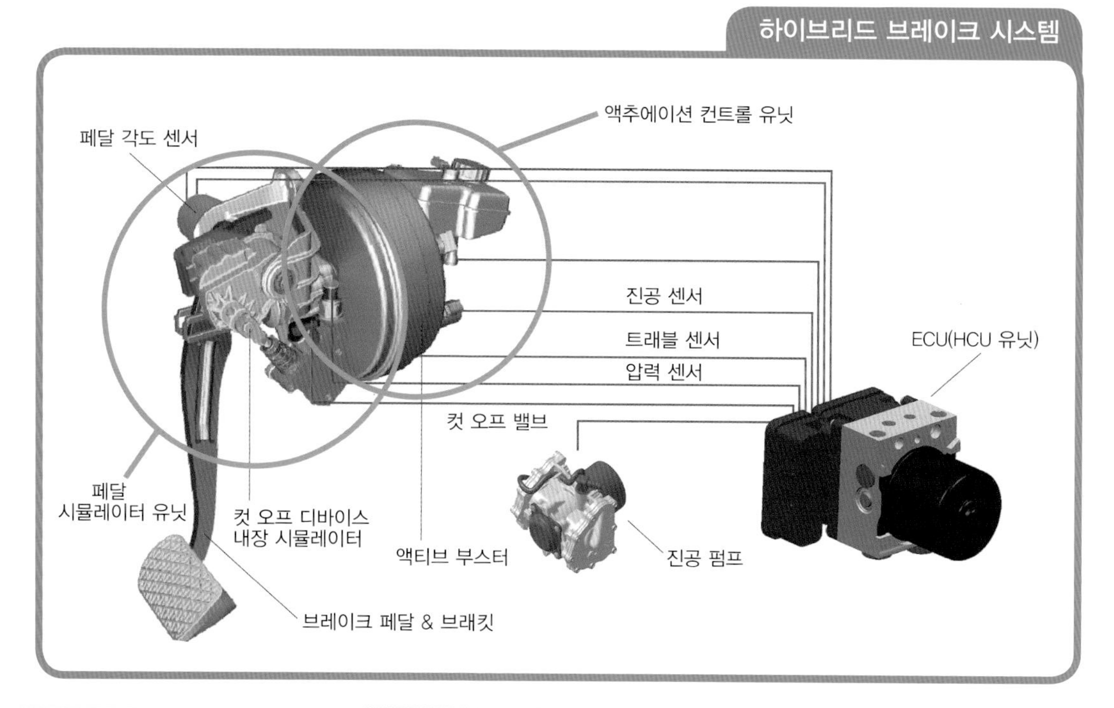

페달 각도 센서
액추에이션 컨트롤 유닛
진공 센서
트래블 센서
압력 센서
ECU(HCU 유닛)
컷 오프 밸브
페달 시뮬레이터 유닛
컷 오프 디바이스 내장 시뮬레이터
액티브 부스터
진공 펌프
브레이크 페달 & 브래킷

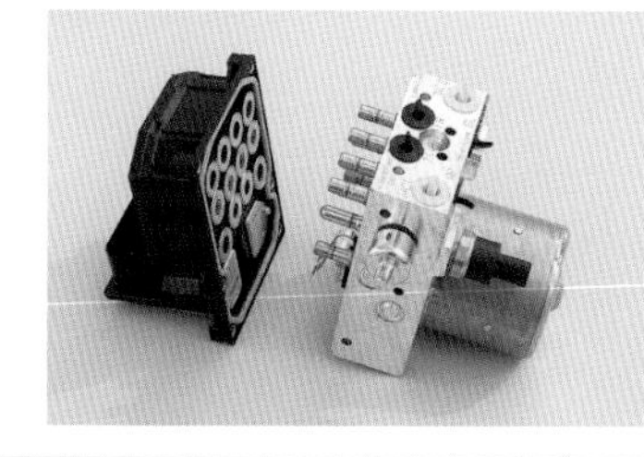
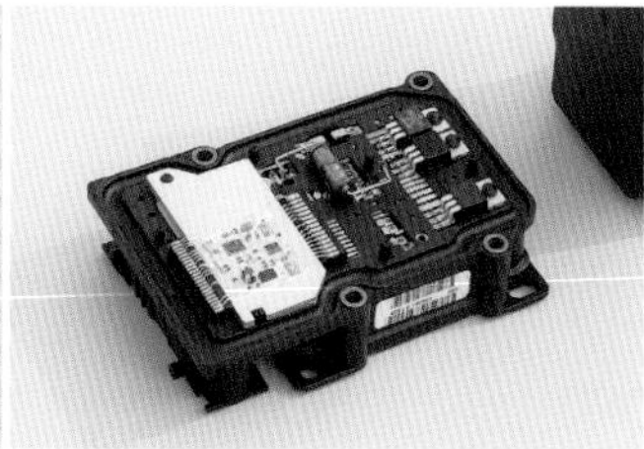
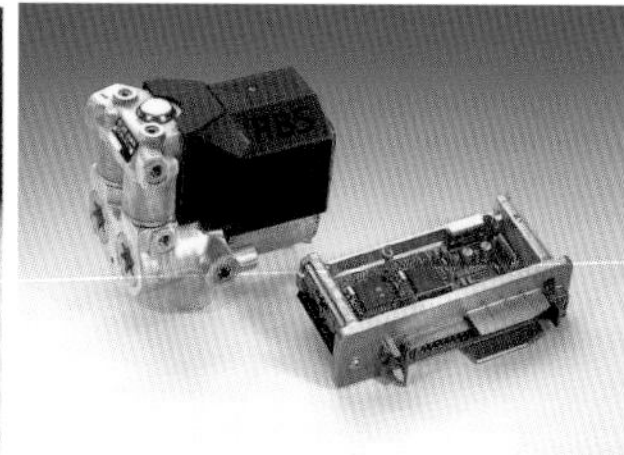

휠 스피드 센서

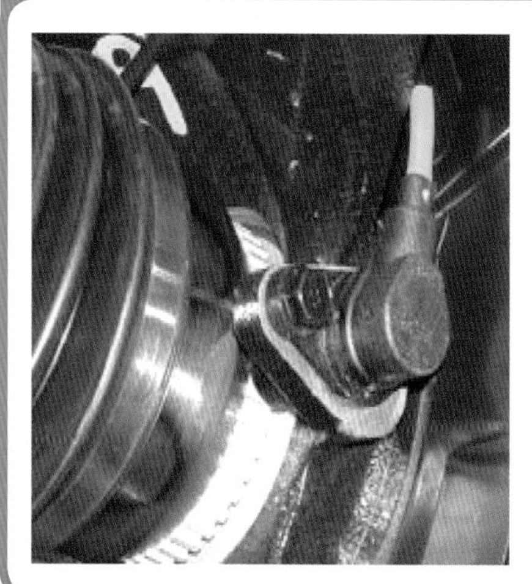

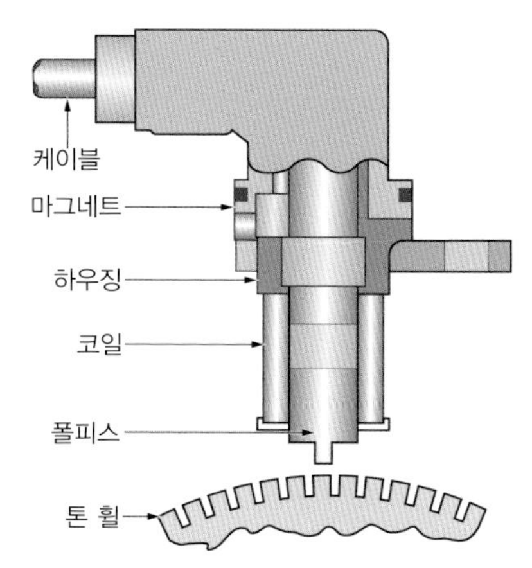

케이블
마그네트
하우징
코일
폴피스
톤 휠

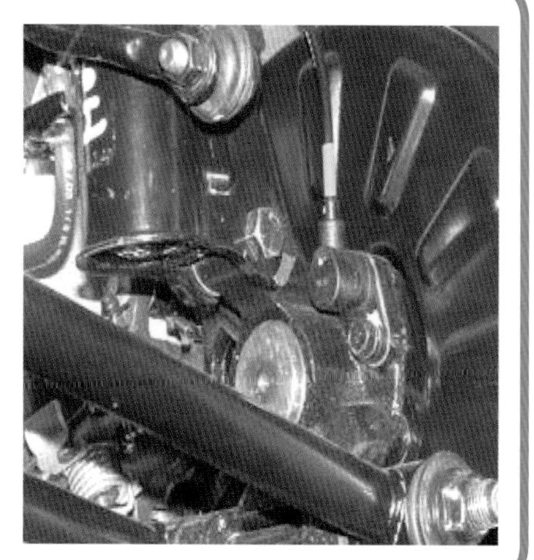

ABS 유압 라인 및 회로도

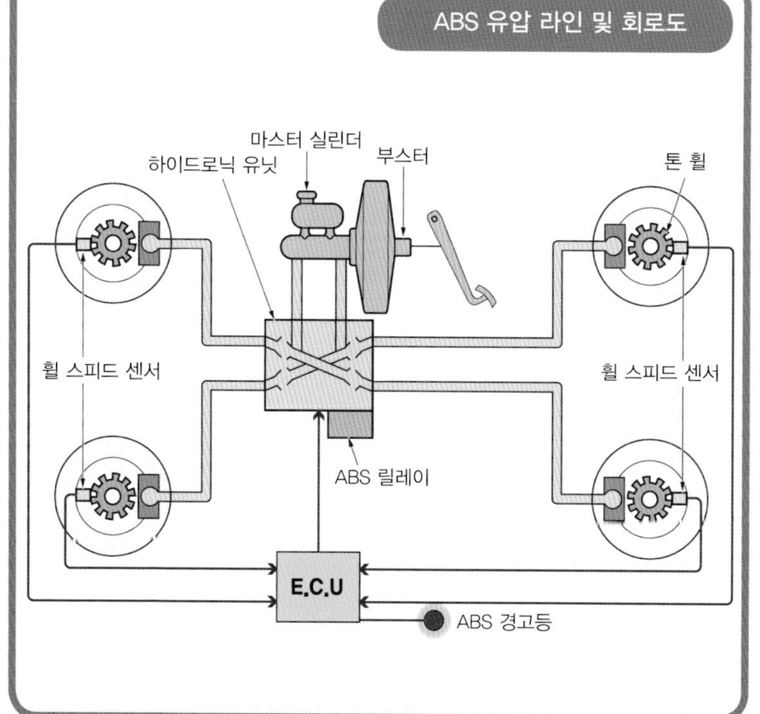

하이드로닉 유닛
마스터 실린더
부스터
톤 휠
휠 스피드 센서
휠 스피드 센서
ABS 릴레이
E.C.U
ABS 경고등

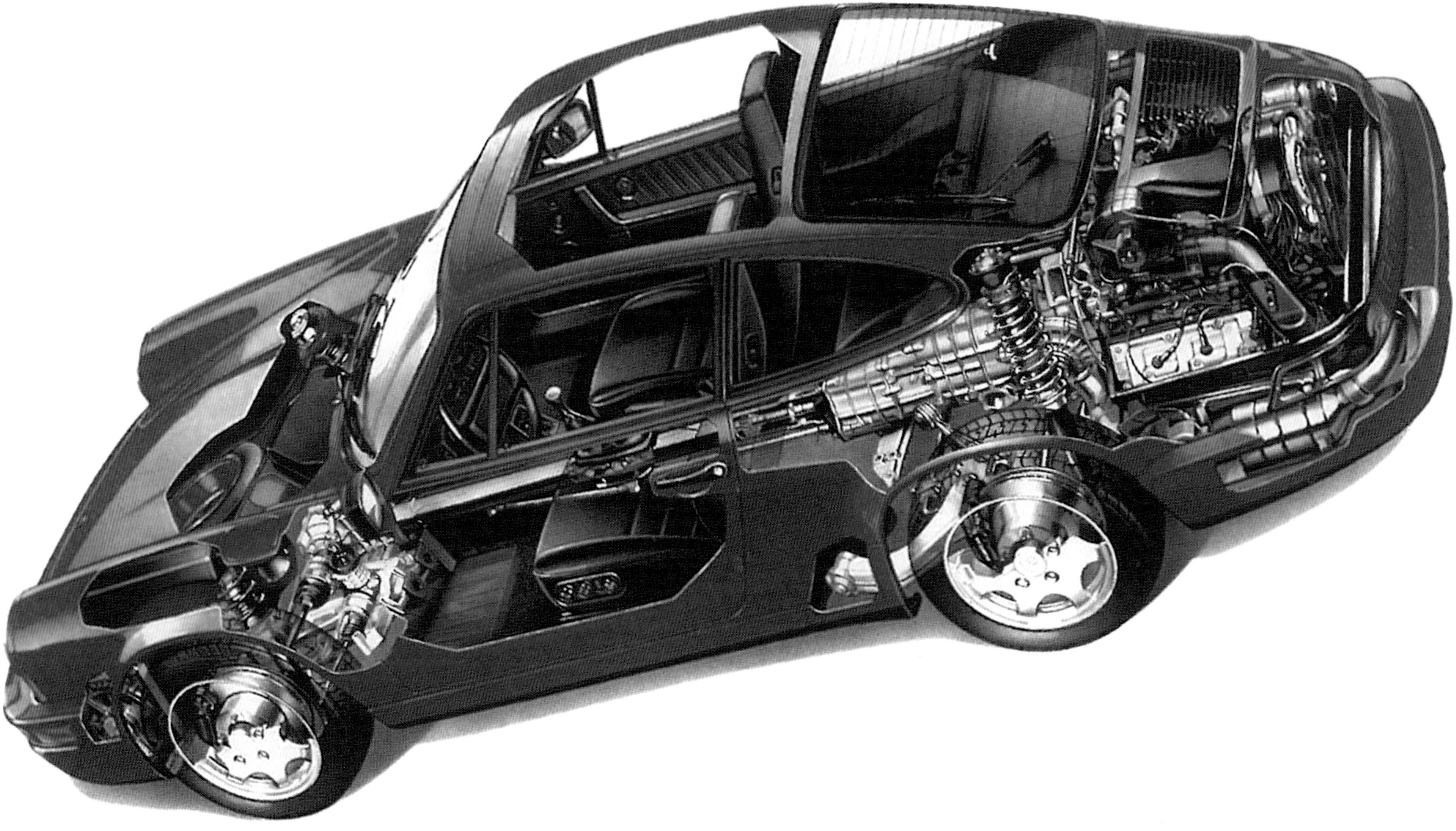

PORSCHE 911 AWD

차량 자세 제어 시스템
(**V**ehicle **D**ynamic **C**ontrol, **E**lectronic **S**tability **P**rogram)

- 차량 안정성 상실 우려
- 4륜 제동력 제어 엔진 스로틀 제어
- 차량 안정성 확보

가속

TCS

좌회전 ESP | 작동 범위 | ESP 우회전

ABS

제동

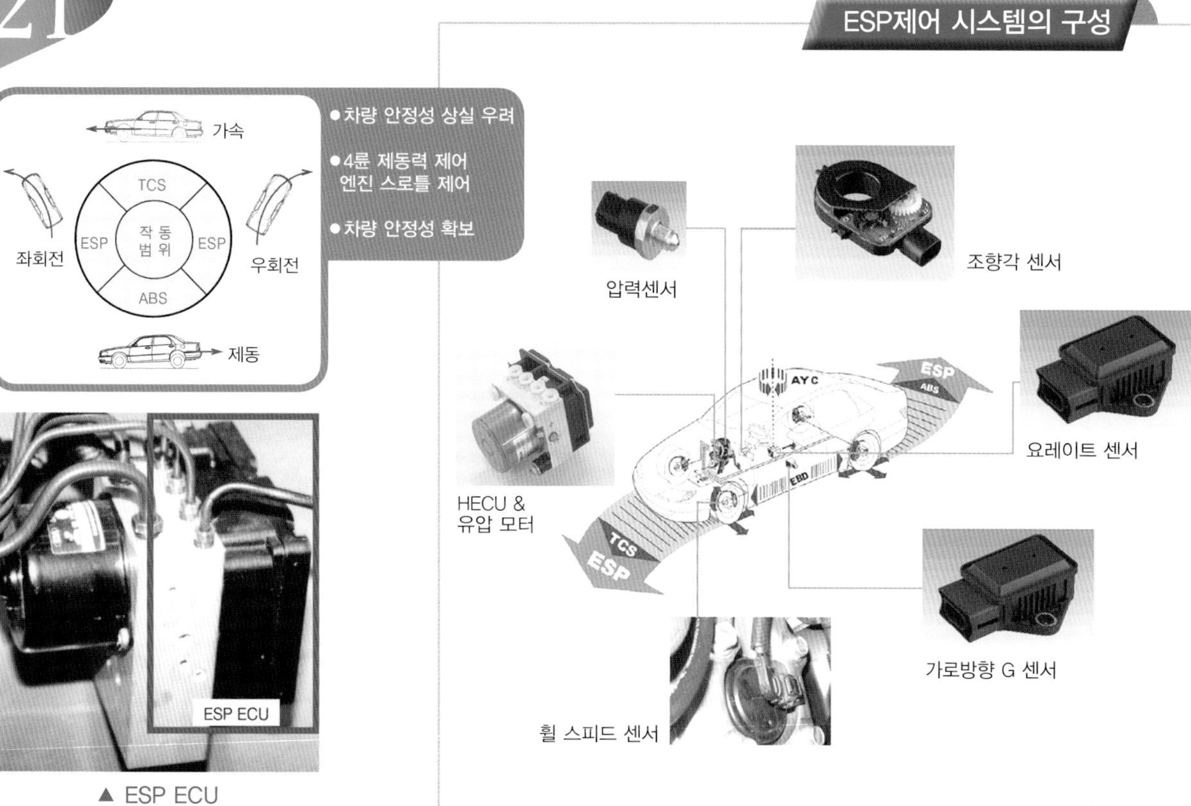

▲ ESP ECU

ESP ECU

ESP제어 시스템의 구성

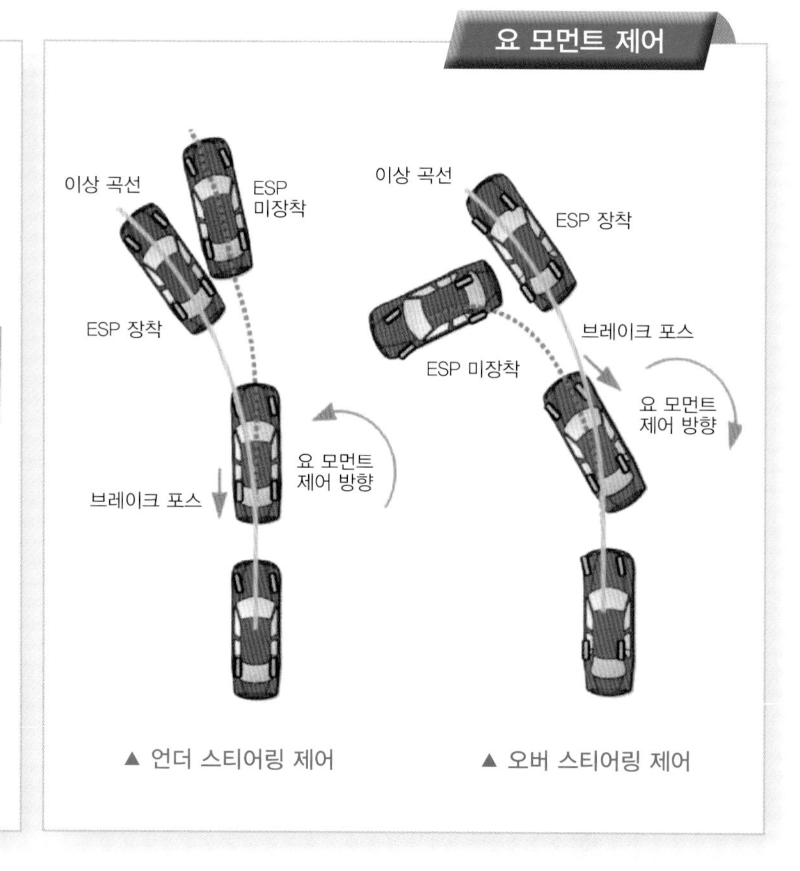

압력센서

조향각 센서

HECU & 유압 모터

요레이트 센서

가로방향 G 센서

휠 스피드 센서

요 모먼트 제어

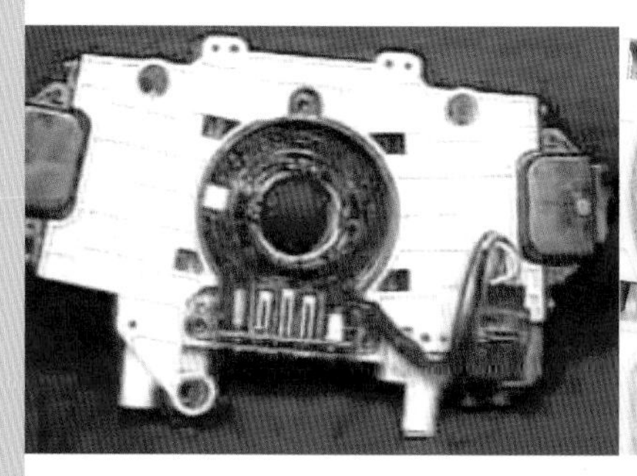

이상 곡선 — ESP 미장착

ESP 장착

브레이크 포스

요 모먼트 제어 방향

▲ 언더 스티어링 제어

이상 곡선 — ESP 장착

브레이크 포스

ESP 미장착

요 모먼트 제어 방향

▲ 오버 스티어링 제어

[센서]

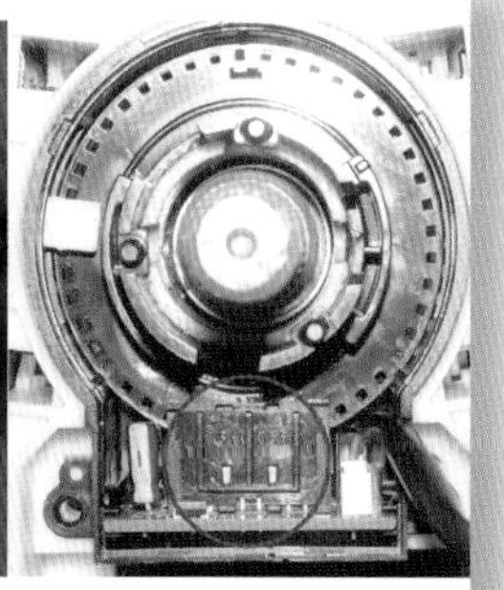

조향 휠 각도 센서

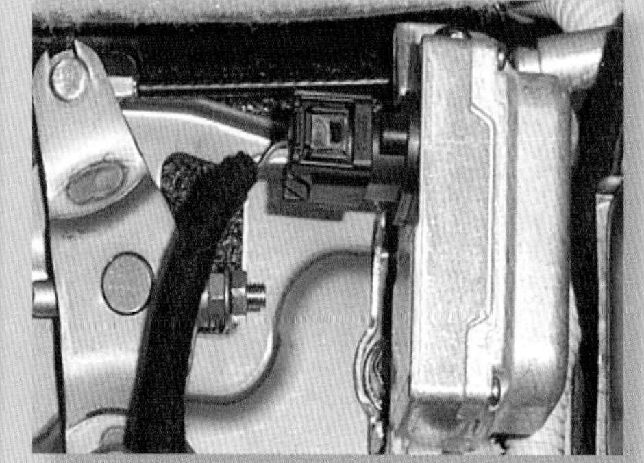

가로방향 G센서

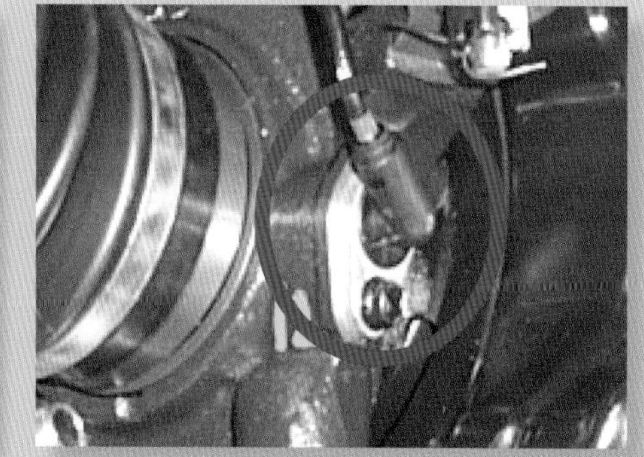

휠 스피드 센서

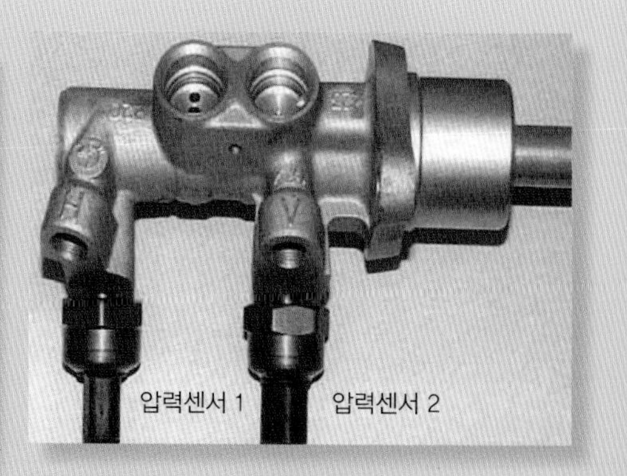

압력센서 1   압력센서 2

마스터 실린더 압력 센서

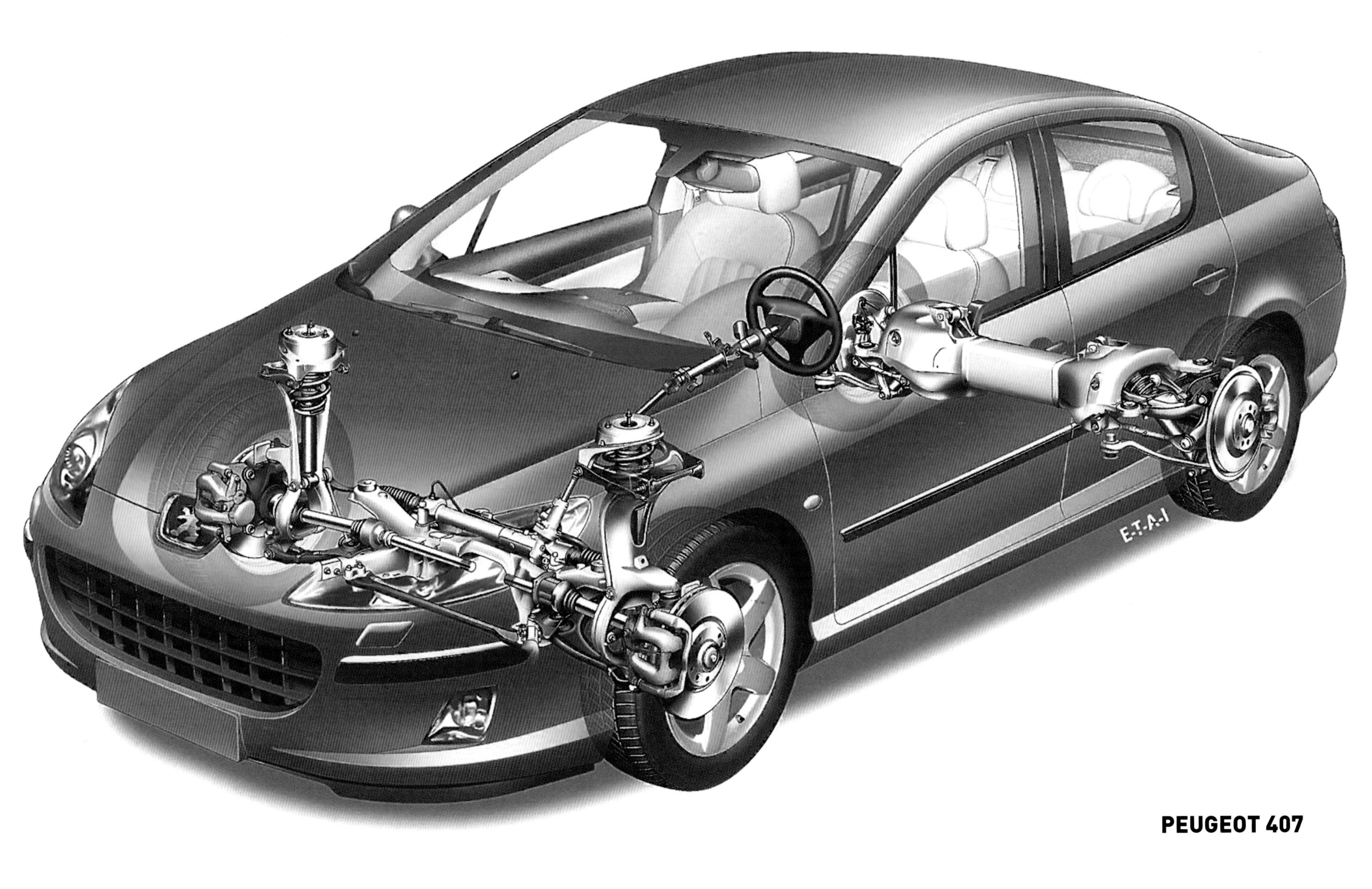

PEUGEOT 407

ET·A·I

Goldenbell
www.gbbook.co.kr

타이어

타이어 구조

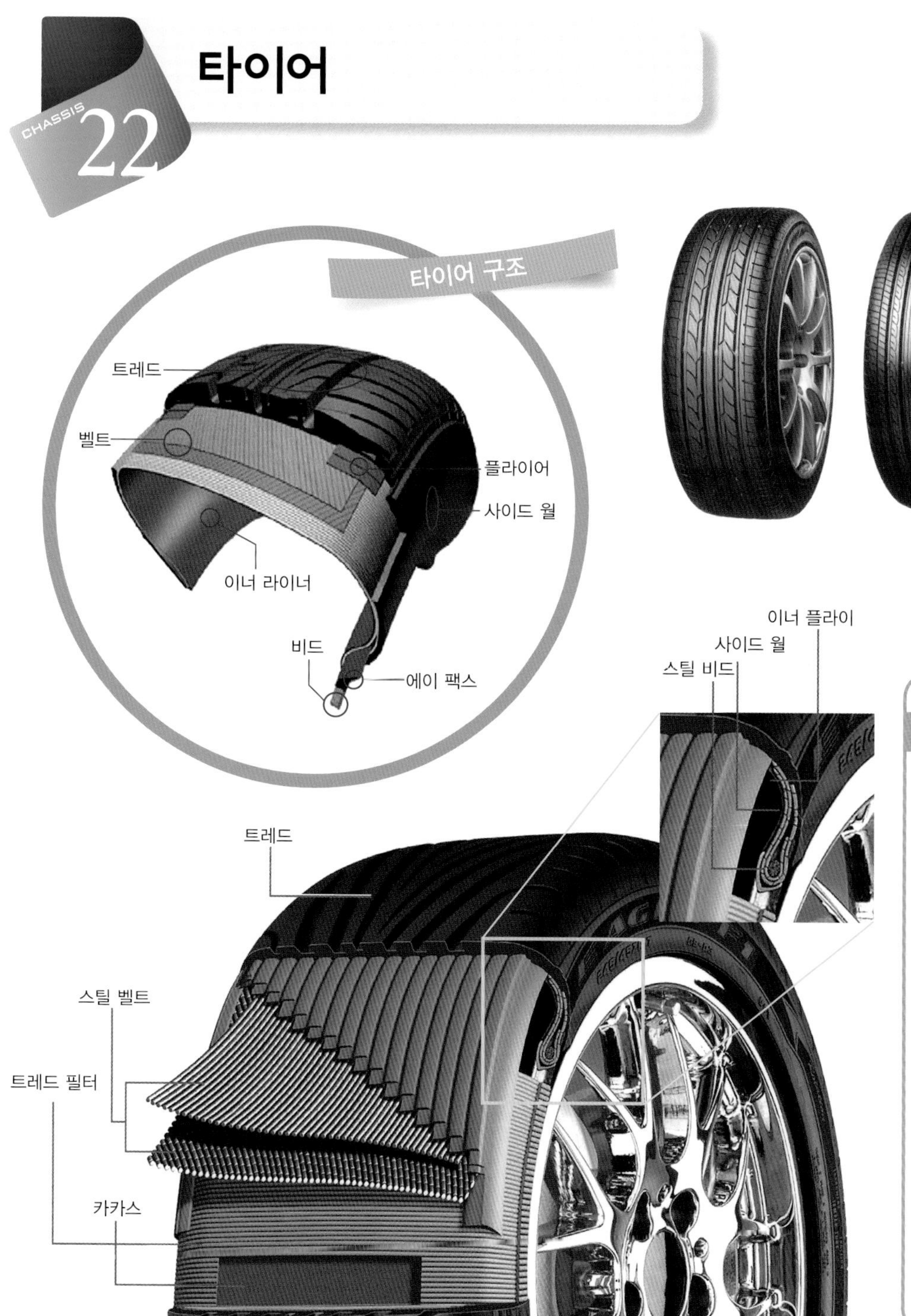

- 트레드
- 벨트
- 사이드 월
- 이너 라이너
- 플라이어
- 비드
- 에이 팩스

- 스틸 비드
- 사이드 월
- 이너 플라이
- 트레드
- 스틸 벨트
- 트레드 필터
- 카카스

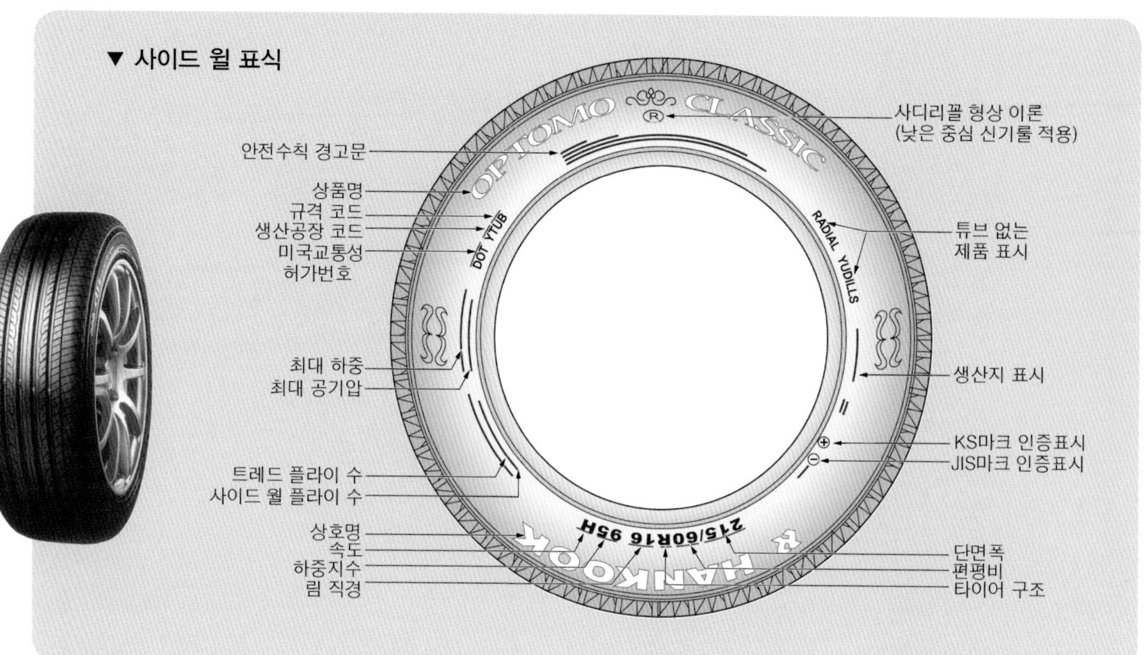

▼ 사이드 월 표식

- 사디리꼴 형상 이론 (낮은 중심 신기술 적용)
- 안전수칙 경고문
- 상품명
- 규격 코드
- 생산공장 코드
- 미국교통성 허가번호
- 튜브 없는 제품 표시
- 최대 하중
- 최대 공기압
- 생산지 표시
- KS마크 인증표시
- JIS마크 인증표시
- 트레드 플라이 수
- 사이드 월 플라이 수
- 상호명
- 속도
- 하중지수
- 림 직경
- 단면 폭
- 편평비
- 타이어 구조

OPTOMO CLASSIC
RADIAL VUDILLS
DOT YTUB
215/60R16 95H
HANKOOK

타이어의 손상

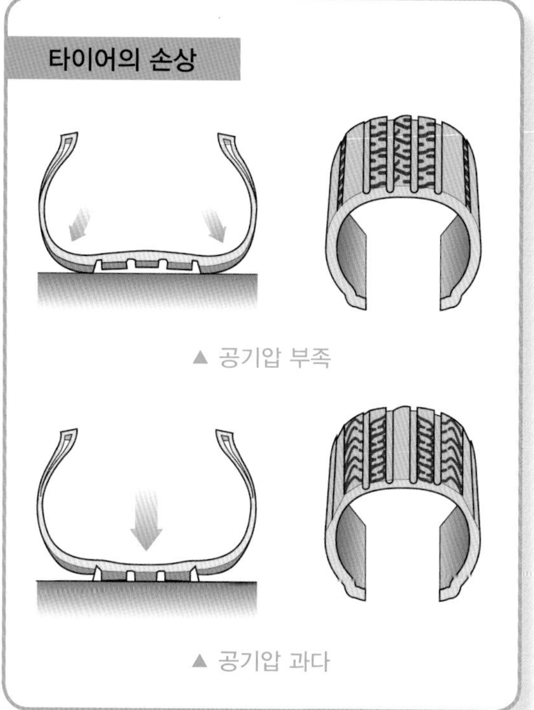

▲ 공기압 부족

▲ 공기압 과다

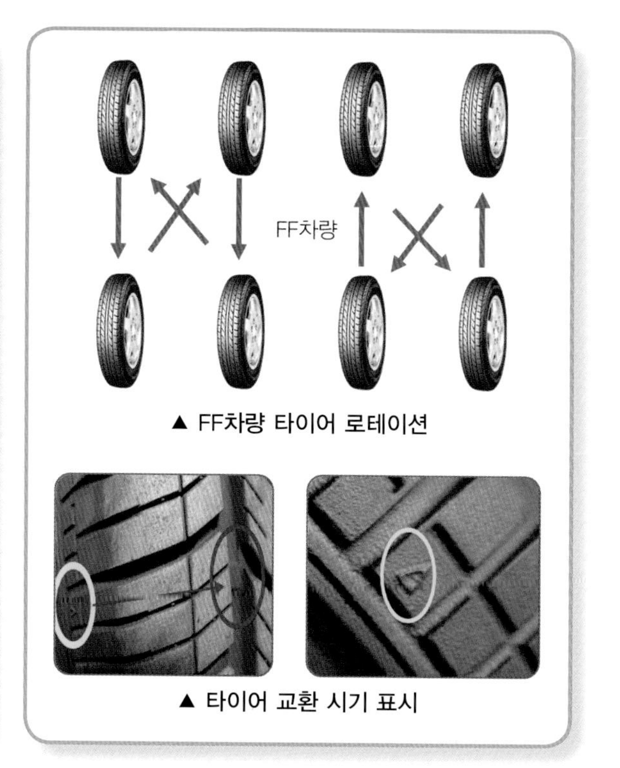

FF차량

▲ FF차량 타이어 로테이션

▲ 타이어 교환 시기 표시

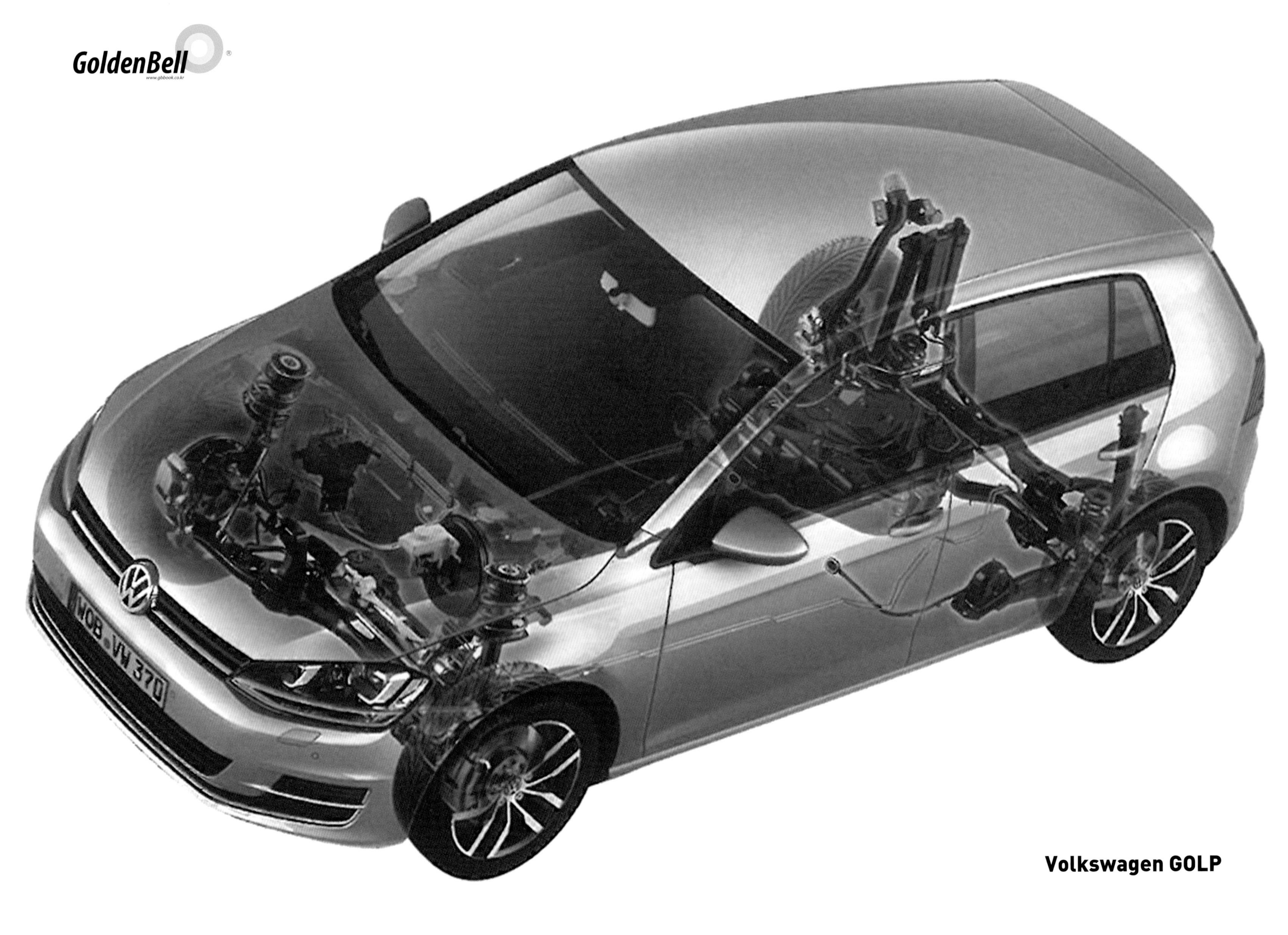

휠 얼라인먼트

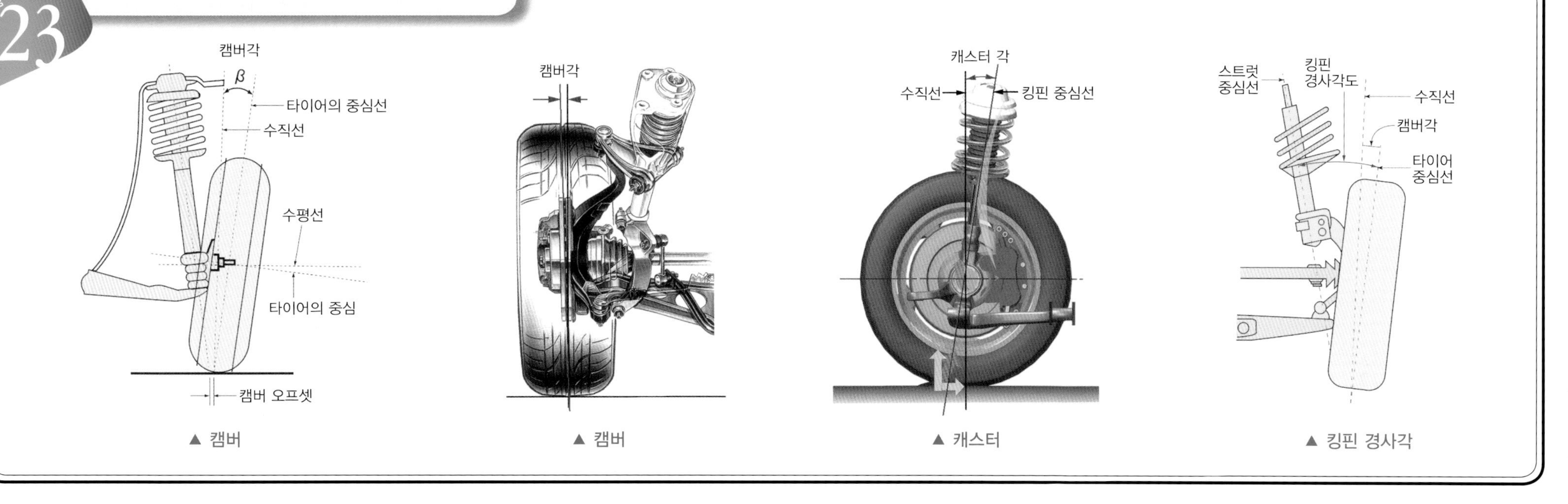

캠버각
β
타이어의 중심선
수직선
수평선
타이어의 중심
캠버 오프셋

▲ 캠버

캠버각

▲ 캠버

캐스터 각
수직선
킹핀 중심선

▲ 캐스터

스트럿 중심선
킹핀 경사각도
수직선
캠버각
타이어 중심선

▲ 킹핀 경사각

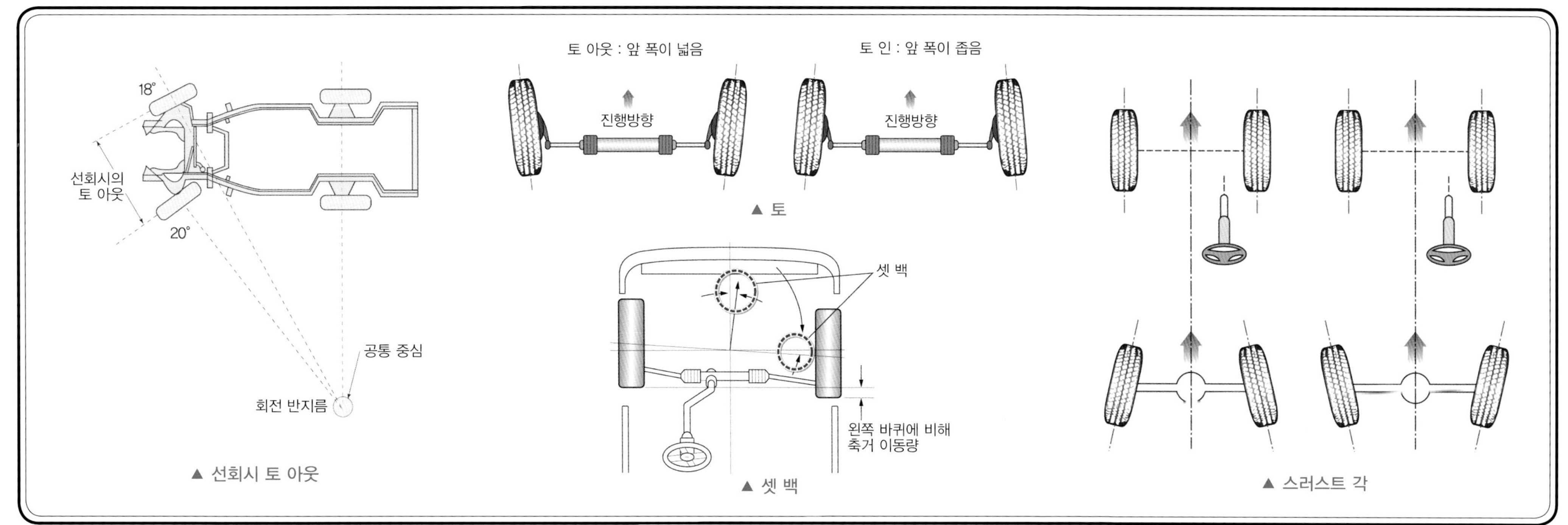

18°
선회시의 토 아웃
20°
공통 중심
회전 반지름

▲ 선회시 토 아웃

토 아웃 : 앞 폭이 넓음
진행방향
토 인 : 앞 폭이 좁음
진행방향

▲ 토

셋 백
왼쪽 바퀴에 비해 축거 이동량

▲ 셋 백

▲ 스러스트 각

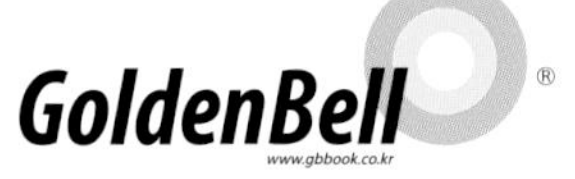

Mercedes Benz S-class(W221) Steel Body Shell

■	틀라스틱
■	알미늄
■	초고장력강(열간성형)(UHTS)
■	고장력강(UHTS)
■	고장력강(HTS)가개탕
■	연강

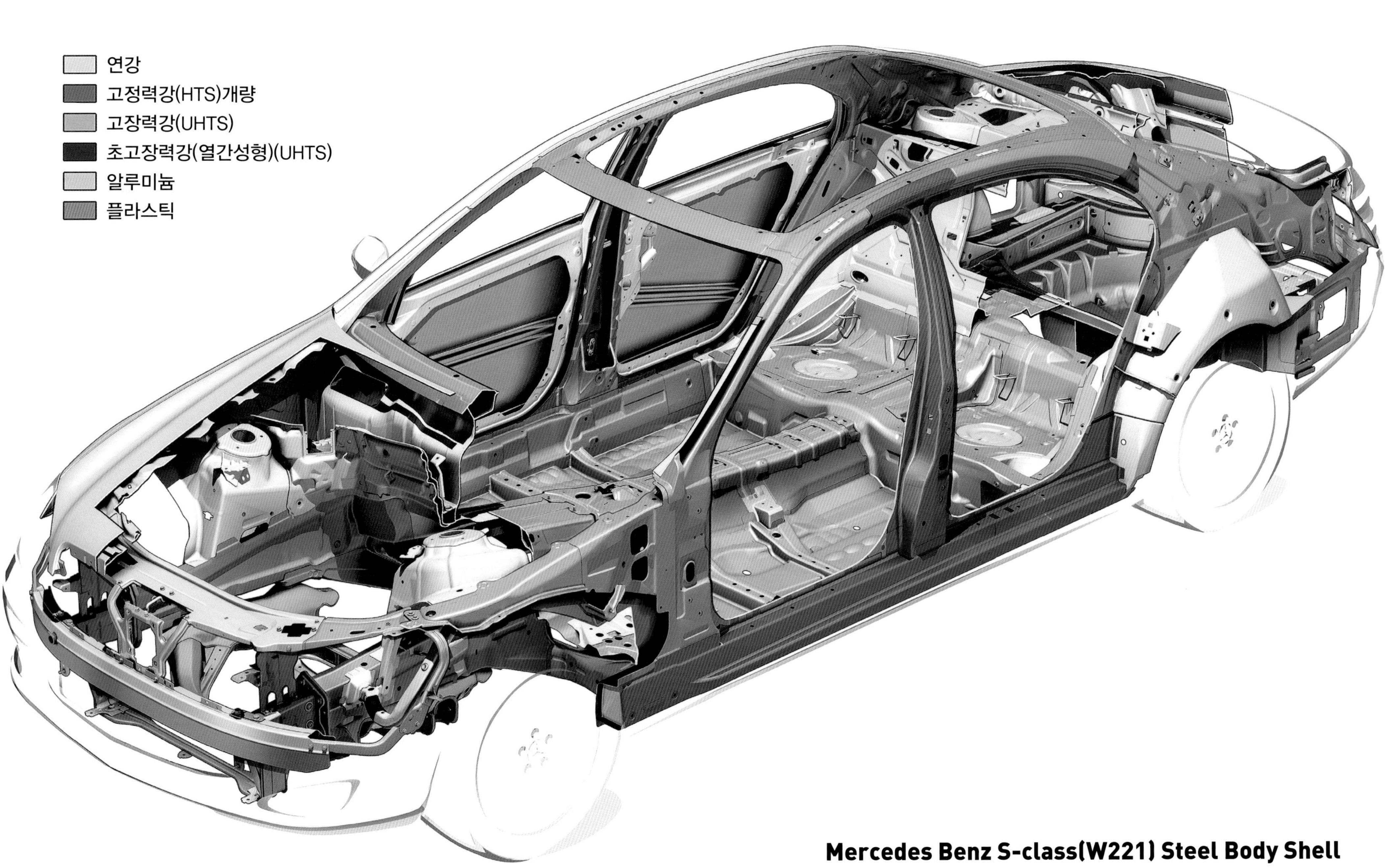

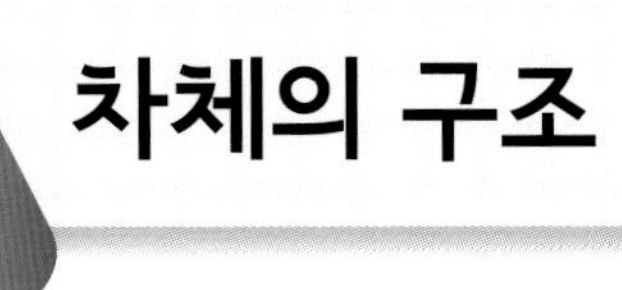

차체의 구조

A필러

A필러 이너 로어

프런트 루프 레일(외판의 안쪽)

루프 사이드 레일

A필러 이너 어퍼

C필러

프런트 휠 하우스 어퍼 멤버

충돌에너지 흡수 구조

리어 사이드 멤버

리어 벨크 헤드

프런트 사이드 멤버

B필러(센터 필러)

사이드 실

라인포스먼트

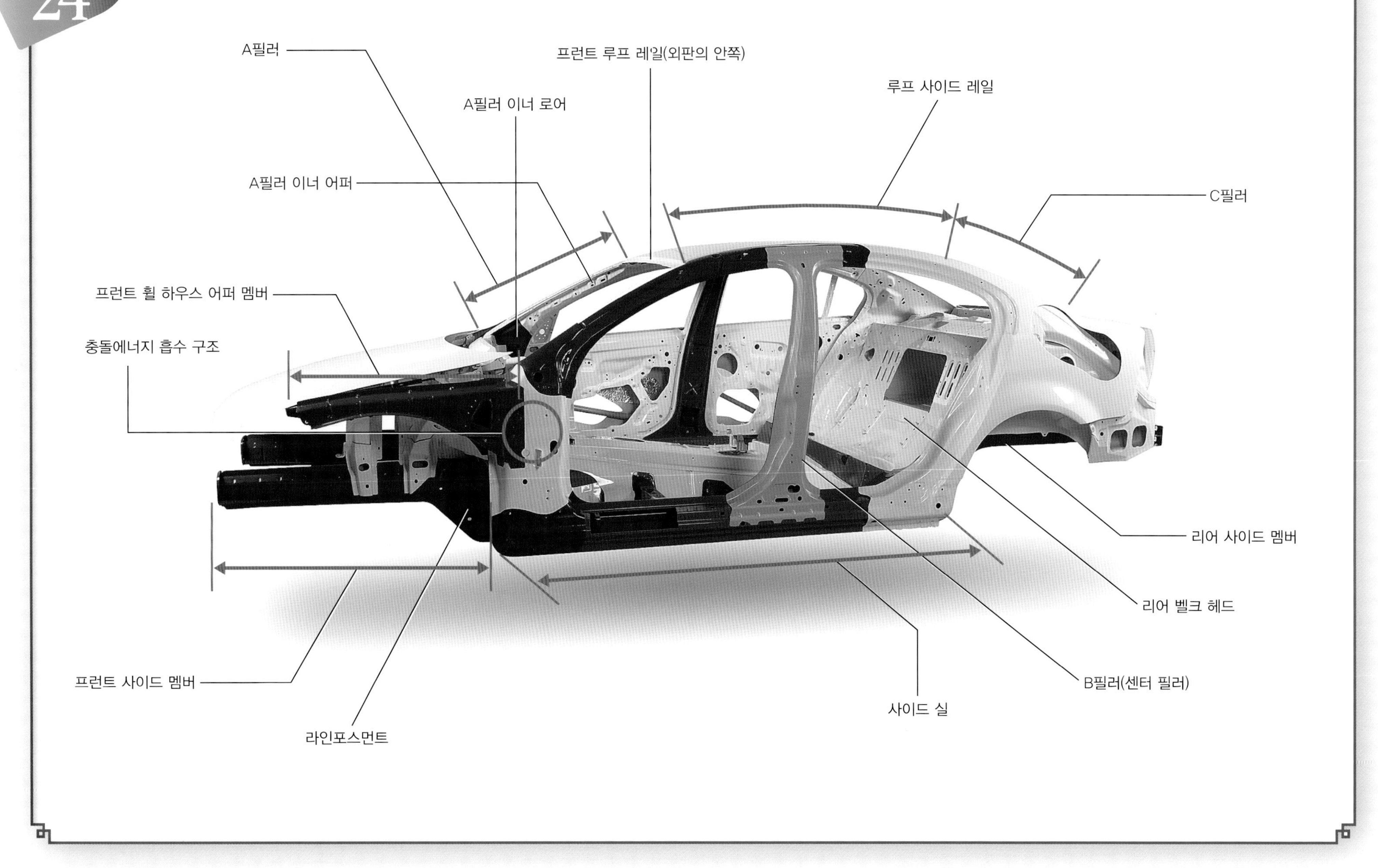

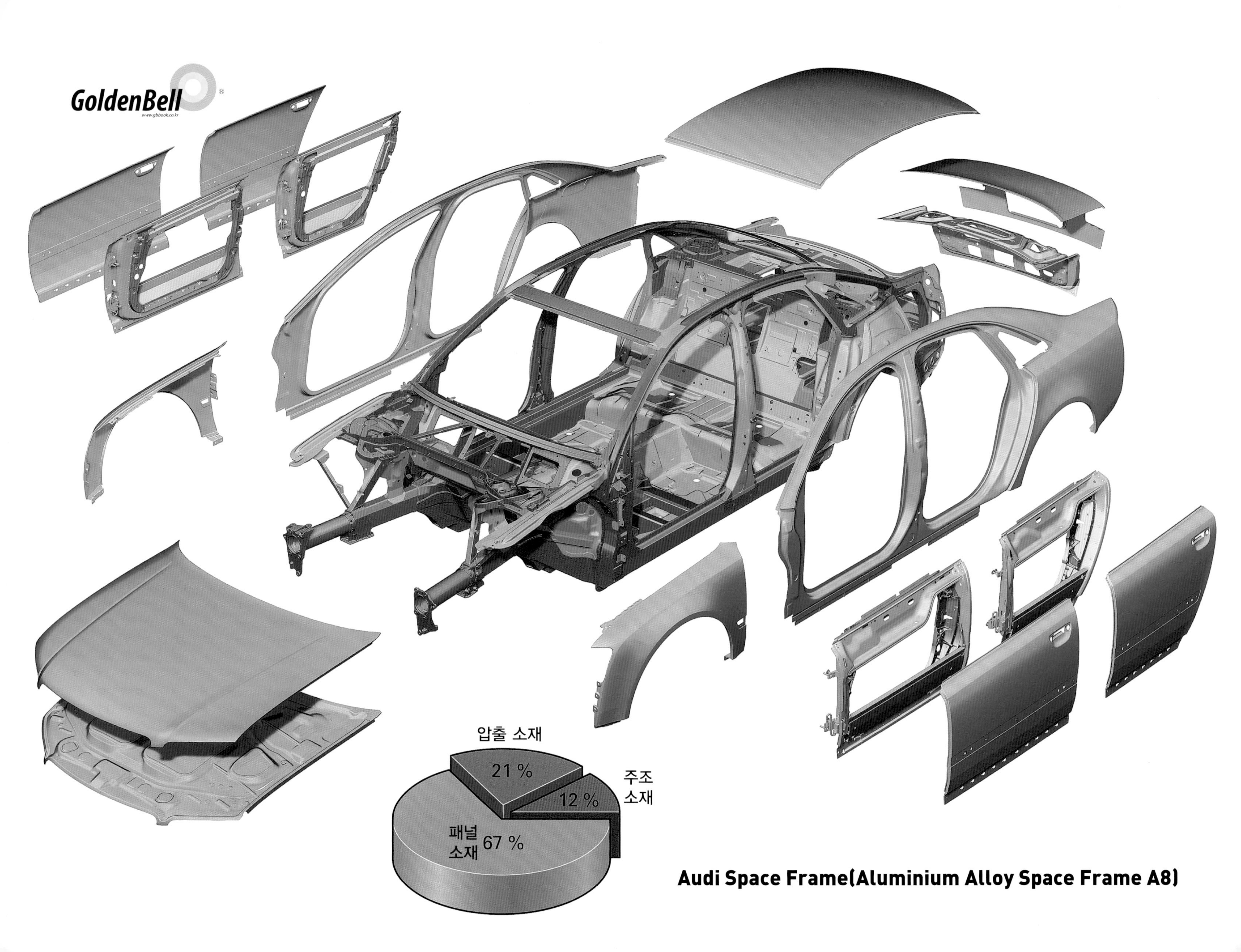

Audi Space Frame(Aluminium Alloy Space Frame A8)

판넬 조재 67 %

주조 조재 12 %

인출 조재 21 %

Goldenbell
www.gbbook.co.kr

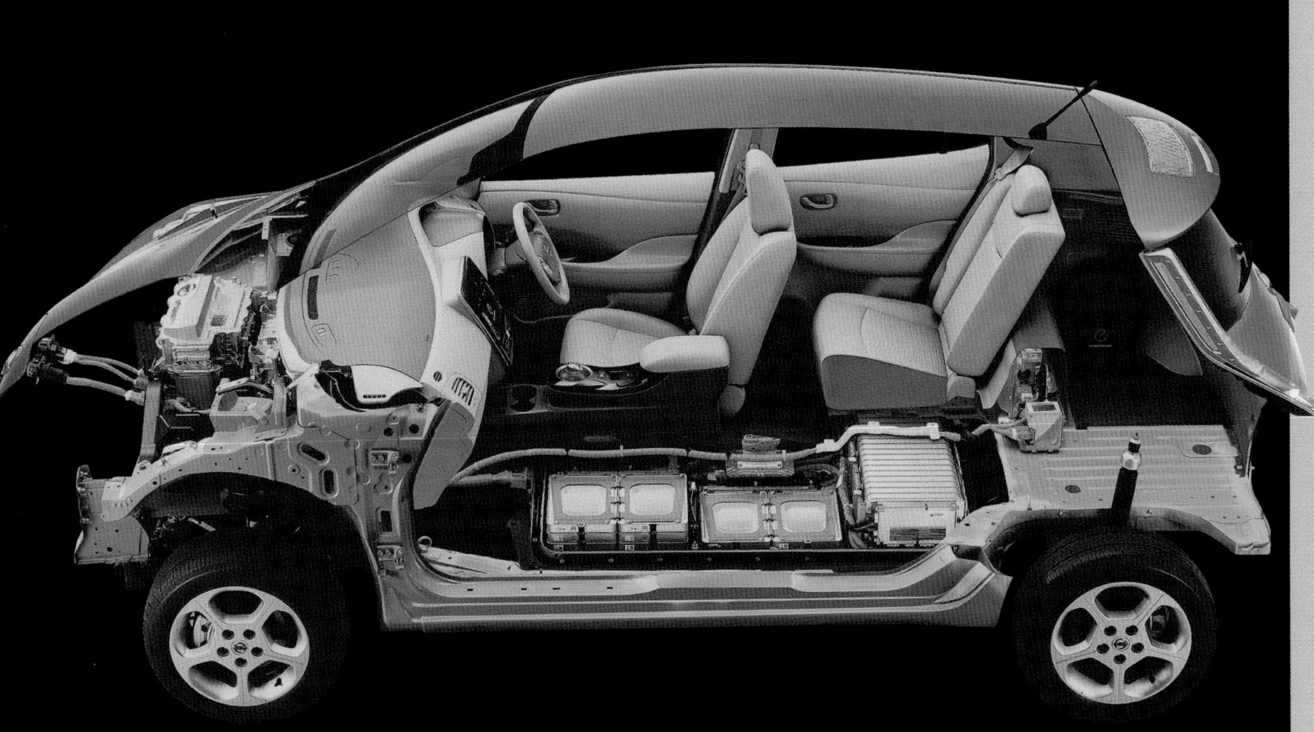

03

ELECTRICITY
전기

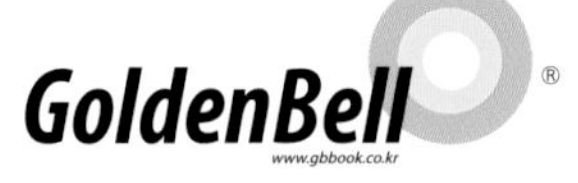

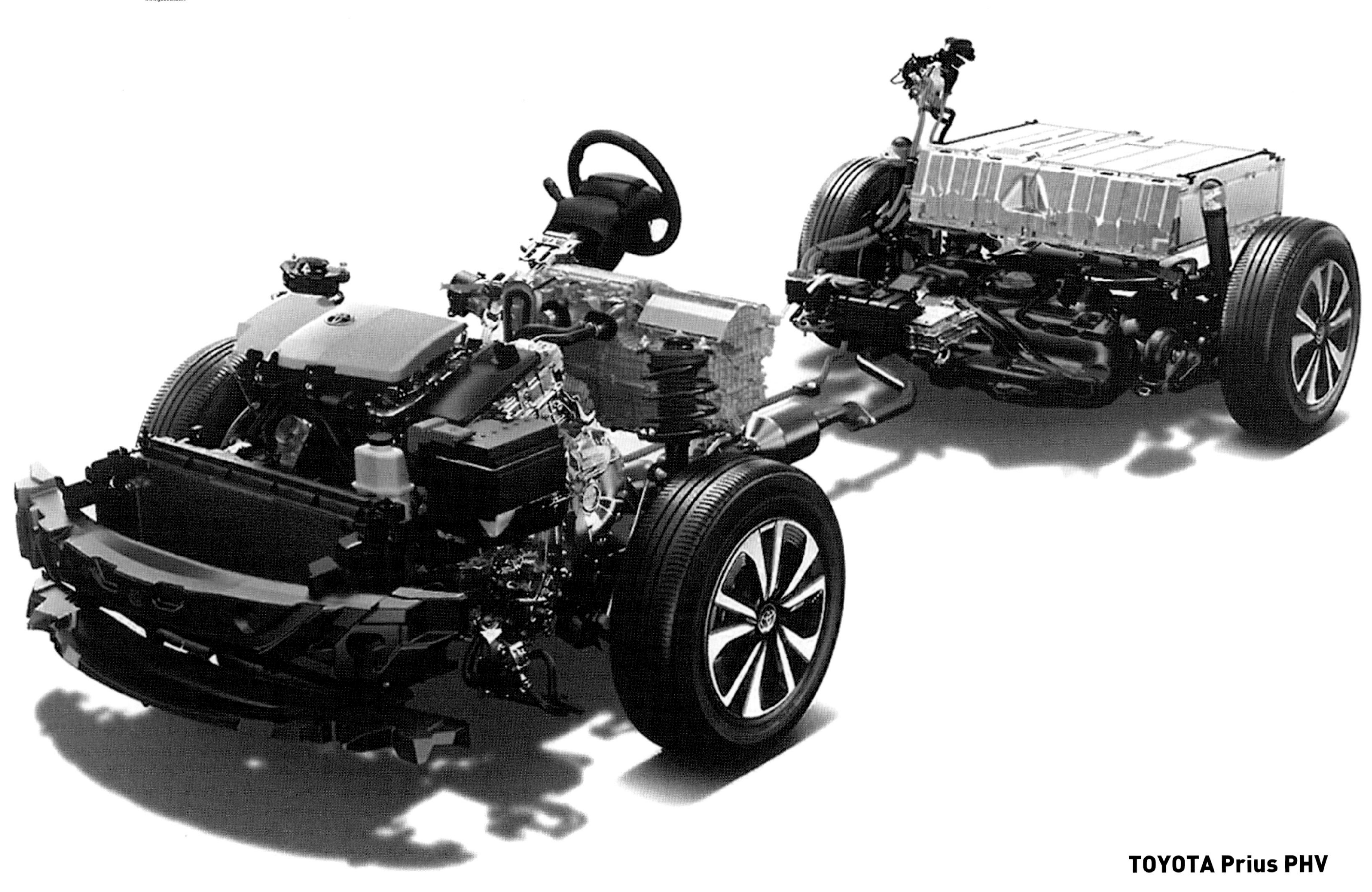

하이브리드·전기 자동차용 배터리

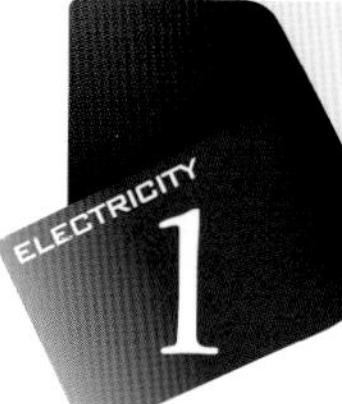

충전

방전

방전

충전

세퍼레이터

$(-)$

$(+)$

Anion$^+$ Li$^+$ Anion$^+$ Anion$^+$

Anion$^+$ Li$^+$ Anion$^+$

Li$_{(1-n)}$CoO$_2$
코발트산
리튬

Anion$^+$ Li$^+$ Anion$^+$

Anion$^+$

Anion$^+$ Li$^+$

Anion$^+$ Li$^+$ Anion$^+$

Anion$^+$

C$_6$Li
그래파이트

배수용매

유기전해질

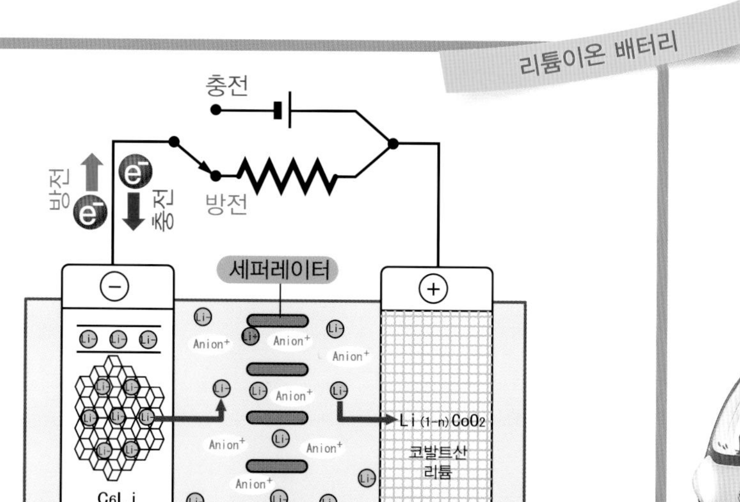

전기

전자   e$^-$ e$^-$ 전자

$-$ $+$

O$_2$ 공기
산소

전극
(연료)

전극
(공기)

4H$^+$

2H$_2$
수소   수소 확산   2H$_2$O
물

연료극
(애노드:anode)

고체고분자
전해질

공기극
(캐소드:cathode)

열

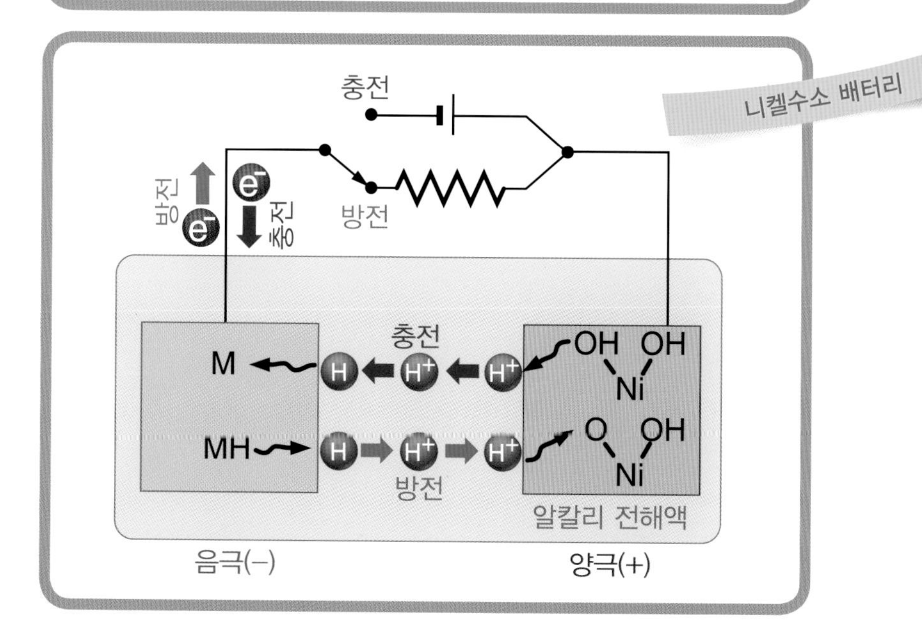

충전

방전

방전

충전

충전

M ← H ← H$^+$ ← H$^+$ OH   OH
                                          Ni

MH → H → H$^+$ → H$^+$ O   OH
                                          Ni
방전

알칼리 전해액

음극($-$)   양극($+$)

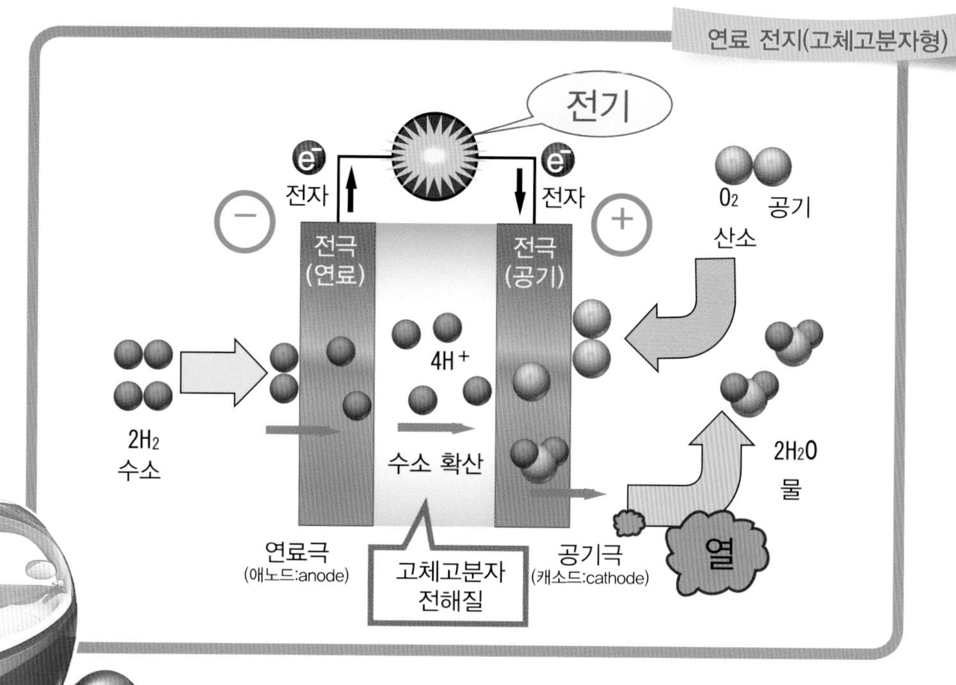

전자가 동판쪽으로
이동한다.
2

동판($+$)극   아연판($-$)극

전자

수소이온이 전자를
받는다.
3

1   아연판에서 전자가
     발생한다.

수소가스

수소이온

아연이온

묽은황산
(전해액)

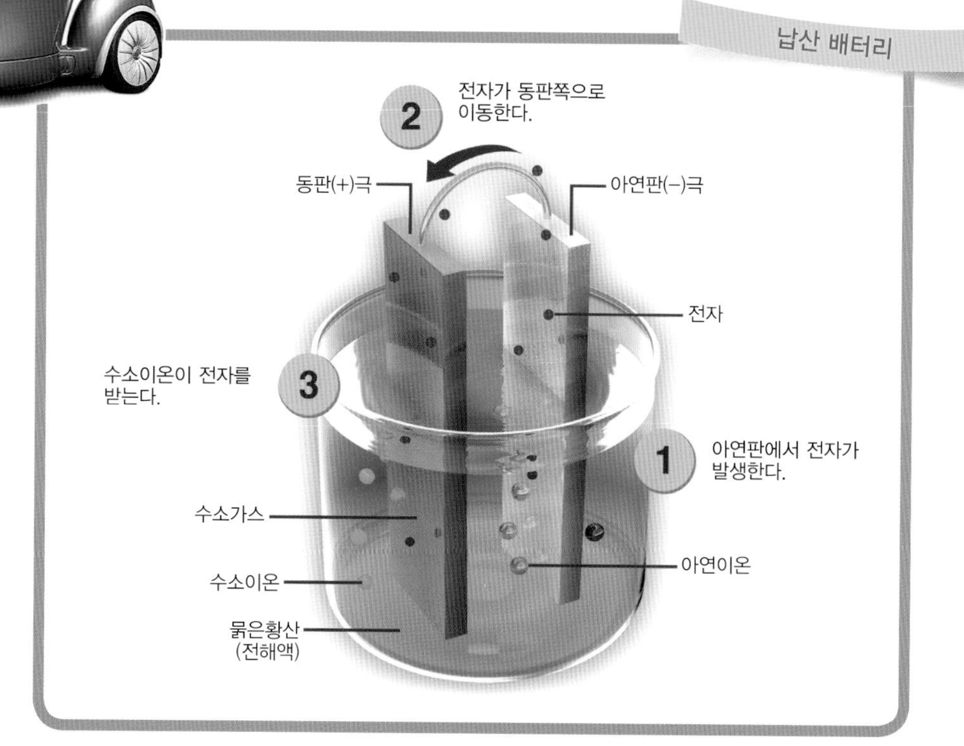

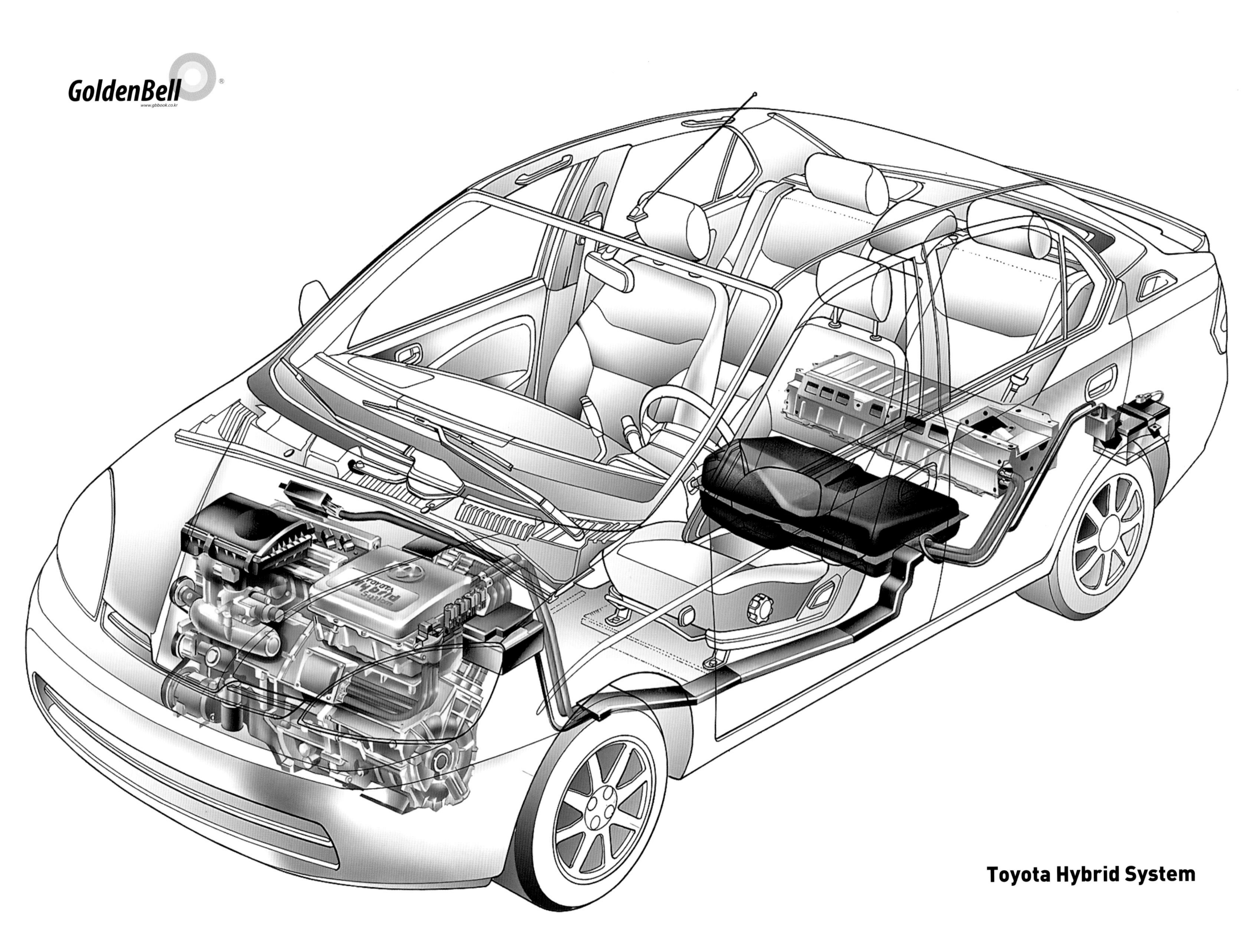

Toyota Hybrid System

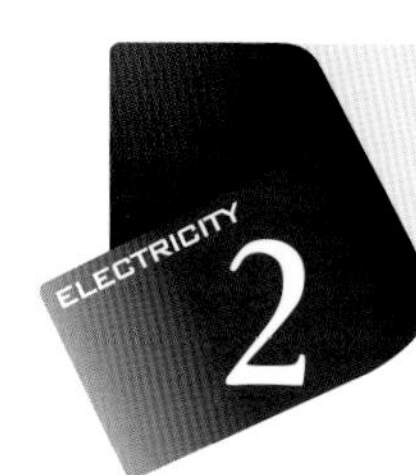

전기 자동차용 리튬이온 배터리

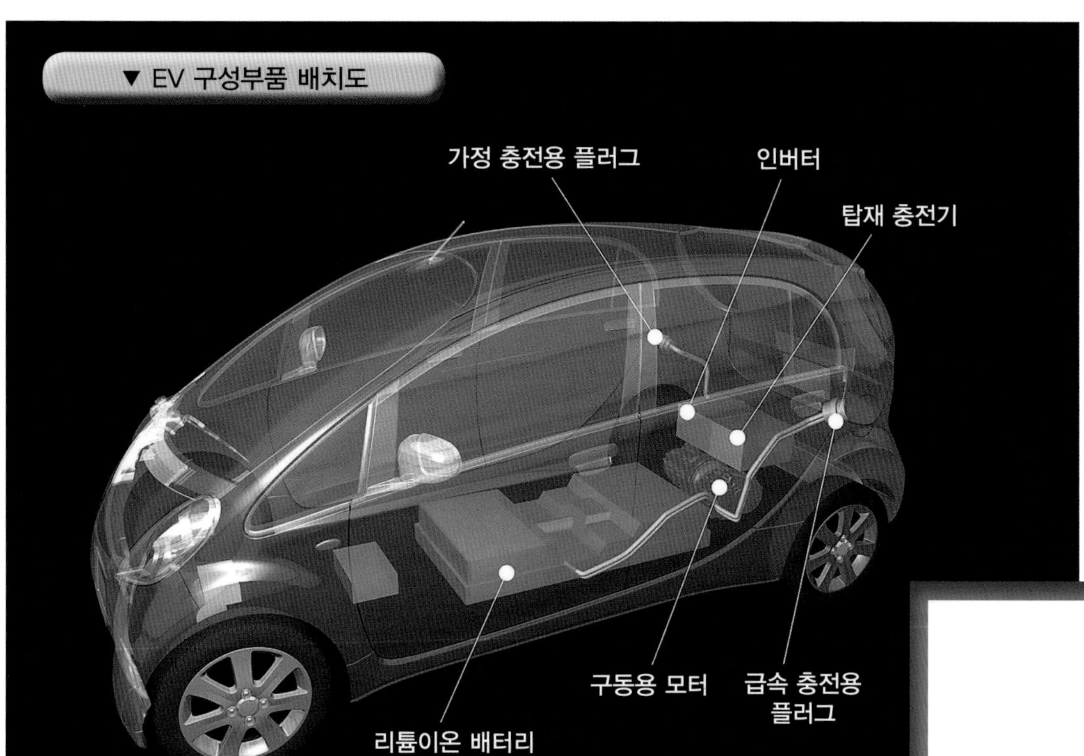

▼ EV 구성부품 배치도

가정 충전용 플러그
인버터
탑재 충전기
구동용 모터
급속 충전용 플러그
리튬이온 배터리

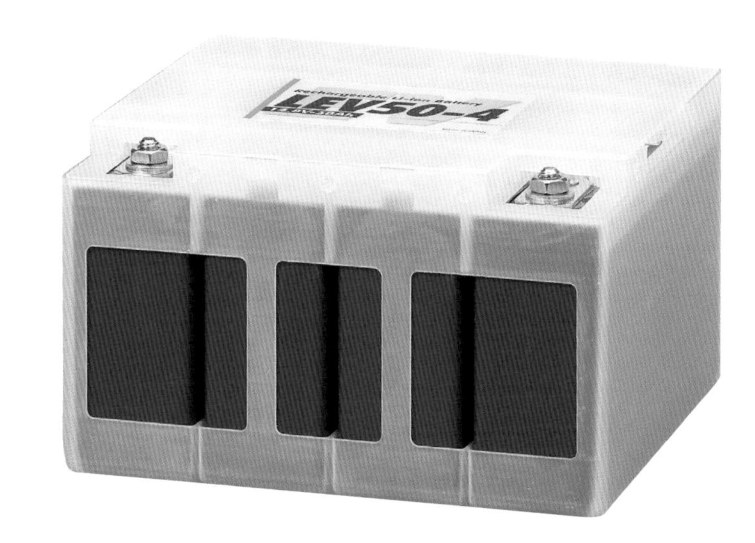

▲LEV50-4

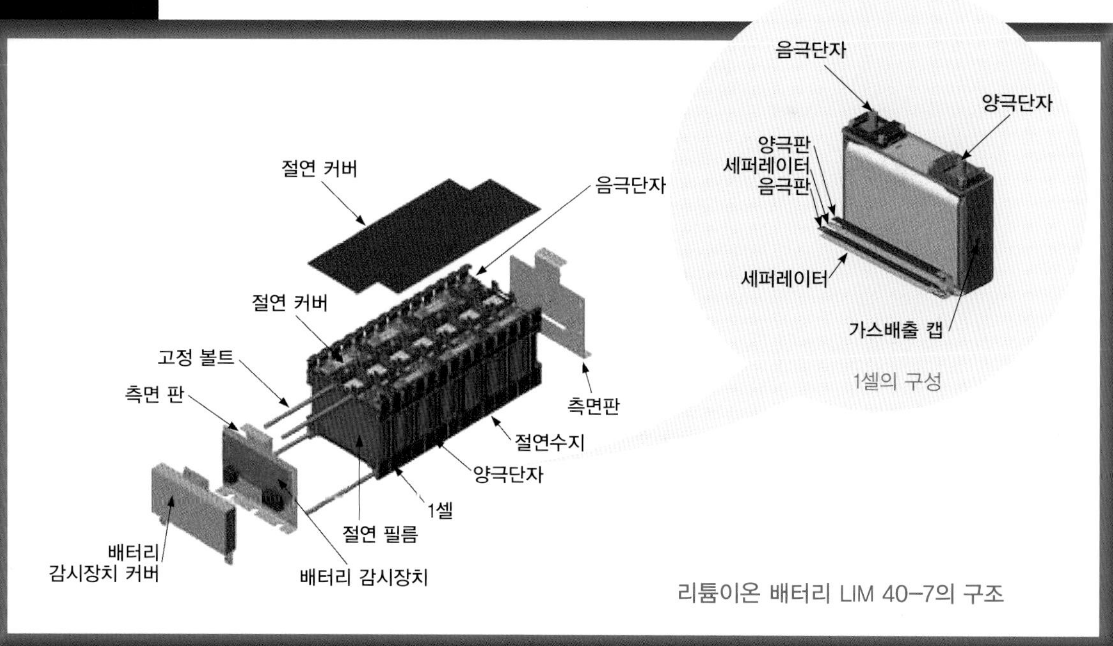

▲LEV50

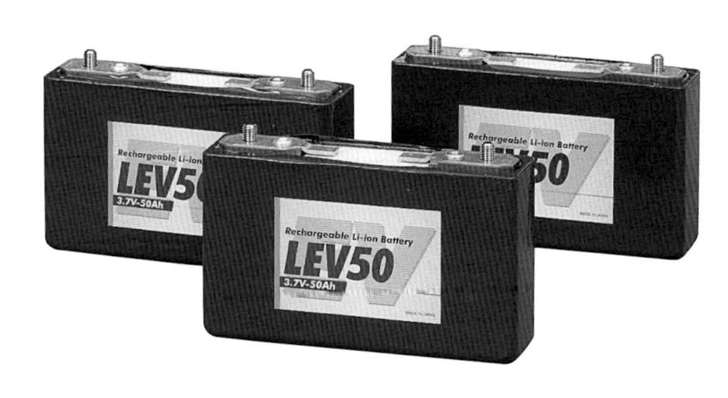

절연 커버
음극단자
절연 커버
고정 볼트
측면 판
측면판
절연수지
양극단자
1셀
배터리 감시장치 커버
절연 필름
배터리 감시장치

음극단자
양극단자
양극판
세퍼레이터
음극판
세퍼레이터
가스배출 캡

1셀의 구성

리튬이온 배터리 LIM 40-7의 구조

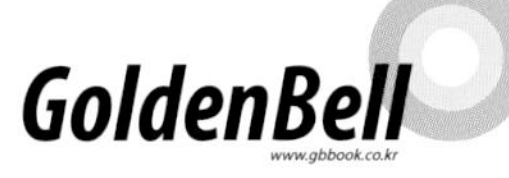

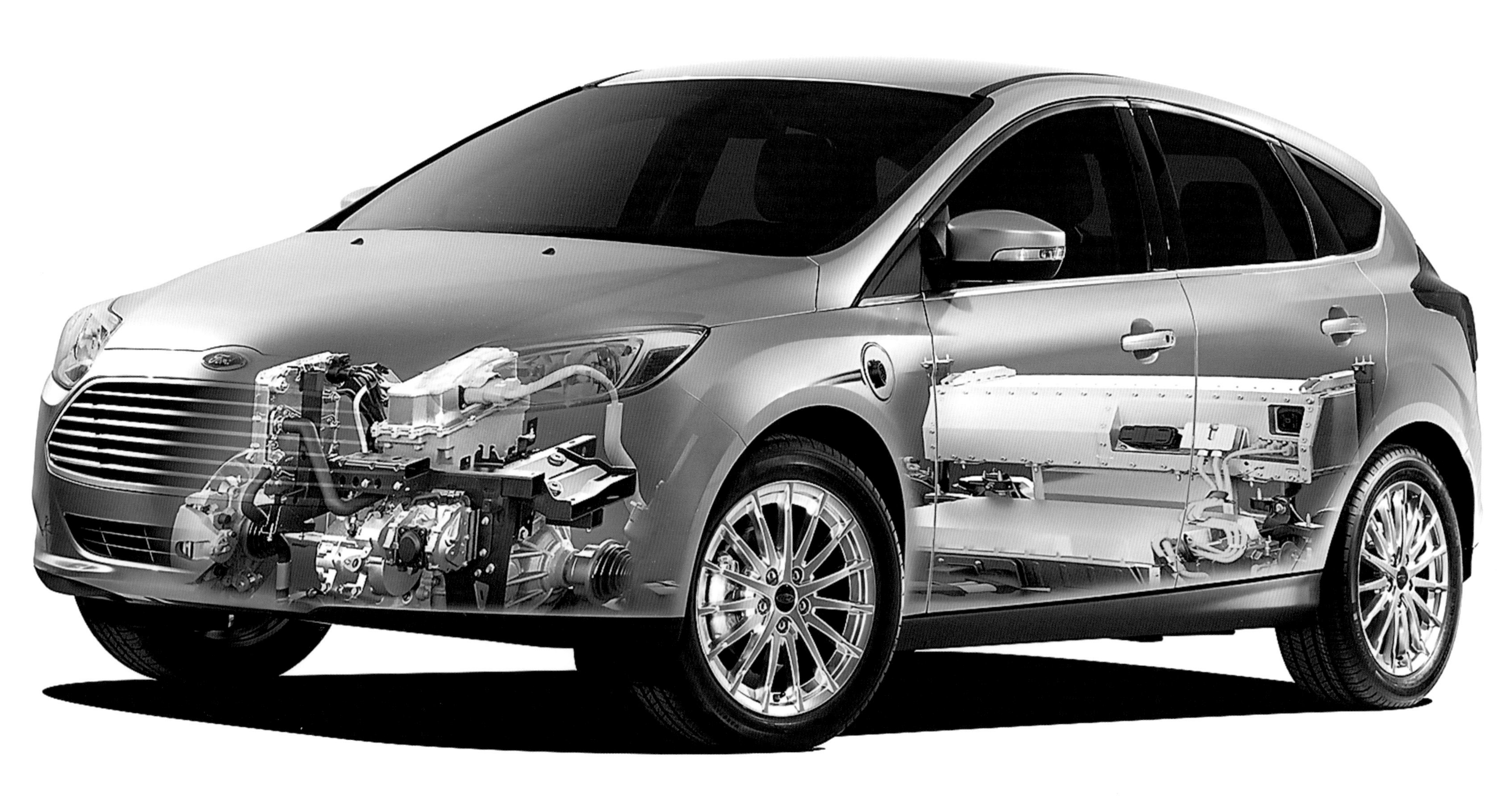

니켈 수소 배터리

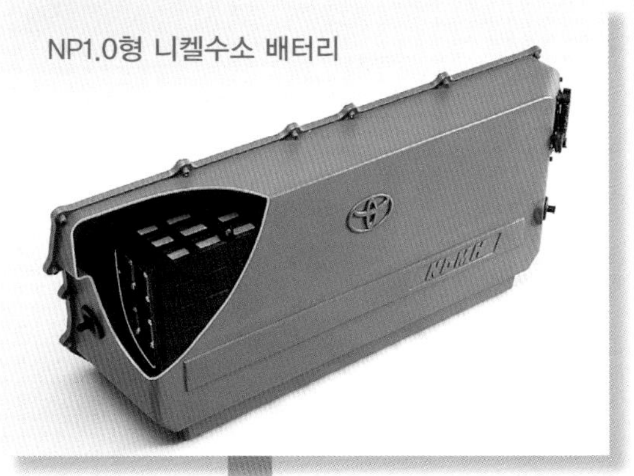

NP1.0형 니켈수소 배터리

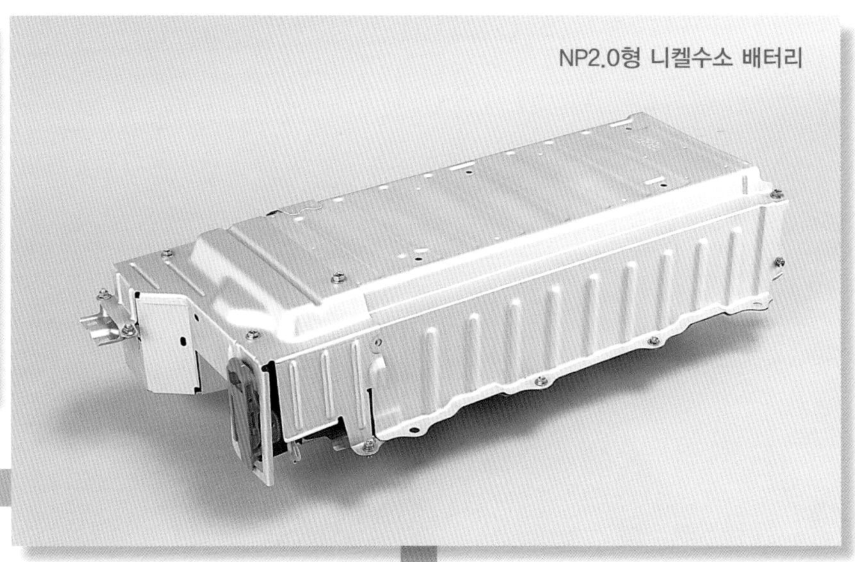

NP2.0형 니켈수소 배터리

니켈수소 배터리 기본 원리

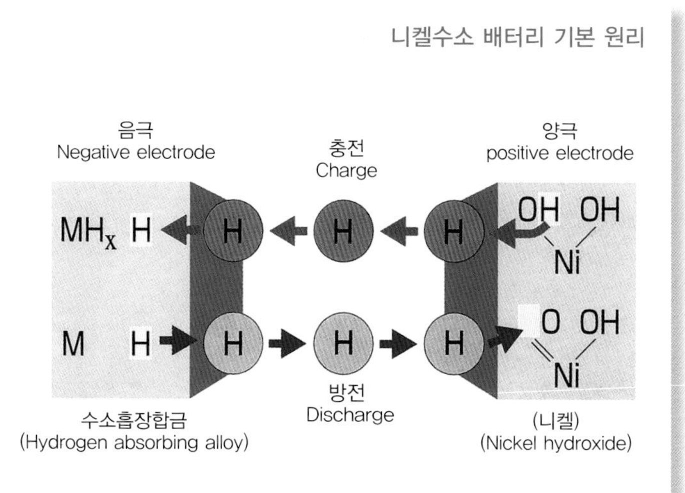

음극 Negative electrode	충전 Charge	양극 positive electrode
MH_X H ← H ← H ← H ←		OH OH Ni
M H → H → H → H →		O OH Ni
수소흡장합금 (Hydrogen absorbing alloy)	방전 Discharge	(니켈) (Nickel hydroxide)

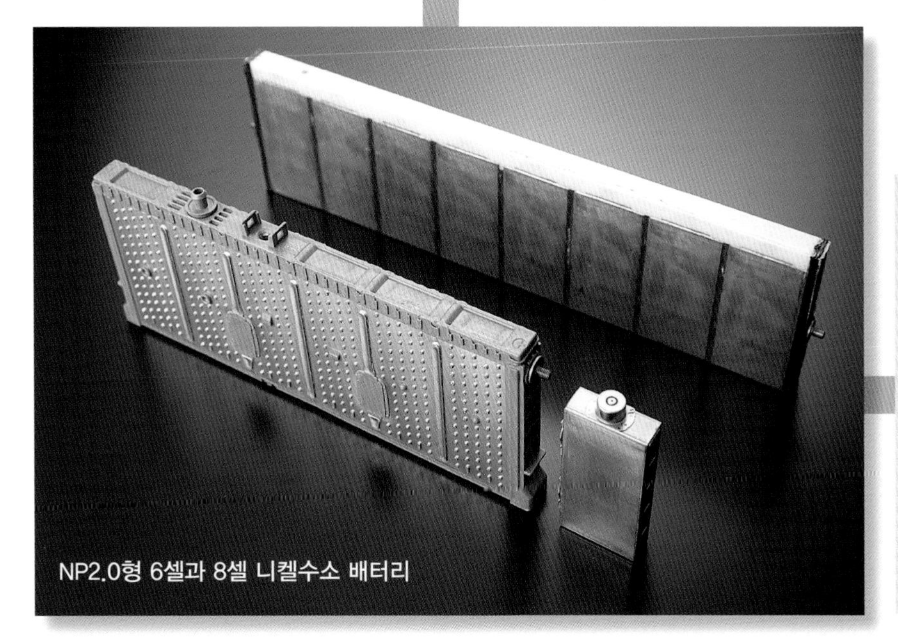

NP2.0형 6셀과 8셀 니켈수소 배터리

전지 셀의 내부

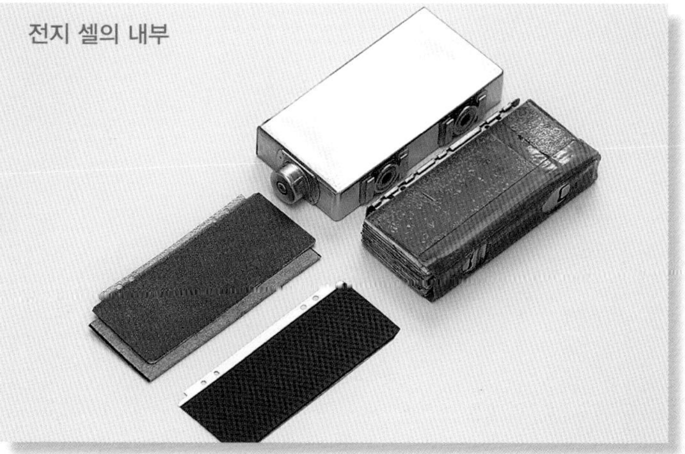

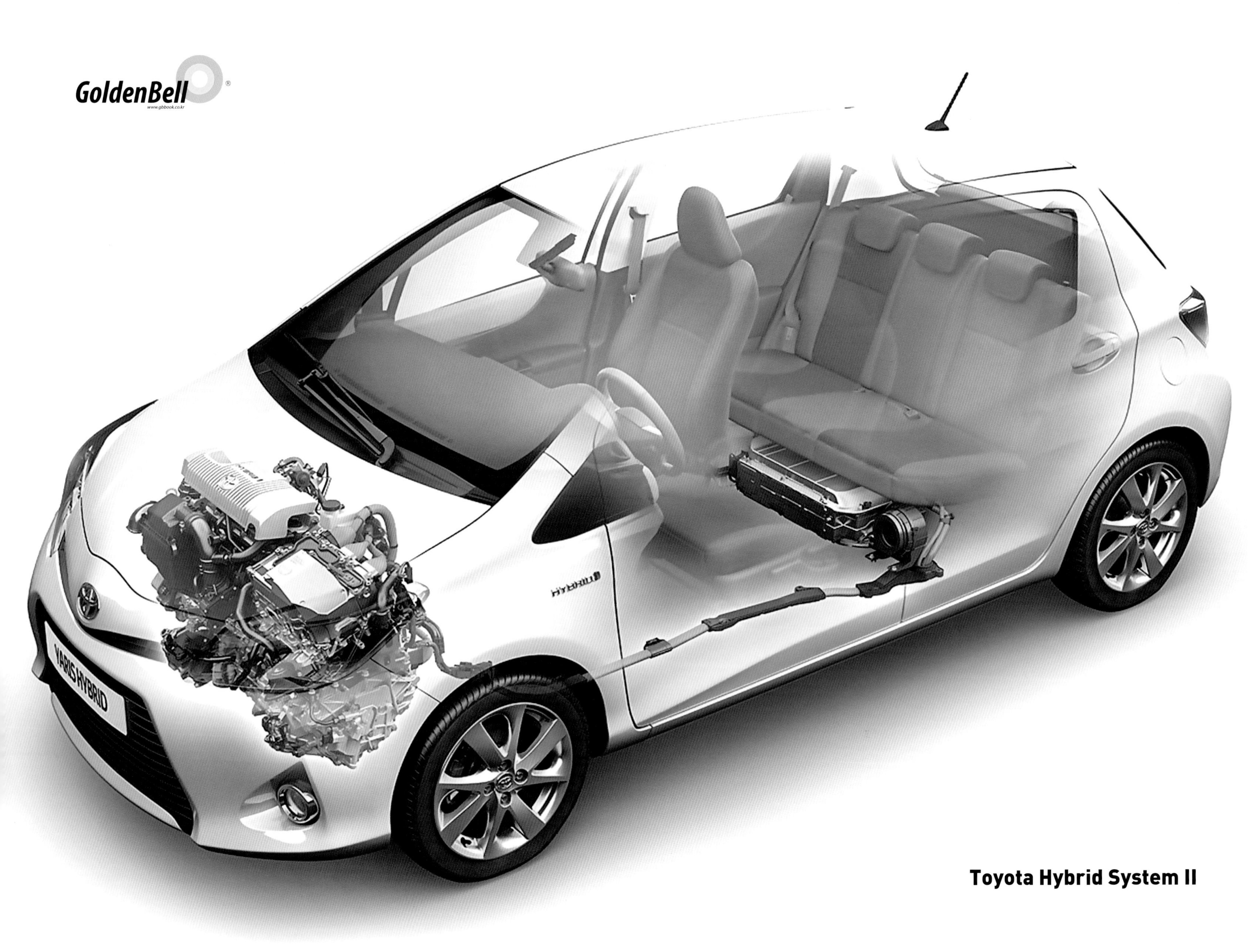

Toyota Hybrid System II

연료 전지 자동차

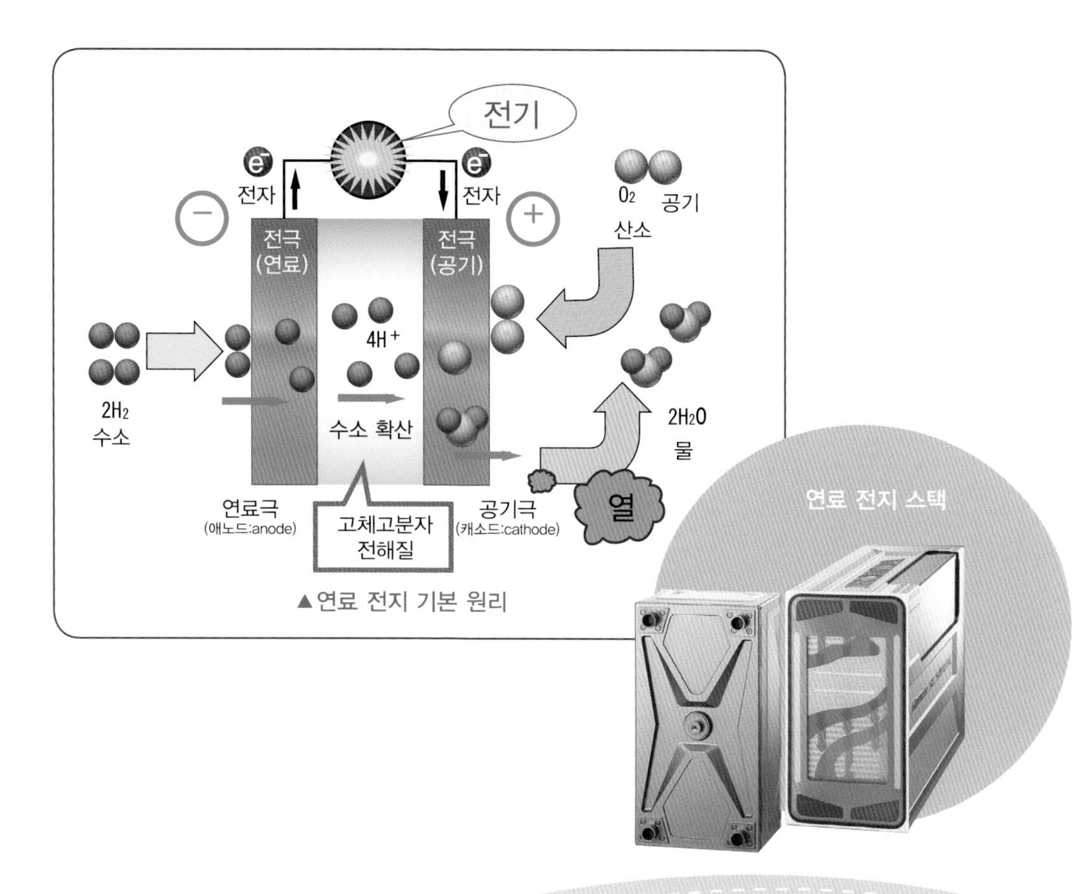

▼ 연료 전지 자동차 구조

파워 일렉트로닉스

모터

배터리

고압 수소 탱크

연료 전지 스택

연료 전지 에어 모듈

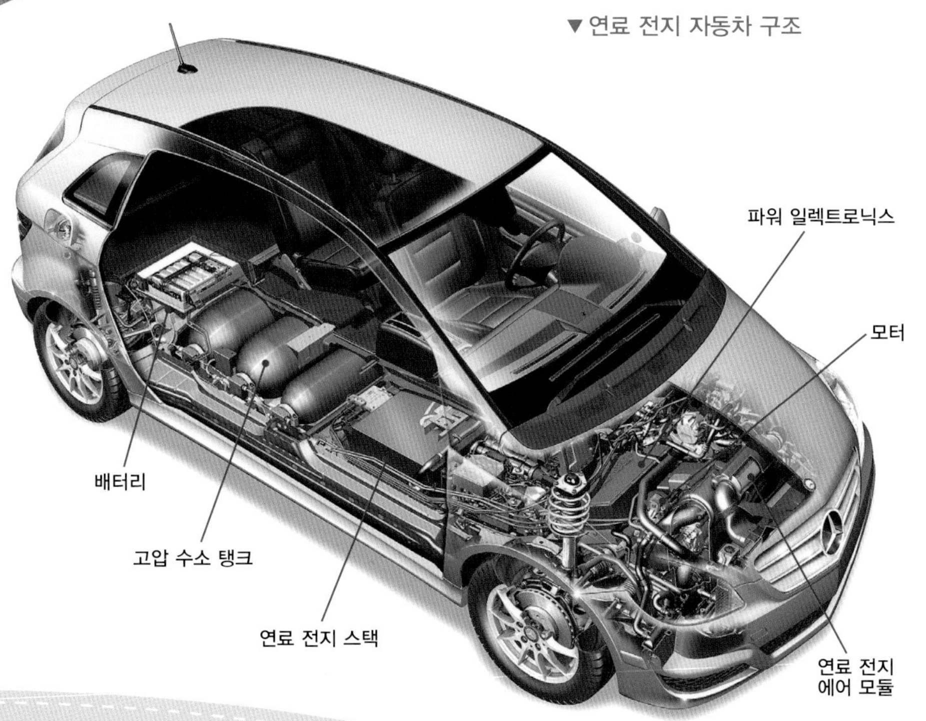

전기

e⁻ 전자   e⁻ 전자

O_2 공기
산소

$2H_2$
수소

전극 (연료) $4H^+$ 전극 (공기)

수소 확산

$2H_2O$
물

열

연료극 (애노드:anode)

고체고분자 전해질

공기극 (캐소드:cathode)

▲연료 전지 기본 원리

연료 전지 스택

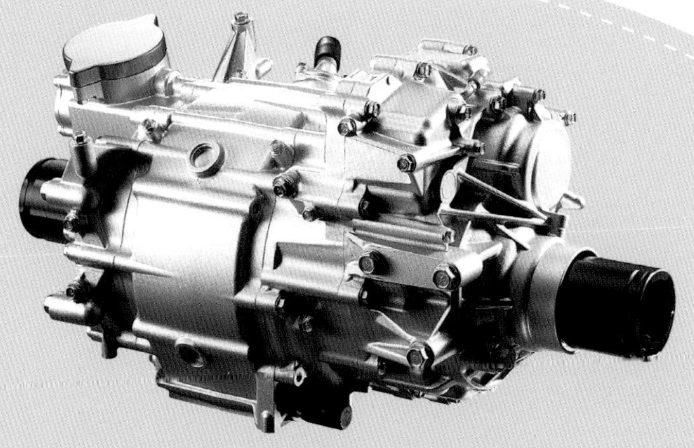

교류 동기형 구동용 모터

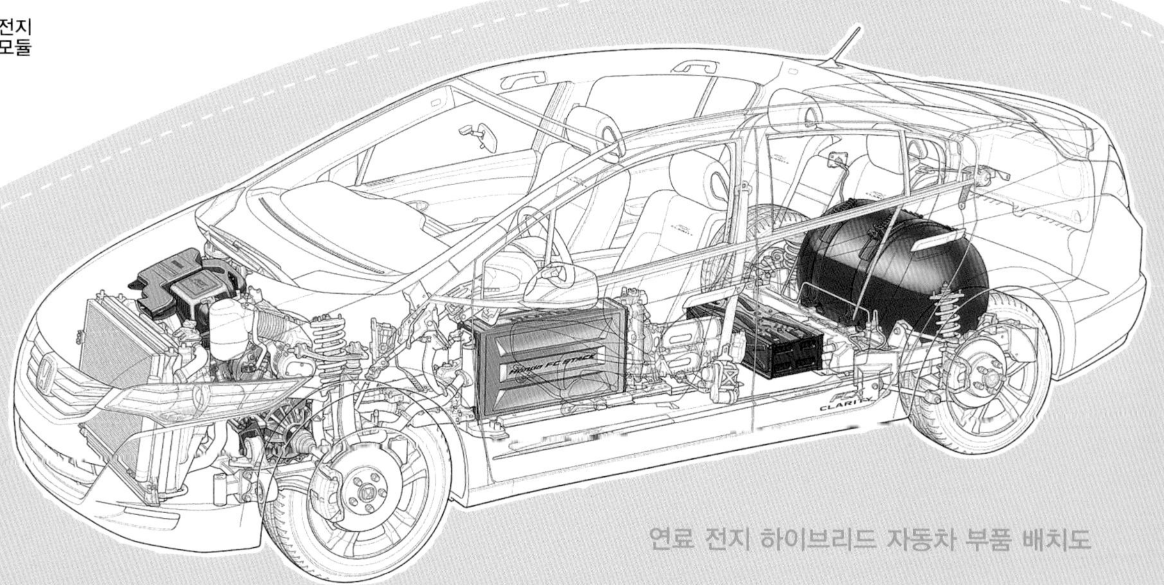

연료 전지 하이브리드 자동차 부품 배치도

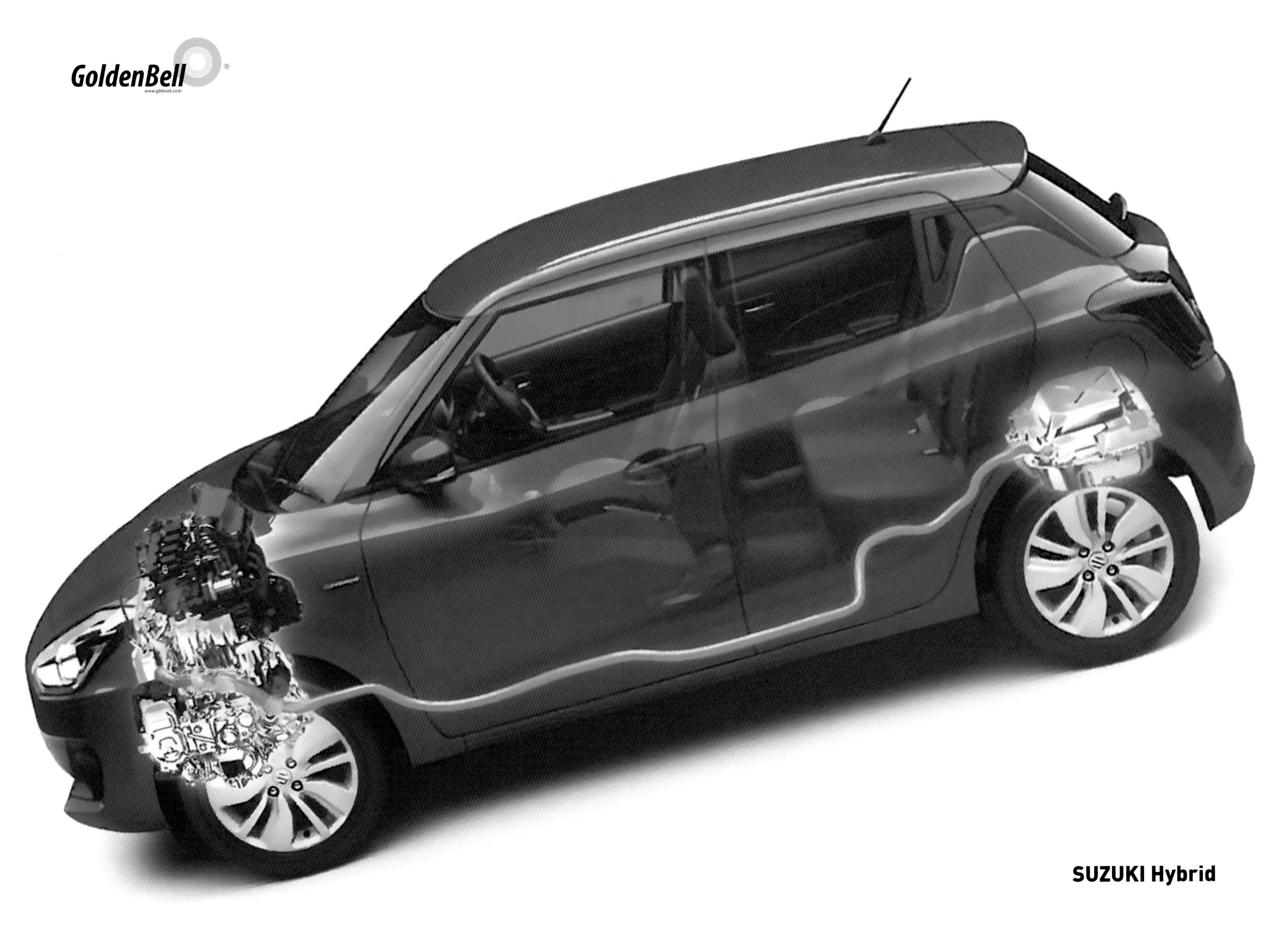

전기 자동차의 구조

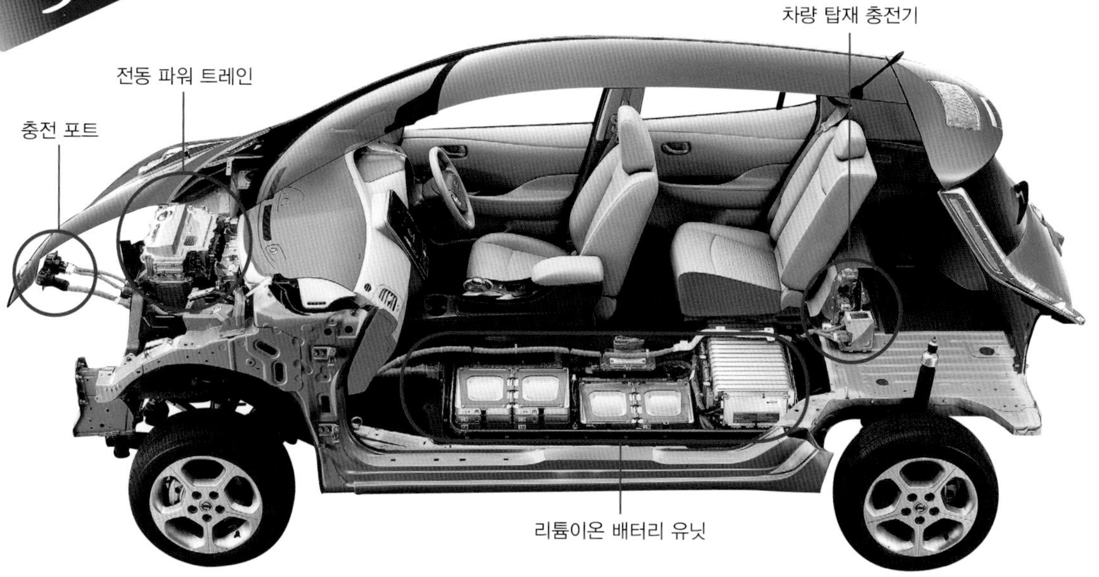

충전 포트

전동 파워 트레인

차량 탑재 충전기

리튬이온 배터리 유닛

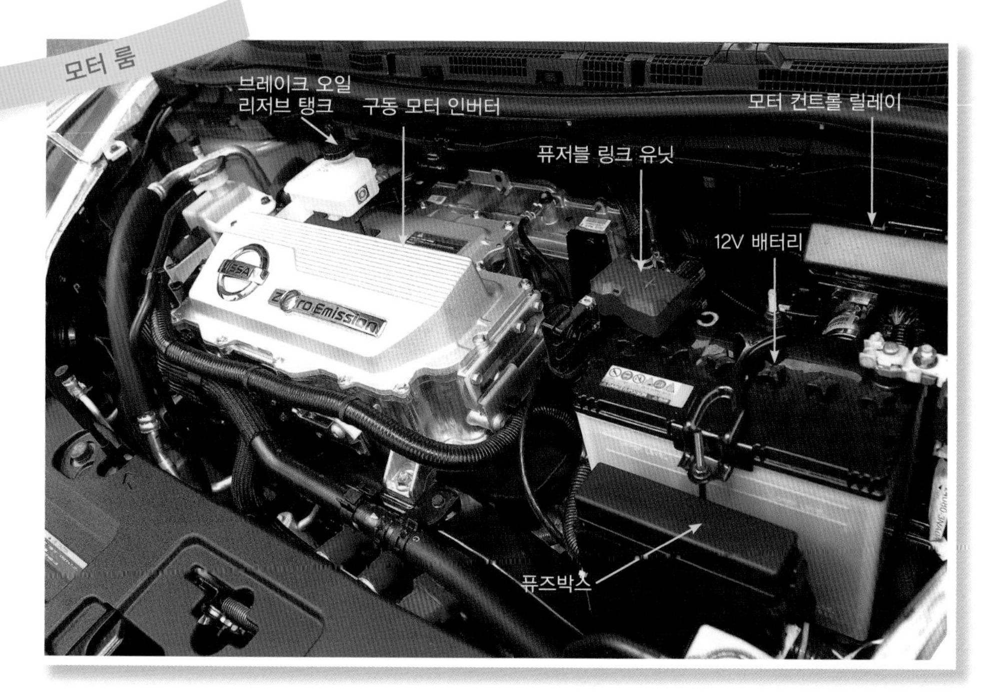

급속 충전용 포트

보통 충전용 포트

▲충전포트

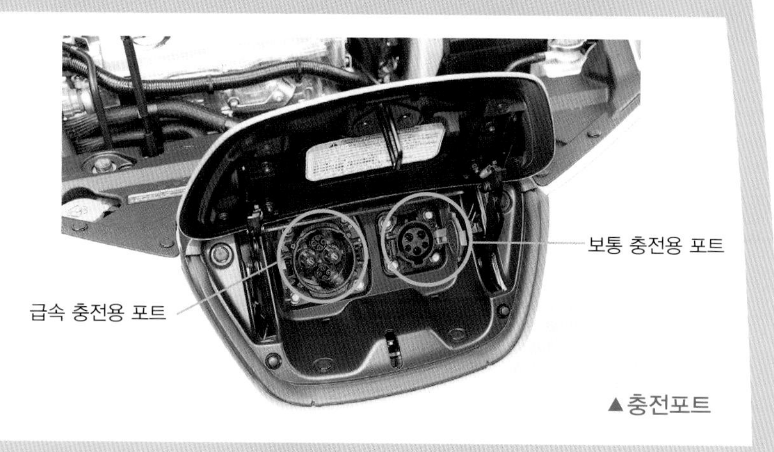

모터 룸

브레이크 오일
리저브 탱크

구동 모터 인버터

퓨저블 링크 유닛

모터 컨트롤 릴레이

12V 배터리

퓨즈박스

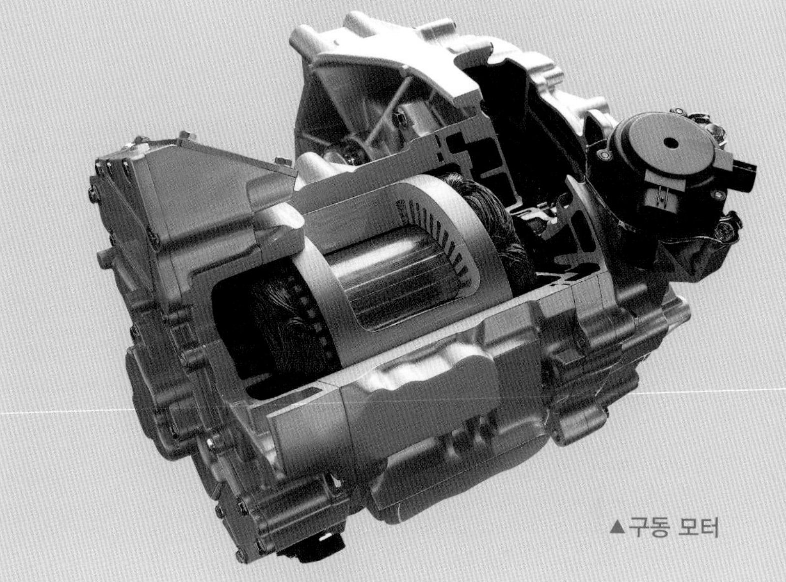

▲구동 모터

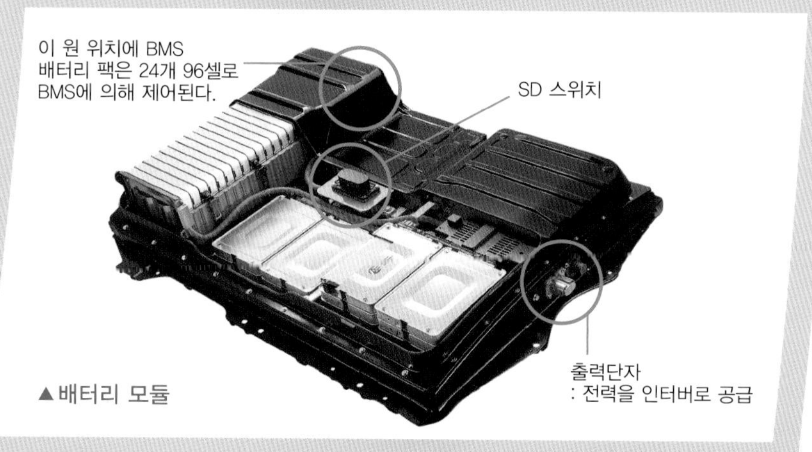

이 원 위치에 BMS
배터리 팩은 24개 96셀로
BMS에 의해 제어된다.

SD 스위치

출력단자
: 전력을 인터버로 공급

▲배터리 모듈

MAZDA i - ELOOP System

DC/DC 컨버터

12V 납 배터리

전기 2중층 캐패시터

가속 전환시 회생 발전기

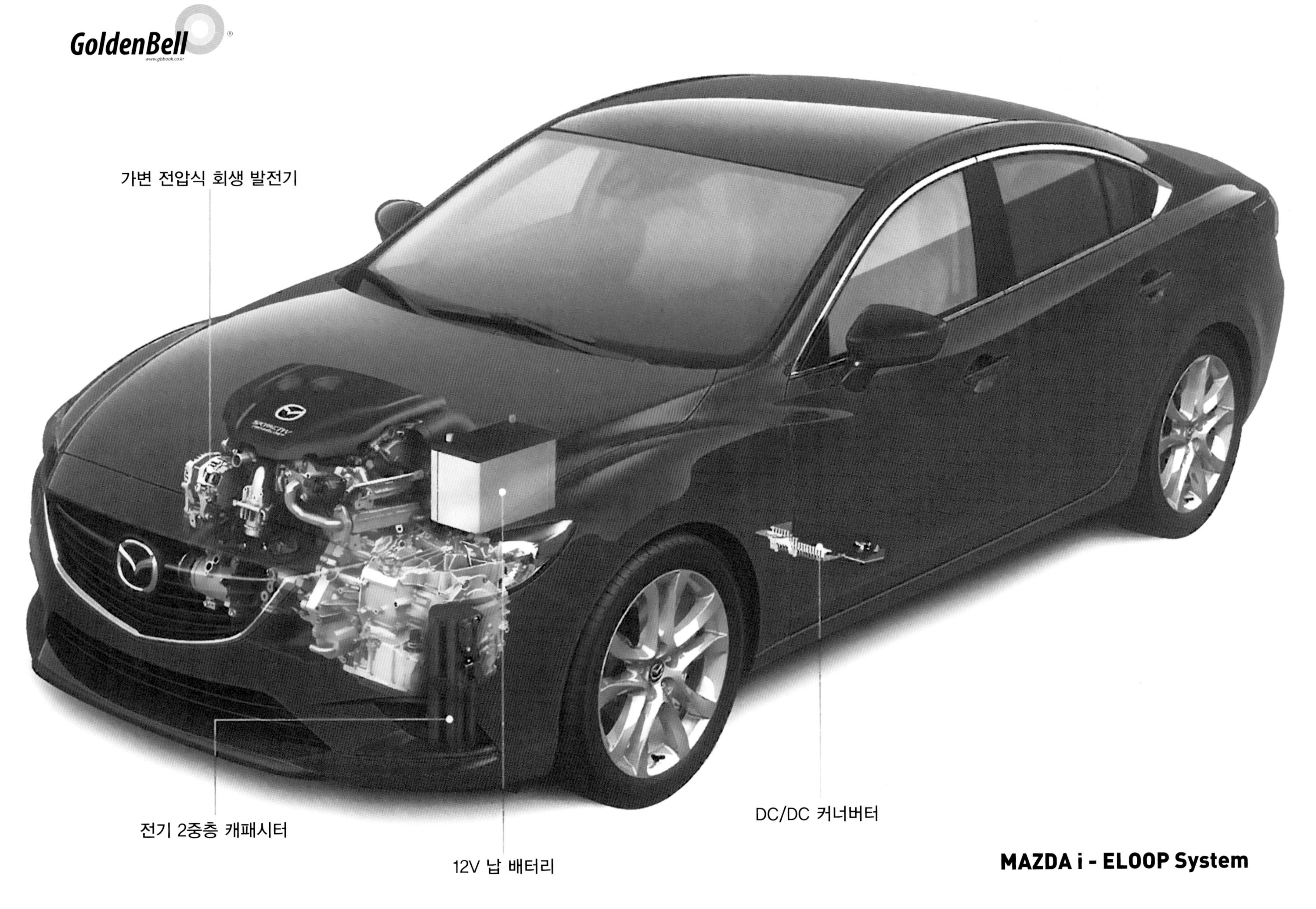

Goldenbell
www.gbbook.co.kr

하이브리드 시스템

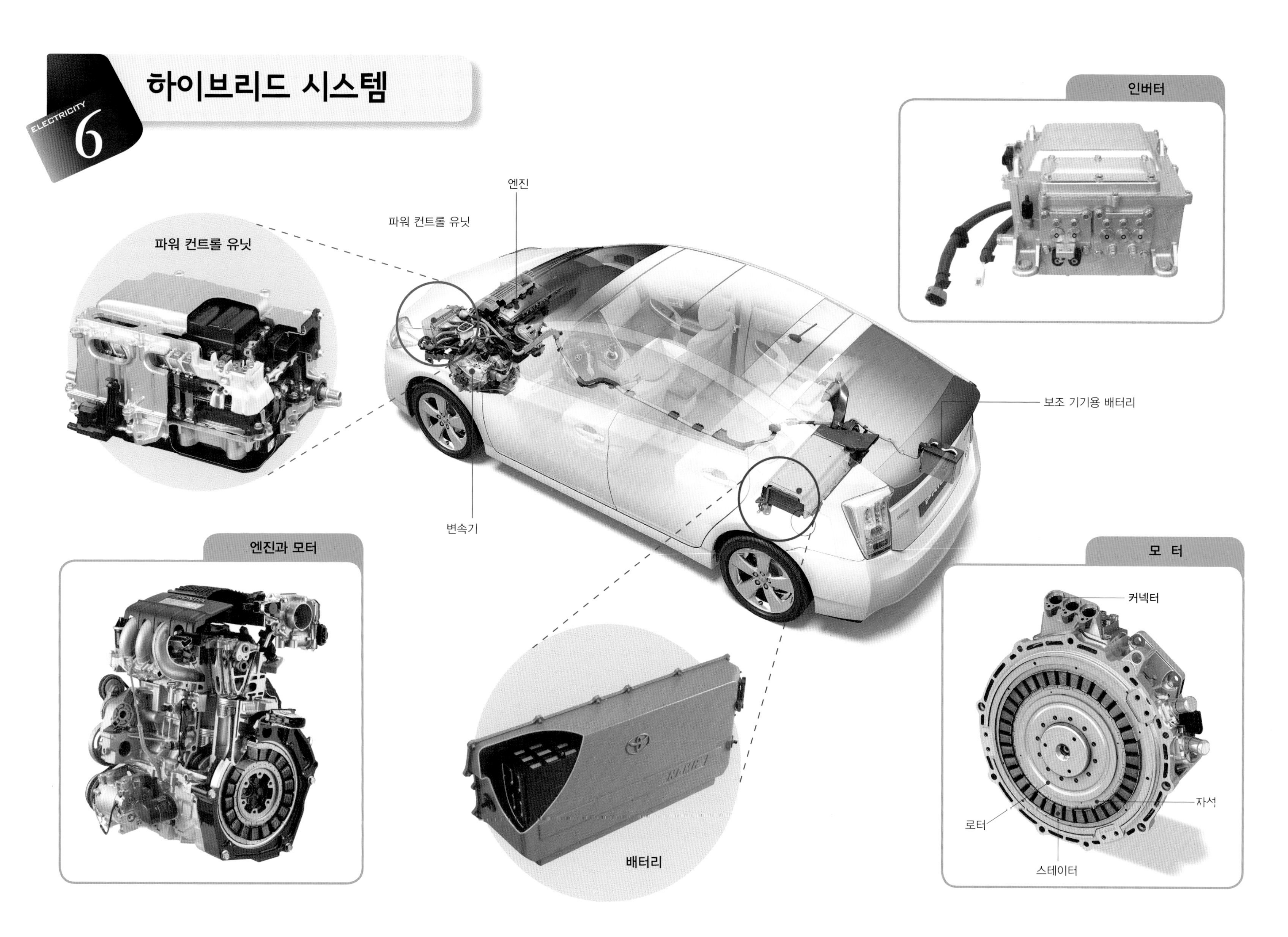

인버터

파워 컨트롤 유닛

엔진

파워 컨트롤 유닛

변속기

보조 기기용 배터리

엔진과 모터

배터리

모 터

커넥터

로터

자석

스테이터

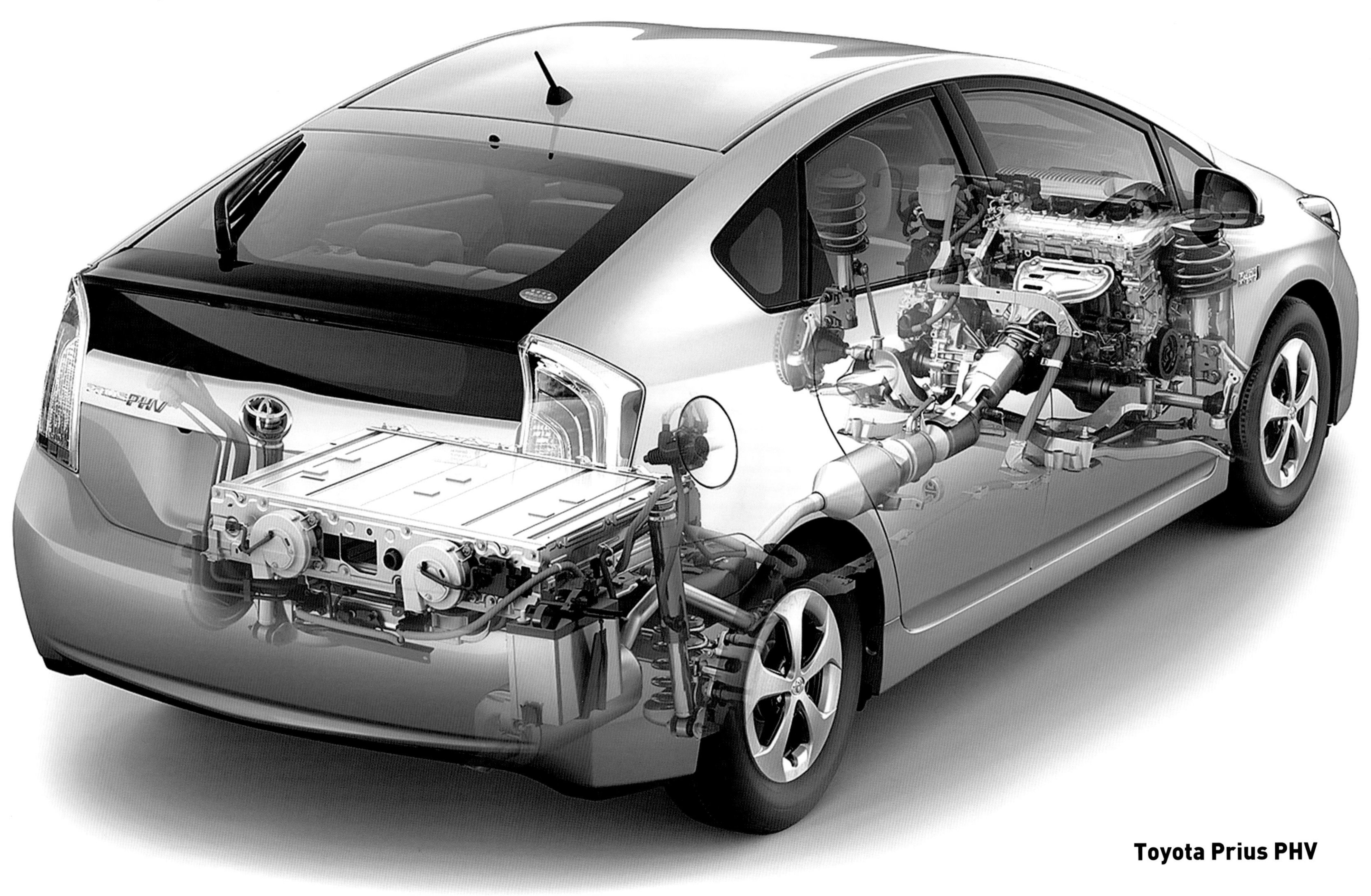

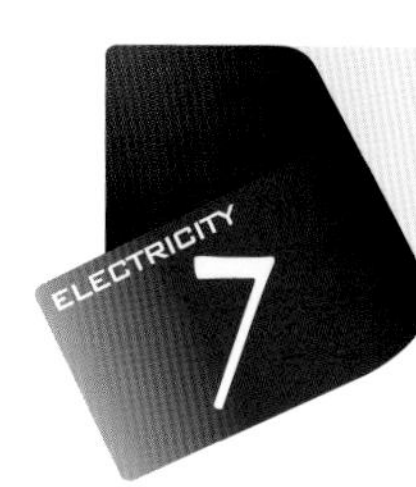
여러 가지의 하이브리드 시스템

직렬형(Series type) 하이브리드

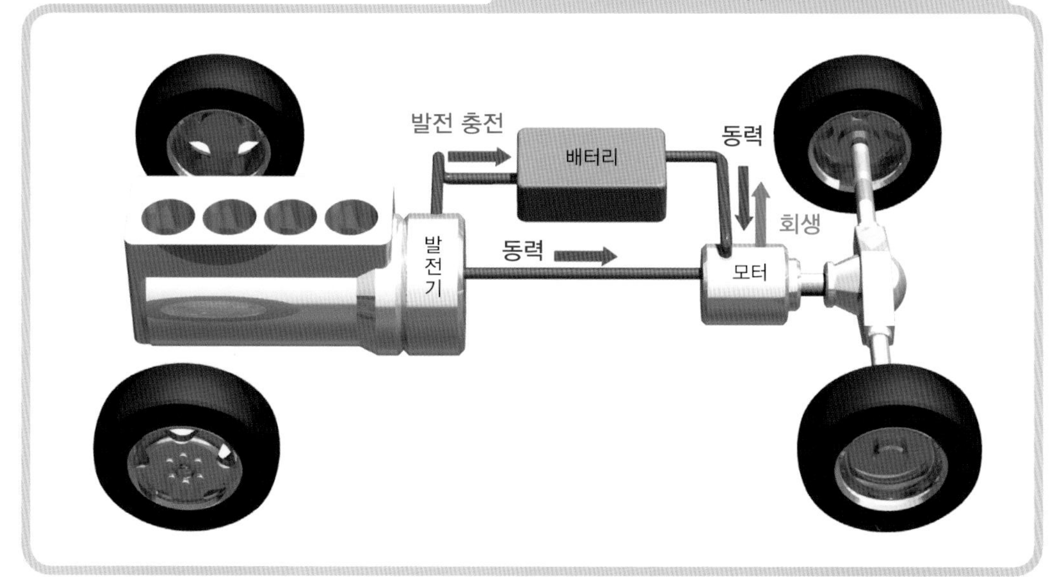

발전 충전
배터리
동력
발전기
동력
회생
모터

병렬형(Parallel type) 하이브리드

발전 충전
배터리
변속기
발전기
동력
회생
모터

복합형(Combined type) 하이브리드

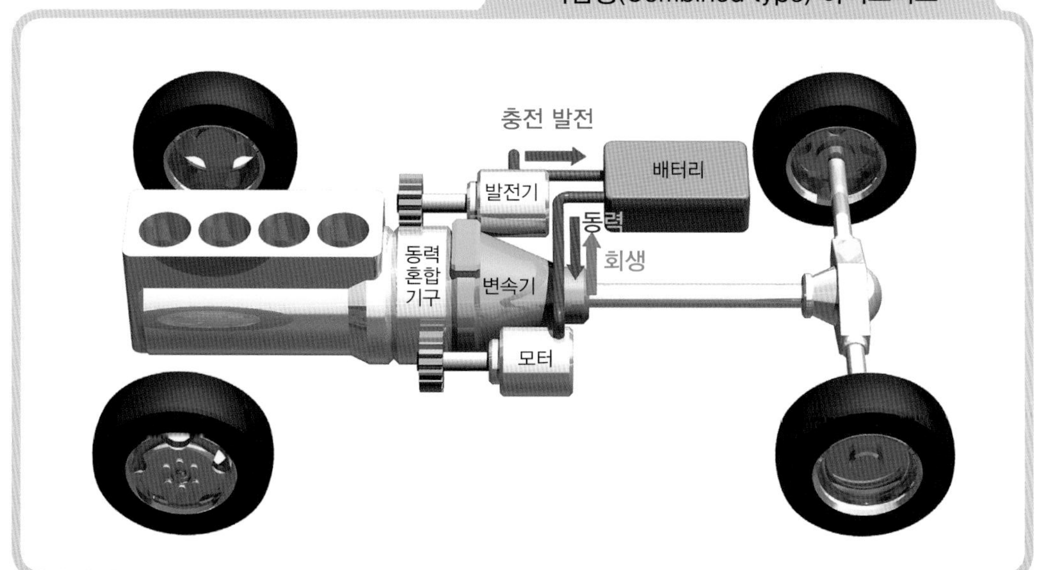

충전 발전
발전기
배터리
동력
동력혼합기구
변속기
회생
모터

모터 어시스트형(Motor Assist type) 하이브리드

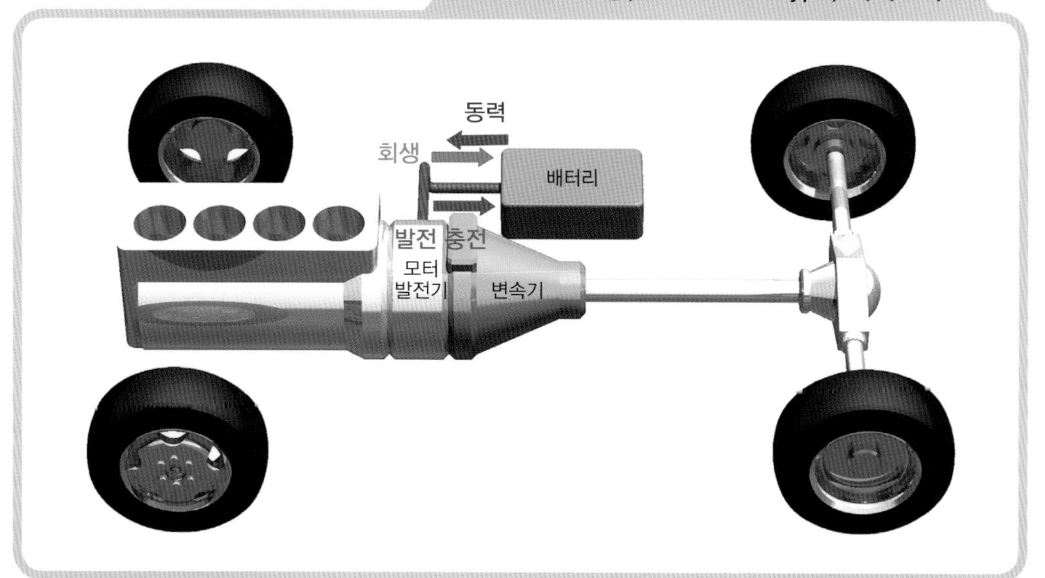

동력
회생
배터리
발전 충전
모터발전기
변속기

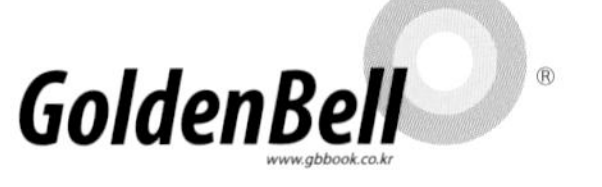

VALEO

48V 전동 과급기

48V 크랭크 이동 배터리

12V / 48V DC/DC 컨버터

12V 리튬 보조 배터리

12V 12V 시스템

AUDI iHEV

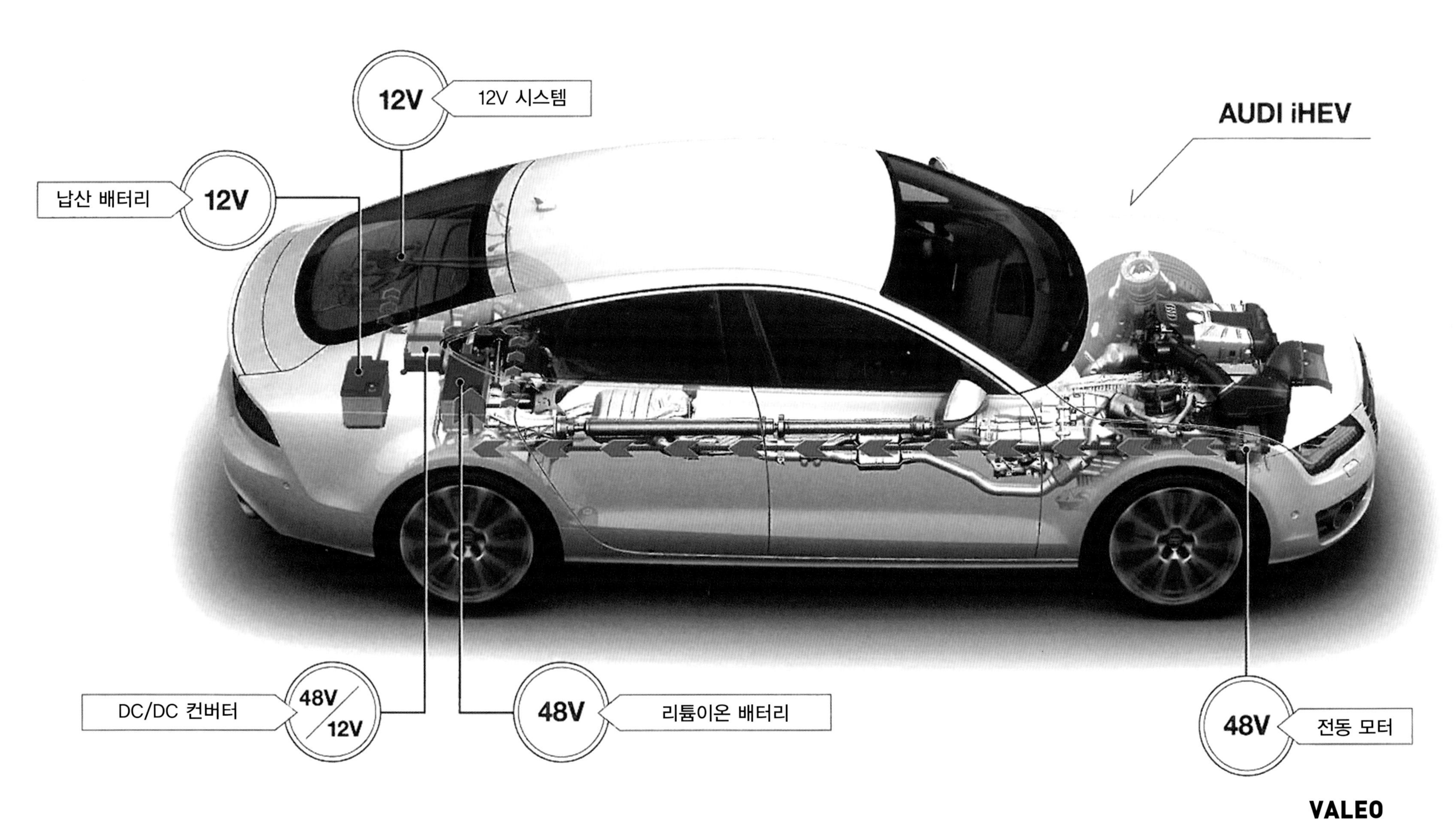

직렬형 하이브리드 동력 조합기구

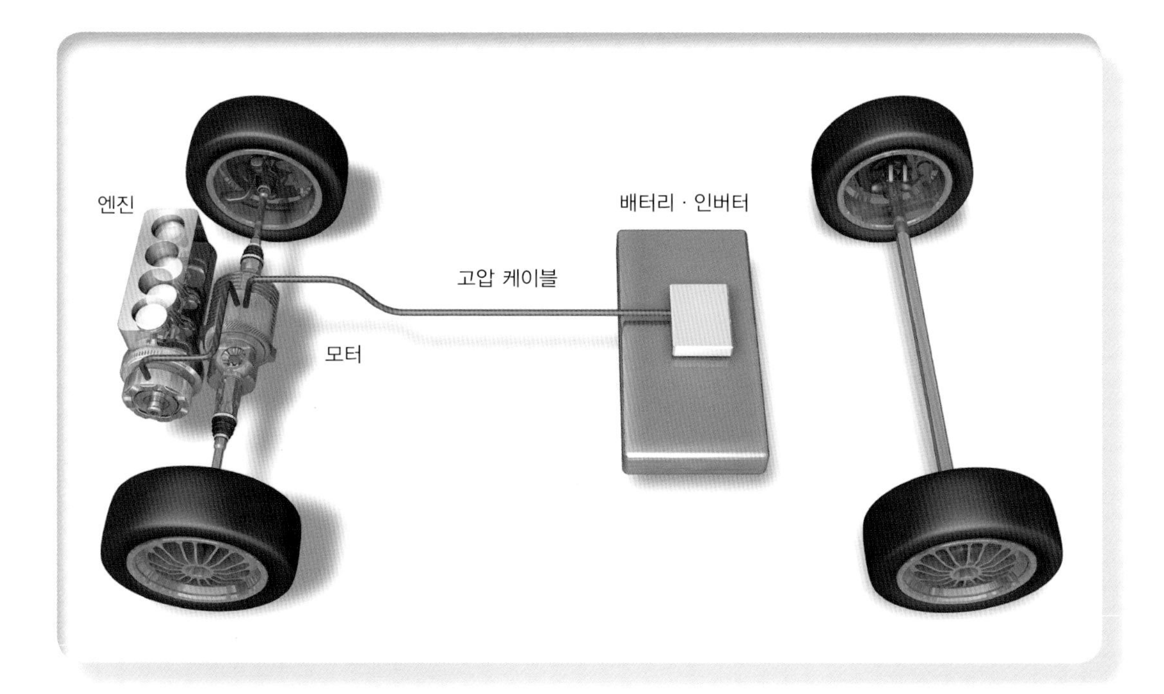

엔진
배터리 · 인버터
고압 케이블
모터

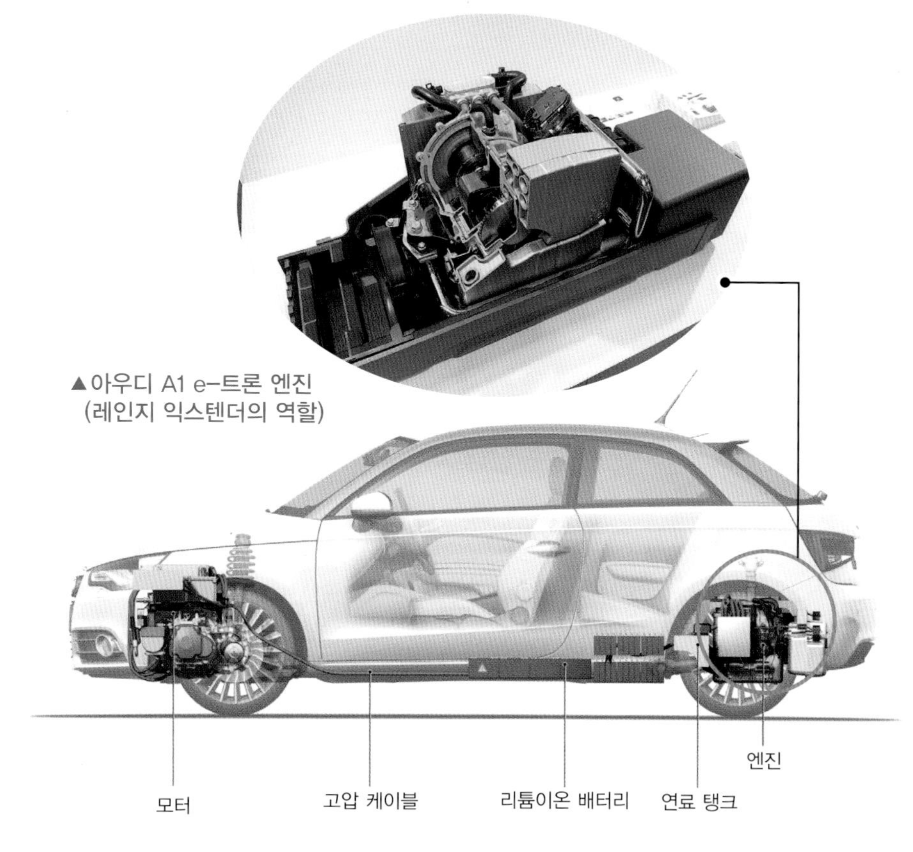

▲아우디 A1 e-트론 엔진
(레인지 익스텐더의 역할)

모터　　　고압 케이블　　　리튬이온 배터리　　연료 탱크　　엔진

▲아우디 A1 e-트론 부품 배치도

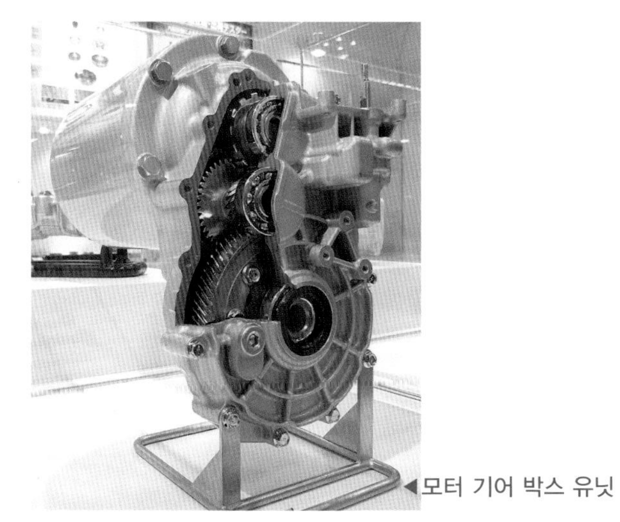

▲모터 기어 박스 유닛

엔진
발전기
모터
인버터
구동용 배터리
충전기

▲스즈키 스위프트 EV 하이브리드 배치도

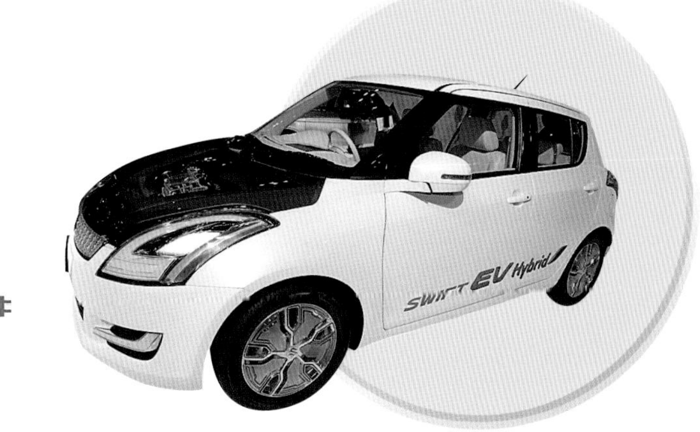

▲스즈키 스위프트 EV 하이브리드

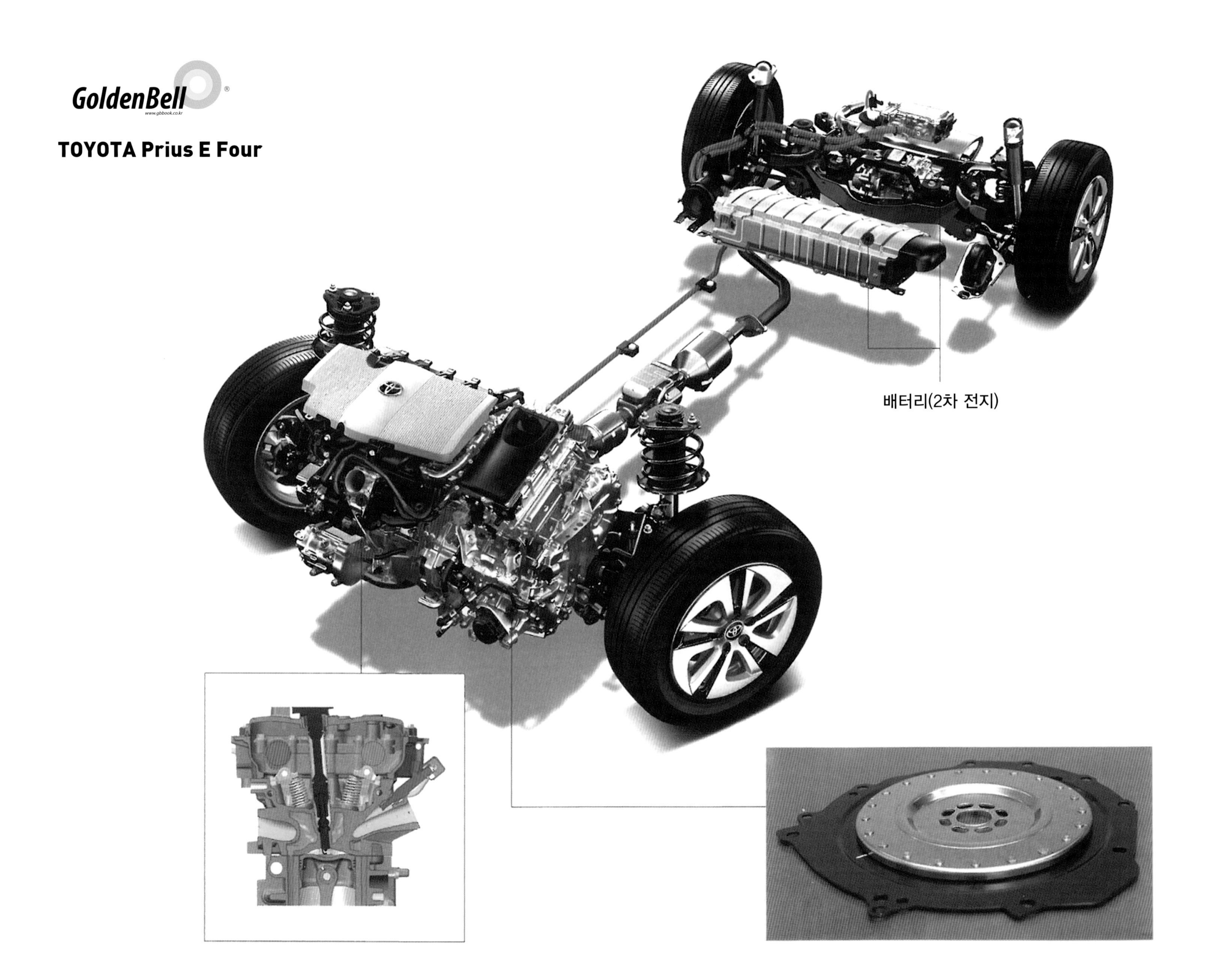

배터리(2차 전지)

TOYOTA Prius E Four

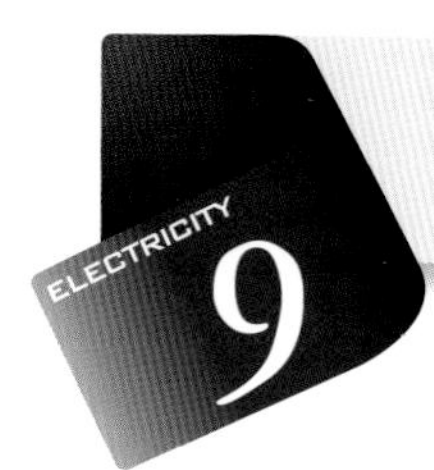

병렬형 하이브리드 동력 조합기구

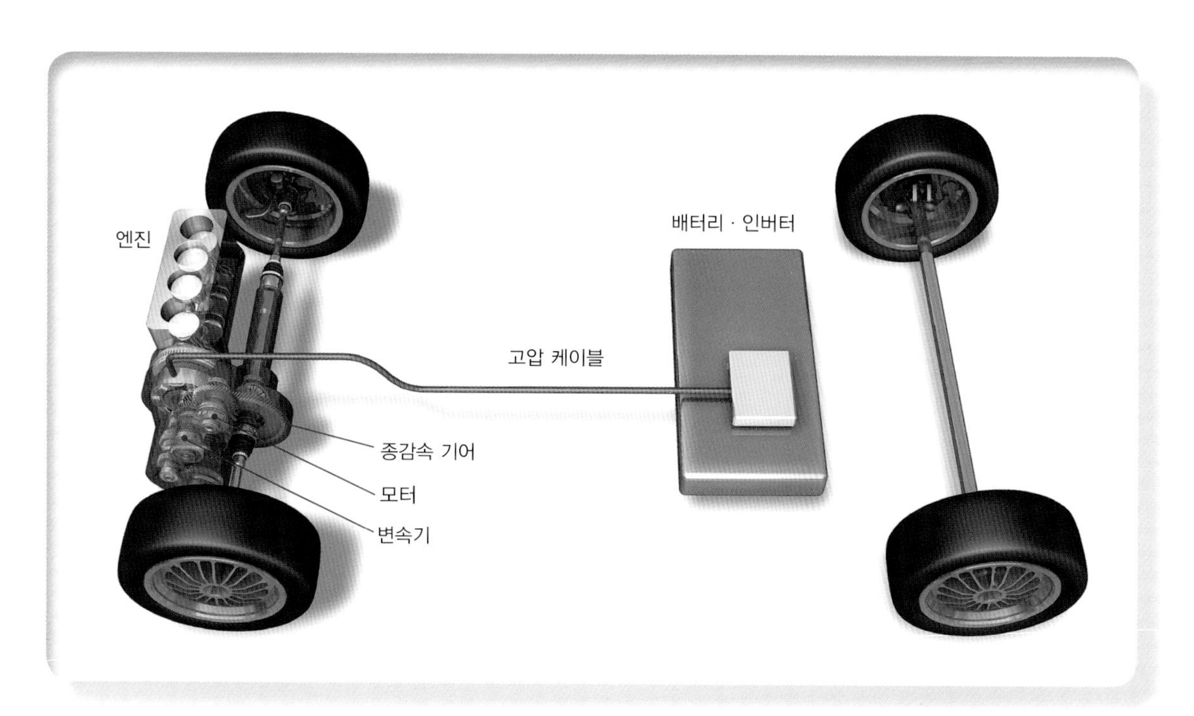

엔진

배터리 · 인버터

고압 케이블

종감속 기어

모터

변속기

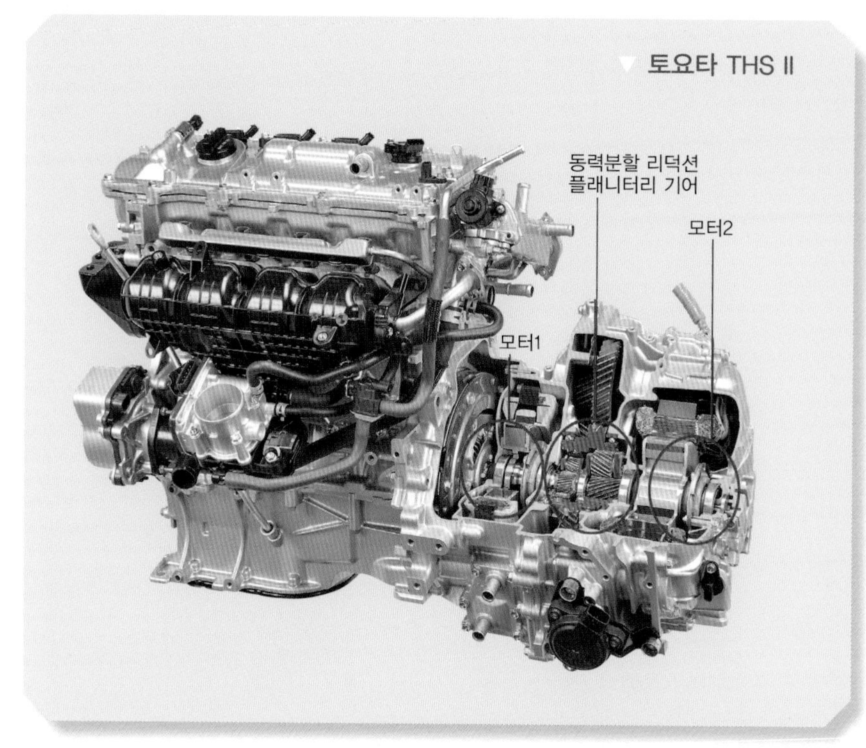

▼ 토요타 THS Ⅱ

동력분할 리덕션
플래니터리 기어

모터2

모터1

▼ GM / DCX /BMW 2모드 하이브리드

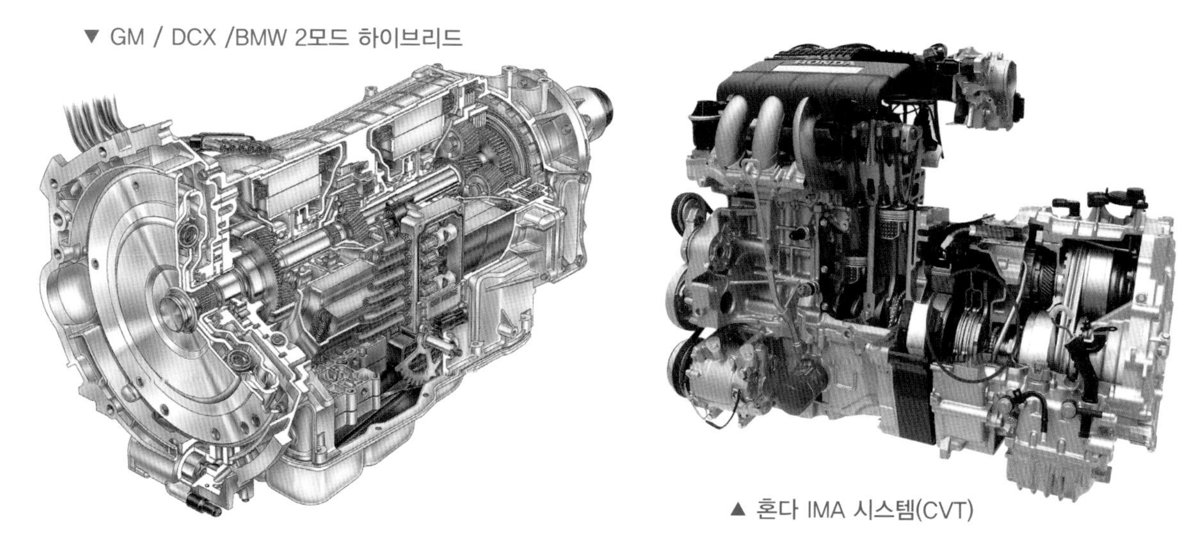

▲ 혼다 IMA 시스템(CVT)

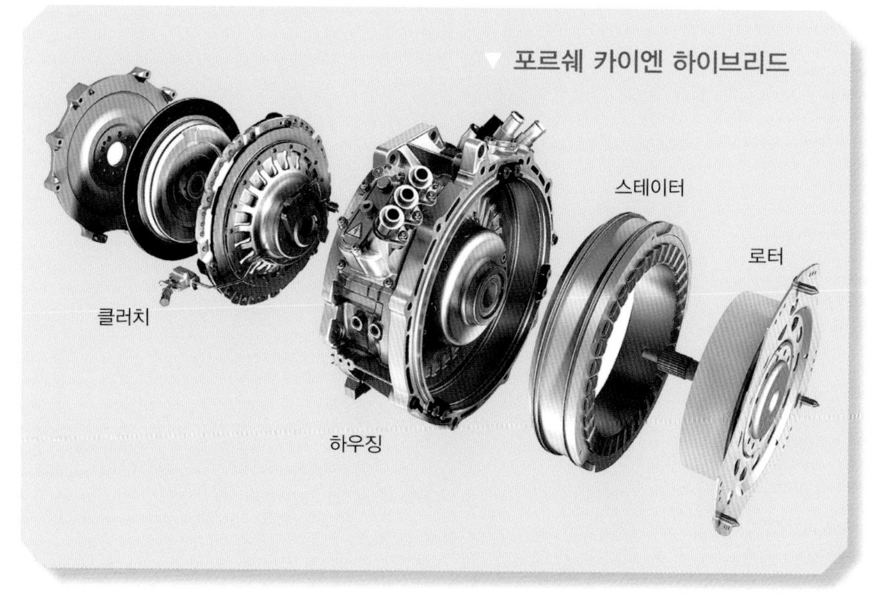

▼ 포르쉐 카이엔 하이브리드

스테이터

로터

클러치

하우징

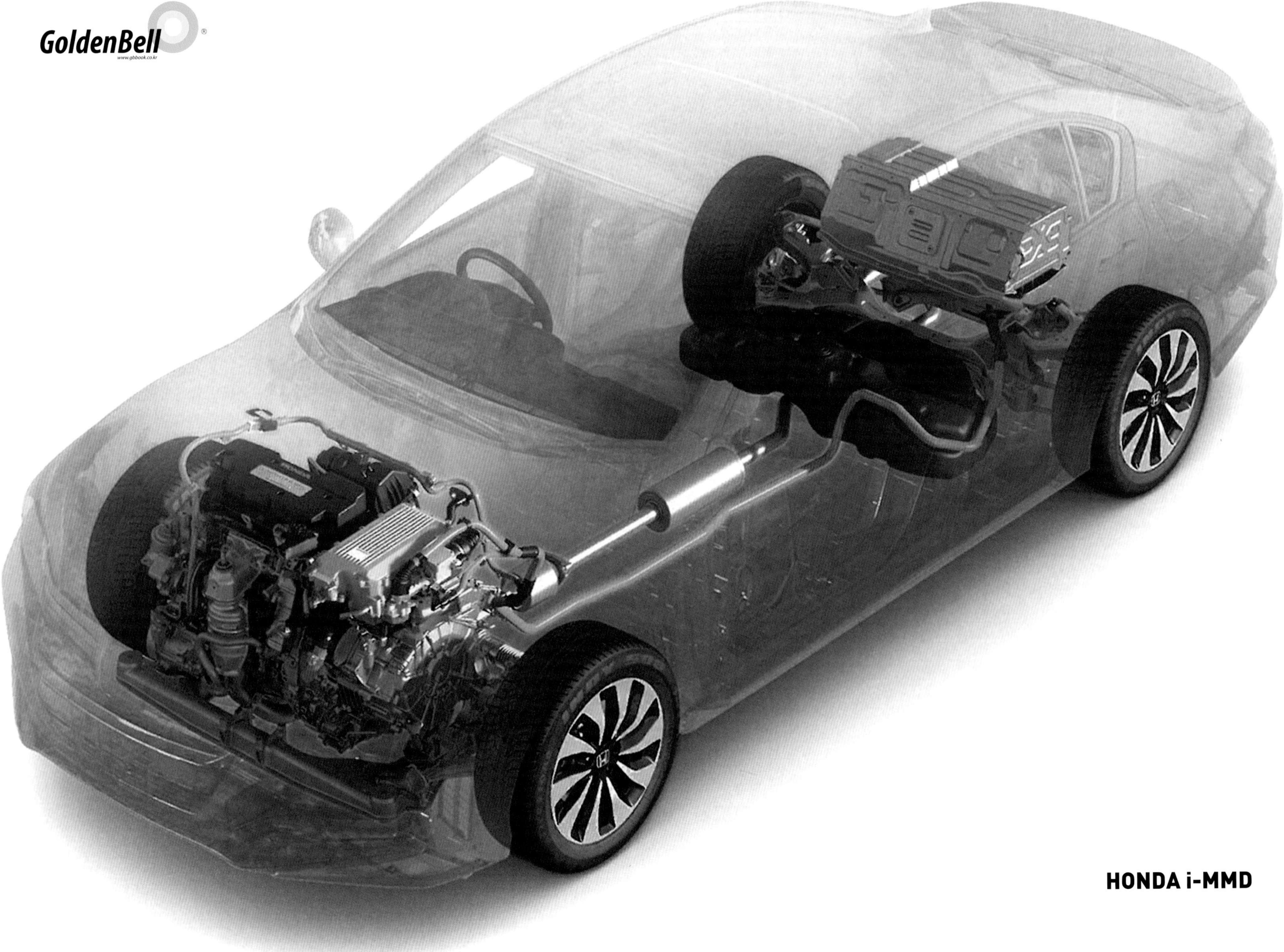

HONDA i-MMD

모터 어시스트 시스템

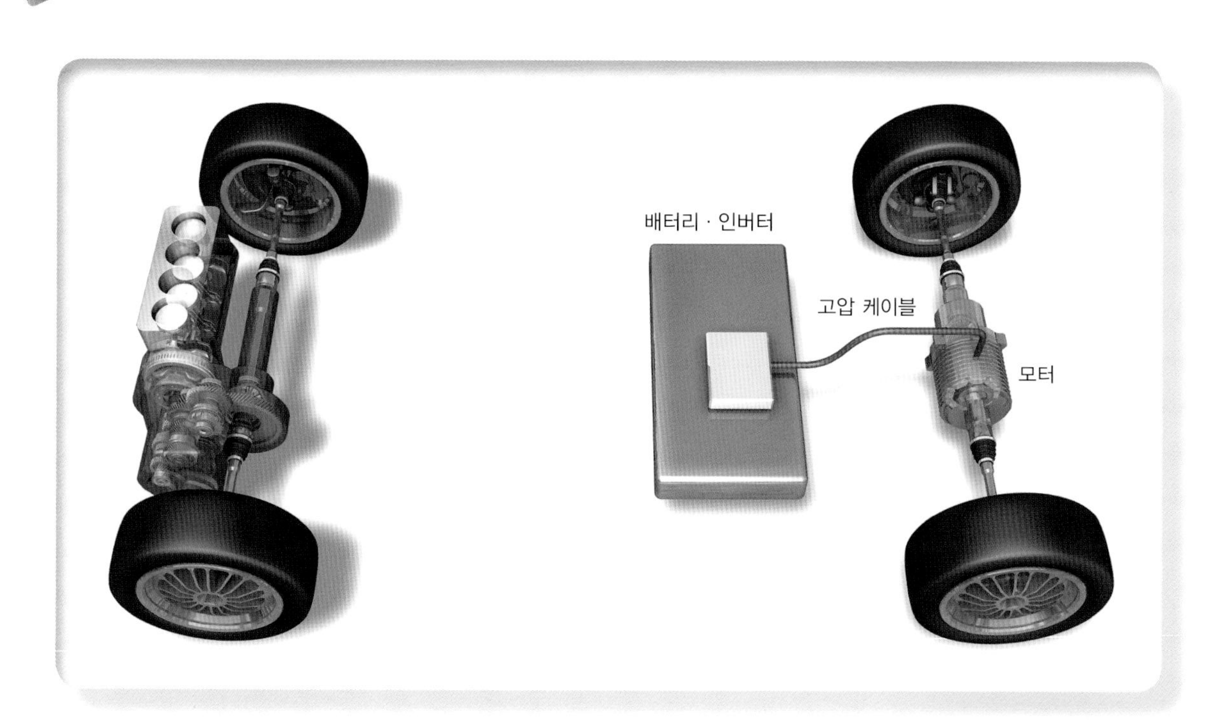

배터리 · 인버터

고압 케이블

모터

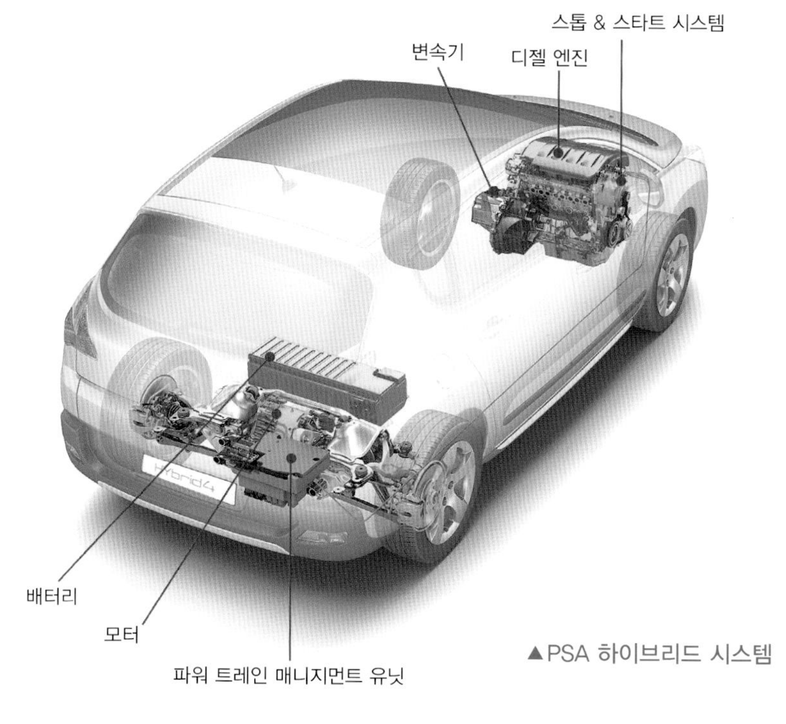

스톱 & 스타트 시스템

변속기

디젤 엔진

배터리

모터

파워 트레인 매니지먼트 유닛

▲ PSA 하이브리드 시스템

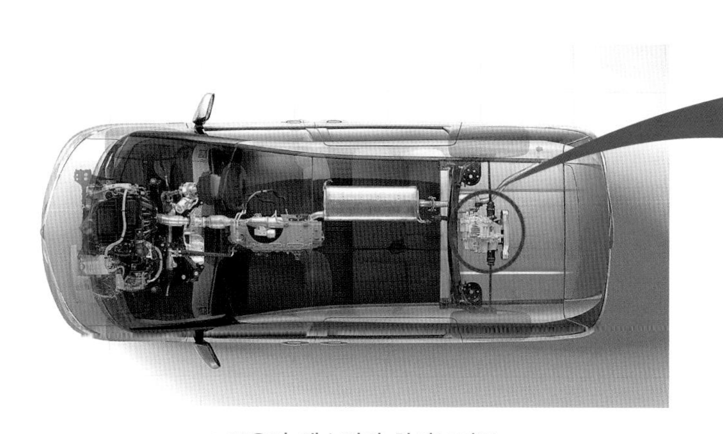

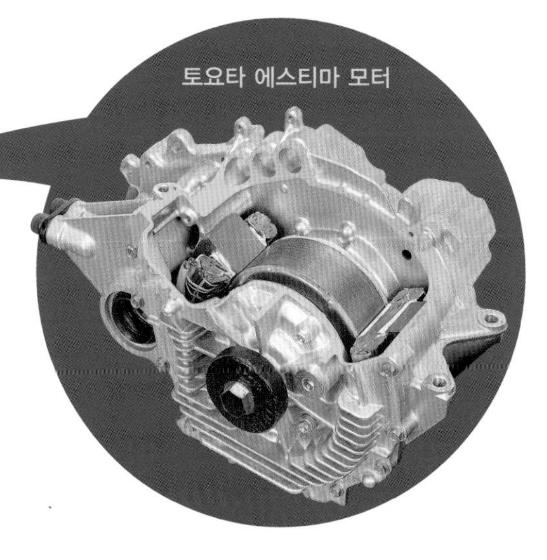

▲ 토요타 에스티마 하이브리드

토요타 에스티마 모터

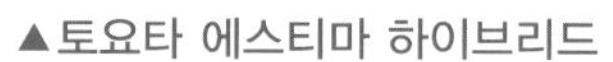

모터

드라이브 샤프트

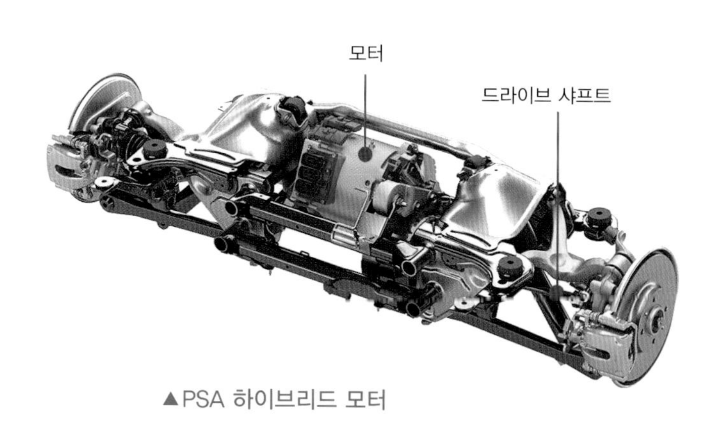

▲ PSA 하이브리드 모터

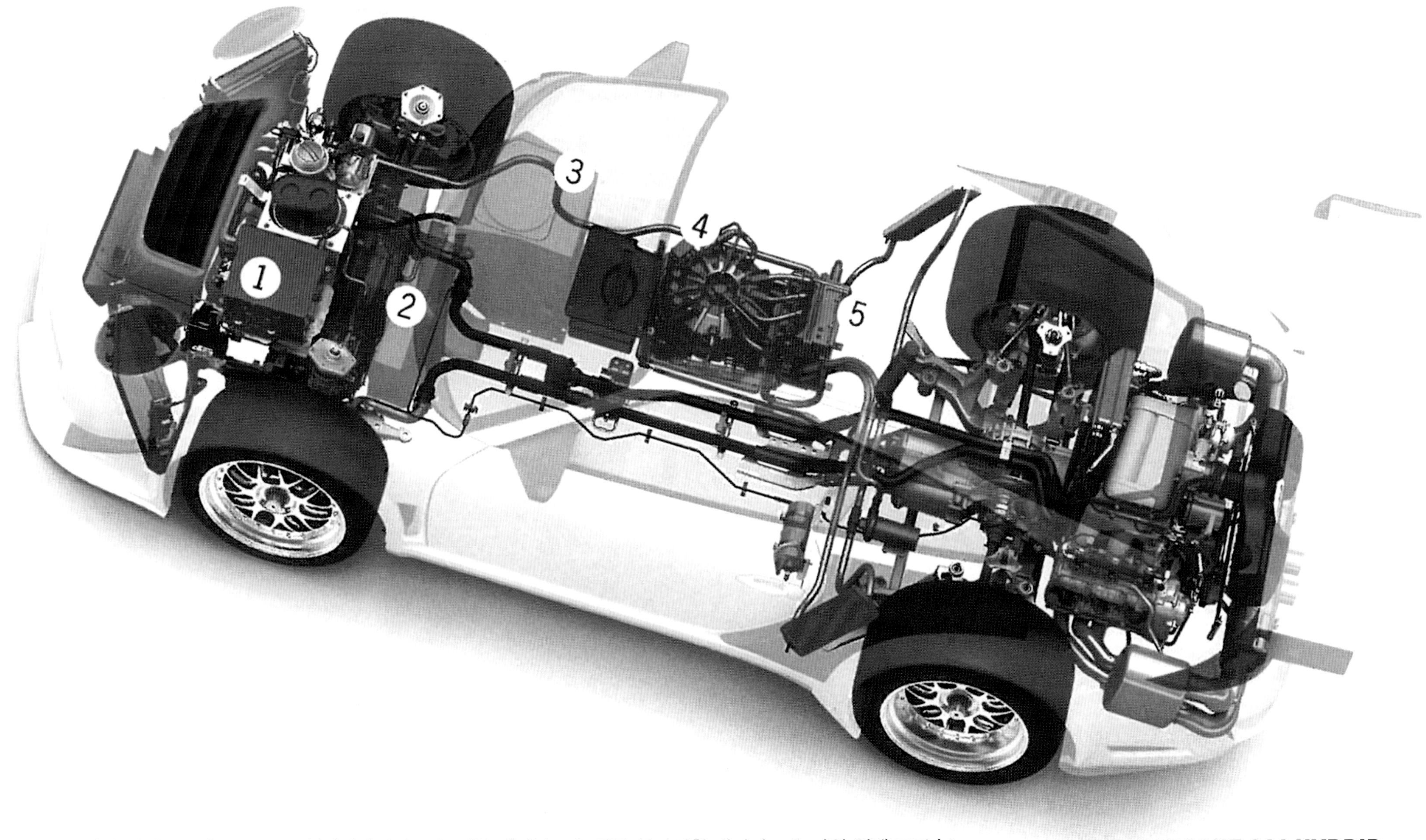

하이브리드의 냉각 시스템

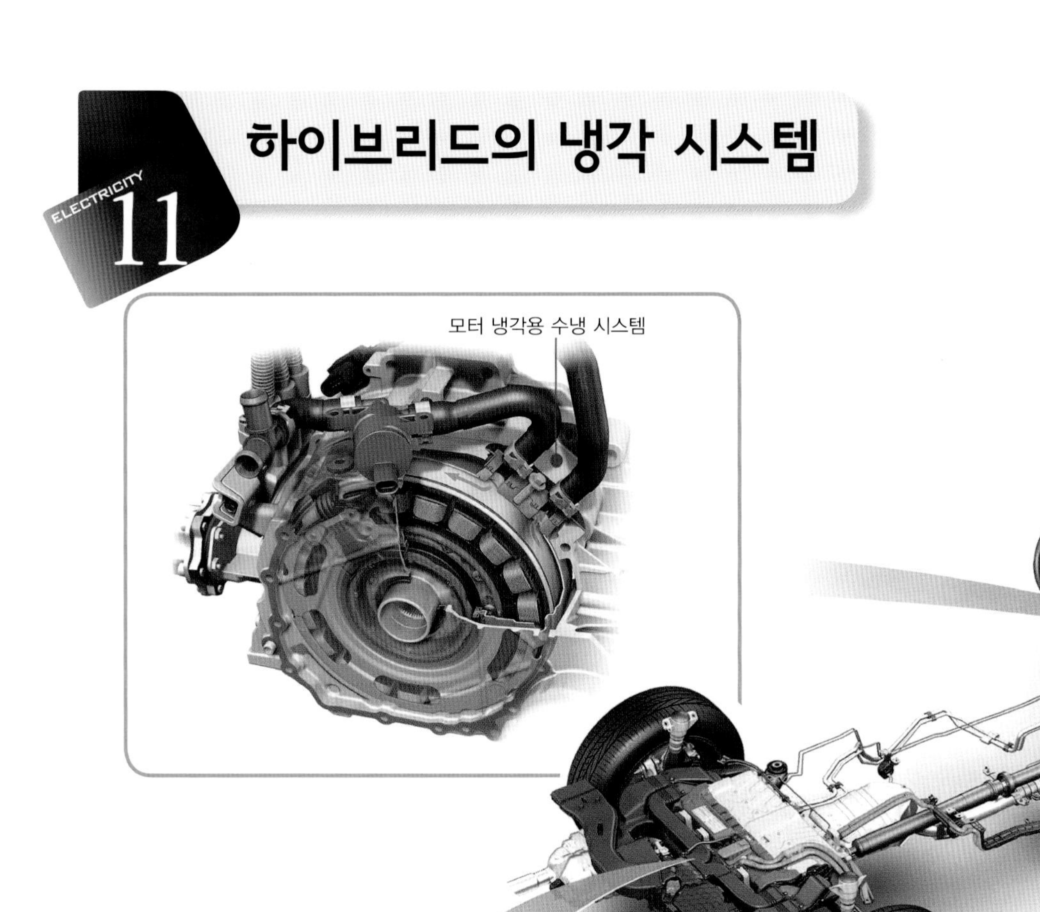

모터 냉각용 수냉 시스템

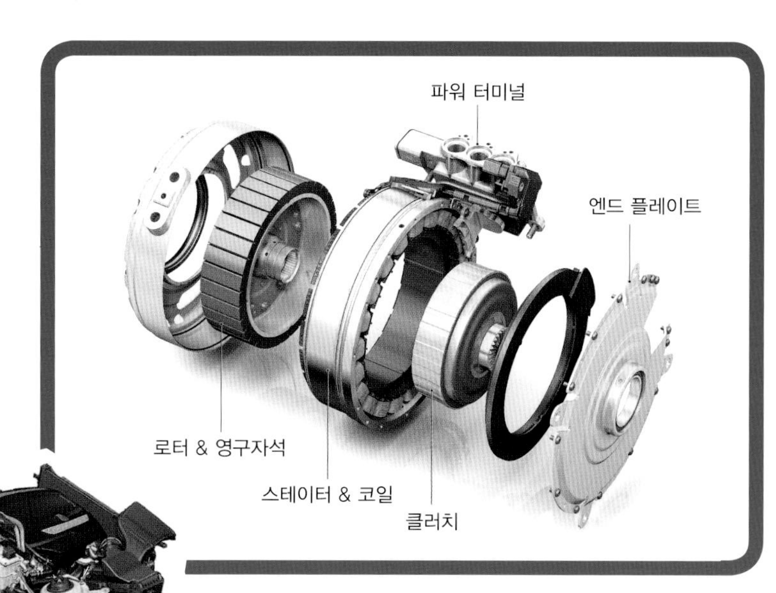

파워 터미널

엔드 플레이트

로터 & 영구자석

스테이터 & 코일

클러치

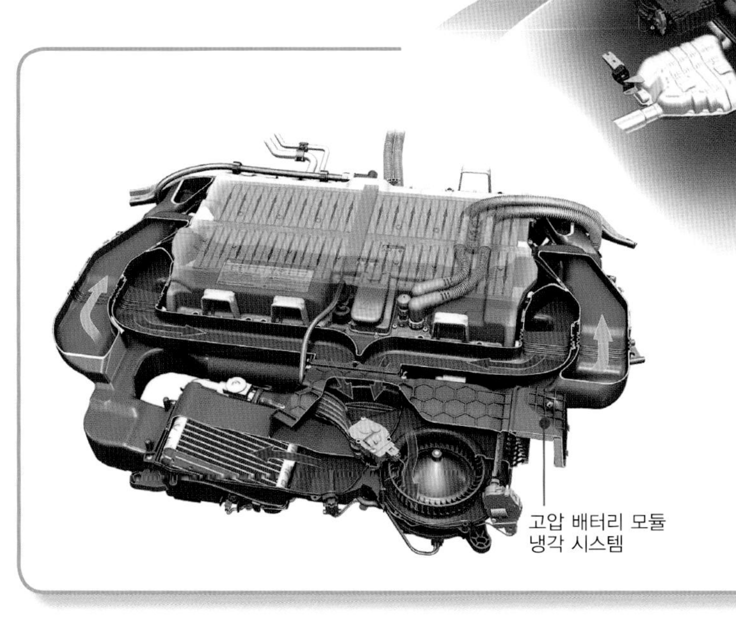

고압 배터리 모듈
냉각 시스템

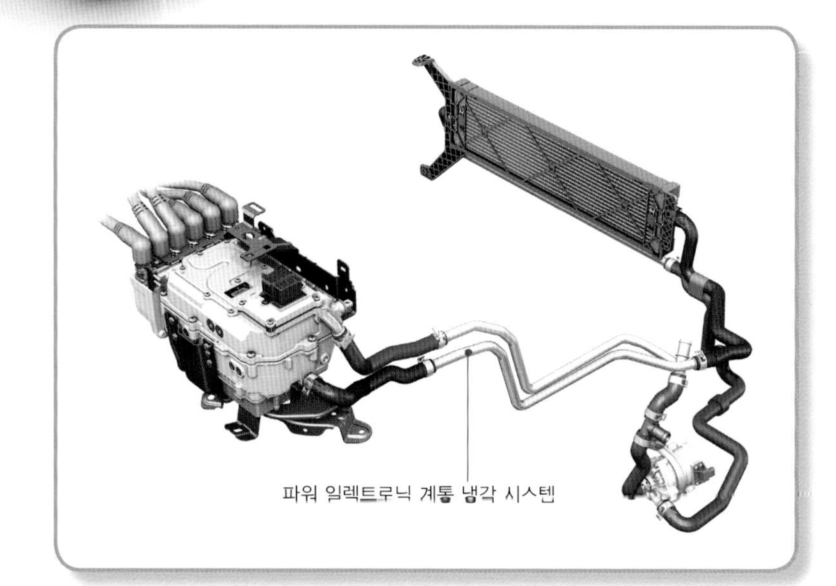

파워 일렉트로닉 계통 냉각 시스템

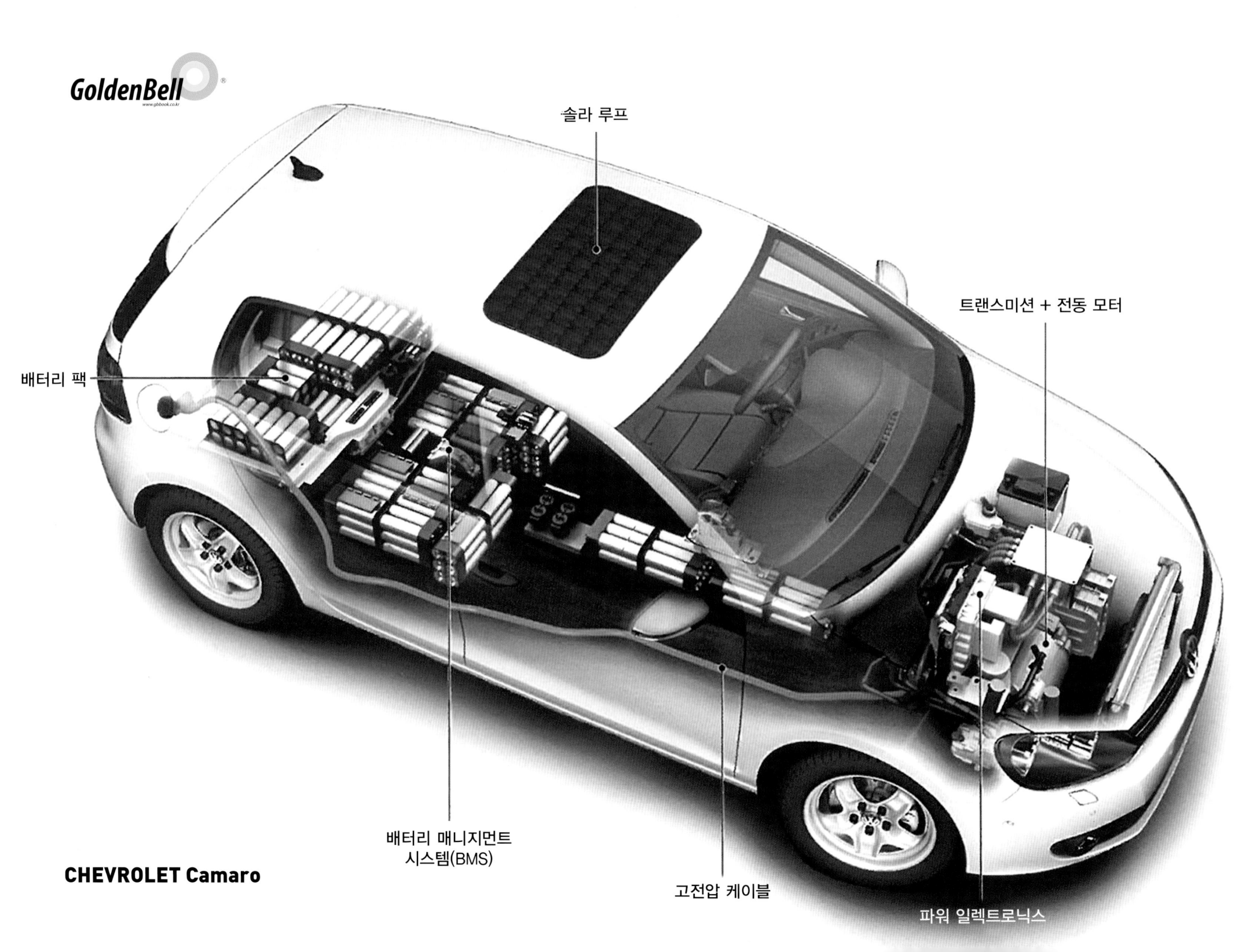

솔라 루프

트랜스미션 + 전동 모터

배터리 팩

배터리 매니지먼트
시스템(BMS)

고전압 케이블

파워 일렉트로닉스

CHEVROLET Camaro

회생 제동 시스템

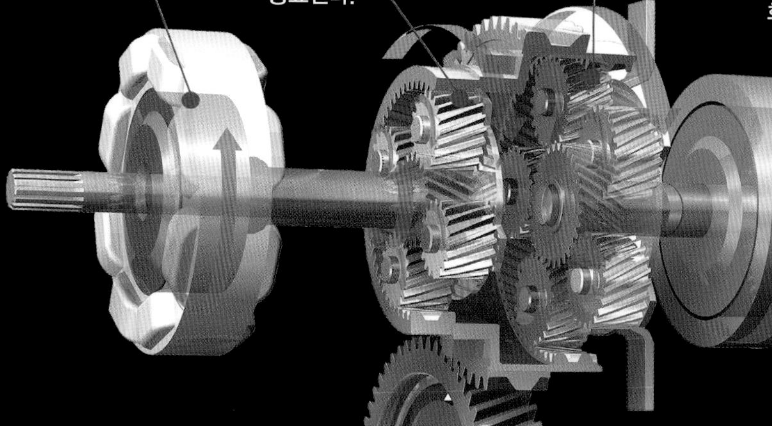

ECB 유닛 ▶

ECU 커넥터

브레이크 페달
입력부

스트로크
시뮬레이터

하이드로 부스터
오일 출입구

ECU

모터 제너레이터 1
엔진과 동일한 방향으로
회전하여 발전한다.

동력 분할용 유성기어 세트
피니언 기어는 발진시와
에너지를 회생할 때에만
역회전한다.
엔진의 출력 축은 여기에서
종료된다.

감속용 유성기어 세트
피니언 기어는 모터
제너레이터 2의 출력을
링기어에 전달한다.

모터 제너레이터 2
감속용 유성기어 세트에
연결되어 있기 때문에
항상 일정방향으로 회전한다.
후진시에만 역방향으로
회전한다.

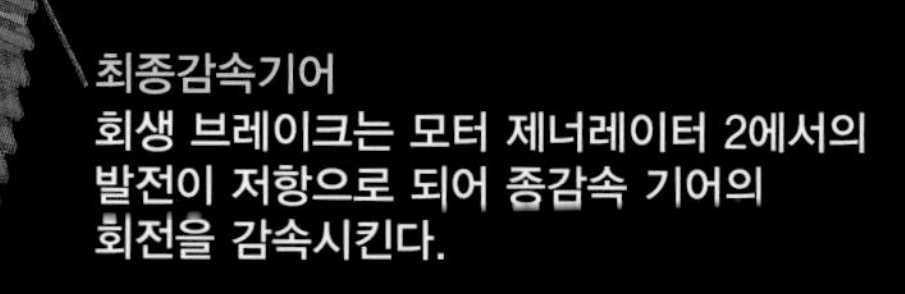

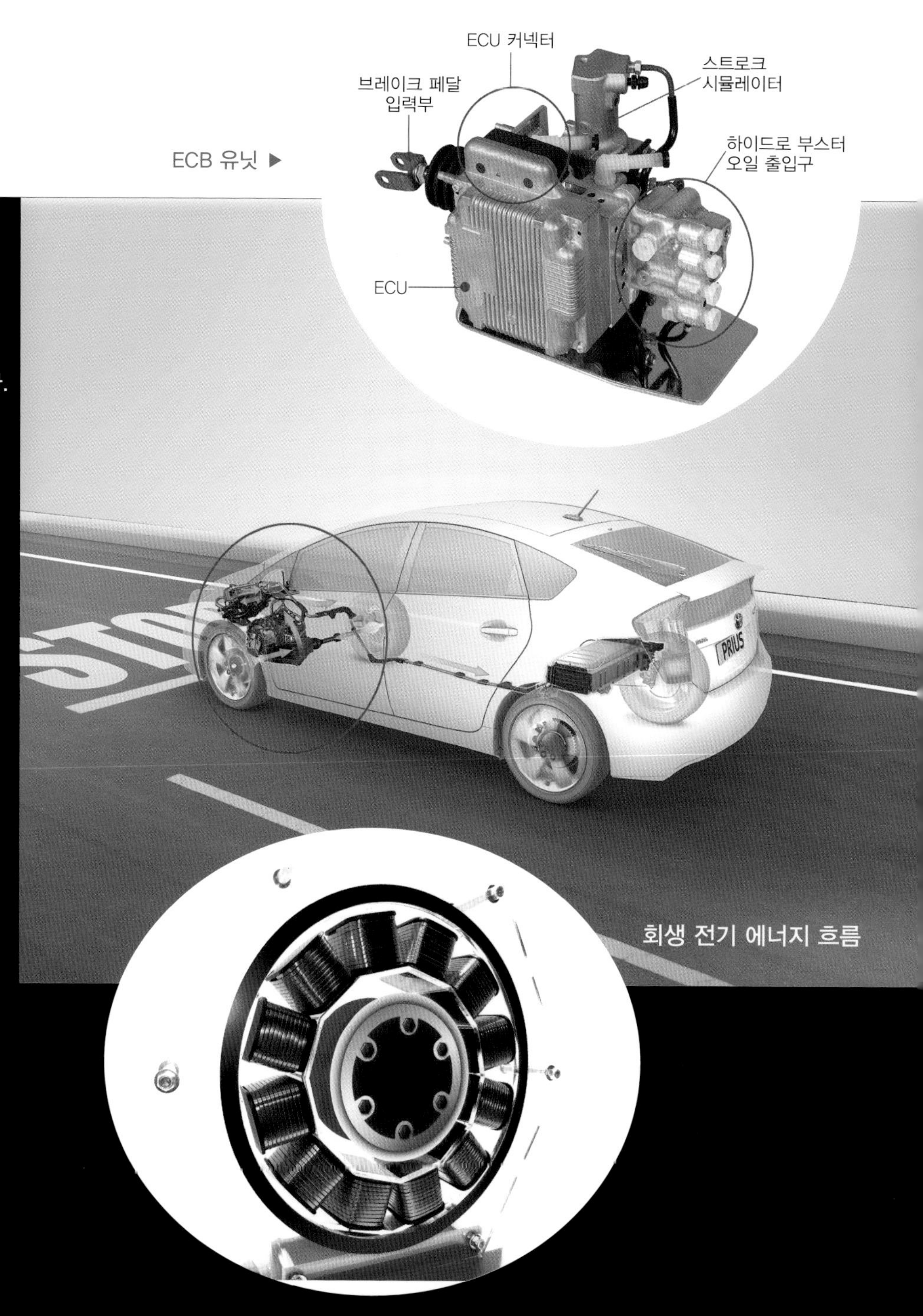

최종감속기어
회생 브레이크는 모터 제너레이터 2에서의
발전이 저항으로 되어 종감속 기어의
회전을 감속시킨다.

회생 전기 에너지 흐름

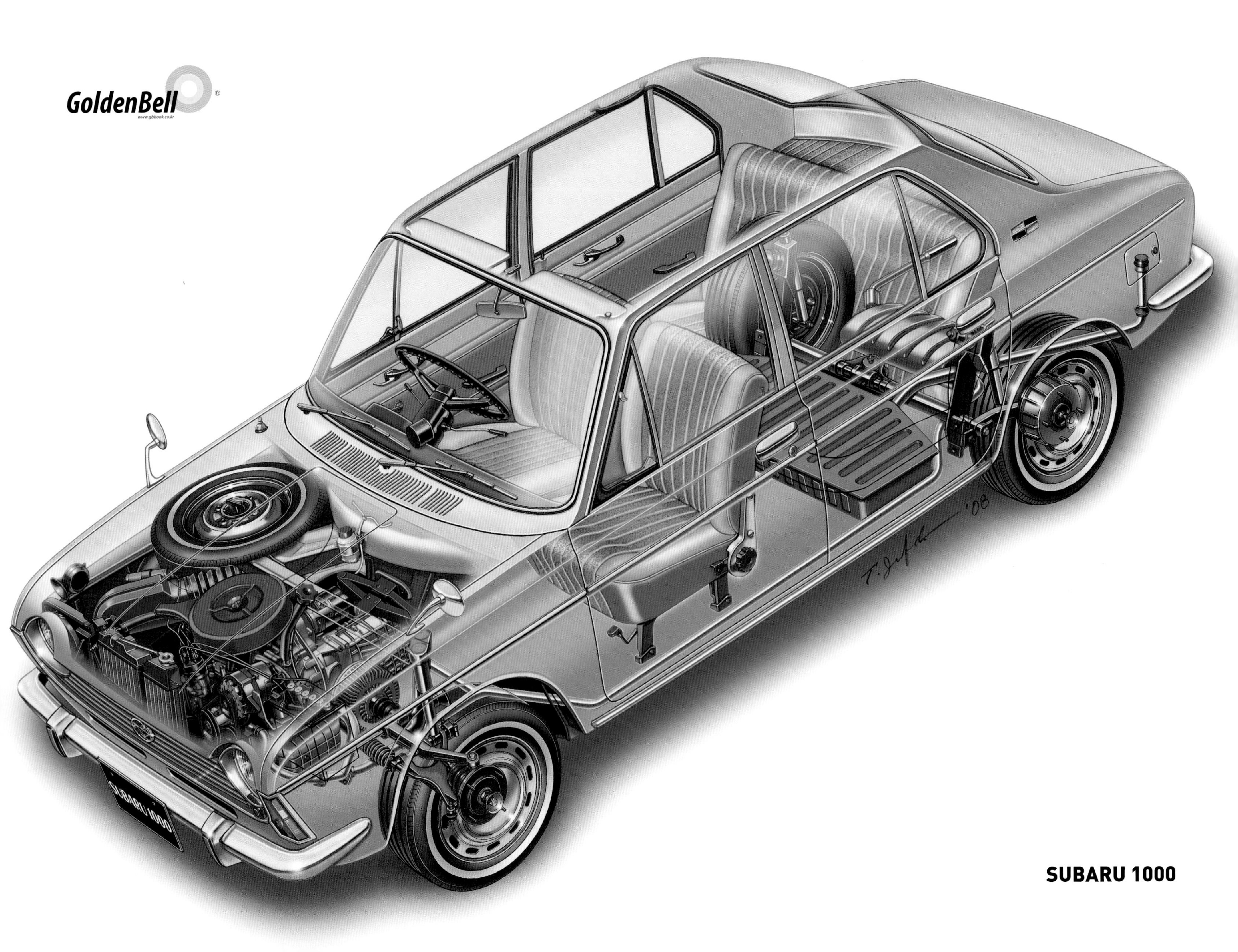
GoldenBell
www.gbbook.co.kr
SUBARU 1000
SUBARU 1000

인휠 모터 시스템
(In-wheel motor system)

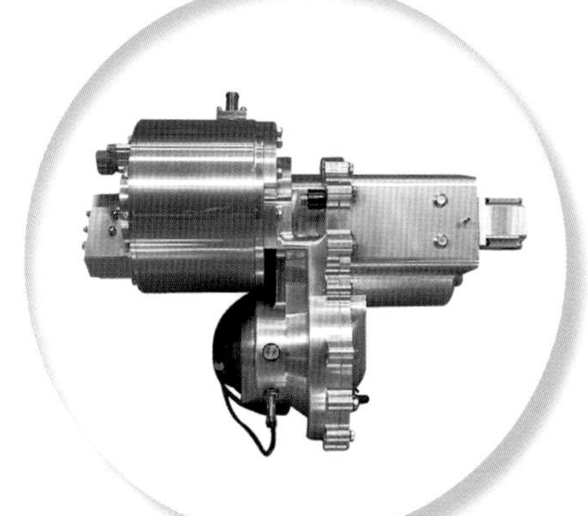

▲인휠 모터

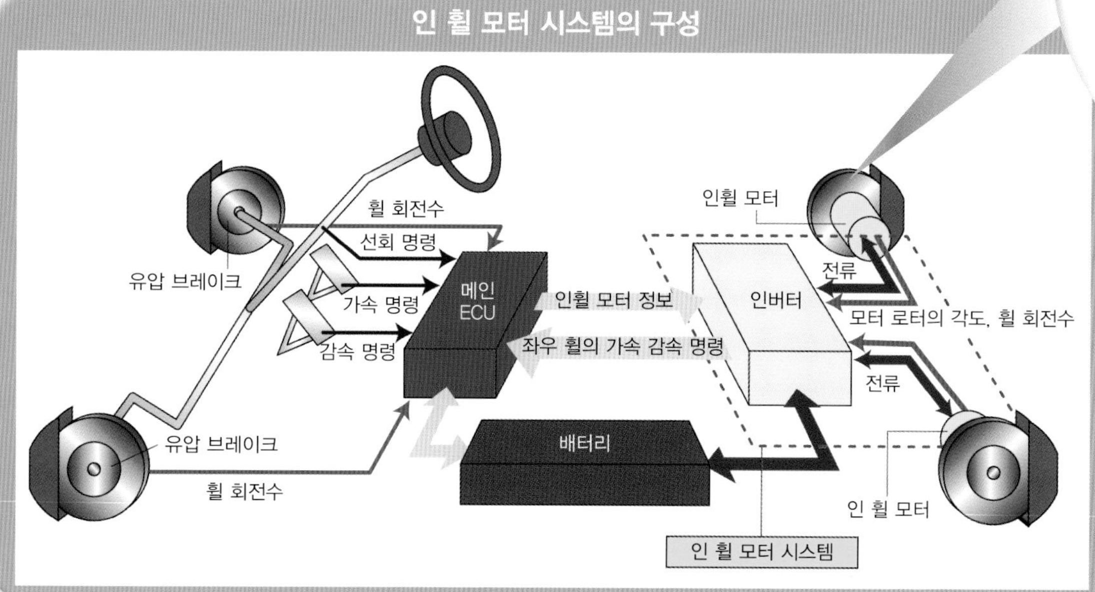

▲EV용 2단 변속 원 모터 시스템

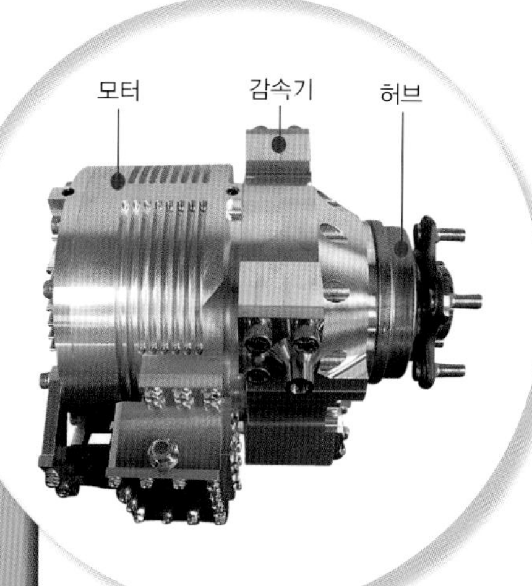

인 휠 모터 시스템의 구성

휠 회전수
선회 명령
가속 명령
감속 명령
유압 브레이크
메인 ECU
인휠 모터 정보
좌우 휠의 가속 감속 명령
인버터
인휠 모터
전류
모터 로터의 각도, 휠 회전수
전류
배터리
유압 브레이크
휠 회전수
인 휠 모터
인 휠 모터 시스템

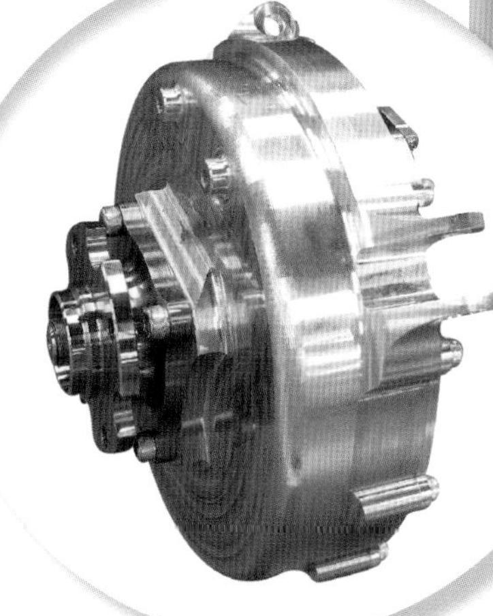

▲모터 유닛

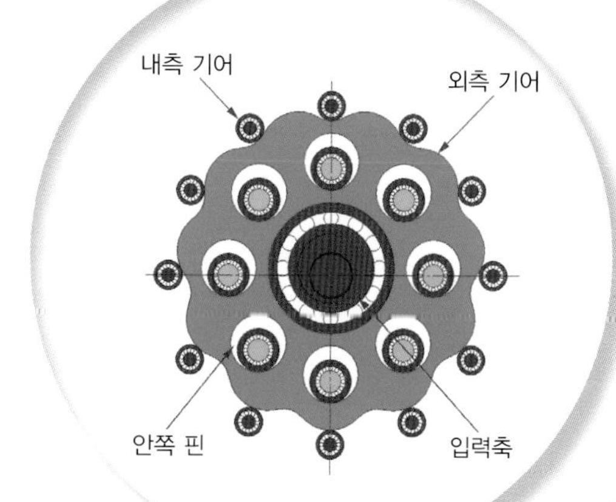

내측 기어
외측 기어
안쪽 핀
입력축

◀사이클로이드식 감속기구

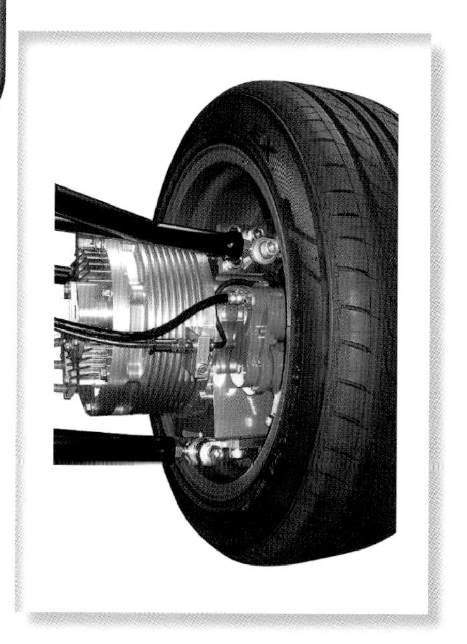

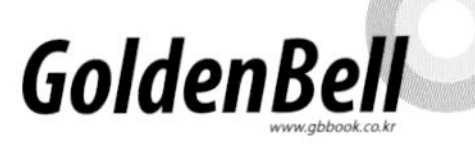

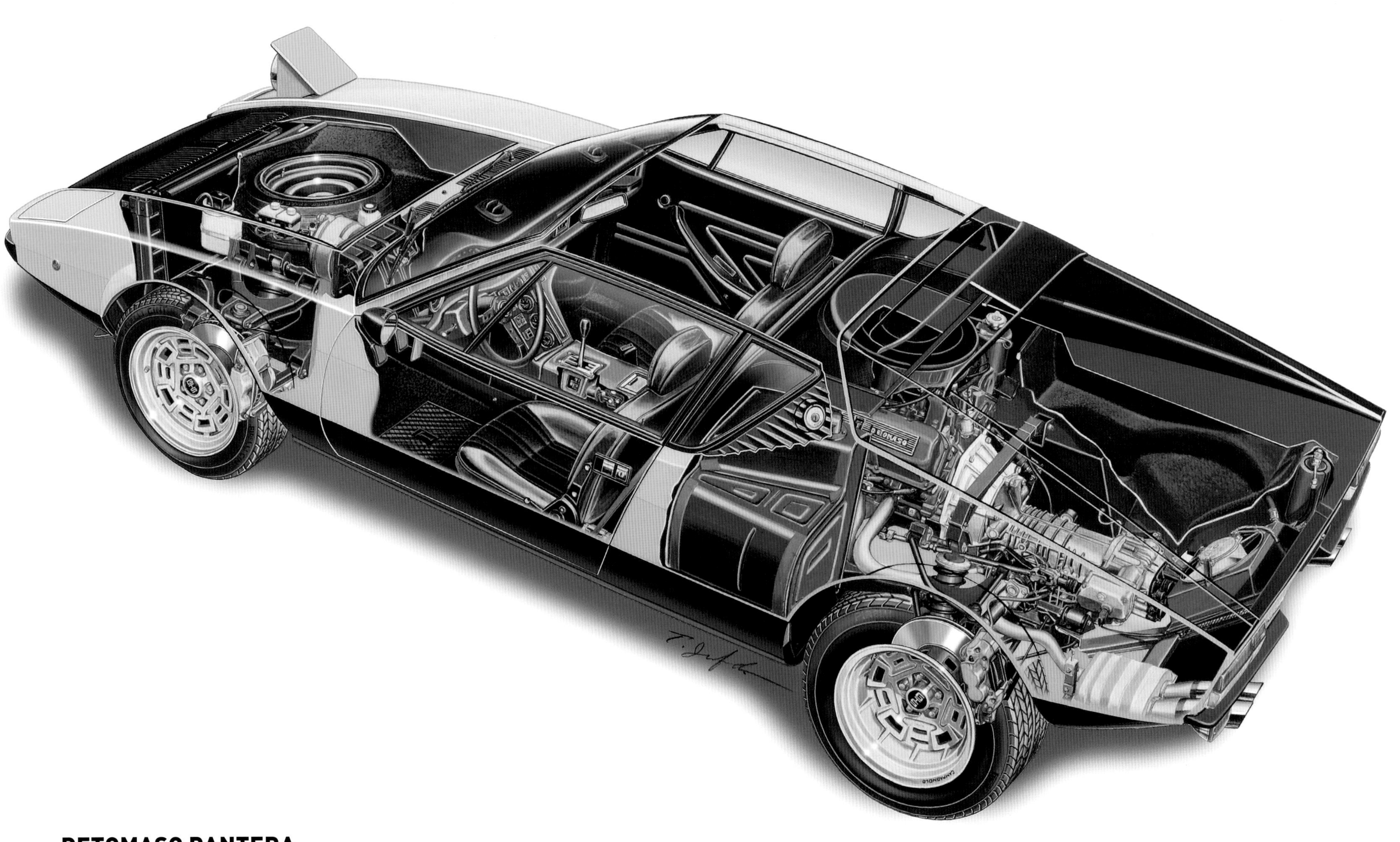

하이브리드 파워 트레인 A

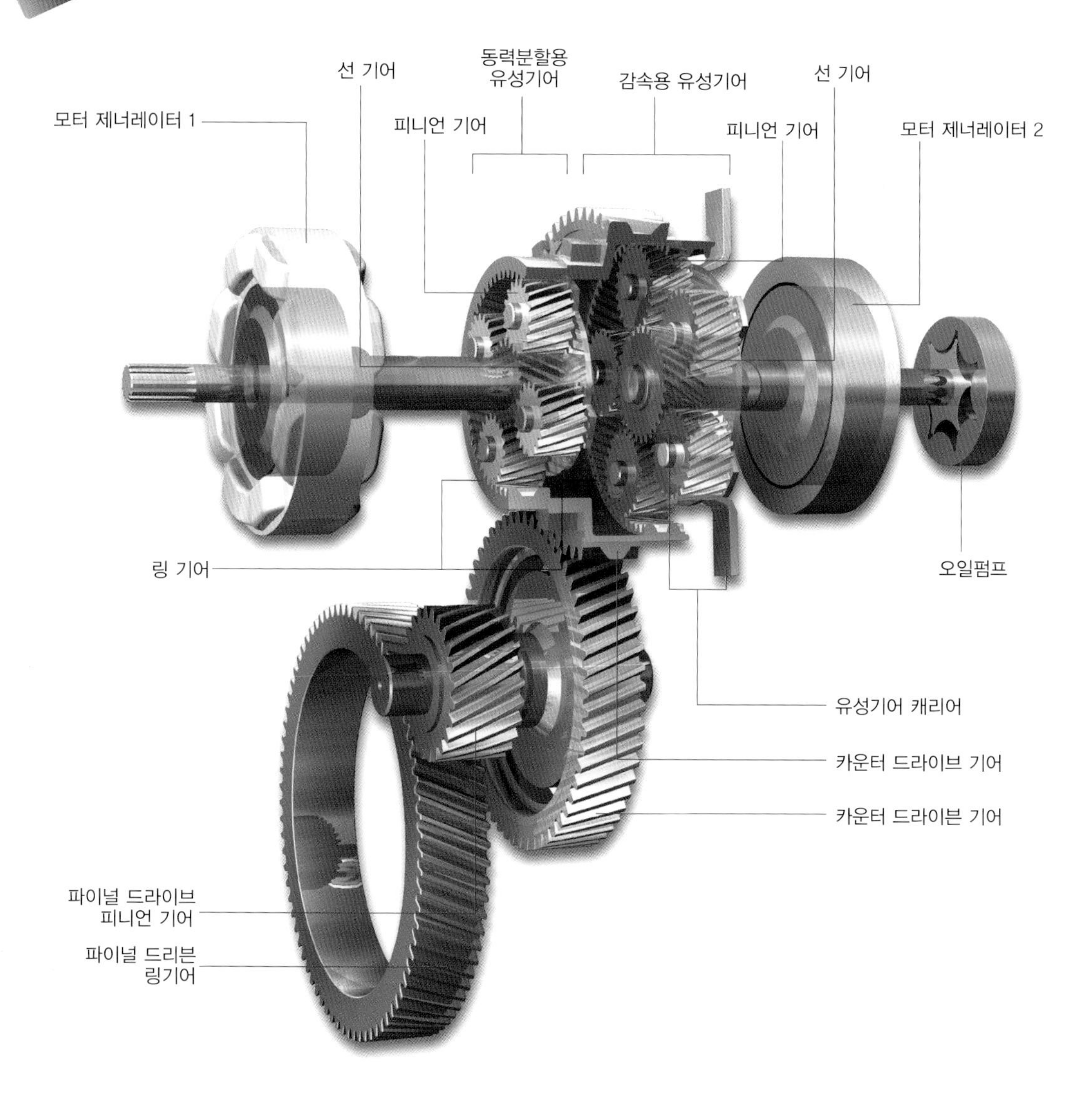

모터 제너레이터 1

선 기어

동력분활용 유성기어

피니언 기어

감속용 유성기어

선 기어

피니언 기어

모터 제너레이터 2

링 기어

오일펌프

유성기어 캐리어

카운터 드라이브 기어

카운터 드라이브 기어

파이널 드라이브 피니언 기어

파이널 드리븐 링기어

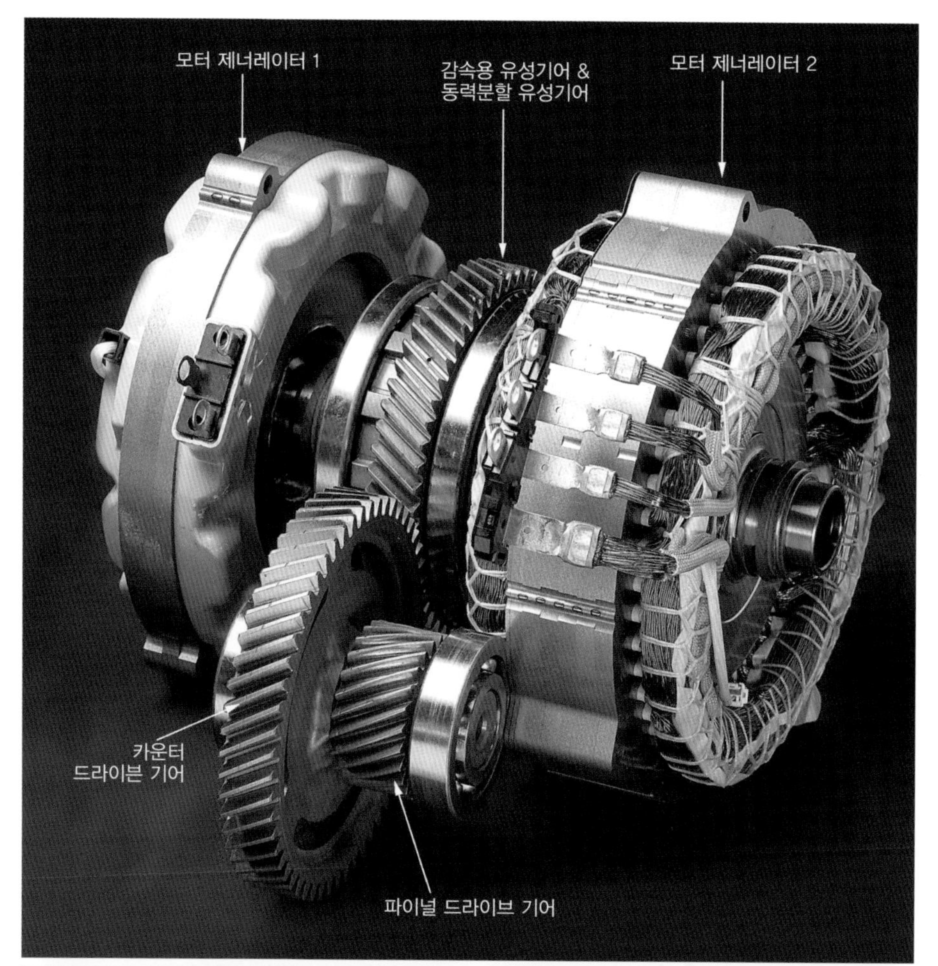

모터 제너레이터 1

감속용 유성기어 & 동력분할 유성기어

모터 제너레이터 2

카운터 드라이브 기어

파이널 드라이브 기어

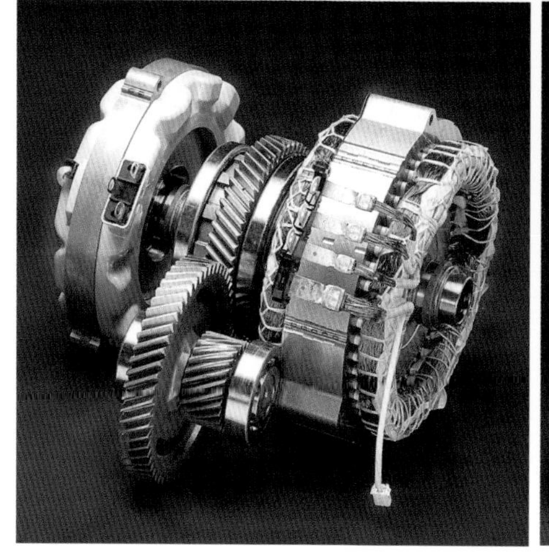

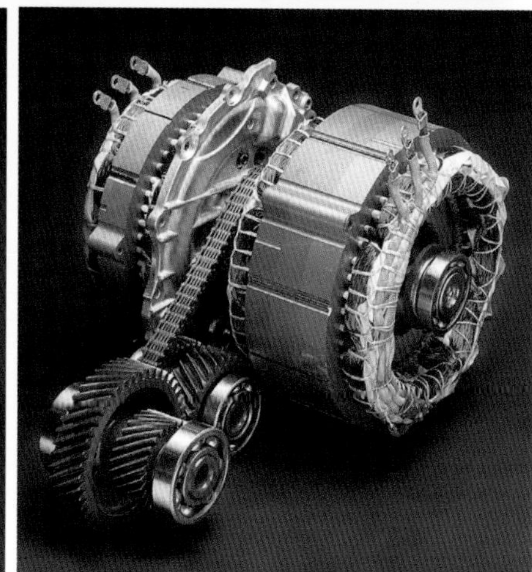

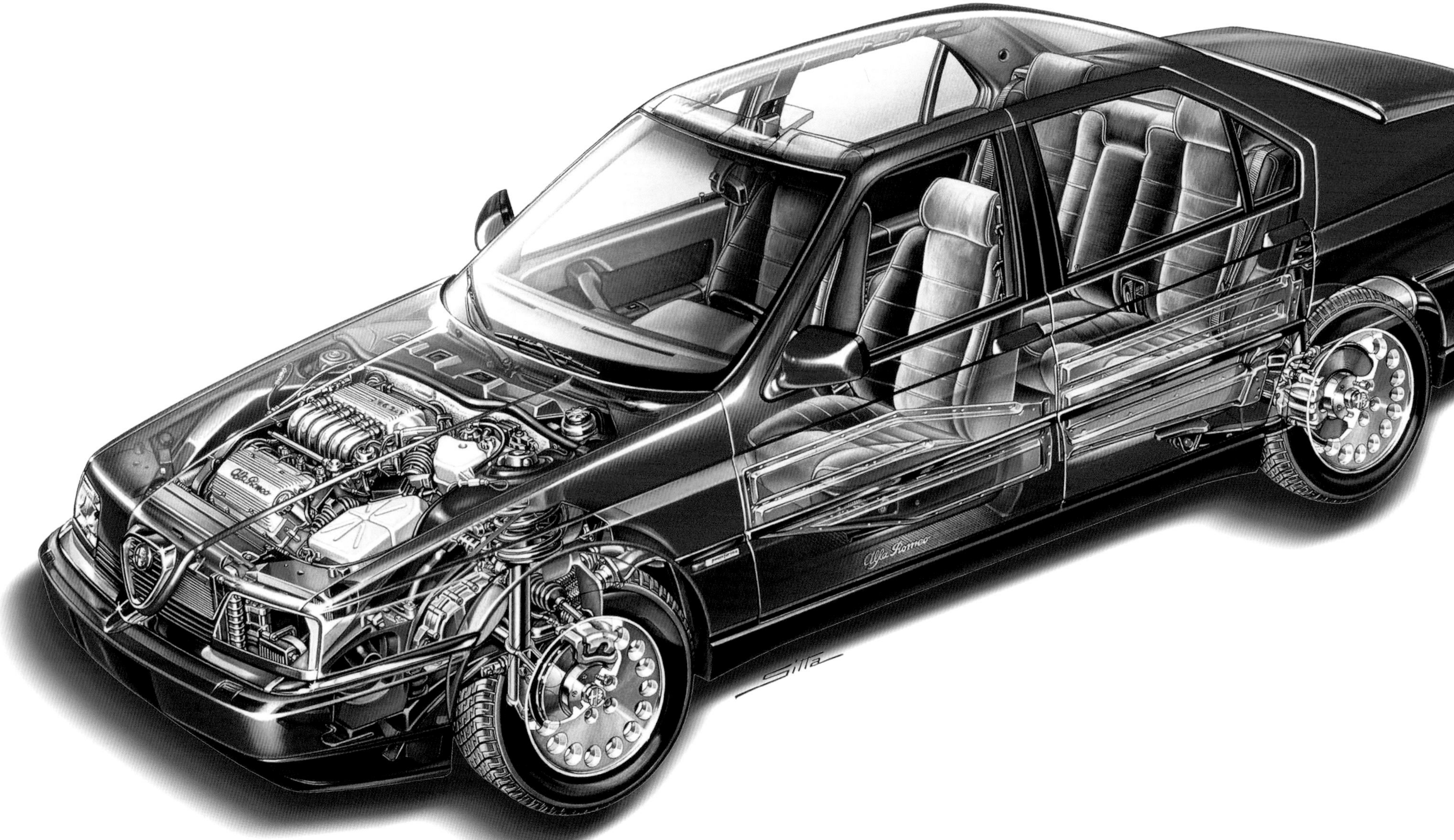

ALFA ROMEO 164 SUPER

하이브리드 파워 트레인 B

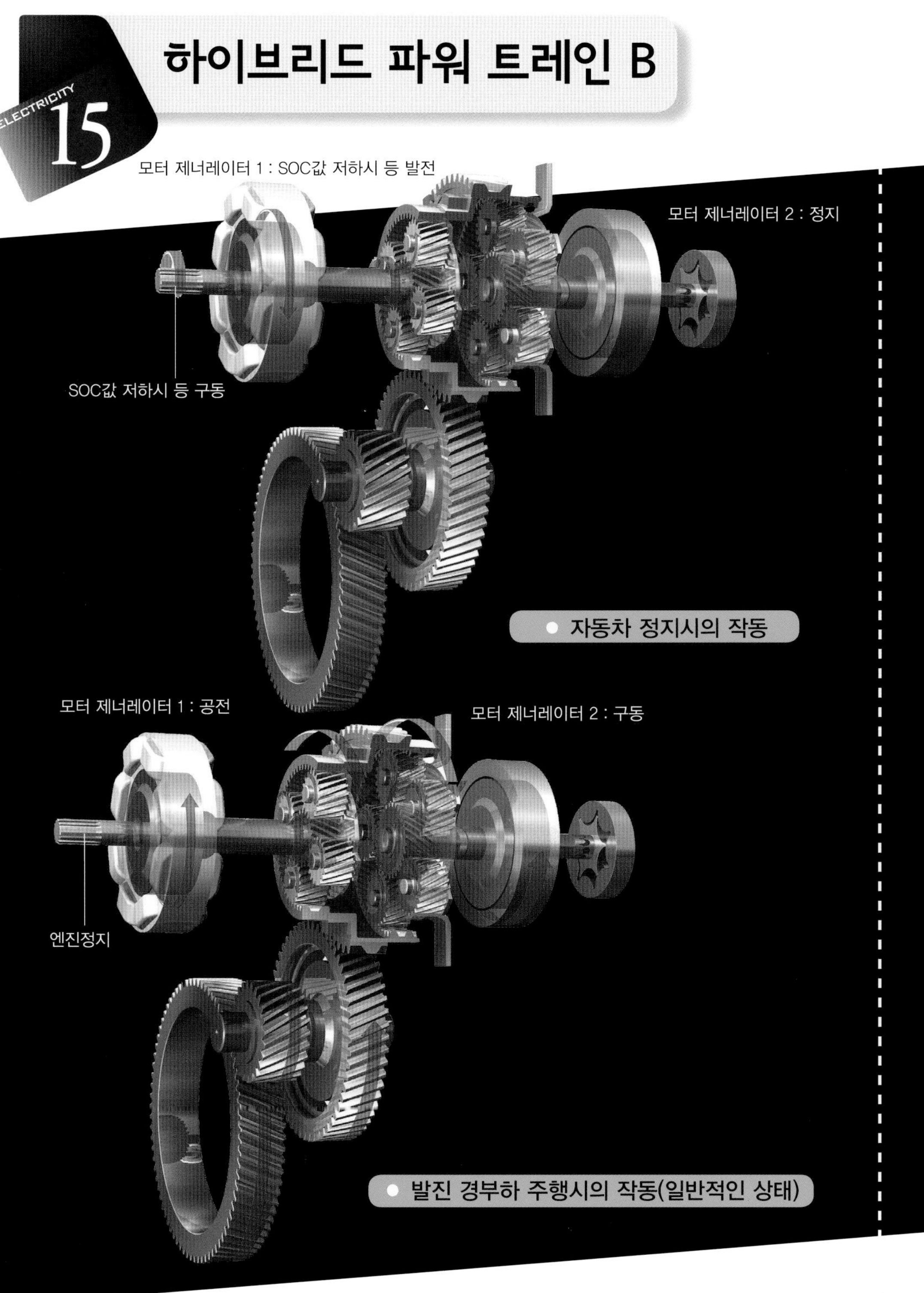

모터 제너레이터 1 : SOC값 저하시 등 발전

모터 제너레이터 2 : 정지

SOC값 저하시 등 구동

● 자동차 정지시의 작동

모터 제너레이터 1 : 공전

모터 제너레이터 2 : 구동

엔진정지

● 발진 경부하 주행시의 작동(일반적인 상태)

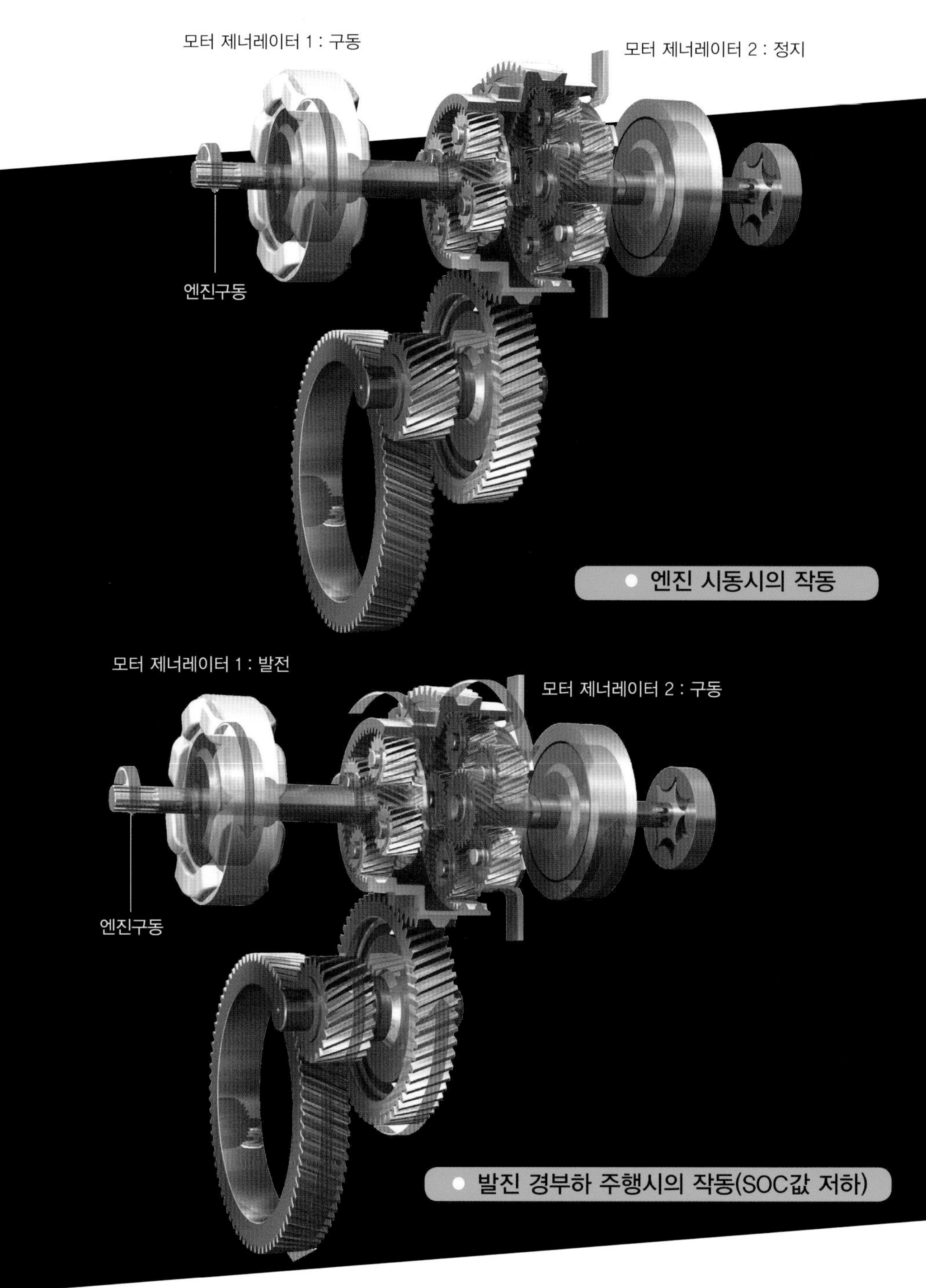

모터 제너레이터 1 : 구동

모터 제너레이터 2 : 정지

엔진구동

● 엔진 시동시의 작동

모터 제너레이터 1 : 발전

모터 제너레이터 2 : 구동

엔진구동

● 발진 경부하 주행시의 작동(SOC값 저하)

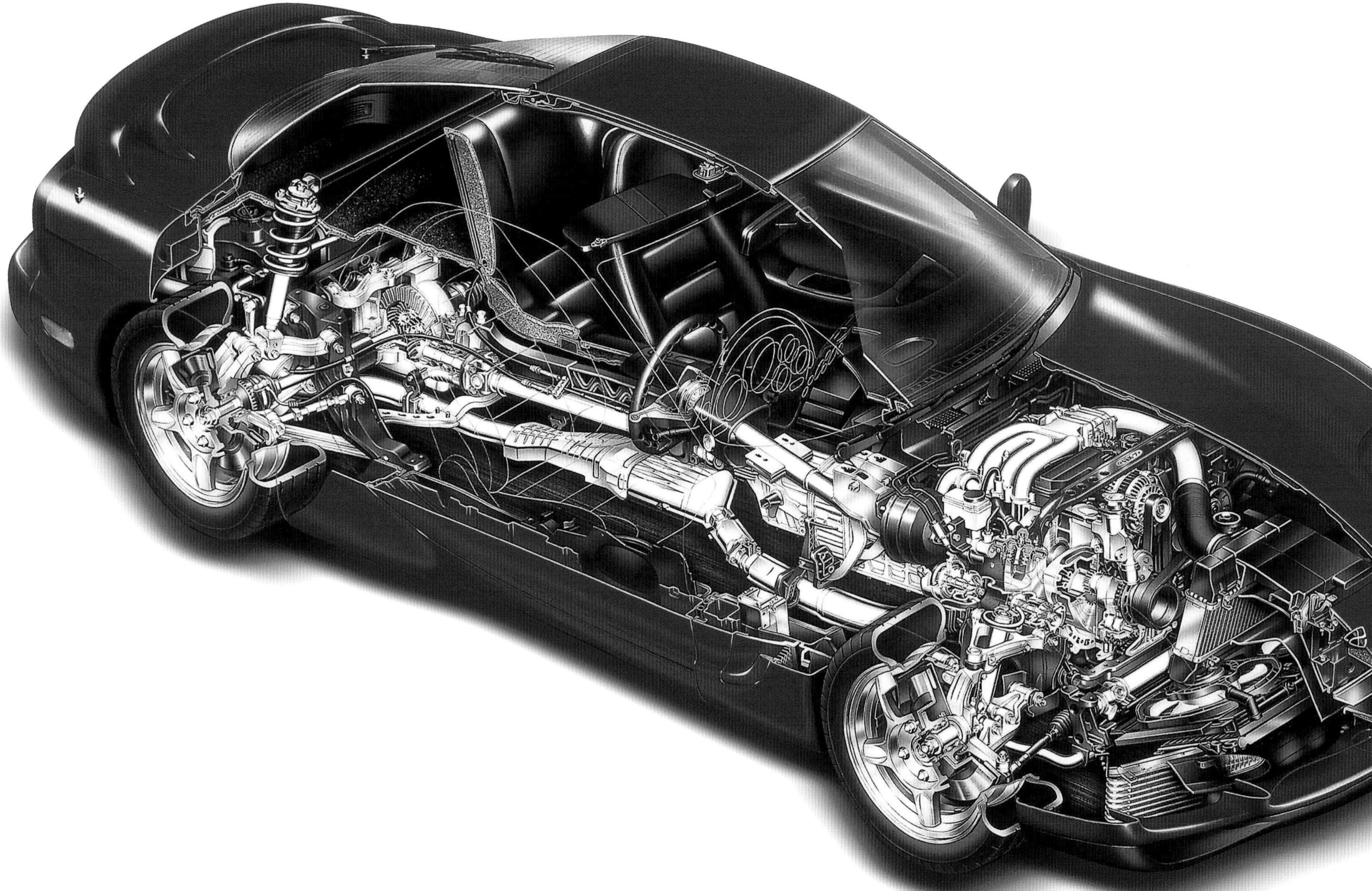

efini RX-7

하이브리드 파워 트레인 C

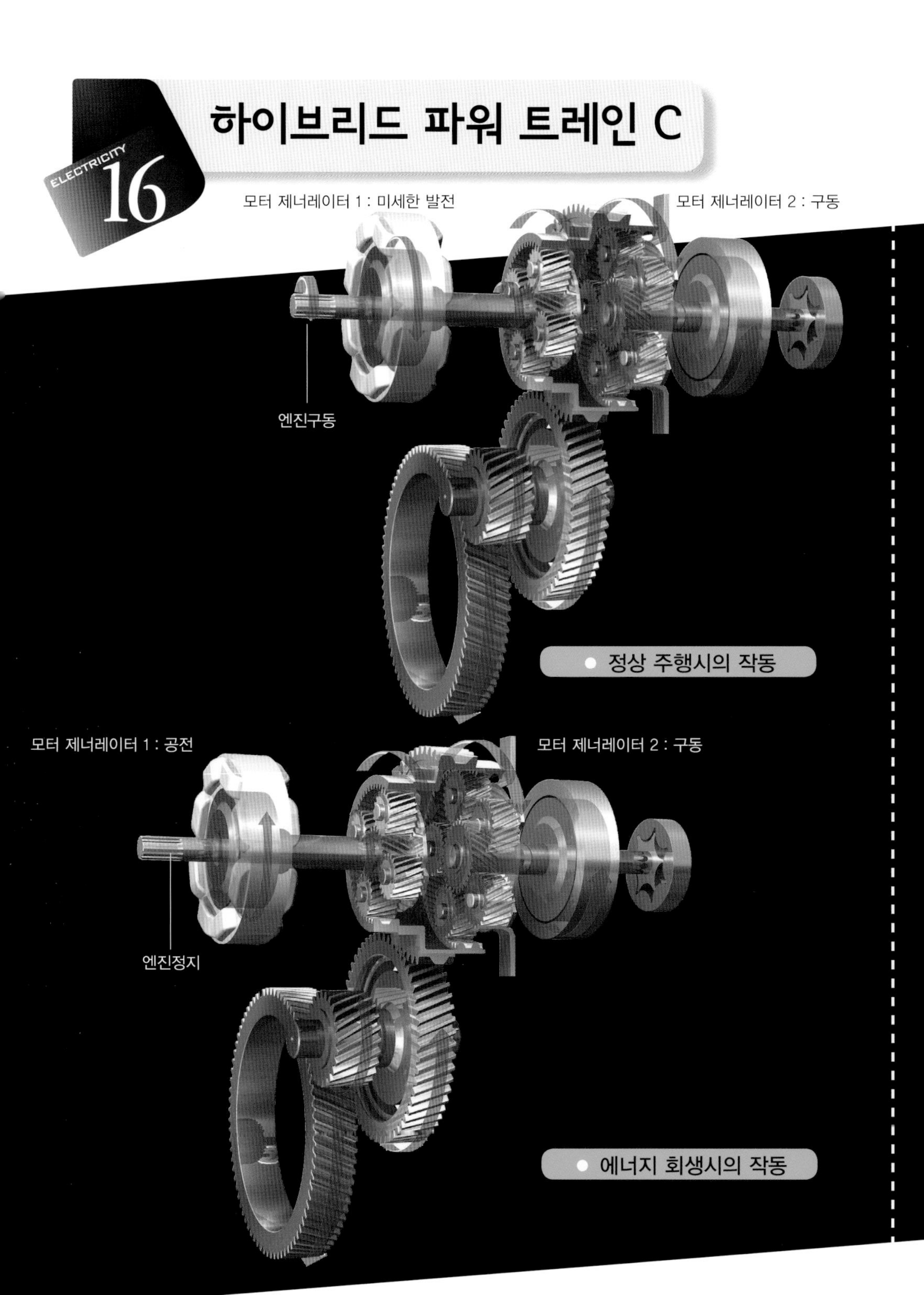

모터 제너레이터 1 : 미세한 발전

모터 제너레이터 2 : 구동

엔진구동

● 정상 주행시의 작동

모터 제너레이터 1 : 공전

모터 제너레이터 2 : 구동

엔진정지

● 에너지 회생시의 작동

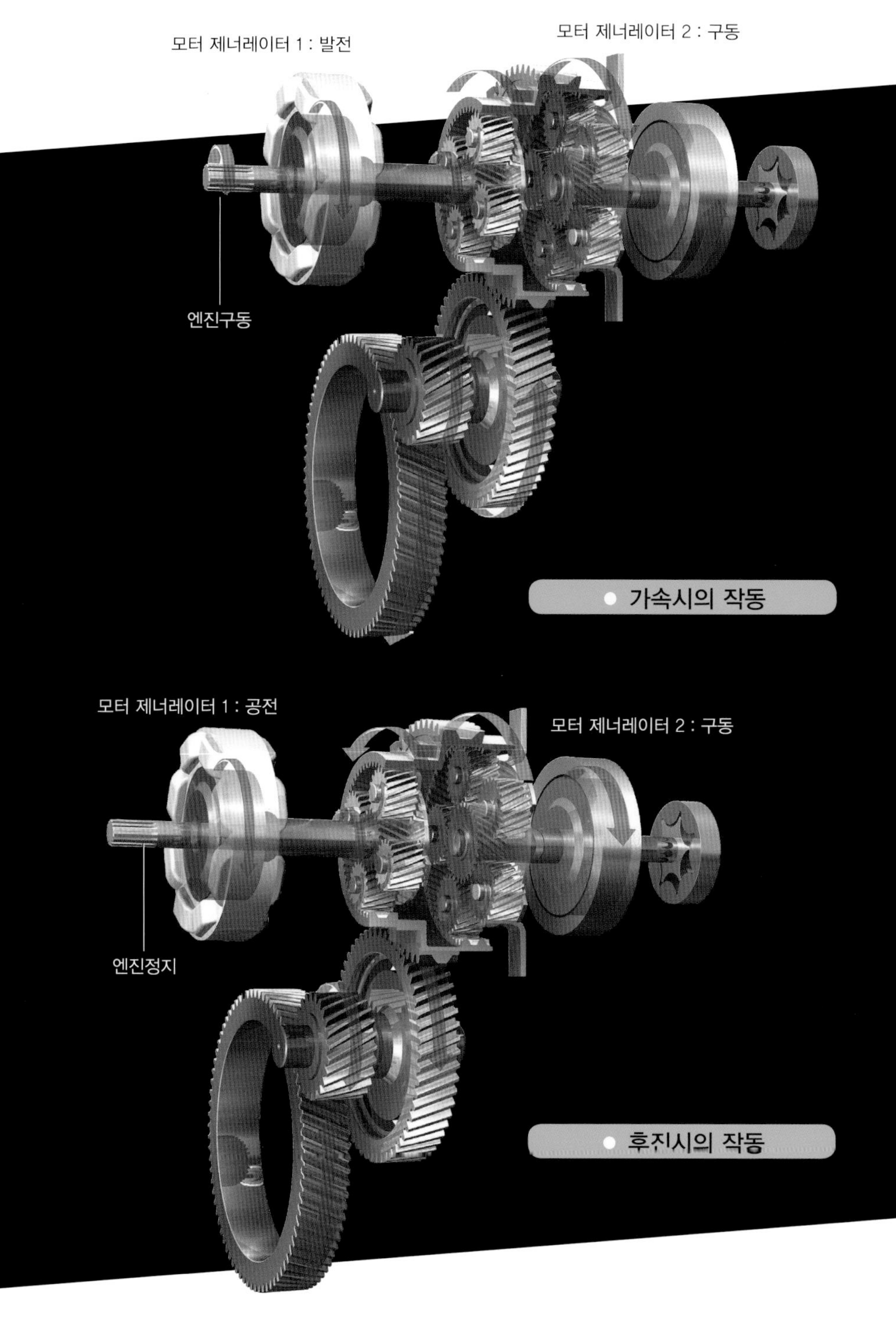

모터 제너레이터 1 : 발전

모터 제너레이터 2 : 구동

엔진구동

● 가속시의 작동

모터 제너레이터 1 : 공전

모터 제너레이터 2 : 구동

엔진정지

● 후진시의 작동

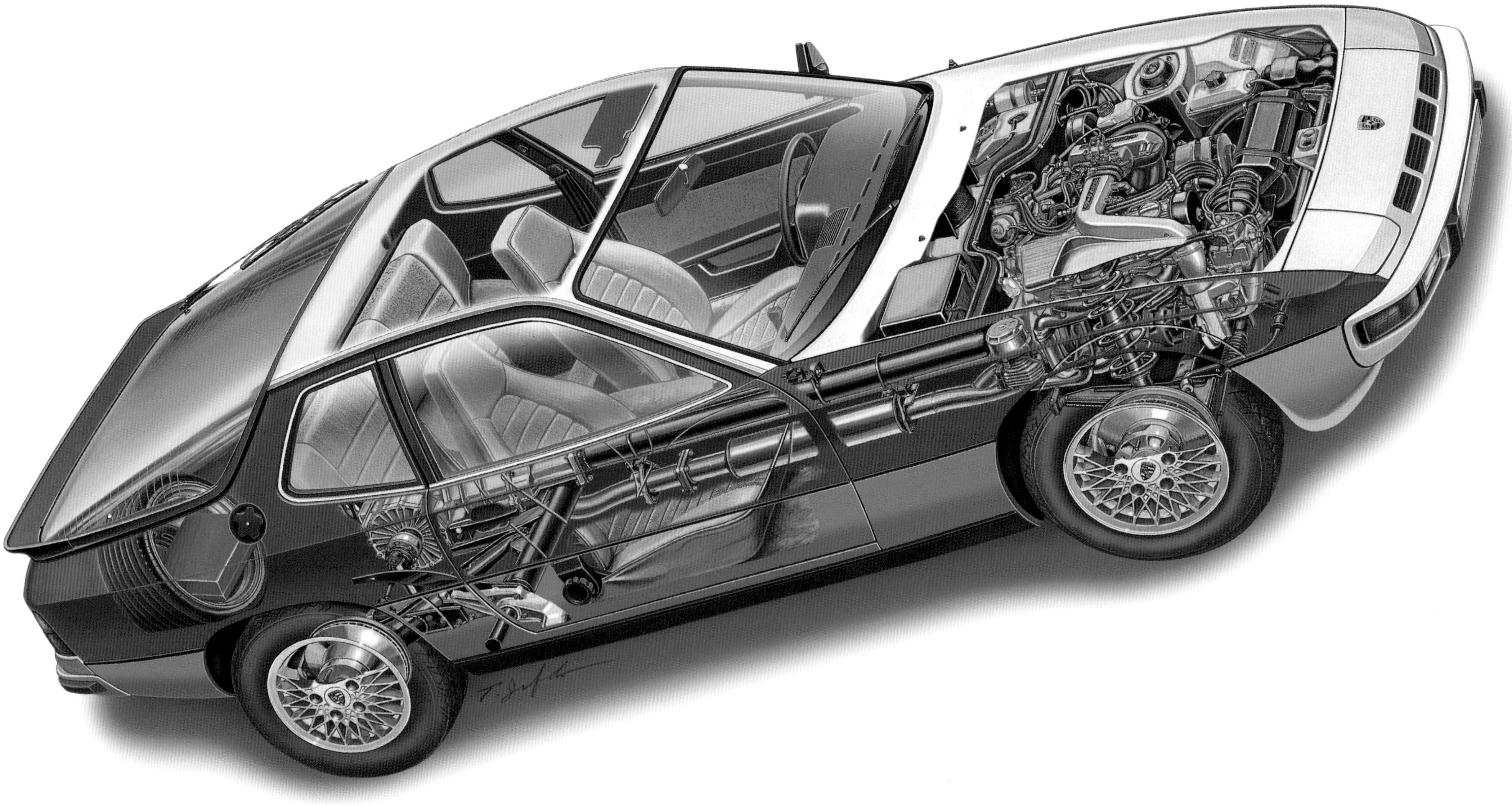

PORSCHE 924

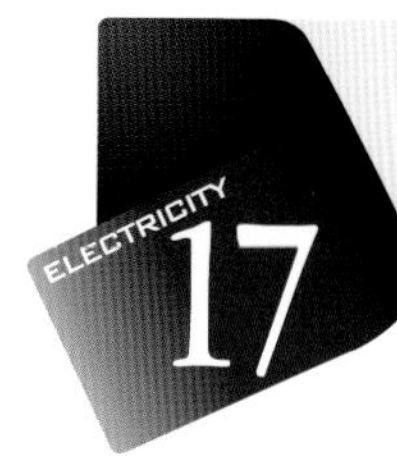

배터리 구조

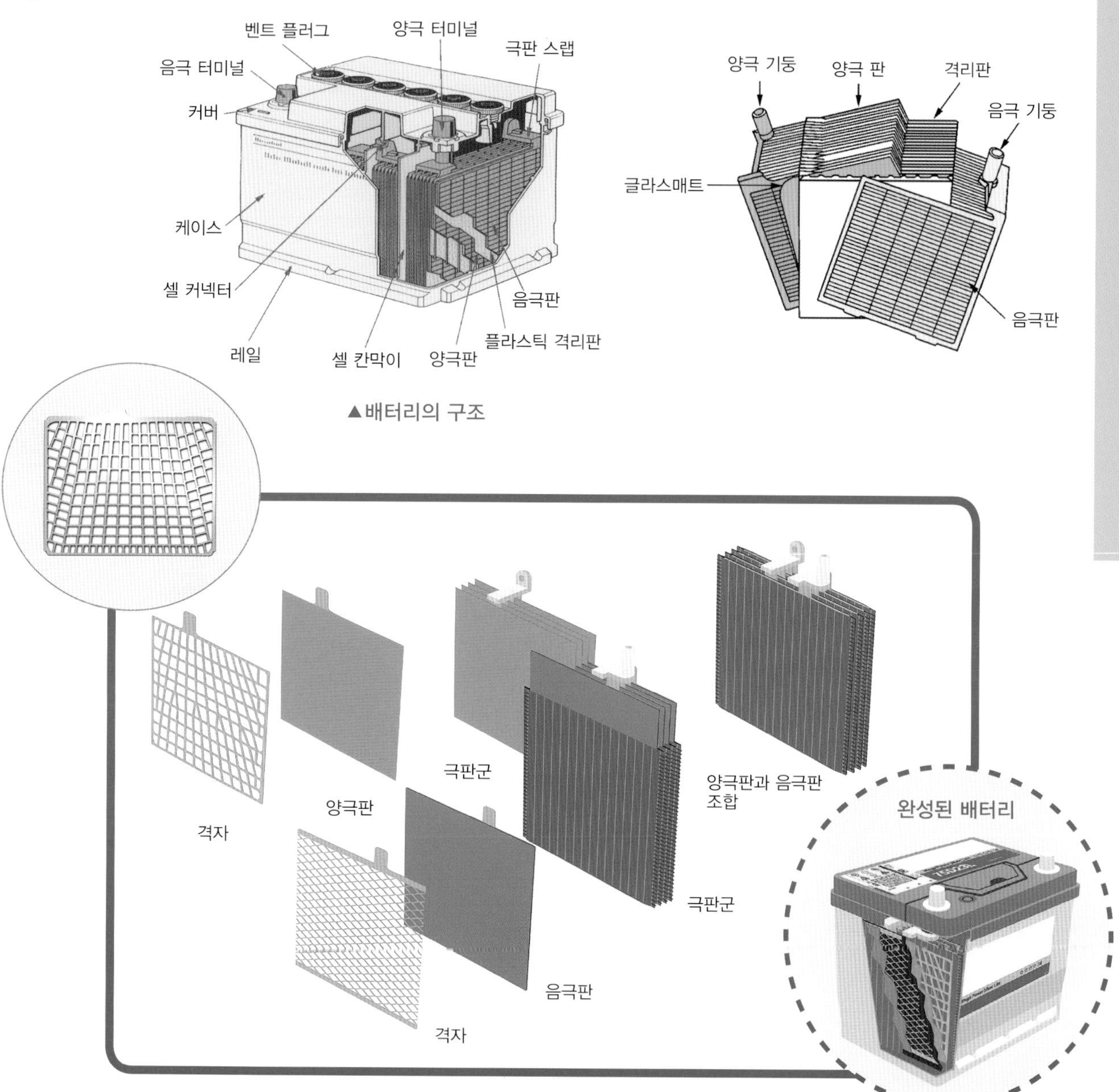

벤트 플러그
양극 터미널
극판 스랩
음극 터미널
커버
케이스
셀 커넥터
레일
셀 칸막이
양극판
플라스틱 격리판
음극판

▲배터리의 구조

양극 기둥
양극 판
격리판
음극 기둥
글라스매트
음극판

격자
양극판
극판군
양극판과 음극판 조합
극판군
음극판
격자
완성된 배터리

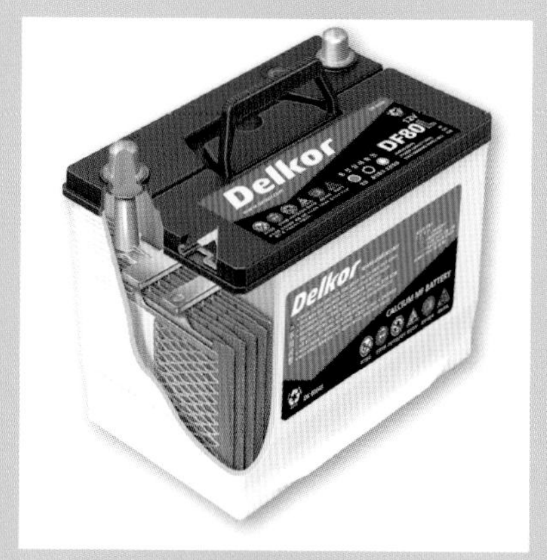

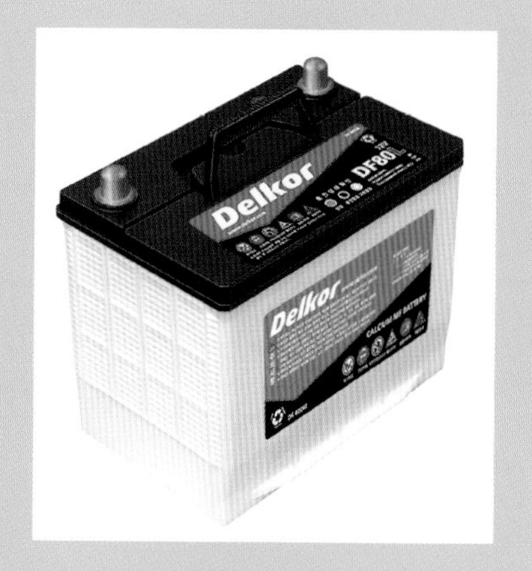

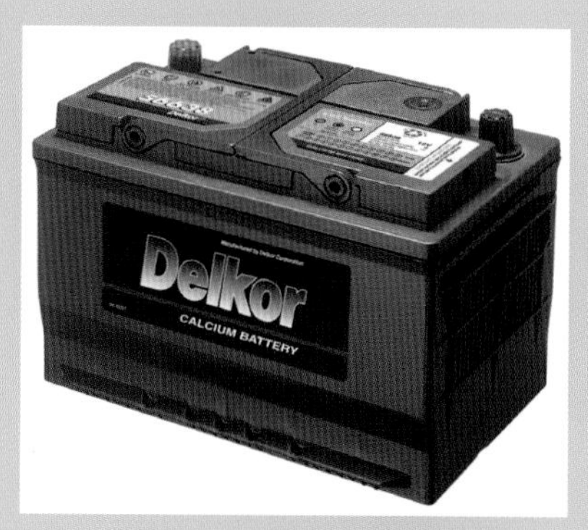

전해액 환원 구조 커버

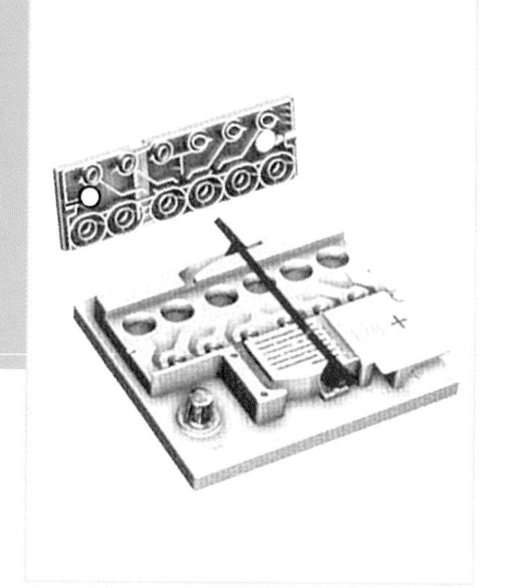

▼셀 내부의 극판 수용 격자

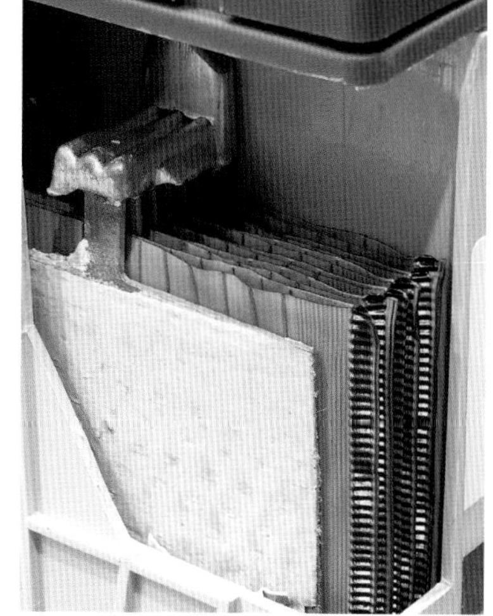

▼손상된 배터리 내부

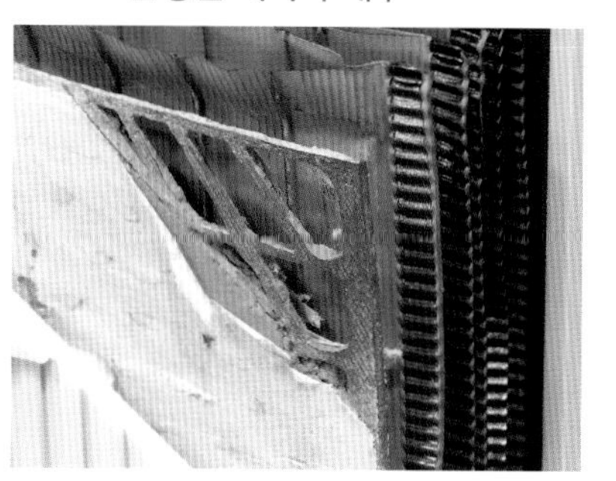

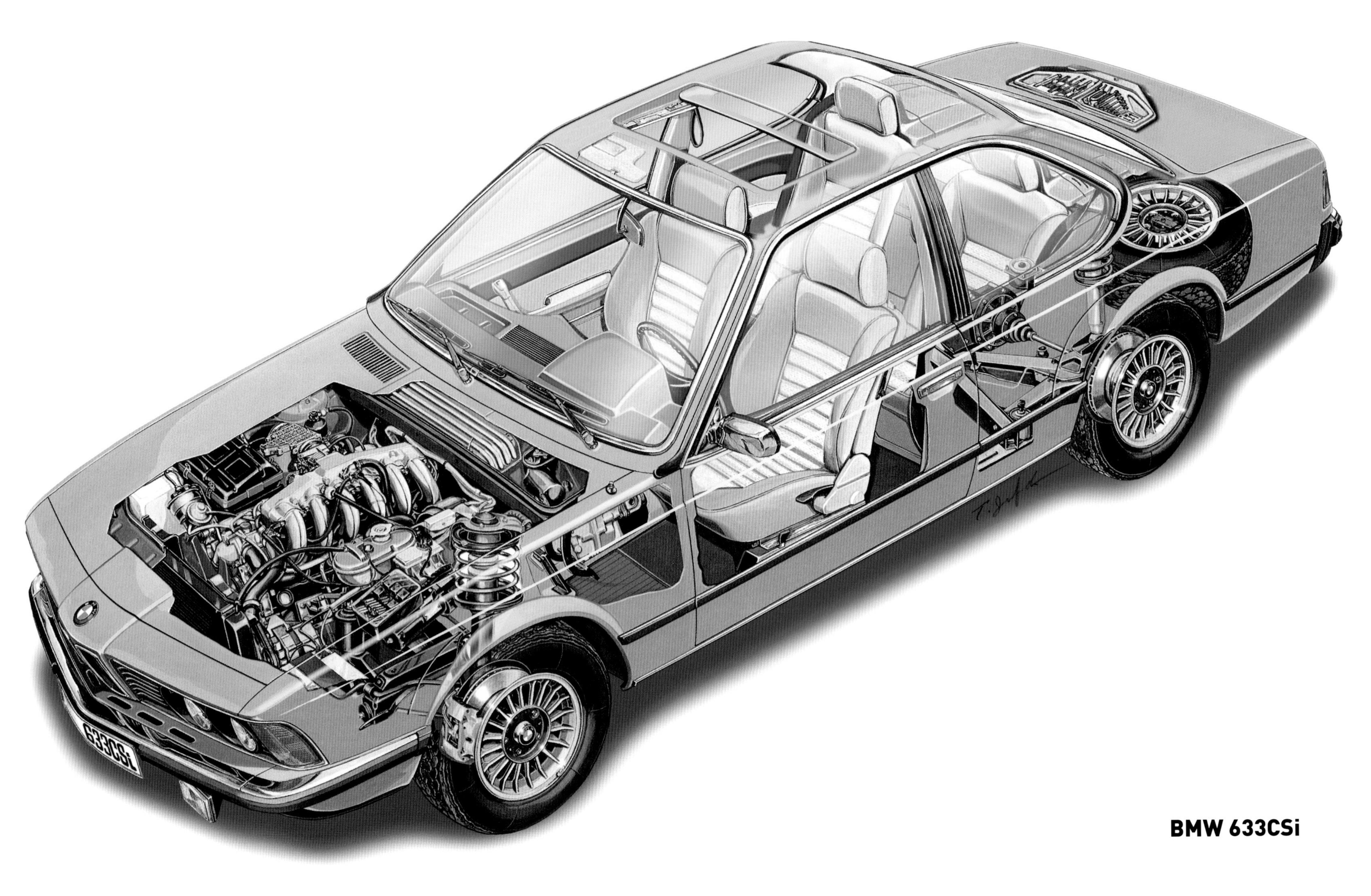

BMW 633CSi

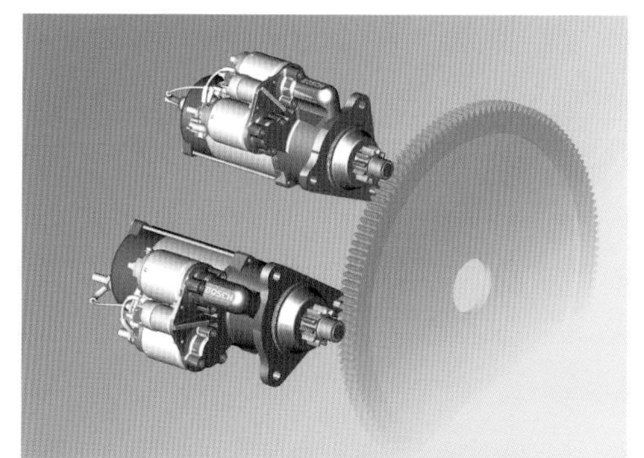

계자 코일
전기자 코일
계자 철심
정류자
브러시
N
S

▲ 전동기의 원리

고정 접점 이동 접점 마그네틱 스위치 플런저 리턴 스프링
브러시 시프트 레버
피니언 기어 슬리브 스프링
정류자 기어 케이스
피니언 기어
계철 전기자 센터 베어링 홀더 브레이크 판

▲ 전동기의 구성부품

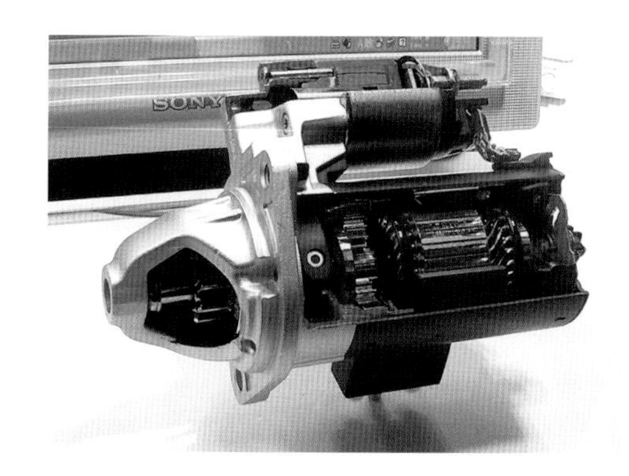

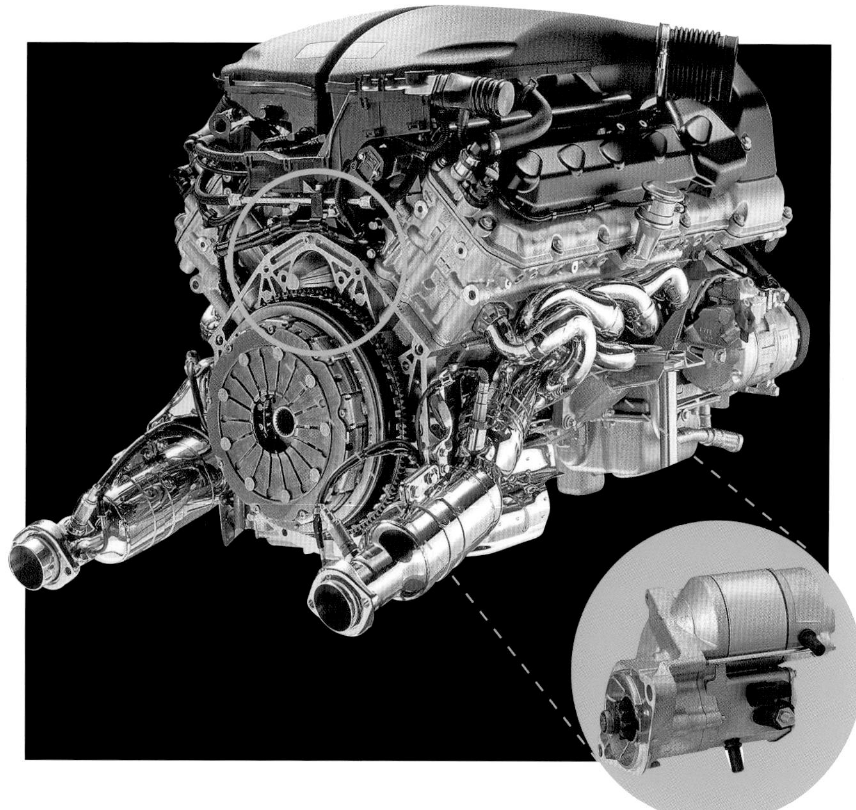

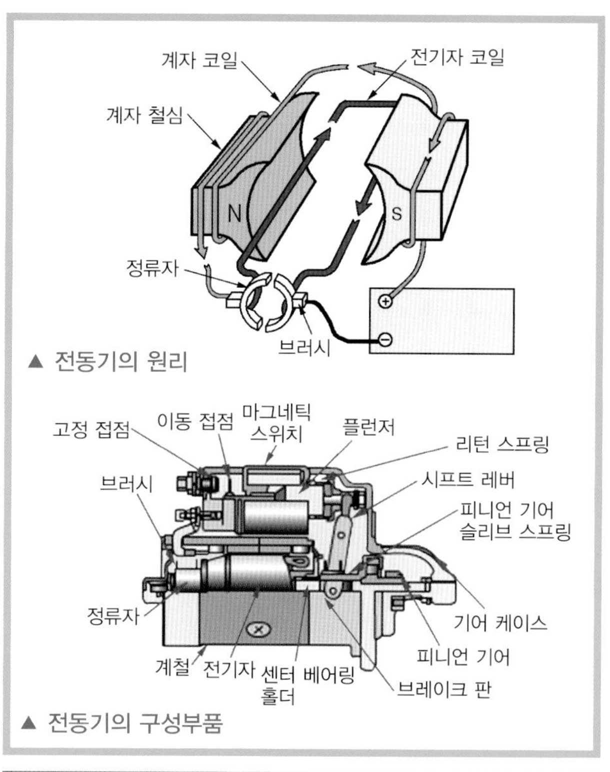

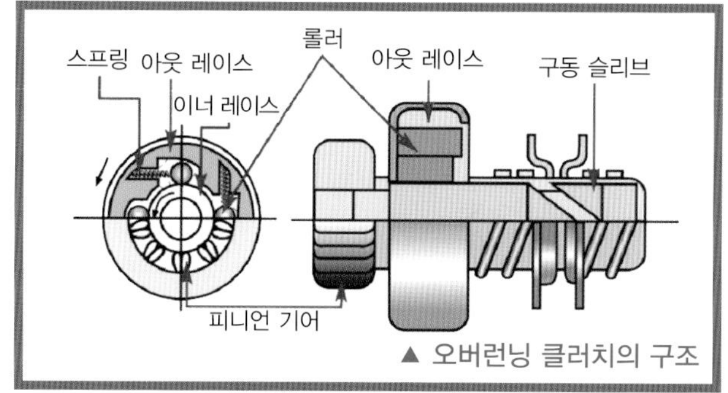

스프링 아웃 레이스 롤러 아웃 레이스 구동 슬리브
이너 레이스
피니언 기어

▲ 오버런닝 클러치의 구조

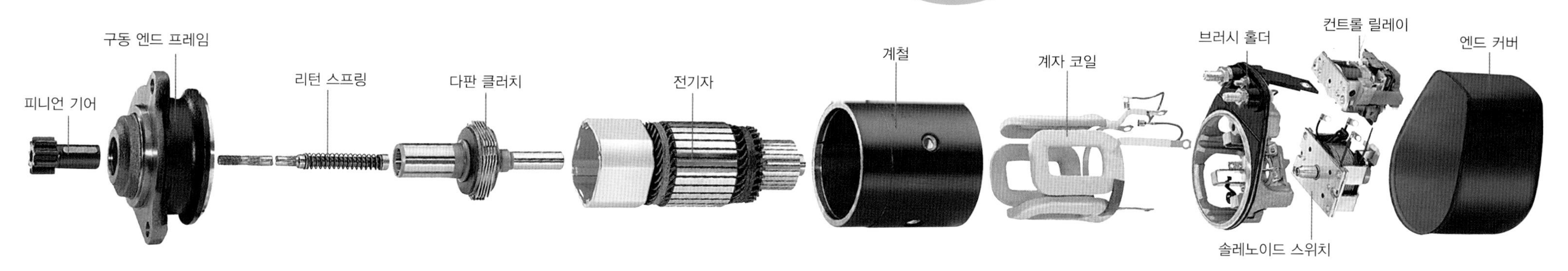

피니언 기어 구동 엔드 프레임 리턴 스프링 다판 클러치 전기자 계철 계자 코일 브러시 홀더 컨트롤 릴레이 엔드 커버

솔레노이드 스위치

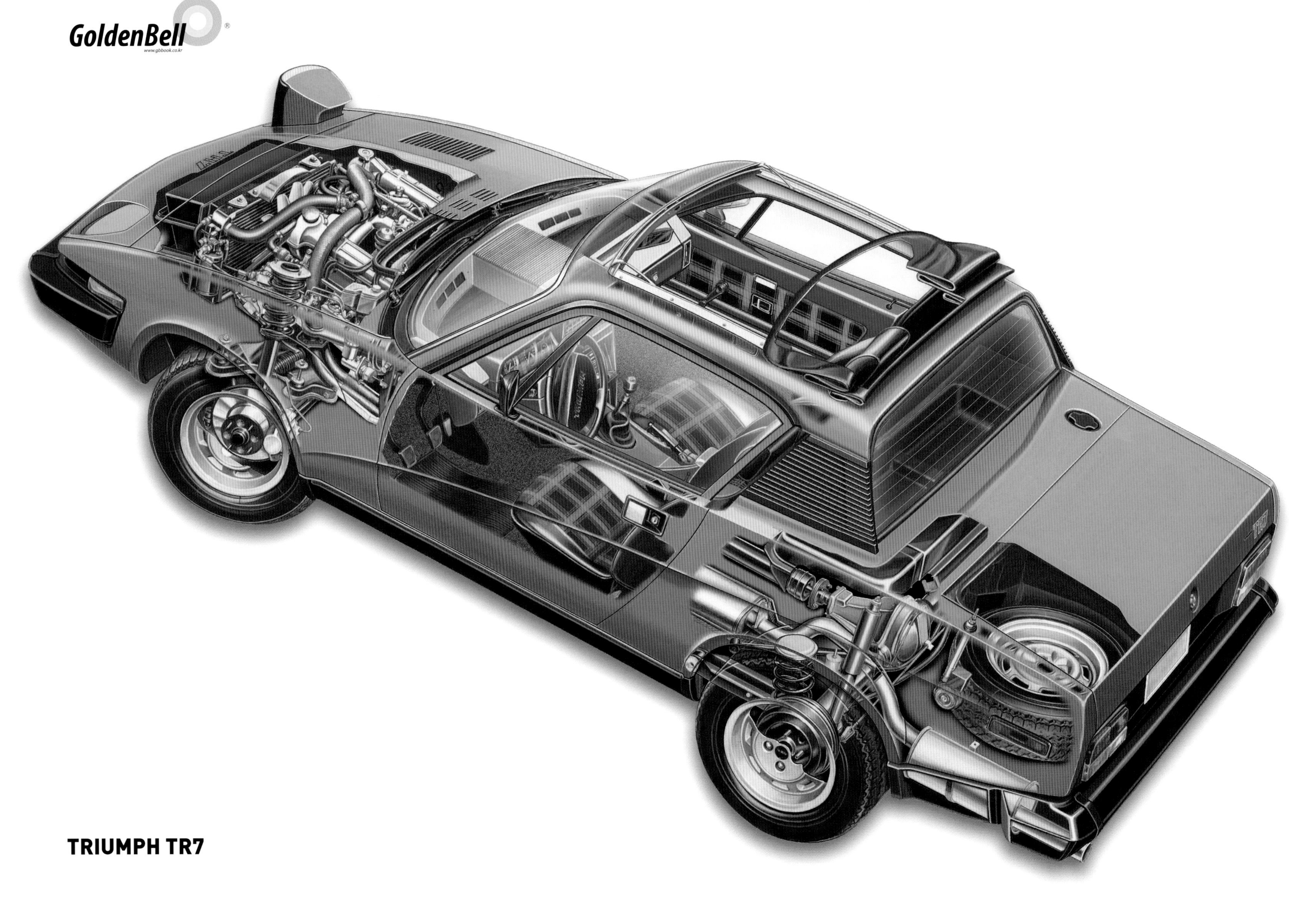

점화 장치

ELECTRICITY 19

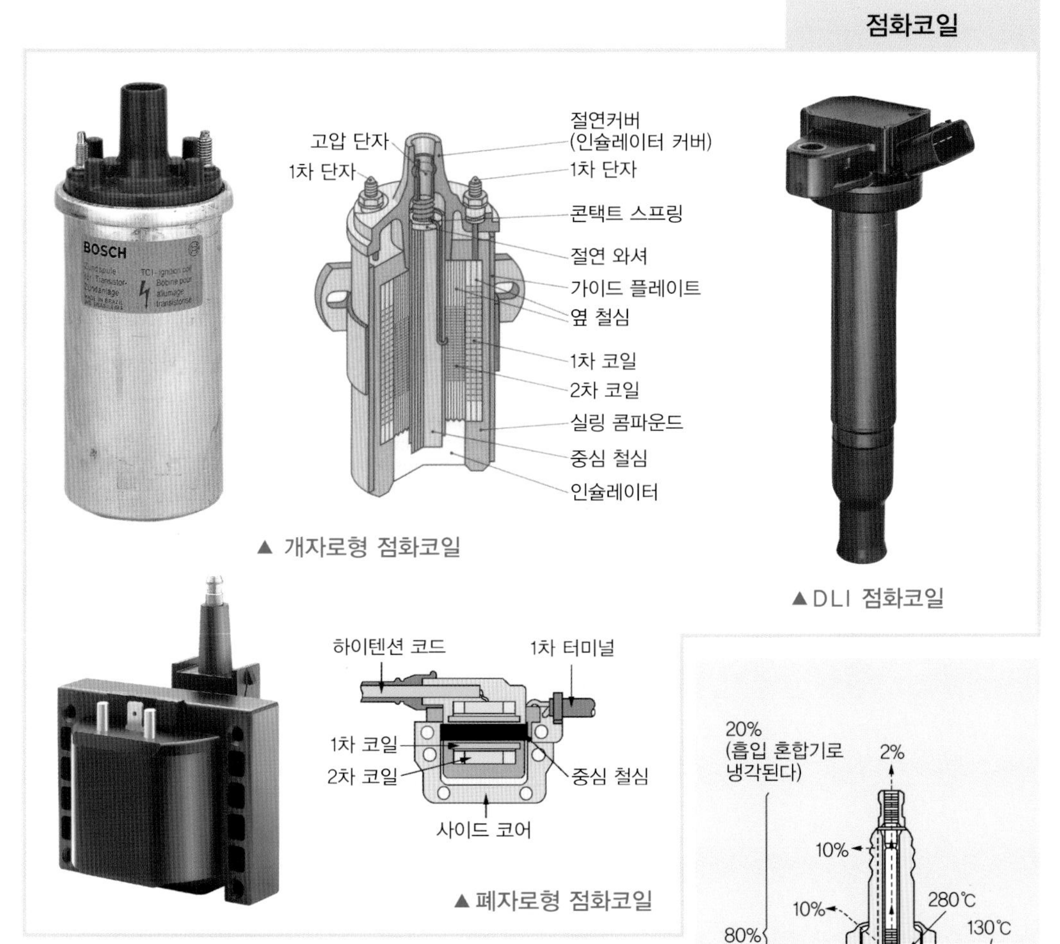

점화코일

절연커버
(인슐레이터 커버)
고압 단자
1차 단자
1차 단자
콘택트 스프링
절연 와셔
가이드 플레이트
옆 철심
1차 코일
2차 코일
실링 콤파운드
중심 철심
인슐레이터

BOSCH

▲ 개자로형 점화코일

▲ DLI 점화코일

하이텐션 코드
1차 터미널
1차 코일
2차 코일
중심 철심
사이드 코어

▲ 폐자로형 점화코일

냉각수 통로
열형 ←→ 냉형
냉형 플러그

점화플러그

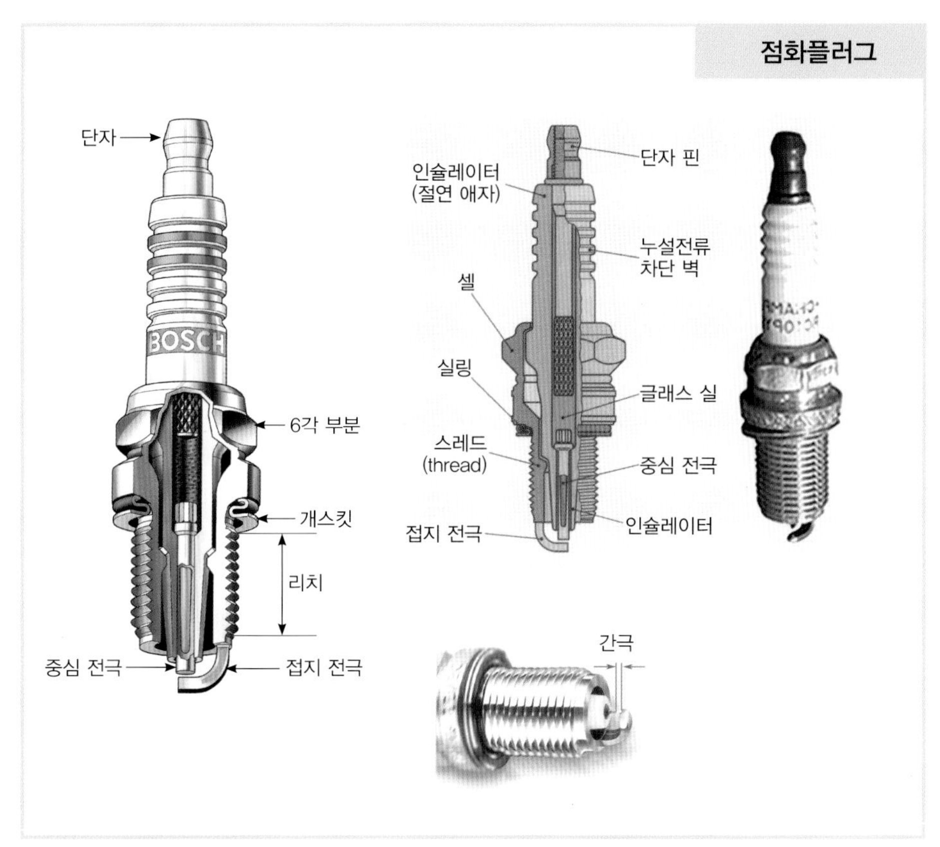

단자
BOSCH
6각 부분
중심 전극
접지 전극
리치
개스킷

단자 핀
인슐레이터
(절연 애자)
셀
실링
스레드
(thread)
접지 전극
누설전류
차단 벽
글래스 실
중심 전극
인슐레이터

간극

20%
(흡입 혼합기로
냉각된다)
2%
10%
280℃
130℃
10%
80%
38%
90℃
20%
350℃
780℃
100%
750℃

배전기

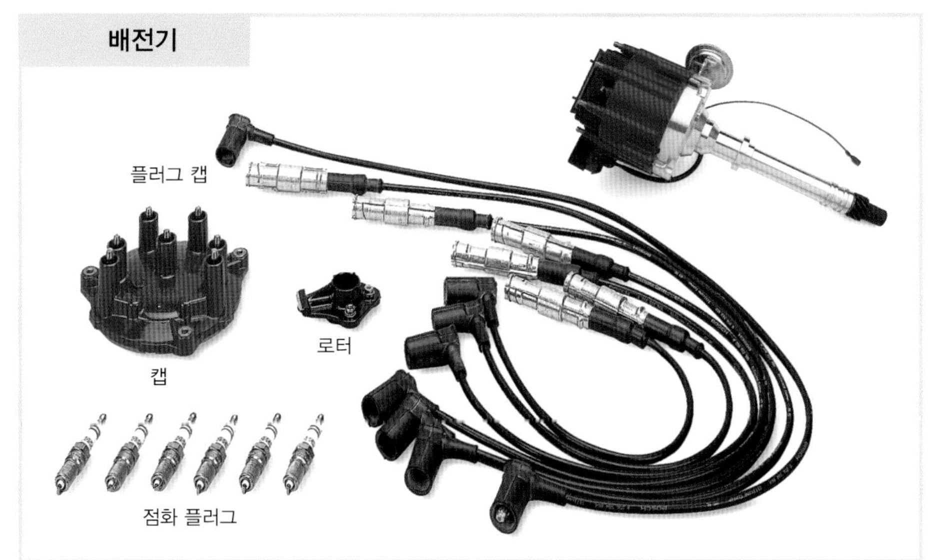

플러그 캡
캡
로터
점화 플러그

GoldenBell®
www.gbbook.co.kr

FERRARI 512BB

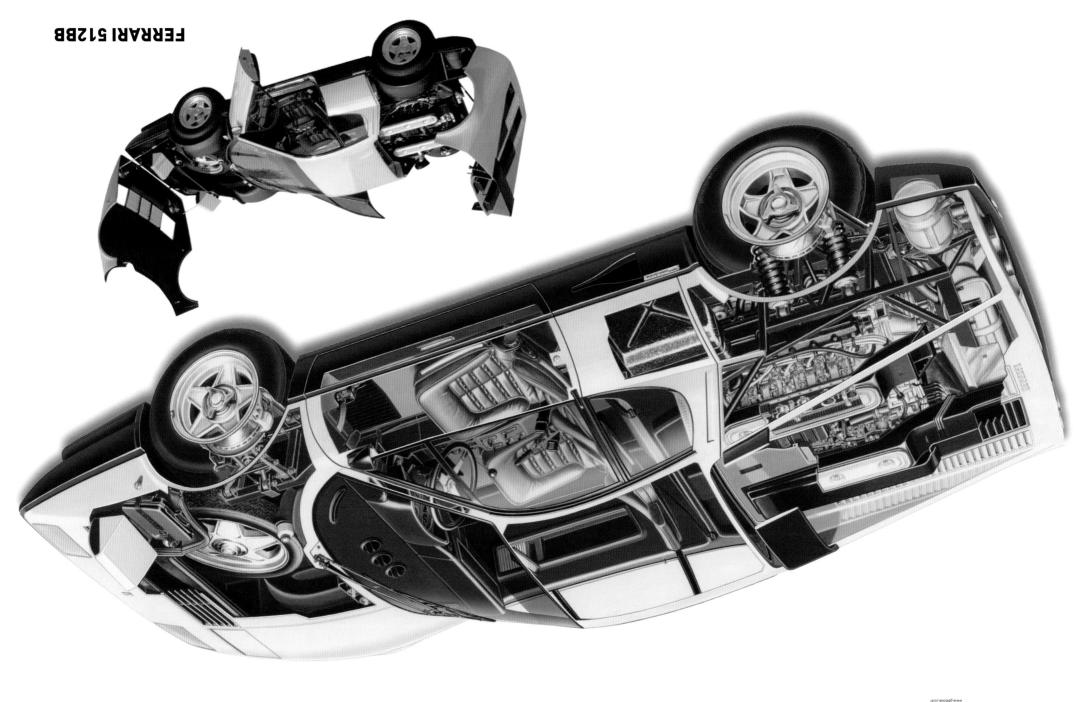

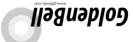

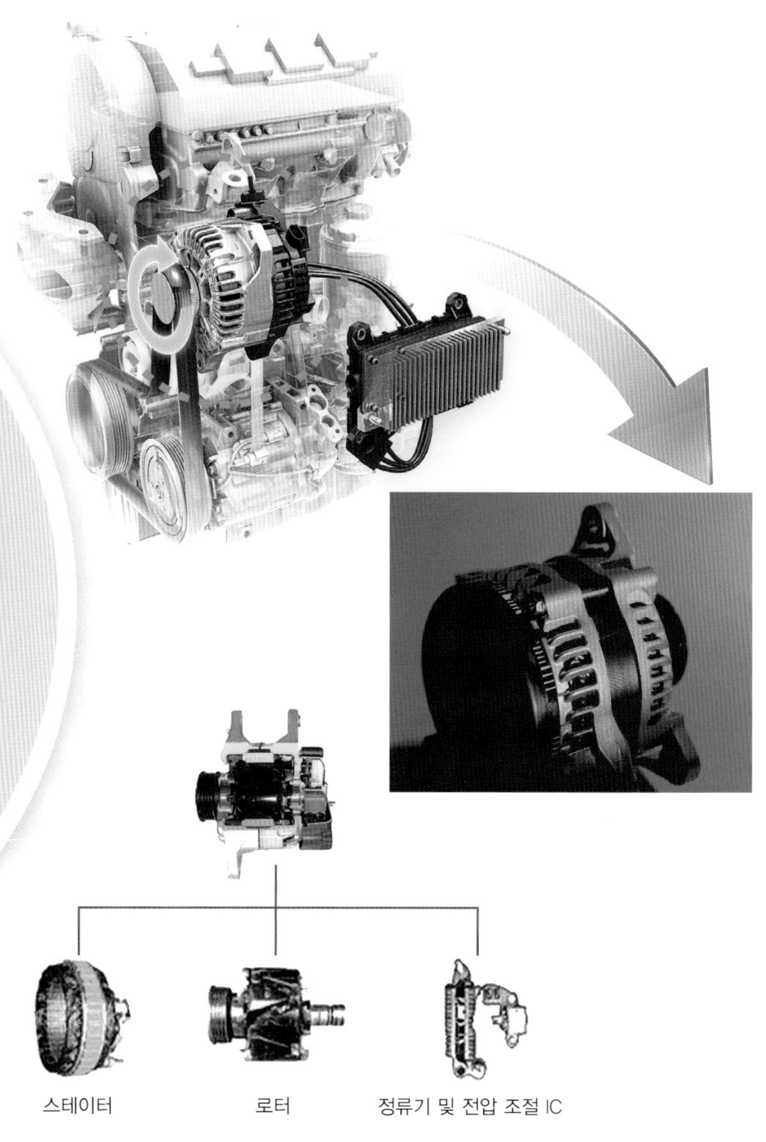

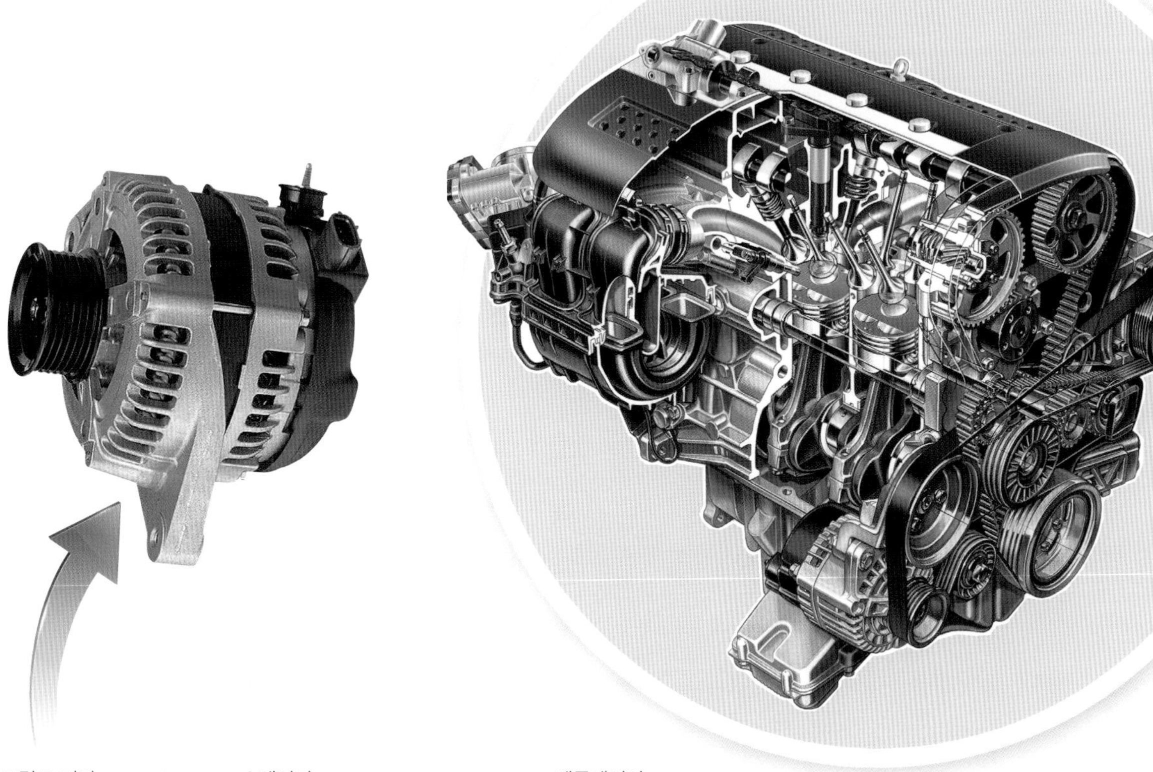

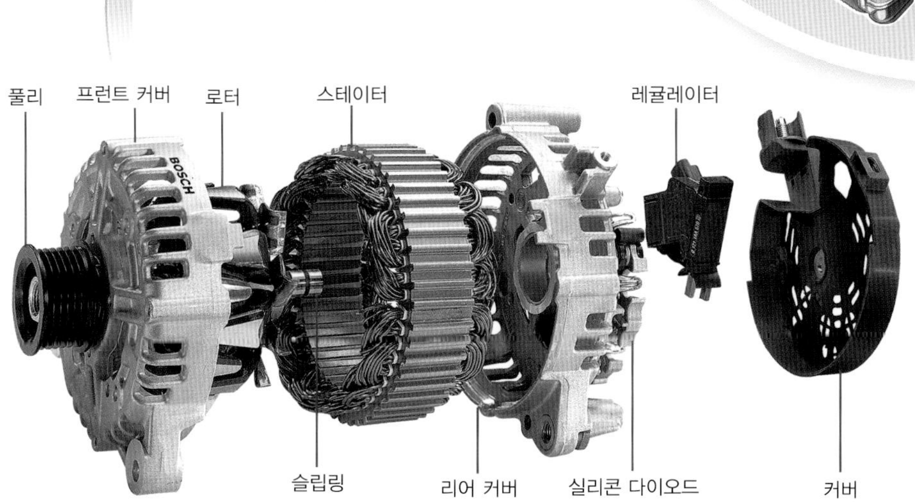

풀리　프런트 커버　로터　스테이터　레귤레이터

슬립링　리어 커버　실리콘 다이오드　커버

스테이터　로터　정류기 및 전압 조절 IC

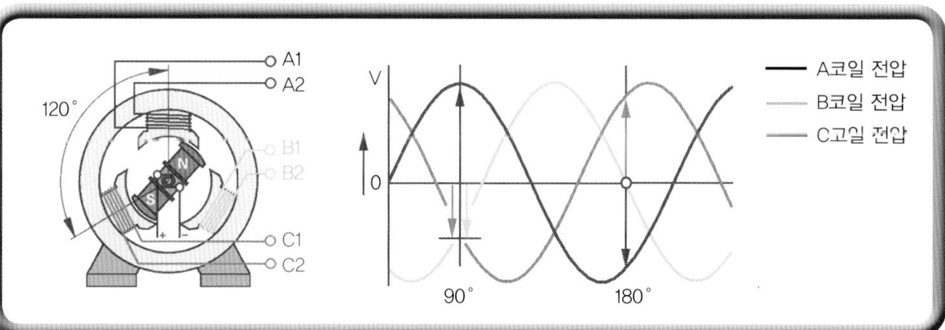

A1
A2
120°
B1
B2
C1
C2

V
0
90°　180°

A코일 전압
B코일 전압
C고일 전압

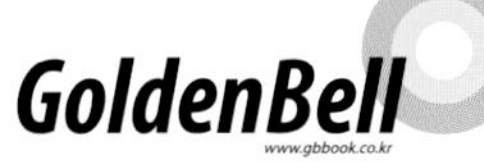

NISSAN R381

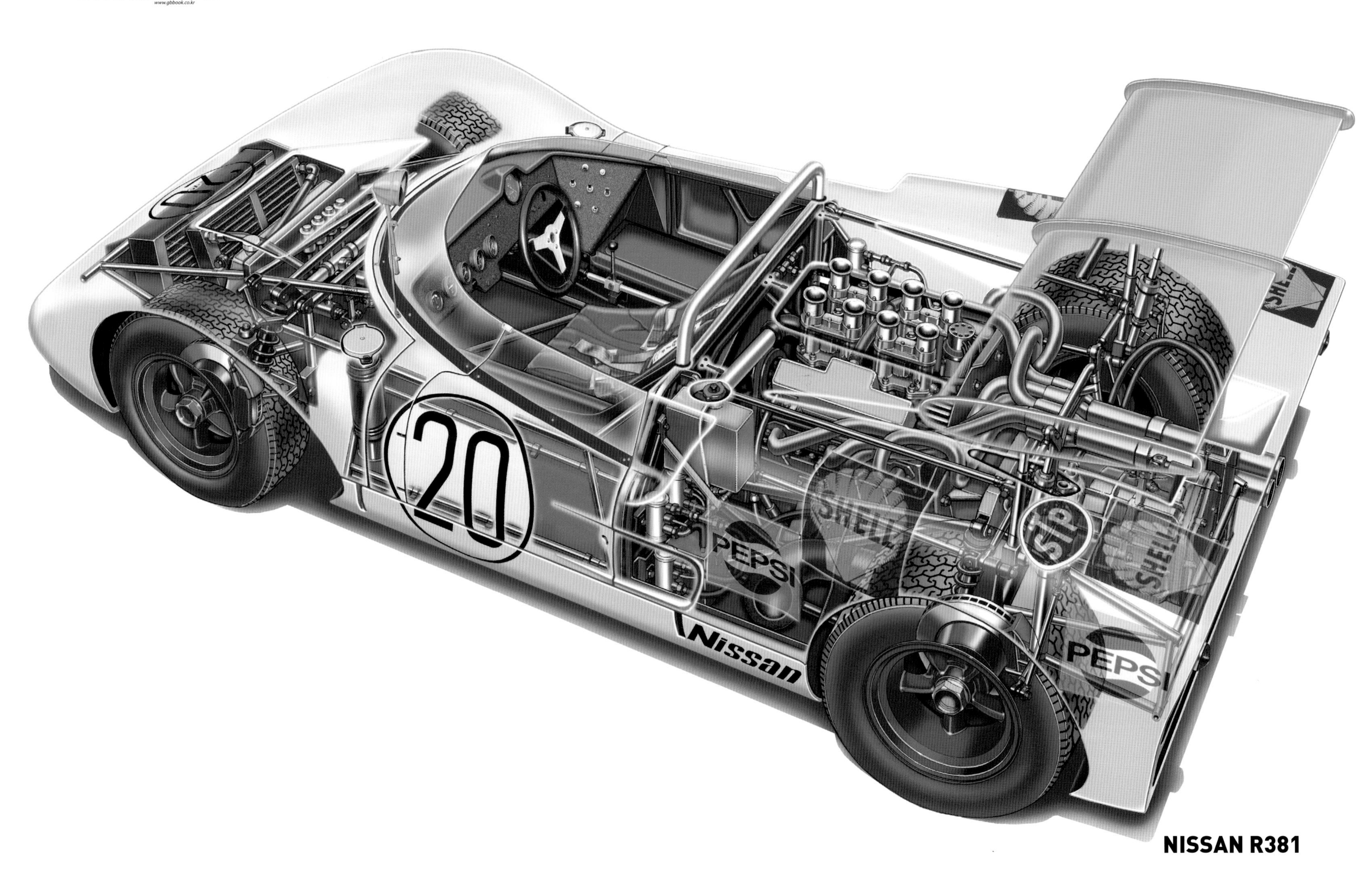

전조등 검사 테스터

전조등

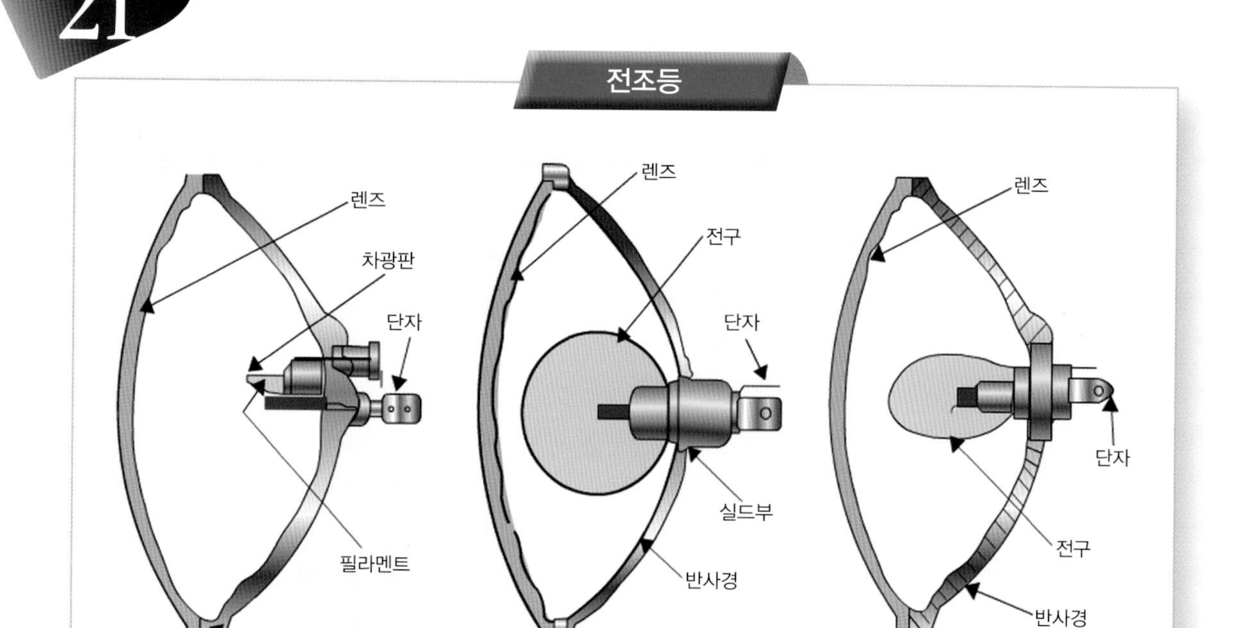

실드빔형	세미 실드빔형	메탈 백 실드빔형

실드빔형 라벨: 렌즈, 차광판, 단자, 필라멘트, 실드부

세미 실드빔형 라벨: 렌즈, 전구, 단자, 실드부, 반사경, 실드부

메탈 백 실드빔형 라벨: 렌즈, 단자, 단자, 전구, 반사경, 실드부

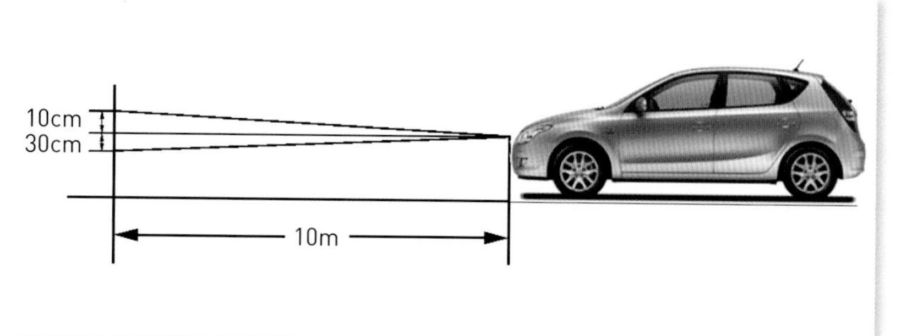

10cm
30cm
10m

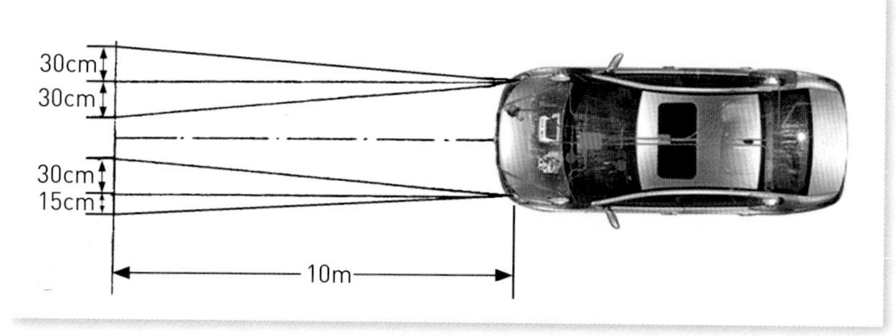

30cm
30cm
30cm
15cm
10m

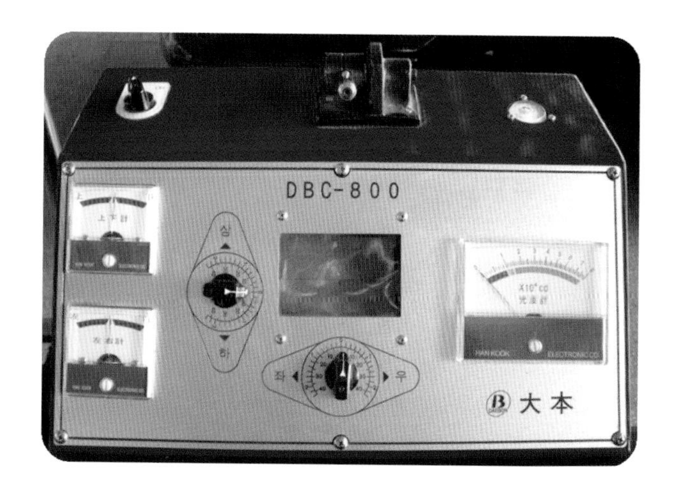

DBC-800

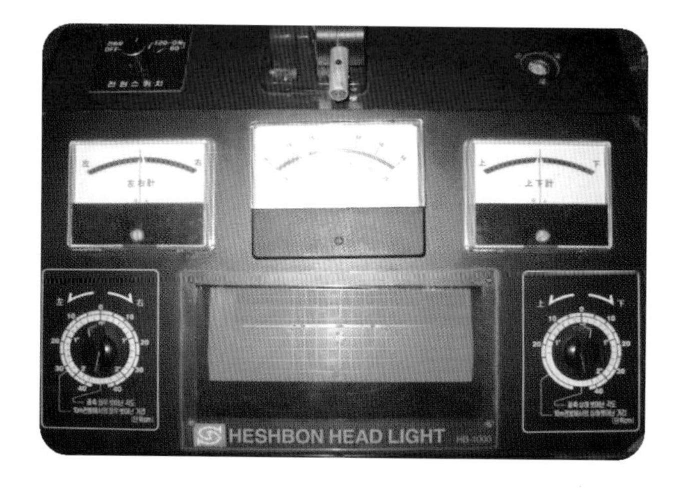

HESHBON HEAD LIGHT

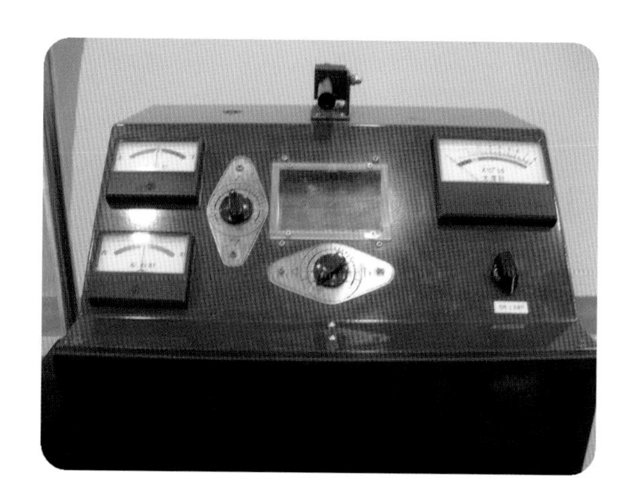

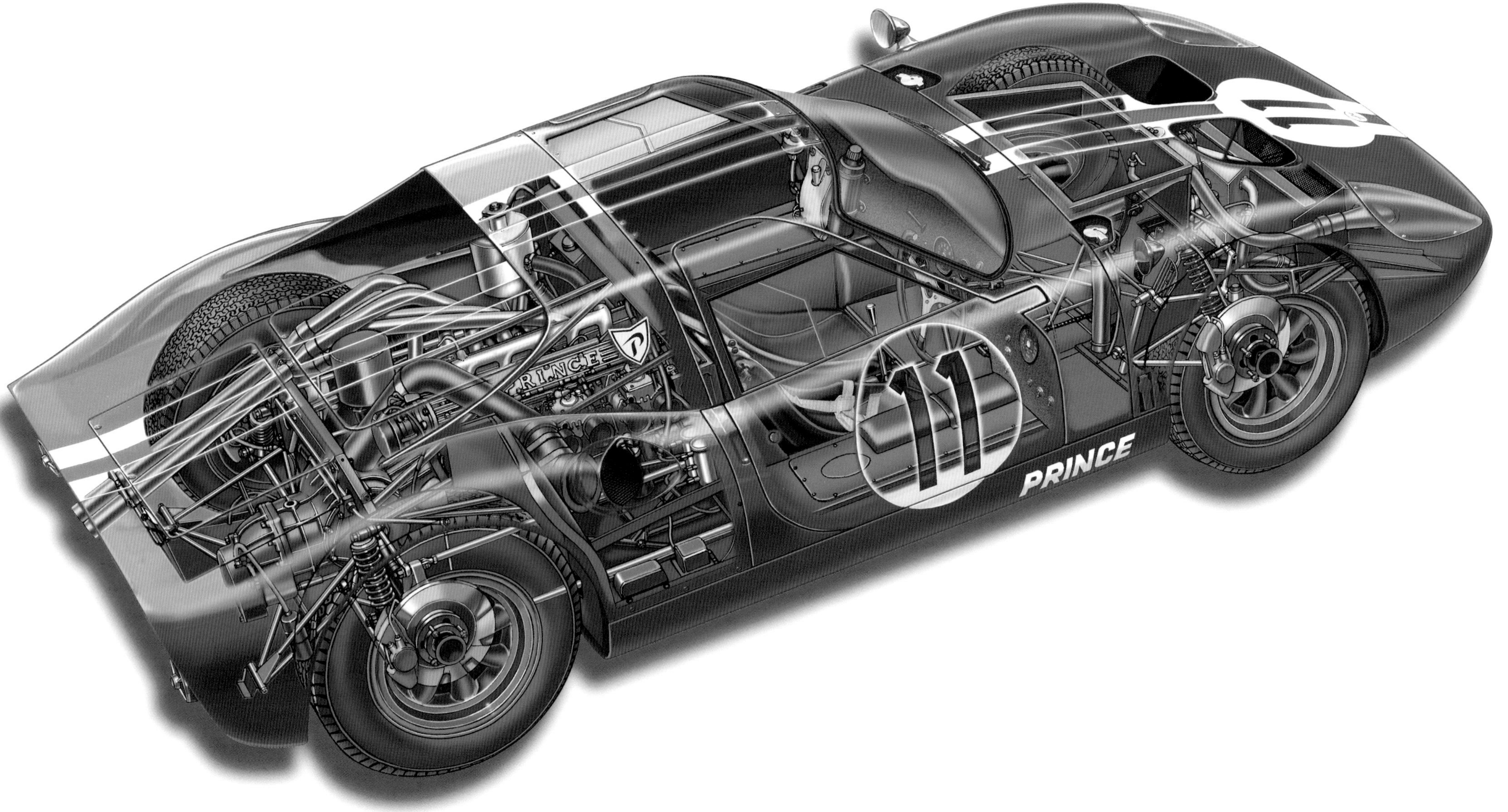

PRINCE R380-1

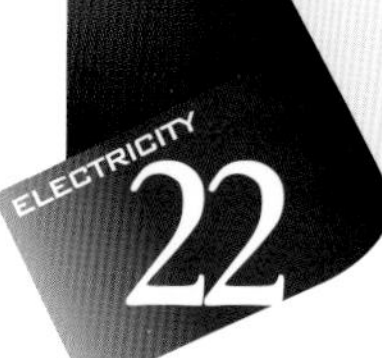

전조등 램프 교환

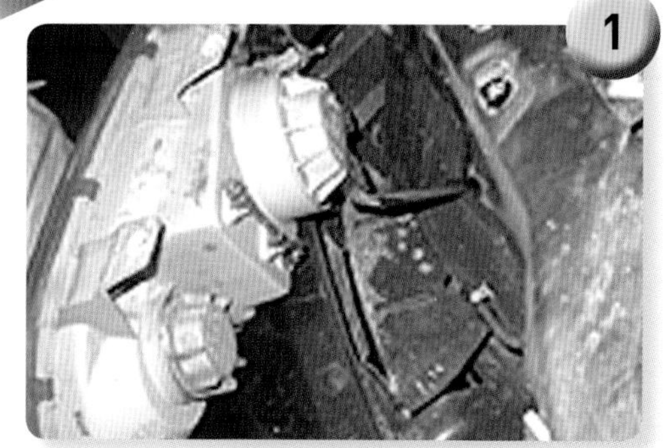

엔진룸의 전조등 위치

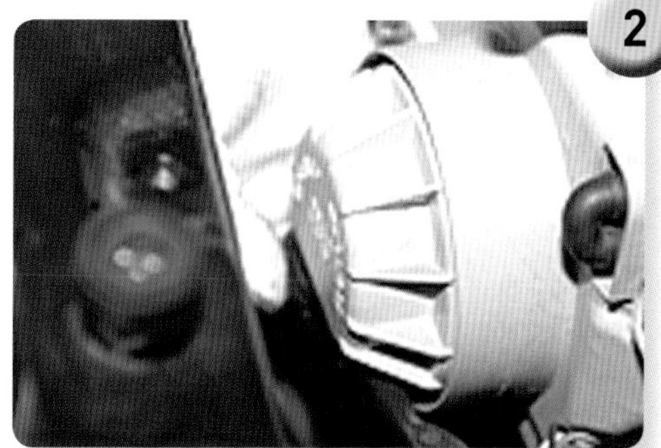

더스트 커버

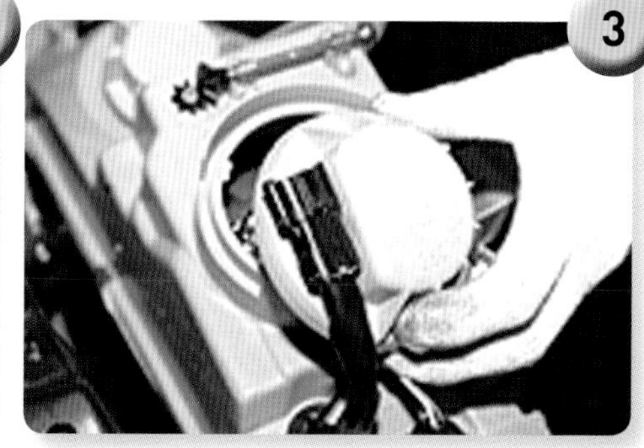

더스트 커버 분리

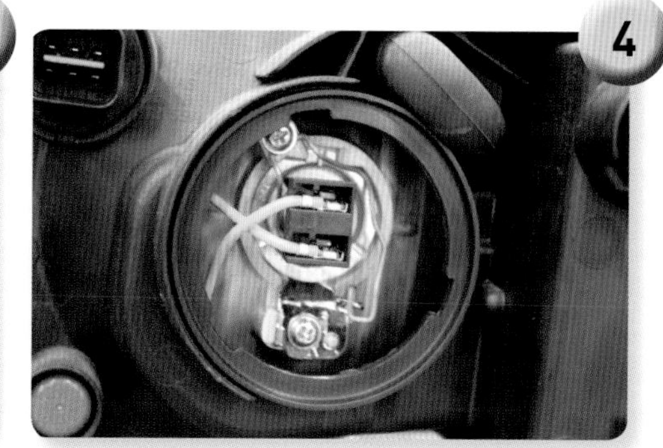

더스트 커버 탈거 후

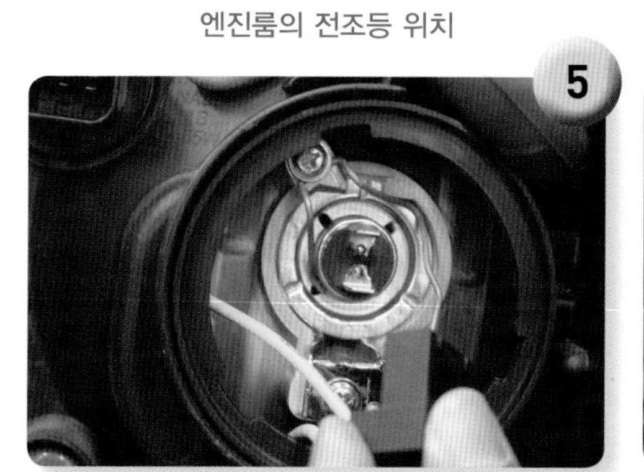

커넥터 분리

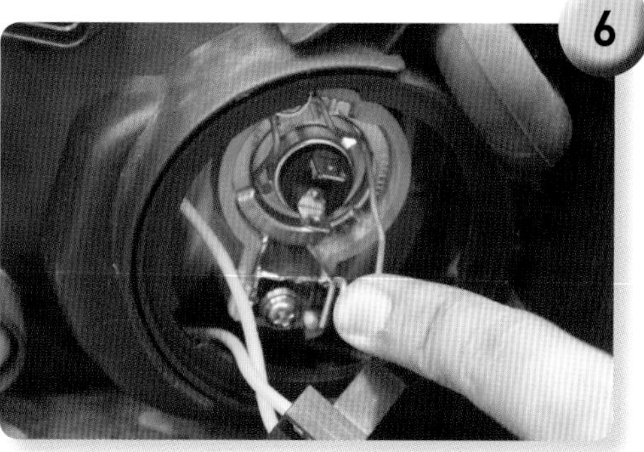

커넥터 분리

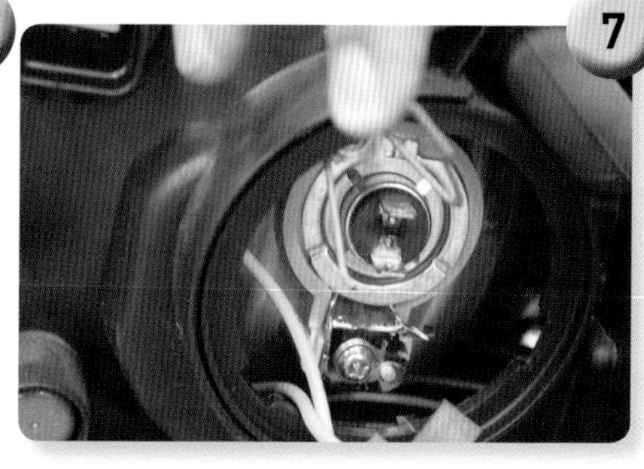

안전 스프링 탈거

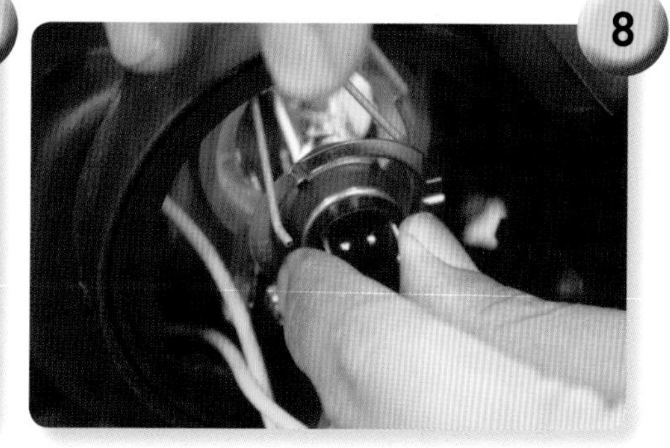

전구 탈거

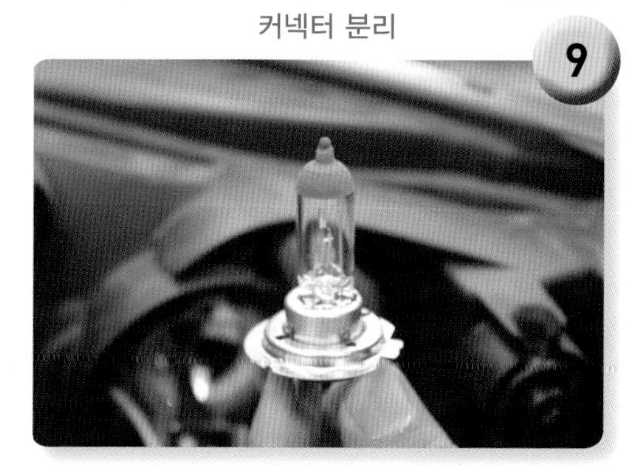

탈거 후 전구 상태 점검

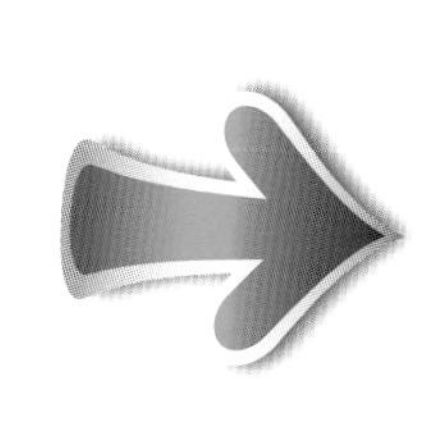

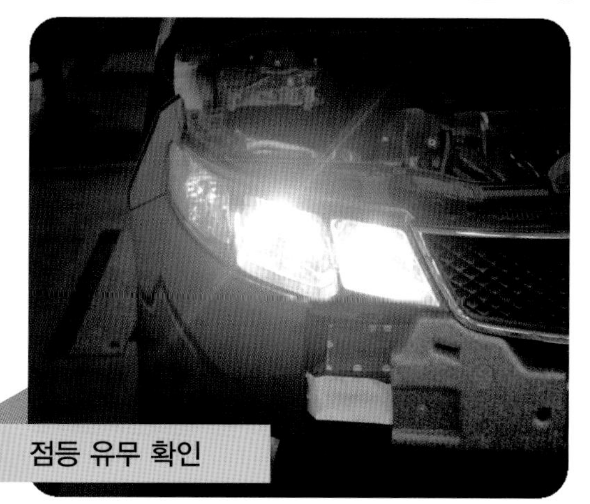

점등 유무 확인

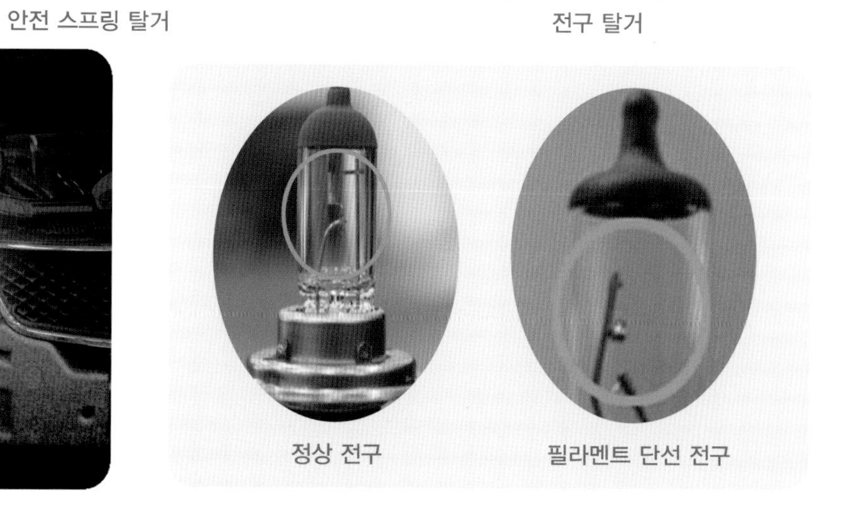

정상 전구   필라멘트 단선 전구

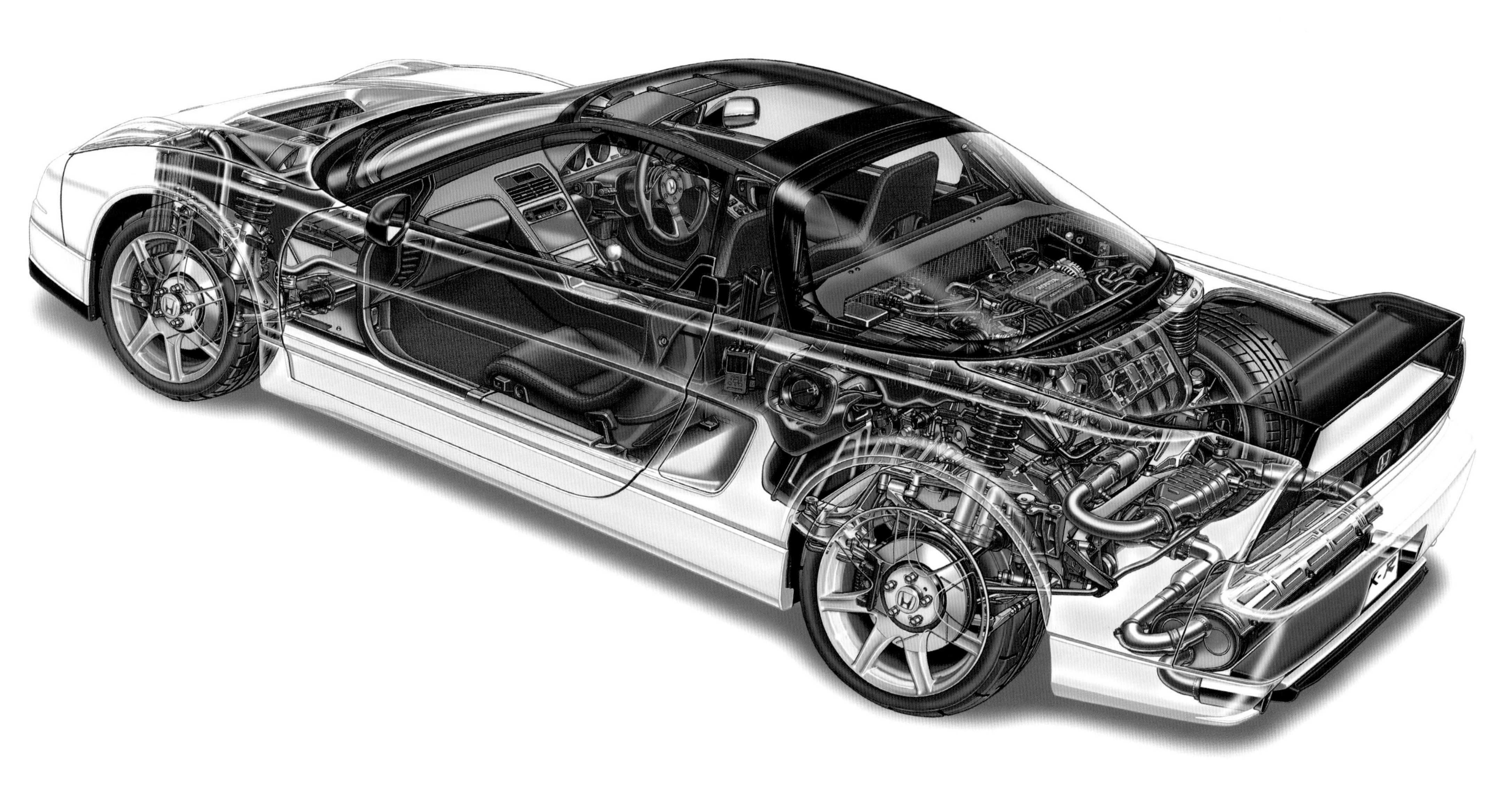

방향지시등 & 제동등 램프 교환

방향지시등

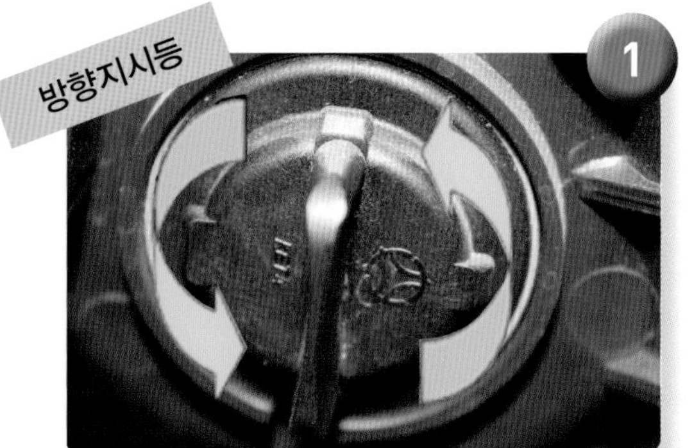

소켓 분리

등화 케이스에서 소켓 분리

전구를 누르면서 돌린다

소켓에서 전구 분리

제동등

커버 고정 스크루 탈거

제동등 소켓 누르며 반시계방향으로 회전

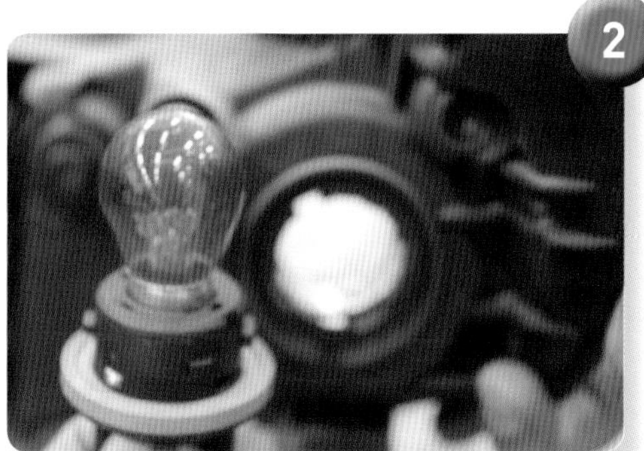

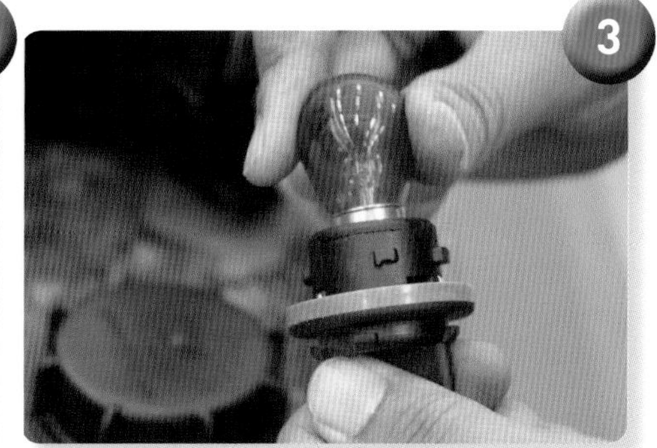

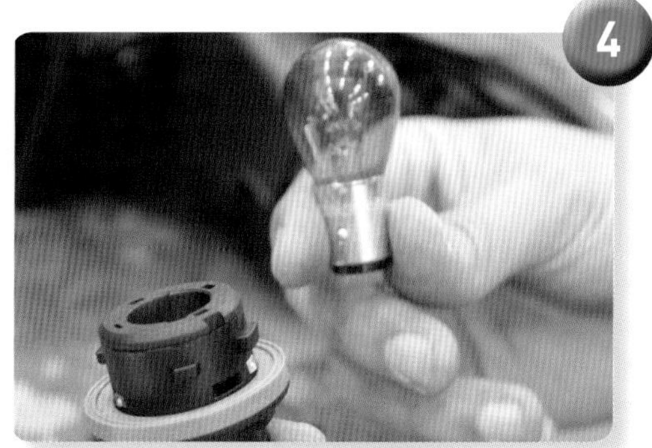

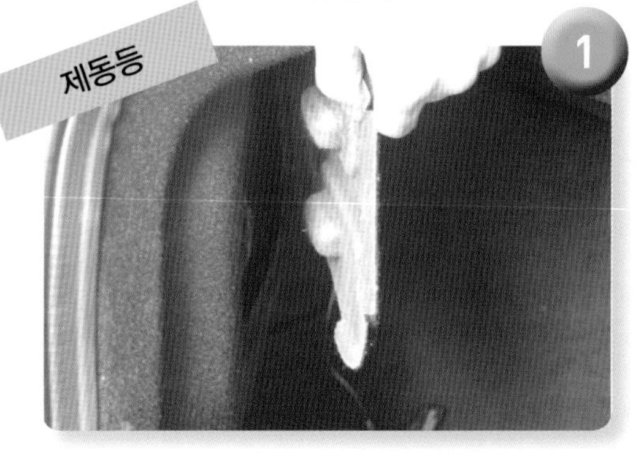

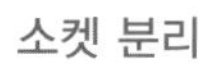

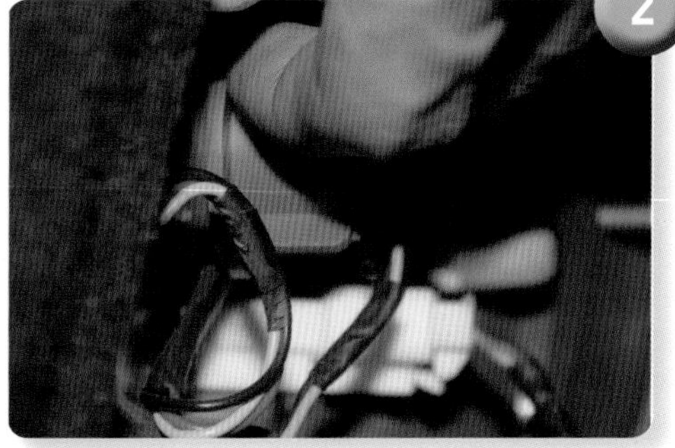

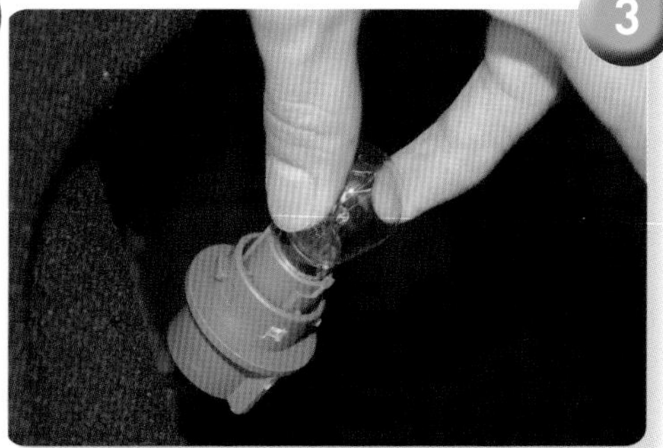

누르면서 반시계방향으로 회전

소켓에서 전구 탈거

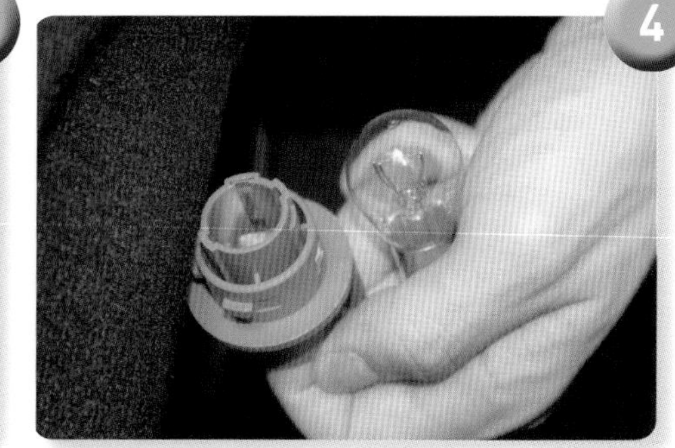

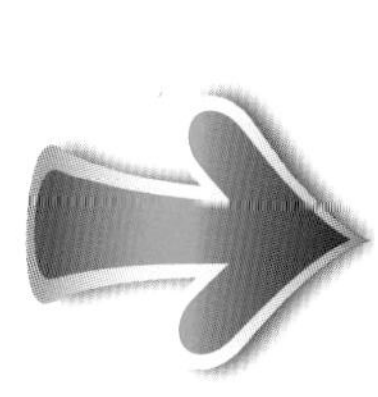

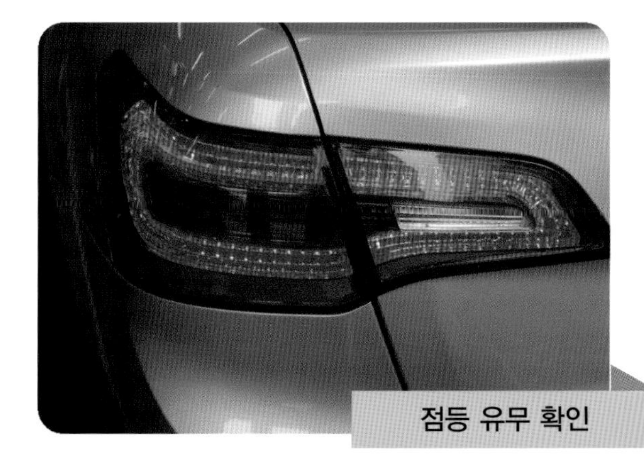

점등 유무 확인

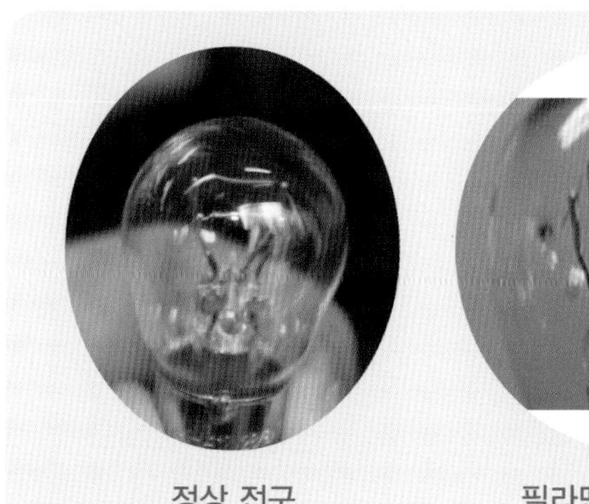

정상 전구   필라멘트 단선 전구

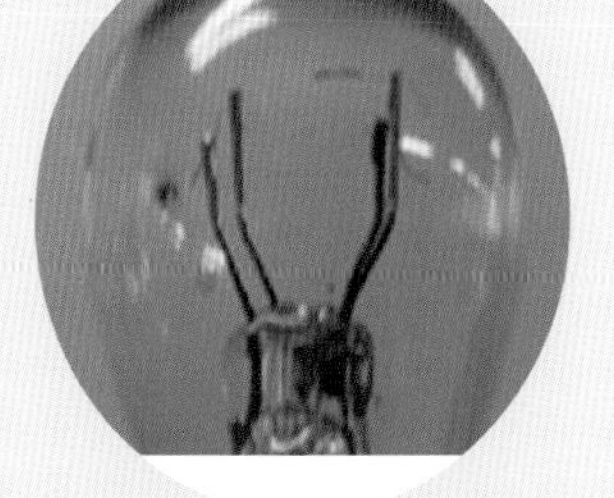

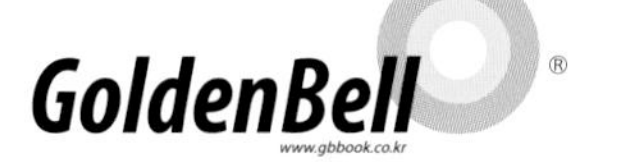

BMW M1

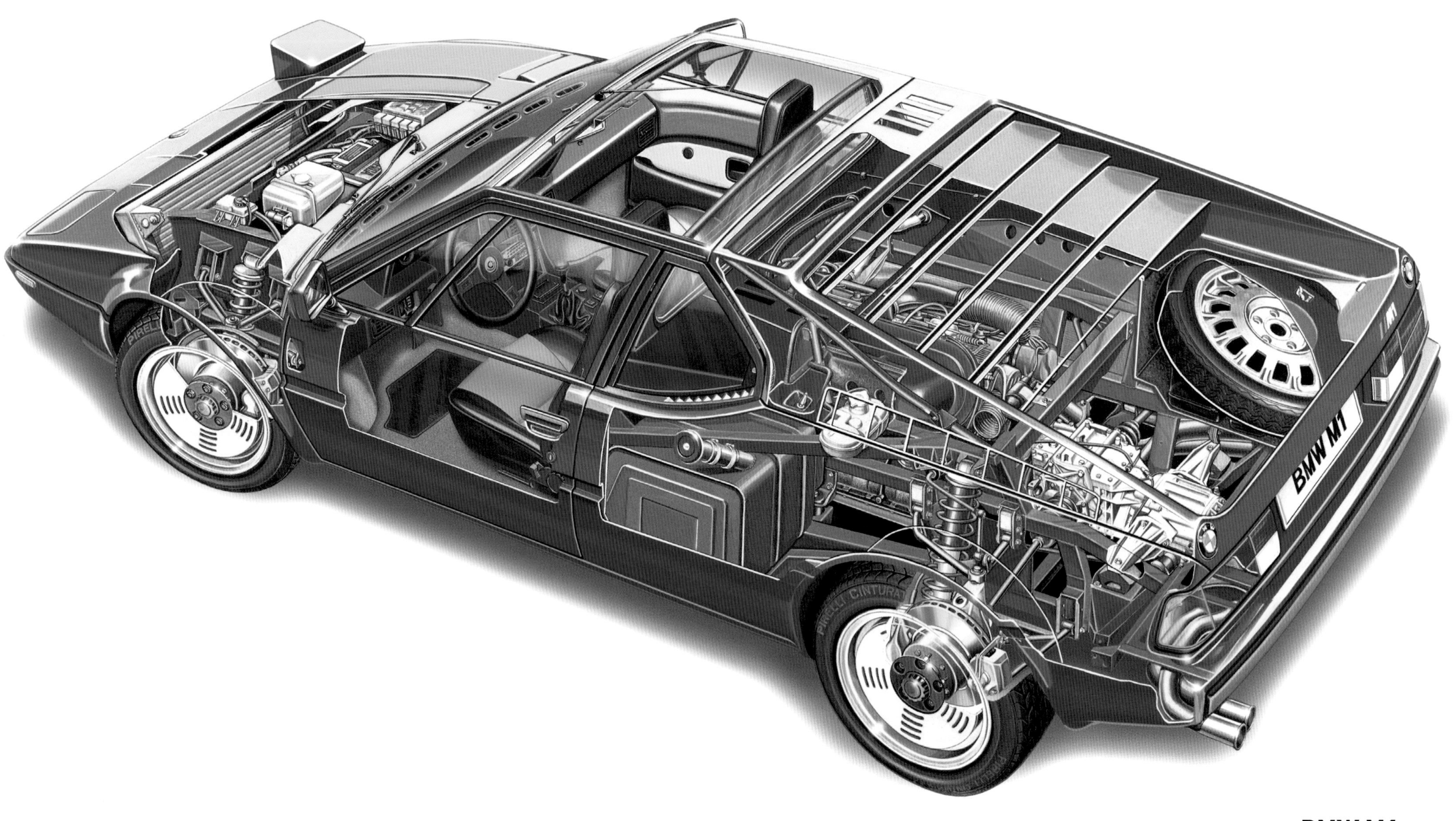

에어백 시스템

▲ 운전석 에어백

에어백   조향 핸들 패드

조향 핸들

에어백 센서   인플레이터

▲ 에어백 구성 부품

▲ 벨트 텐셔너

로터

링기어   스크루

케이블   주의 라벨

기어

위 케이스

아래 케이스

시트

케이블 끝 지지대

▲ 클럭 스프링의 구조

▲ 에어백

▲ 에어백 ECU 입출력 부품

롤러

구동 접점

임팩트

접점

롤러 스프링

▲ 전방 충돌 감지 센서

자석   리드 스위치

차량의 진행 방향

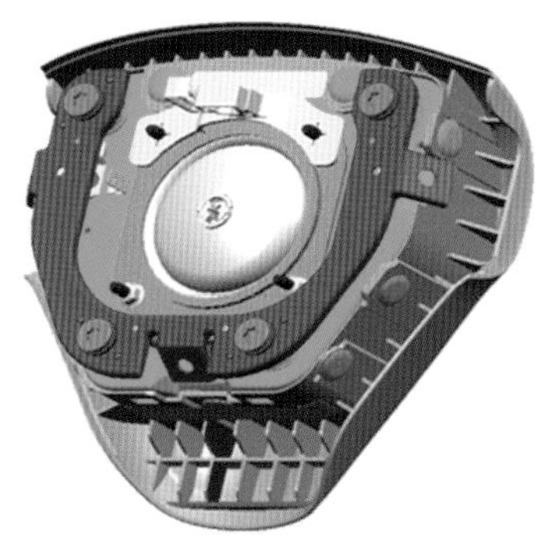

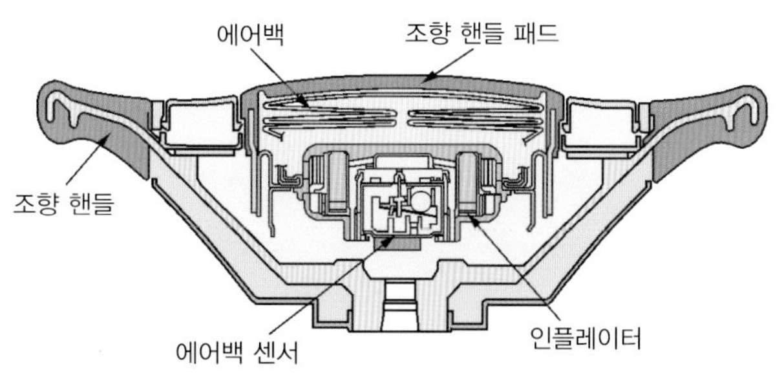

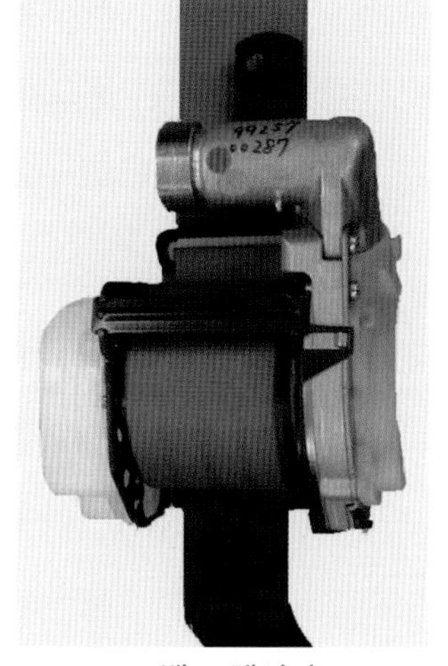

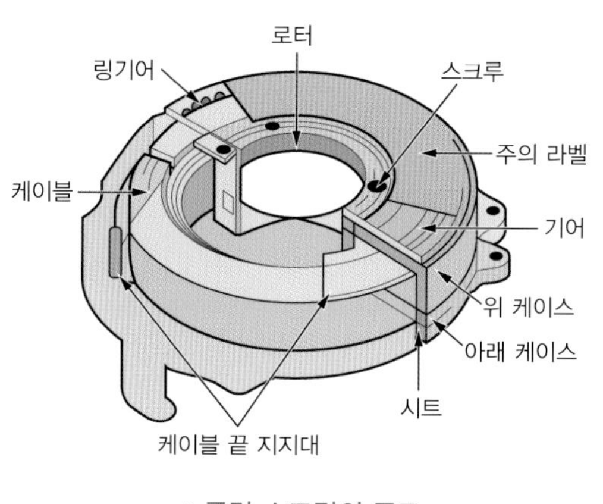

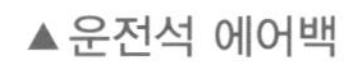

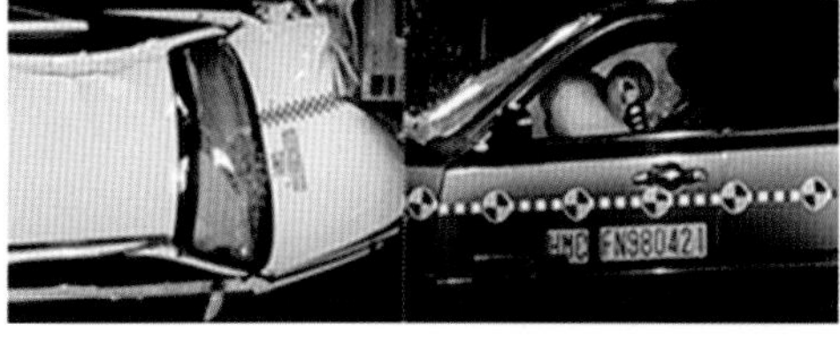

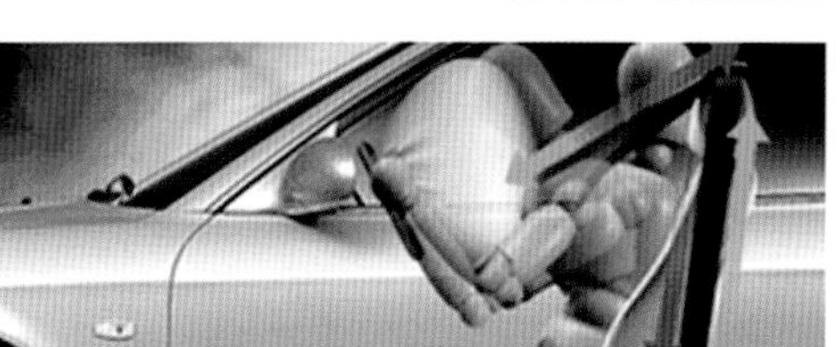

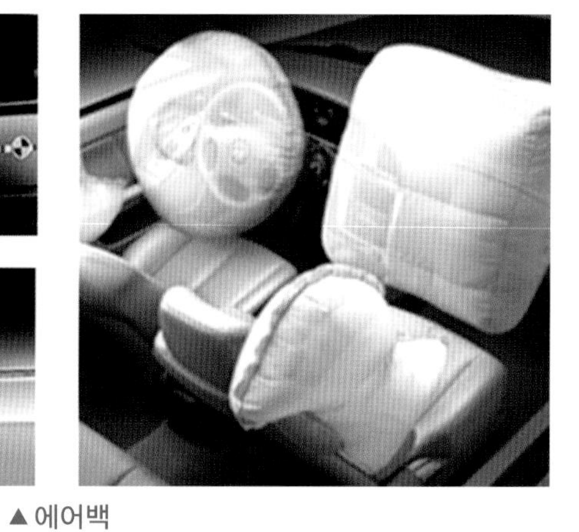

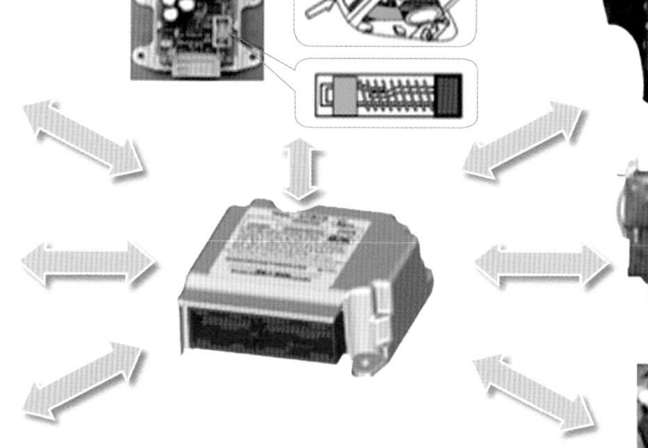

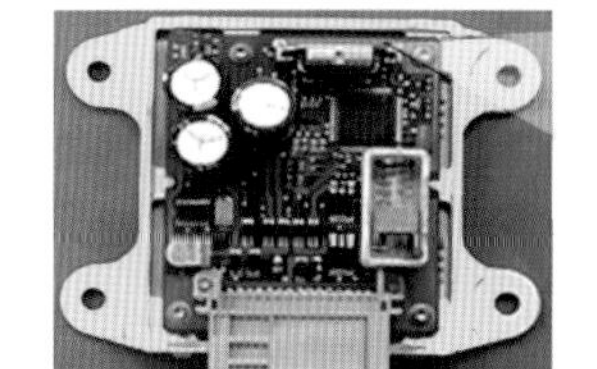

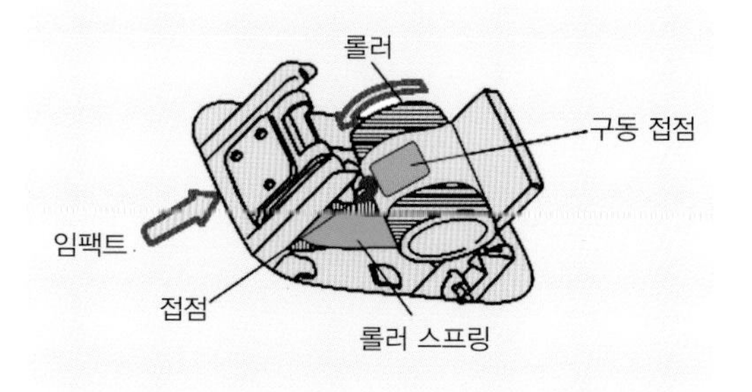

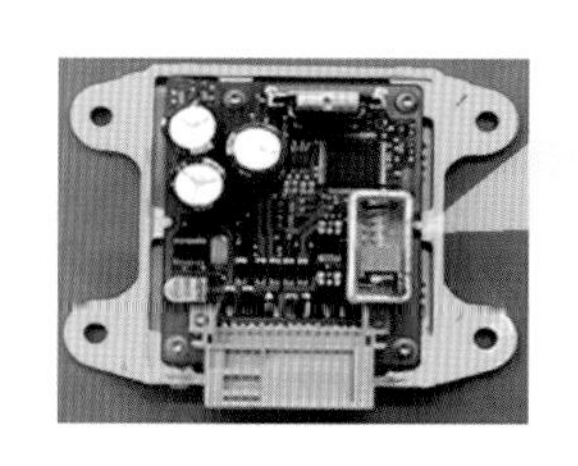

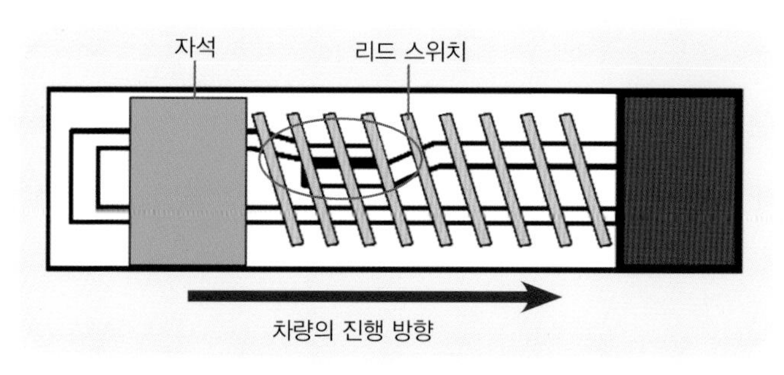

▲ 안전 센서

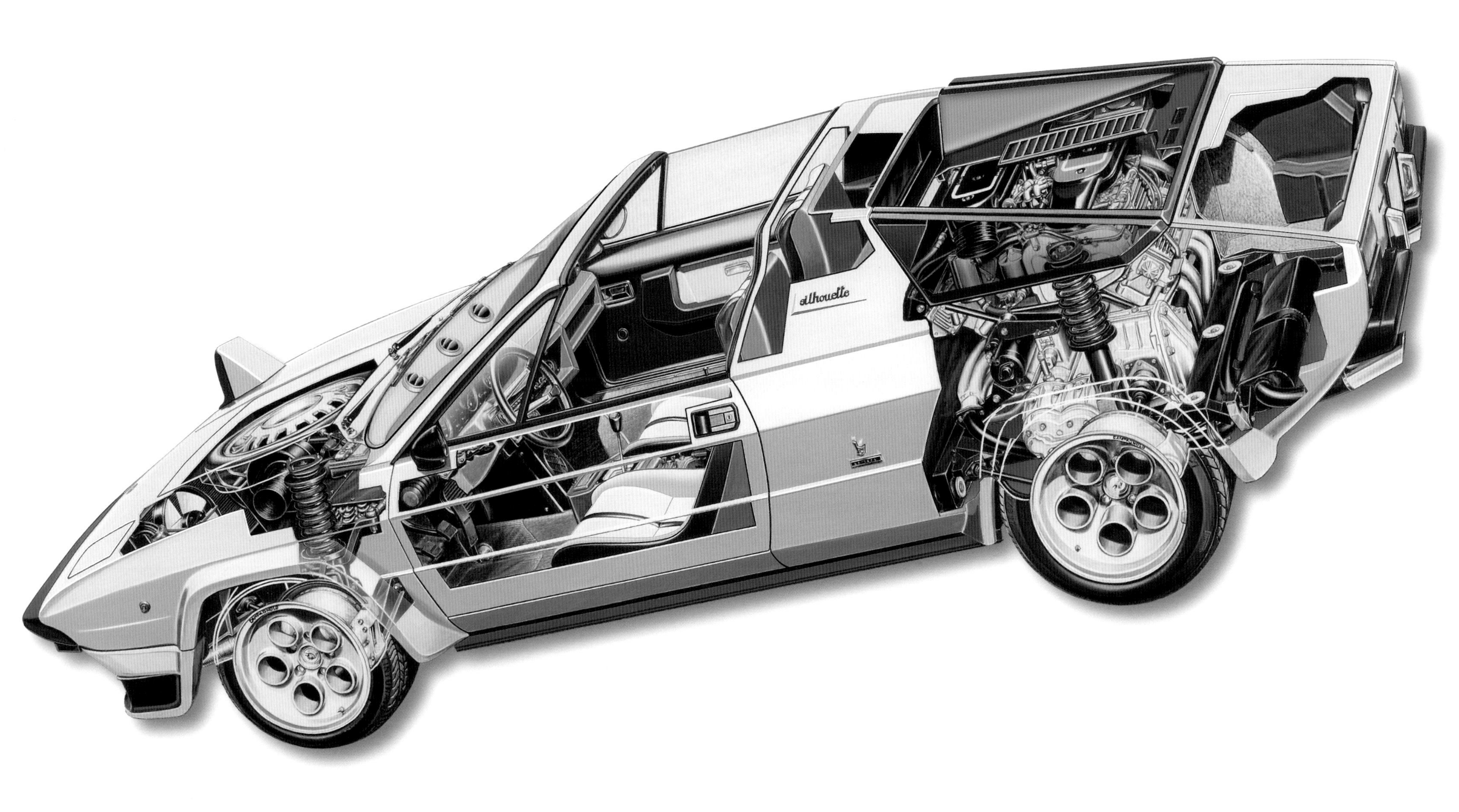

에어컨 시스템

● 디스플레이

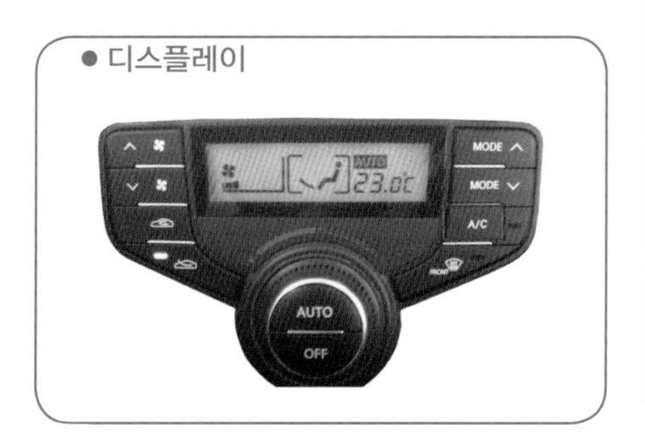

● 공기 흐름도

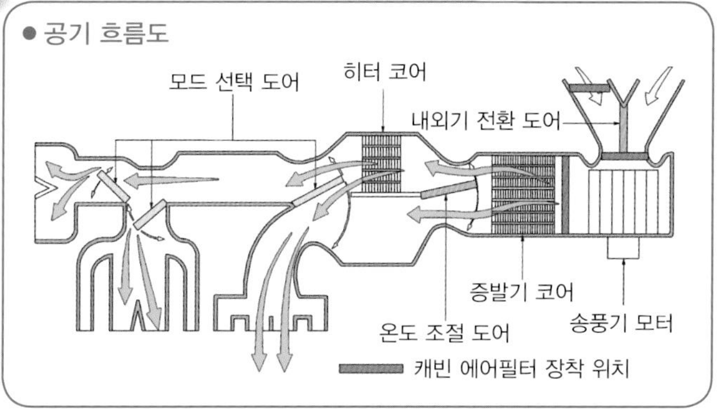

모드 선택 도어
히터 코어
내외기 전환 도어
증발기 코어
온도 조절 도어
송풍기 모터
캐빈 에어필터 장착 위치

● 냉방 시스템

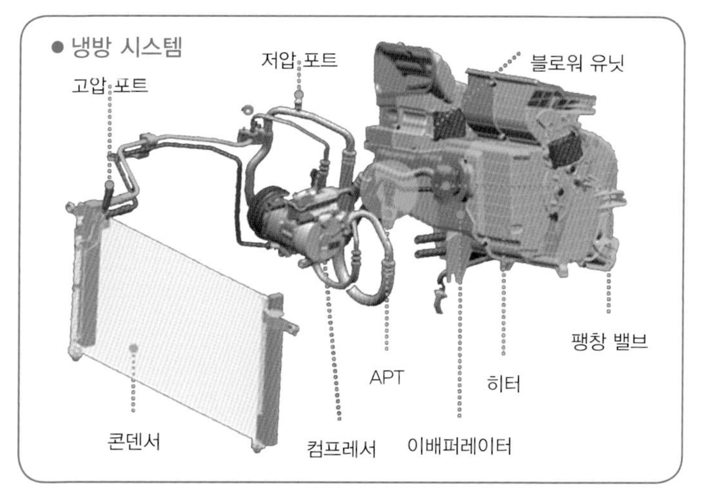

고압 포트
저압 포트
블로워 유닛
콘덴서
컴프레서
이배퍼레이터
APT
히터
팽창 밸브

● 블로워

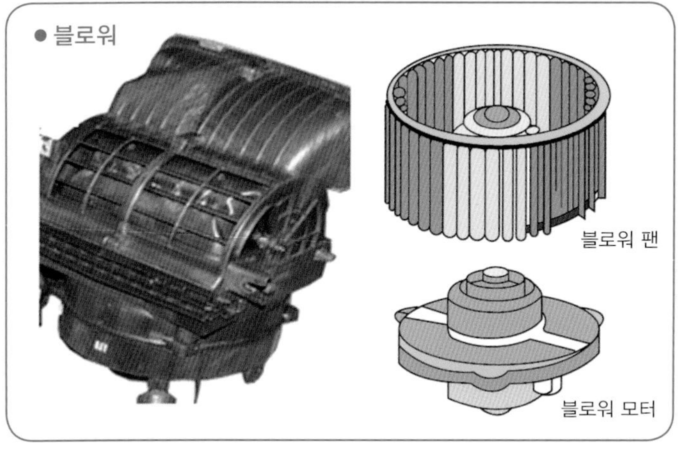

블로워 팬
블로워 모터

● 압축기의 구조

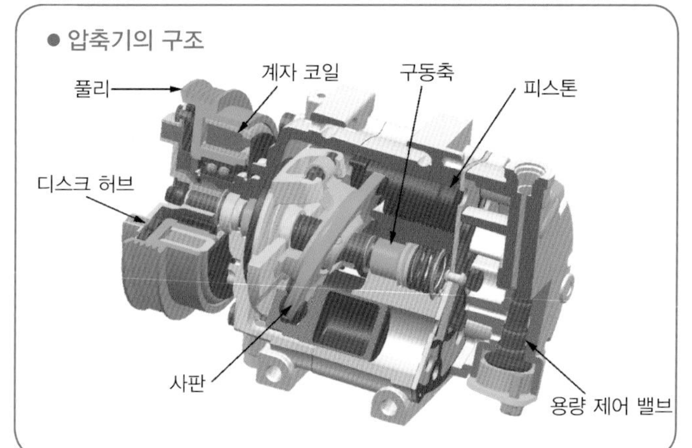

풀리
계자 코일
구동축
피스톤
디스크 허브
사판
용량 제어 밸브

● 에어컨 송풍 시스템

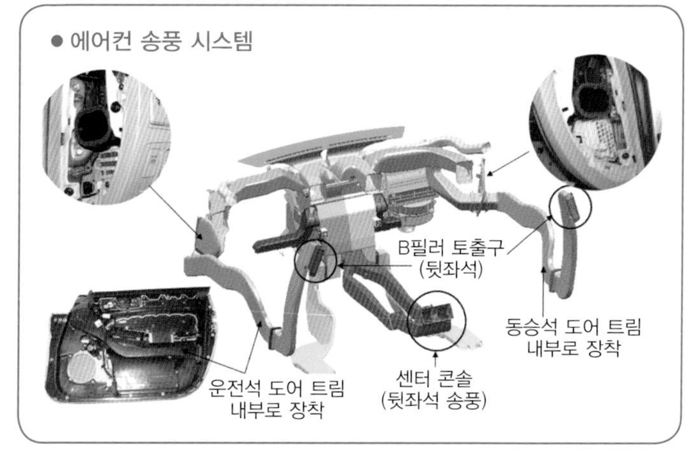

B필러 토출구
(뒷좌석)
동승석 도어 트림
내부로 장착
운전석 도어 트림
내부로 장착
센터 콘솔
(뒷좌석 송풍)

● 응축기

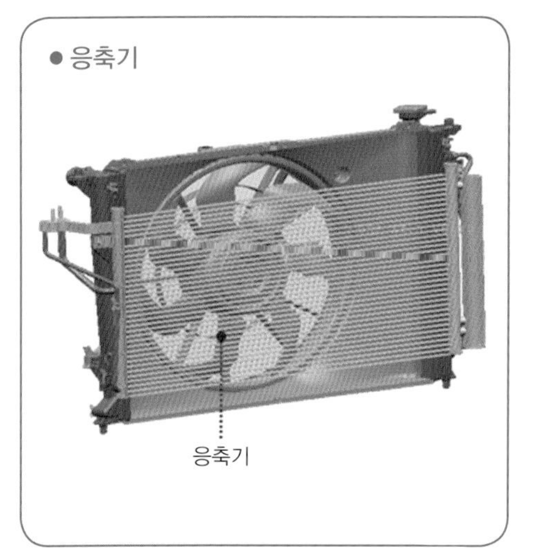

응축기

● 에어컨 시스템

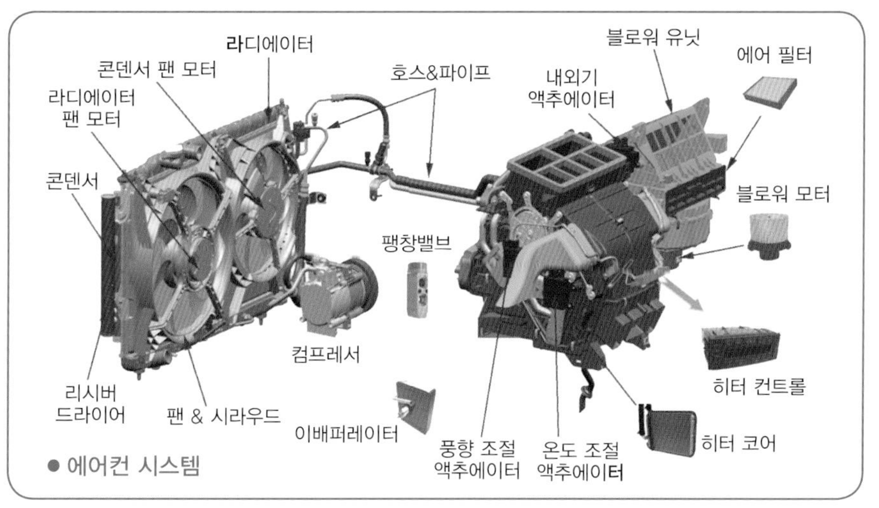

라디에이터
콘덴서 팬 모터
라디에이터
팬 모터
호스&파이프
블로워 유닛
에어 필터
내외기
액추에이터
콘덴서
블로워 모터
팽창밸브
리시버
드라이어
팬 & 시라우드
컴프레서
이배퍼레이터
풍향 조절
액추에이터
온도 조절
액추에이터
히터 코어
히터 컨트롤

● 냉방 시스템

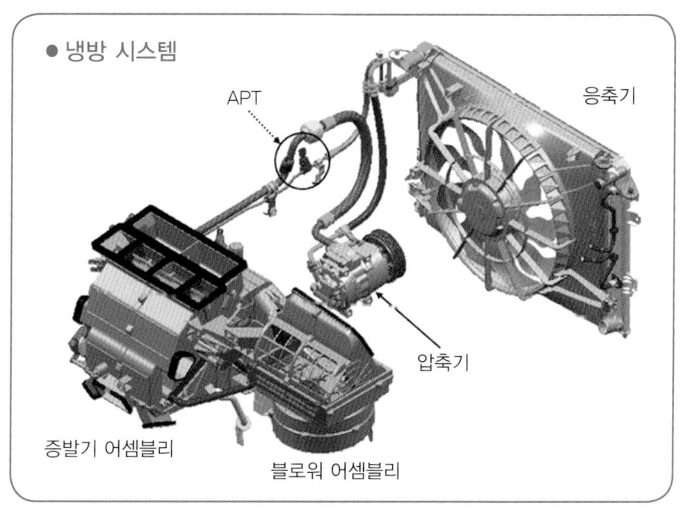

APT
응축기
증발기 어셈블리
블로워 어셈블리
압축기

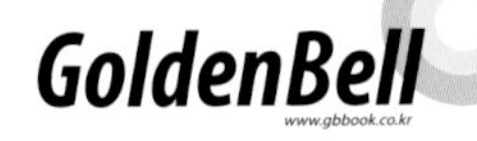

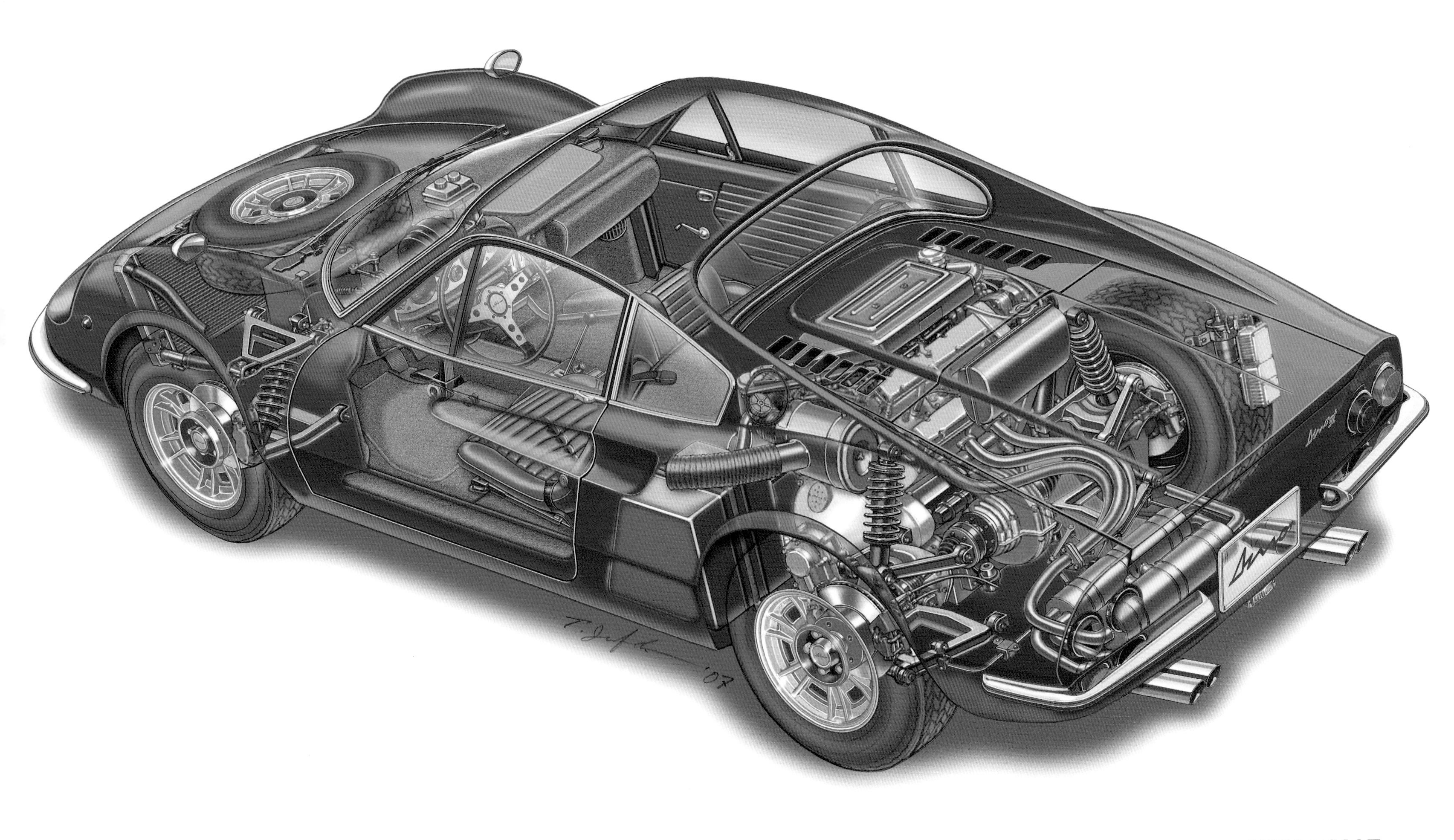

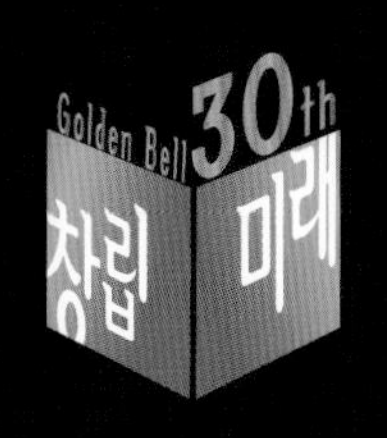

명품 자동차 투시도 77컷

정비사도 몰래 보는
누드 자동차 모니터링

초 판 발 행 2018년 1월 10일
1판 1쇄 발 행 2019년 1월 15일

기획편성 (주)골든벨R&D연구센터
펴낸이 김길현
펴낸곳 (주)골든벨
등 록 제1987-000018호 ⓒ 2017 Golden Bell
ISBN 979-11-5806-274-3
정 가 23,000원

이 책을 만든 사람들
기획 이상호
편집 및 디자인 조경미, 김한일, 김주휘, 김광수
제작진행 최병석
웹매니지먼트 안재명, 김경희
오프라인마케팅 우병춘, 강승구, 이강연
공급관리 오민석, 최레베카
회계관리 김경아, 이승희

04316 서울특별시 용산구 원효로 245(원효로 1가 53-1) 골든벨 빌딩 5~6F
TEL 영업부 02-713-4135   편집부 02-713-7452   FAX : 02-718-5510
http www.gbbook.co.kr   E-mail : 7134135@naver.com

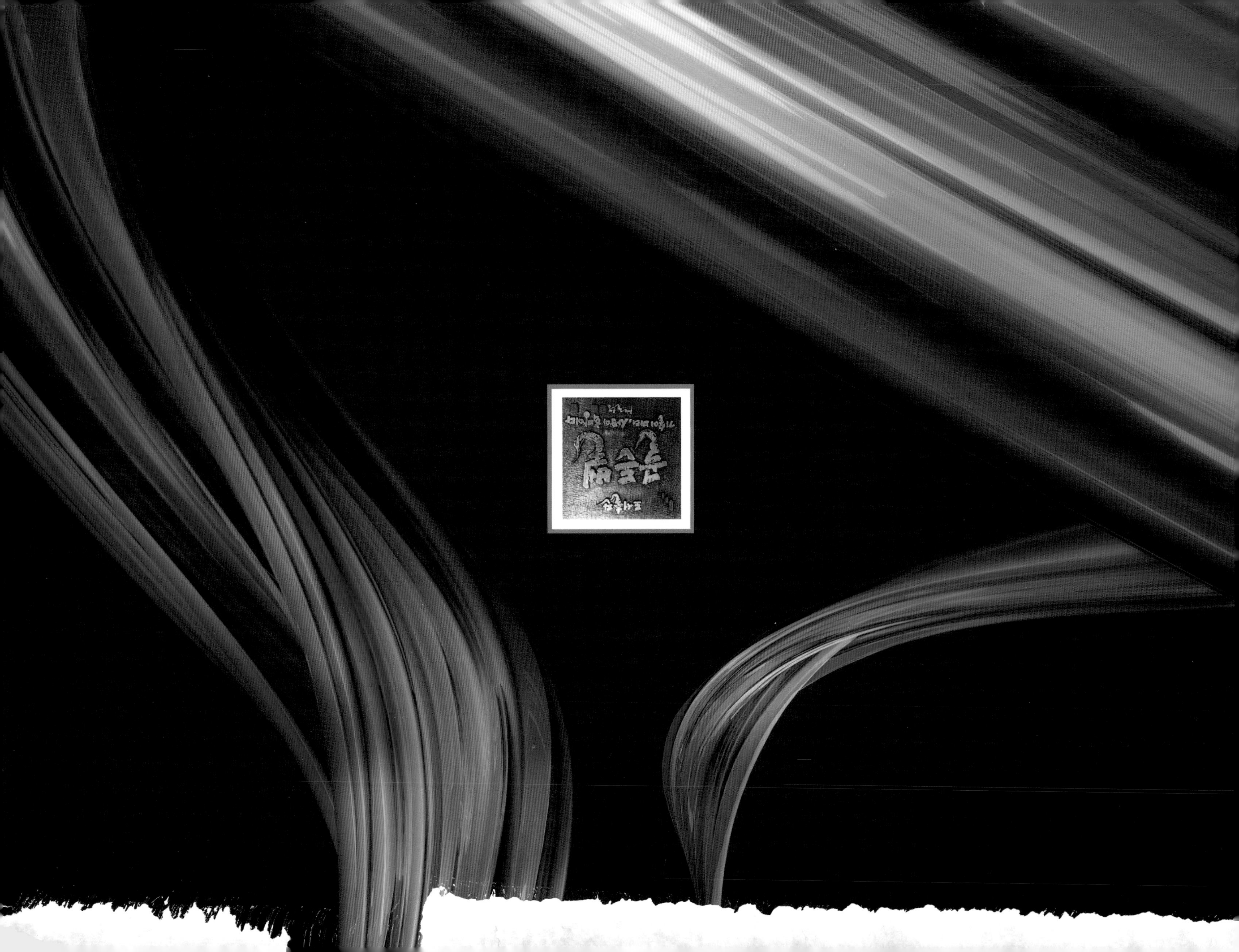